Français

LIVRE UNIQUE

Collection **Terre des Lettres**

5e

PROGRAMME
2010

Catherine HARS
Certifiée de Lettres modernes
Collège Pilâtre de Rozier (Wimille)

Véronique MARCHAIS
Agrégée de Lettres modernes
Collège l'Arche du Lude (Joué-les-Tours)

Claire-Hélène PINON
Certifiée de Lettres modernes
Académie de Paris

Avec la collaboration de
Jean-Charles BOILEVIN
Diplômé de l'École Supérieure
des Beaux-Arts de Marseille

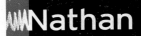

Le papier de cet ouvrage est composé
de fibres naturelles, renouvelables,
recyclables et fabriquées à partir
de bois provenant de forêts gérées de
manière responsable et durable.

© Nathan 2010
25 avenue Pierre-de-Coubertin 75013 Paris
ISBN : 978-2-09171723-4

Avant-propos

Des textes et une démarche choisis

● La collection *Terre des Lettres* se poursuit avec la même volonté d'**offrir aux élèves des textes littéraires vivants**, capables d'émouvoir à travers les siècles. Nous restons attachées à une démarche sensible et progressive, qui assure tout d'abord la compréhension littérale du texte et s'appuie sur les réactions spontanées des élèves pour conduire par degrés à une interprétation raisonnée.

● Cette rencontre avec la littérature patrimoniale se veut l'occasion de mettre en mots une certaine expérience du monde, d'y confronter la sienne, mais aussi de construire les connaissances historiques et génériques qui permettront d'**accéder à la culture commune** – en d'autres termes, de s'ouvrir au monde et de grandir.

La place de la langue

● Une partie grammaire a vu le jour. Son organisation est pensée de manière à proposer une **progression rigoureuse** des notions grammaticales, en allant du simple au complexe et en incitant à des **réinvestissements systématiques**. De nombreux liens sont établis avec les textes du manuel de façon à assurer une cohérence dans les apprentissages.

● Cette **continuité** est renforcée par un **va-et-vient constant entre les différents domaines du français** : dans l'étude des textes, la partie *Analyser* accorde une attention particulière à certains faits de langue (signalés en rouge) dont l'observation permettra une compréhension plus fine des enjeux du texte ; l'exercice d'écriture qui suit invite souvent à s'approprier telle ou telle structure par un travail d'imitation. La leçon de grammaire, quant à elle, conduit à des exercices d'écriture mettant en œuvre la notion étudiée. Nous opérons donc un **maillage constant entre une approche intuitive de la langue** au moment de la lecture et de l'écriture, **et une approche raisonnée**, développée selon une progression autonome, lors des leçons de langue.

L'écriture, enjeu majeur

● *Terre des Lettres* accorde une place particulière au travail de l'écriture, qui tend vers la même logique de progressivité et de réinvestissements des acquis. Chaque chapitre propose des **exercices courts et variés qui visent à préparer la rédaction finale** du point de vue syntaxique mais aussi lexical.

● Ce travail est repris et enrichi en fin de chapitre, une page de langue (« Grammaire pour écrire ») venant remobiliser les structures syntaxiques manipulées au fil des textes et fournir les éléments de grammaire de texte nécessaires à la réussite de la rédaction. L'écriture devient ainsi une **pratique quasi-quotidienne au croisement de la grammaire et de la lecture**.

Les auteurs

Sommaire

Partie I. Récits d'aventures

1 Le roman d'aventures

▶ **Découvrir les codes du roman d'aventures**

Repères Le XIXᵉ siècle,
âge d'or du roman d'aventures 14

Textes et images

1. « Une attaque de dinosaure »,
Le Monde perdu, A. Conan Doyle 16

Étude de l'image *Surpris* !
Douanier Rousseau 19

2. « Un spectacle inattendu »,
Voyage au centre de la Terre, J. Verne 20

3. « La mort d'un Titan »,
Le *Vicomte de Bragelonne*, A. Dumas 22

4. « Chez Fagin », *Oliver Twist*, Ch. Dickens . . . 25

5. « À la recherche du sentier perdu »,
Le Grand Meaulnes, Alain-Fournier 28

Synthèse Les caractéristiques
du roman d'aventures 31

Histoire des arts Photographie
et cinéma, arts de la mise en scène 32

Langue et expression

• Vocabulaire : La nature 34

• Grammaire pour écrire :
Faire une description expressive 35

• Écriture : Décrire un lieu propice
à l'aventure 36

À lire & à voir 37

2 Voyages pour grandir

▶ Comprendre le rôle
initiatique de l'aventure

Textes et images

1. « Un certain Vendredi »,
Robinson Crusoé, D. Defoe 40
2. « Une nouvelle vie »,
Vendredi ou la Vie sauvage, M. Tournier 42
3. « Un capitaine de douze ans »,
L'Île au trésor, R. L. Stevenson 44
4. « Faits comme des rats ! »,
Voyage au centre de la Terre, J. Verne 47
5. « La remontée »,
Voyage au centre de la Terre, J. Verne 50
6. « Ce que j'ai fait »,
Terre des hommes, A. de Saint-Exupéry 54

Étude de l'image *La Mer de Glace*,
C. D. Friedrich 56

Synthèse Le récit d'aventures,
un récit initiatique 57

Langue et expression
- Vocabulaire : Les émotions 58
- Grammaire pour écrire :
Mettre en valeur l'action d'un récit 59
- Écriture : Raconter une scène
d'aventure 60

À lire & à voir 61

3 Chevaliers dans la bataille

▶ Découvrir le langage symbolique
de l'univers médiéval

Repères Le temps de la chrétienté 64

Textes et images

1. « La bête de l'Apocalypse »,
Bible de Jérusalem 66

Étude de l'image *Saint Georges
et le Dragon*, P. Uccello 67

2. « Saint Georges et le dragon »,
La Légende dorée, J. de Voragine 68
3. « Yvain et le lion », *Yvain, le Chevalier
au lion*, Chrétien de Troyes 70
4. « Roland refuse de sonner du cor »,
La Chanson de Roland 72
5. « La bataille de Roncevaux »,
La Chanson de Roland 75
6. « Roland sonne du cor »,
La Chanson de Roland 78
7. « La bataille du gouffre de Helm »,
Le Seigneur des anneaux, J. R. R. Tolkien 82

Synthèse La chanson de geste 85

Histoire des arts
L'art de l'enluminure 86

Langue et expression
- Vocabulaire : La société chrétienne
et féodale 88
- Grammaire pour écrire :
S'initier au style épique 89
- Écriture : Faire le récit
d'un affrontement 90

À lire & à voir 91

4 À la cour du roi Arthur

▶ **Découvrir l'idéal chevaleresque**

Repères Les légendes arthuriennes 94

Textes et images

1. « Le philtre », *Tristan et Iseut*, J. Bédier 96

2. « La fuite dans le Morrois »,
Le Roman de Tristan, Béroul 99

3. « L'avènement d'Arthur »,
Merlin l'Enchanteur, R. de Boron 102

4. « La fondation de la Table ronde »,
Merlin l'Enchanteur, R. de Boron 105

5. « Perceval le Gallois », *Perceval
ou le Conte du Graal*, Chrétien de Troyes 108

6. « Perceval devient chevalier »,
Perceval ou le Conte du Graal,
Chrétien de Troyes 111

7. « Le Pont de l'épée », *Lancelot
ou le Chevalier à la Charrette*,
Chrétien de Troyes 114

Étude de l'image Photographie
du film *Excalibur*, de J. Boorman 117

8. « La rencontre avec Laudine », *Yvain,
le Chevalier au Lion*, Chrétien de Troyes . . . 118

9. « La mort d'Arthur », anonyme 120

Synthèse La littérature courtoise 123

Histoire des arts Le jardin médiéval 124

Langue et expression

• **Vocabulaire** : L'univers du chevalier 126

• **Grammaire pour écrire** : Enchaîner
les actions dans un récit 127

• **Écriture** : Faire le récit d'une épreuve 128

À lire & à voir 129

5 Le Roman de Renart

▶ **Étudier un roman satirique
du Moyen Âge**

Repères Renart et son temps 132

Textes et images

1. « La première aventure de Renart » 134

Étude de l'image Le roi Noble et sa cour,
enluminure du *Roman de Renart* 137

2. « Renart et Tiécelin » 138

3. « Renart et Hersent » 142

4. « Ysengrin se fait moine » 144

5. « La pêche à la queue » 147

6. « Renart jongleur » 149

7. « Le jugement de Renart » 152

Synthèse Une œuvre populaire
du Moyen Âge 155

Langue et expression

• **Vocabulaire** : Rire, ruse et flatterie 156

• **Grammaire pour écrire** : Introduire
le dialogue dans un récit 157

• **Écriture** : Rédiger la suite
d'une aventure de Renart 158

À lire & à voir 159

6 *Gargantua*, de Rabelais

▶ **Découvrir l'idéal humaniste**

Repères L'humanisme
et la Renaissance 162

Textes et images

Lecture suivie : *Gargantua*, de François Rabelais
1. « La naissance de Gargantua » 164
2. « L'éducation de Gargantua » 165
3. « Un voisin belliqueux :
Picrochole » 168
4. « Frère Jean des Entommeures » 170
5. « La fin des guerres picrocholines » 172

Étude de l'image Nicolas Neufchatel,
Johannes Neudörfer et son fils 174

Synthèse L'humanisme de Rabelais 175

Histoire des arts Léonard de Vinci
et l'humanisme 176

Langue et expressionn
• Vocabulaire : La vie matérielle 178
• Grammaire pour écrire : Faire le récit
d'habitudes 179
• Écriture : Décrire une journée
heureuse 180

À lire & à voir 181

7 Farces et fabliaux

▶ **Étudier les codes de la farce,
du Moyen Âge à nos jours**

Repères Du théâtre religieux
à la farce 184

Textes et images

1. « Brunain, la vache au prêtre »,
fabliau de Jean Bodel 186
2. « Bêê ! », *La Farce de maître Pathelin*,
anonyme 188

Lecture d'œuvre intégrale :
La Farce du Cuvier, anonyme
3. « La complainte de Jacquinot »,
scène 1 190
4. « Des corvées encore et toujours »,
scène 2 191

Étude de l'image *Le Combat de Carnaval
et de Carême*, de Bruegel l'Ancien 193
5. « Un sauvetage bien négocié »,
scènes 3 et 4 194
6. Texte intégral : *Le Gora*,
saynète de G. Courteline 197

Synthèse Farce et fabliau :
deux genres comiques populaires 201

Langue et expression
• Vocabulaire : La vie quotidienne
au Moyen Âge 202
• Grammaire pour écrire :
Écrire un dialogue de théâtre 203
• Écriture : Écrire une farce
à l'imitation du *Cuvier* 204

À lire & à voir 205

8 Scapin et autres valets

▶ **Entrer dans l'univers de la comédie classique**

Repères Aller au théâtre
au XVIIe siècle 208

Textes et images

Lecture suivie :
Les Fourberies de Scapin, de Molière

1. « Fâcheuses nouvelles... ! »
(Acte I, scène 1) 210

2. « Une arrivée propice » (Acte I, scène 2) . . 212

3. « Que diable allait-il faire
dans cette galère ? » (Acte II, scène 7) 214

4. « Des coups de bâton bien comptés »
(Acte III, scène 2) 217

5. « Moi, l'épouser ? »,
L'École des mères, Marivaux 220

6. « Une carrière bien mouvementée »,
Le Barbier de Séville, Beaumarchais 222

Étude de l'image *Scène de comédie,*
H. Daumier 224

Synthèse Le valet de comédie 225

Histoire des arts Art et pouvoir
au XVIIe siècle 226

Langue et expression

● **Vocabulaire :** La langue de Molière 228

● **Grammaire pour écrire :**
Rédiger un dialogue théâtral 229

● **Écriture :** Ajouter une scène
aux *Fourberies de Scapin* 230

À lire & à voir 231

9 La poésie, entre règles et liberté

▶ **Découvrir les différentes formes poétiques**

Repères L'évolution
des formes poétiques 234

Textes et images

■ **Les variations du vers**

1. « Le héron », *Fables,*
J. de La Fontaine 236

2. « Perrette et le Pot au lait » *Fables,*
J. de La Fontaine 238

3. « Le pont Mirabeau », *Alcools,*
G. Apollinaire 240

4. « Sables mouvants »,
Paroles, J. Prévert 242

■ **Les formes fixes**

5. « Faites mourir mon cœur »,
G. de Machaut 244

6. « Rondeau », *Poésies nouvelles,*
A. de Musset 245

7. « Fantaisie », *Odelettes,*
G. de Nerval 246

8. « Comme on voit sur la branche... »,
Sur la mort de Marie, P. de Ronsard 248

9. « Harmonie du soir »,
Les Fleurs du mal, Ch. Baudelaire 250

■ **Une poésie qui se libère des modèles**

10. « Ma bohème », *Poésies,*
A. Rimbaud 252

11. « La vie à côté »,
Le Collier de griffes, Ch. Cros 254

12. « Les vers à soie », *Les Animaux
de tout le monde,* J. Roubaud 256

13. « Soleils couchants »,
Poèmes saturniens, P. Verlaine 258

Étude de l'image *Les Nymphéas,*
Cl. Monet 259

14. « Le grand combat », *Qui je fus,*
H. Michaux 260

Synthèse

1. Les formes poétiques 262
2. Le langage de la poésie 263

Langue et expression
- Vocabulaire : Exprimer
les sentiments 264
- Grammaire pour écrire :
S'initier au langage poétique 265
- Écriture : Composer un poème 266

À lire & à voir 267

Index des notions 378
Index des auteurs 380
Index des œuvres littéraires 380
Index des artistes 381

Histoire des arts

B. O. n°32 du 28 août 2008

■ **CHAPITRE 1**
**Photographie et cinéma,
arts de la mise en scène** 32
▶ La photographie, regard sur le monde
▶ Le cinéma, héritier de plusieurs arts

■ **CHAPITRE 3**
L'art de l'enluminure 86
▶ L'enluminure, art des moines copistes
▶ Des images aux fonctions multiples

■ **CHAPITRE 4**
**Le jardin médiéval,
un espace symbolique** 124
▶ Le jardin religieux
▶ Le jardin d'agrément, un paradis retrouvé

■ **CHAPITRE 6**
Léonard de Vinci et l'humanisme 176
▶ Un esprit curieux de tout
▶ La Renaissance : une nouvelle perspective

■ **CHAPITRE 8**
Art et pouvoir au XVIIᵉ siècle 226
▶ Un roi mécène
▶ La mise en scène du Roi-Soleil

Étude de la langue

Grammaire

▶ Les éléments de la phrase

1 Les mots variables 270
2 Les mots invariables 272
3 Le verbe 274
4 Les déterminants 276
5 Les pronoms personnels, possessifs
et démonstratifs 278
6 La phrase 280
7 Phrase simple, phrase complexe 282

▶ Le verbe et le groupe verbal

8 La fonction sujet 284
9 Voix active, voix passive 286
10 La fonction complément d'objet 287
11 La fonction attribut du sujet 290
12 La fonction complément circonstanciel . . 292
13 L'analyse grammaticale 295
14 L'interrogation 298
15 La négation 300

▶ Le groupe nominal étendu

16 Les expansions du nom 302
17 Les degrés de l'adjectif 304
18 Les pronoms relatifs 306
19 La proposition subordonnée relative . . . 308

▶ La phrase complexe

20 Les propositions dans la phrase
complexe 310
21 La proposition subordonnée conjonctive . 312
22 Le discours direct 314
23 La subordonnée interrogative indirecte . . 316
24 L'analyse logique 318

Orthographe

25 L'accord du verbe avec son sujet 320
26 Les accords du participe passé 322

27 L'accord de l'adjectif qualificatif 324
28 Homophones liés au verbe *être* 326
29 Homophones liés au verbe *avoir* 327
30 Homophones liés à un déterminant 330
31 Homophones liés à un pronom 332
32 La ponctuation du dialogue 334
33 La virgule 335

Conjugaison

34 Infinitif, auxiliaire et participe passé 336
35 Le mode indicatif 338
36 Le présent de l'indicatif 340
37 La transformation passive 342
38 Imparfait et plus-que-parfait
de l'indicatif 344
39 Le futur et le conditionnel 346
40 Le passé simple
et le passé antérieur 348
41 Le mode impératif 350
42 Le mode subjonctif 352
43 Employer l'imparfait
et le passé simple 354
44 Les emplois du conditionnel 356
45 Les modes non personnels 358

Vocabulaire

46 L'histoire des mots 360
47 La formation des mots 362
48 Le sens des mots 364
49 Les figures de style 366

Tableaux

● Mots variables et invariables 368
● Déterminants et pronoms 369
● Les fonctions grammaticales 371
● Principaux préfixes et suffixes 372
● Règles d'orthographe d'usage 374

Et retrouvez également dans les chapitres

Vocabulaire

- La nature 34
- Les émotions 58
- La société chrétienne et féodale 88
- L'univers du chevalier 126
- Rire, ruse et flatterie 156
- La vie matérielle 178
- La vie quotidienne au Moyen Âge 202
- La langue de Molière 228
- Exprimer les sentiments 264

Grammaire pour écrire

- Faire une description expressive 35
- Mettre en valeur l'action d'un récit 59
- S'initier au style épique 89
- Enchaîner les actions dans un récit 127
- Introduire le dialogue dans un récit 157
- Faire le récit d'habitudes 179
- Écrire un dialogue de théâtre 203
- Rédiger un dialogue théâtral 229
- S'initier au langage poétique 265

Écriture

- Décrire un lieu propice à l'aventure 36
- Raconter une scène d'aventure 60
- Faire le récit d'un affrontement 90
- Faire le récit d'une épreuve 128
- Rédiger la suite d'une aventure de Renart . 158
- Décrire une journée heureuse 180
- Écrire une farce à l'imitation du *Cuvier* 204
- Ajouter une scène aux *Fourberies de Scapin* 230
- Composer un poème 266

1

Le roman d'aventures

▶ **Découvrir les codes du roman d'aventures**

Repères Le XIXᵉ siècle, âge d'or du roman d'aventures 14

Textes et images

1. « Une attaque de dinosaure », *Le Monde perdu*, Arthur Conan Doyle 16
Étude de l'image : *Surpris* ! tableau du douanier Rousseau 19
2. « Un spectacle inattendu », *Voyage au centre de la Terre*, Jules Verne 20
3. « La mort d'un Titan », *Le Vicomte de Bragelonne*, Alexandre Dumas 22
4. « Chez Fagin », *Oliver Twist*, Charles Dickens 25
5. « À la recherche du sentier perdu », *Le Grand Meaulnes*, Alain-Fournier 28

Synthèse Les caractéristiques du roman d'aventures 31

Histoire des arts Photographie et cinéma, arts de la mise en scène 32

Langue et Expression
• Vocabulaire : La nature 34
• Grammaire pour écrire : Faire une description expressive 35
• Écriture : Décrire un lieu propice à l'aventure 36

À lire & à voir 37

Couverture du ***Tour du monde en quatre-vingts jours***,
roman de Jules Verne, éditions Hetzel, fin XIXᵉ siècle.

Lire une image

1. À quelle époque situez-vous cette illustration ?
2. Que vous inspire le titre de ce roman ?
3. Cette illustration correspond-elle à l'idée que vous vous faites de l'aventure ?
   Pourquoi ?

Le XIXe siècle, âge d'or du roman d'aventures

Un bateau à vapeur,
lithographie du XIXe siècle (Paris,
Bibliothèque nationale de France).

Questions

1 Observez le document
ci-dessus : quelles applications de
la machine à vapeur permettent le
développement, au XIXe siècle, des
communications et du commerce ?

2 Citez d'autres découvertes
du XIXe siècle.

La révolution industrielle du XIXe siècle

● Au XIXe siècle, **les progrès scientifiques et techniques** transforment profondément la vie quotidienne : **la machine à vapeur permet l'essor de l'industrie et du commerce** ; les découvertes de la médecine (**Pasteur** met au point les premiers vaccins) font reculer la mortalité ; l'électricité et l'automobile font leur apparition.

● La recherche scientifique connaît des avancées considérables : Mendel découvre les lois de la génétique, Darwin élabore la théorie de l'évolution, on classifie les espèces vivantes, on explore la planète... L'**optimisme** règne donc en ce XIXe siècle, fondé sur la **certitude que ces progrès seront bénéfiques pour l'humanité**.

● Mais l'industrialisation, qui entraîne un développement des villes, s'accompagne aussi de l'accroissement de la **misère d'une partie de la population : les ouvriers**. Leur condition déplorable est décrite par des écrivains de l'époque, comme **Charles Dickens** ou **Victor Hugo**.

Les romans-feuilletons

● Le XIXe siècle est souvent considéré comme **l'âge d'or du roman** : l'édition est devenue **une véritable industrie** et **la presse** va jouer un grand rôle dans la démocratisation du roman. En effet, bien des auteurs publient leurs œuvres dans les journaux sous forme de **feuilletons** : Alexandre Dumas, Jules Verne, Charles Dickens, Robert Louis Stevenson...

● Afin de tenir le lecteur en haleine, le récit est tout entier tourné vers l'action. Les conventions de **ce qu'on appellera**, à partir de **1865, le « roman d'aventures »**, se mettent en place.

Questions

3 À votre avis, quel peut être l'intérêt d'un journal à publier un roman en feuilletons ?

4 Quelles seront les qualités recherchées pour le texte publié ?

À la une du *Journal des romans populaires illustrés* :
***les Trois Mousquetaires**, d'Alexandre Dumas*
(ill. d'Eugène Damblans, vers 1910)

Décor du film
Voyage dans la lune,
de Georges Méliès (1902).

Les romans d'aventures

Le roman d'aventures s'empare de tous les motifs propres à faire rêver.

• Avec **Alexandre Dumas** (1802-1870), **le roman historique** se nourrit des anecdotes de l'Histoire.

• **Robert Louis Stevenson** (1850-1894) remet au goût du jour les **récits de voyage et de piraterie** ; il s'inscrit ainsi dans la lignée de **Daniel Defoe**, le père de *Robinson Crusoé*.

• **Jules Verne** (1828-1905), dont les héros sont souvent des savants ou des inventeurs, témoigne de la confiance de son époque en la science. Cet ingénieur, qui a passé son temps à imaginer des machines très en avance sur son époque et des voyages tous plus fabuleux les uns que les autres, est considéré comme le père de la **science-fiction**.

• Plus **réaliste**, un écrivain comme **Charles Dickens** fait de **la ville** et de toutes les rencontres qu'elle permet le cadre privilégié de l'aventure.

Question

5 Cherchez le titre de trois romans de Jules Verne : que vous évoquent-ils ?

1800

1783
1er vol en montgolfière par Pilâtre de Rozier

1829
Niépce et Daguerre découvrent la photographie

1830
Premiers chemins de fer

1837-39
Publication en feuilleton d'*Oliver Twist*, de Dickens

1850

1859
Publication de *L'Origine des espèces* par Darwin

1865 : publication du roman de Jules Verne, *De la Terre à la Lune*

1876 : invention du téléphone par Bell

1887 : 1er vaccin contre la rage

1900

Une attaque de dinosaure

Le narrateur, Edward Malone, un jeune journaliste, fait partie d'une équipe de scientifiques dont le but est d'explorer une terre perdue au cœur de l'Amazonie, la terre de Maple White. Cet endroit mystérieux n'aurait pas suivi la même évolution que le reste de la planète et abriterait toute une faune préhistorique.

Arthur Conan Doyle
(1859-1930)
Le père du célèbre détective Sherlock Holmes est un médecin écossais ; passionné par les sciences et les énigmes en général, il crée des personnages à la fois savants et aventuriers, comme le professeur Challenger, présent dans nombre de ses récits.

Tout le jour nous demeurâmes au camp. Lord John s'occupa à élever la hauteur et à renforcer l'épaisseur des murailles épineuses qui étaient notre unique protection. Je me rappelle que ce jour-là j'eus constamment l'impression que nous étions épiés ; mais je ne savais ni d'où ni par quel
5 observateur.

Cette impression était cependant si forte que j'en parlai au Pr Challenger, mais celui-ci la porta au crédit d'une excitation cérébrale causée par la fièvre[1]. À chaque instant, je regardais autour de nous, j'étais persuadé que j'allais apercevoir quelque chose ; en fait, je ne distinguais que le bord de
10 notre clôture ou le toit de verdure un peu solennel des arbres au-dessus de nos têtes. Et cependant, de plus en plus, mon sentiment se fortifiait : nous étions guettés par une créature malveillante et guettés de très près. Je méditai sur la superstition des Indiens relative à Curupuri, ce génie terrible errant dans les bois, et je commençai à me dire que sa présence sinistre devait han-
15 ter tous ceux qui envahissaient son sanctuaire[2].

Au soir de notre troisième jour sur la terre de Maple White, nous fîmes une expérience qui nous laissa un souvenir effroyable, et nous rendîmes grâce à lord John de ce qu'il avait fortifié notre refuge. Tous nous dormions autour de notre feu mourant quand nous fûmes réveillés, ou plutôt arrachés
20 brutalement de notre sommeil, par une succession épouvantable de cris de terreur et de hurlements. Il n'y a pas de sons qui puissent se comparer à ce concert étourdissant qui semblait se jouer à quelques centaines de mètres de nous. C'était aussi déchirant pour le tympan qu'un sifflet de locomotive, mais le sifflet émet un son net, mécanique, aigu ; ce bruit était beaucoup
25 plus grave, avec les vibrations qui évoquaient irrésistiblement les spasmes[3] de l'agonie[4]. Nous plaquâmes nos mains contre les oreilles afin de ne plus entendre cet appel qui nous brisait les nerfs. Une sueur froide coula sur mon corps et mon cœur se souleva. Tous les malheurs d'une vie torturée, toutes ses souffrances innombrables et ses immenses chagrins semblaient conden-
30 sés dans ce cri mortel. Et puis une octave plus bas se déclencha et roula par saccades une sorte de rire caverneux, un grondement, un gloussement de gorge qui servit d'accompagnement grotesque au hurlement. Ce duo se prolongea pendant trois ou quatre minutes, pendant que s'agitaient dans les feuillages les oiseaux étonnés. Il se termina aussi brusquement qu'il avait
35 commencé. Nous étions horrifiés, et nous demeurâmes immobiles jusqu'à ce que lord John jetât sur le feu quelques brindilles ; leur lumière crépitante éclaira les visages anxieux de mes compagnons, ainsi que les grosses branches qui nous abritaient.

1. Le narrateur est fiévreux. Le professeur Challenger met donc son excitation sur le compte de la fièvre.

2. Sanctuaire : lieu à caractère sacré.

3. Spasme : sursaut, convulsion.

4. Agonie : moment qui précède la mort.

– Qu'est-ce que c'était ?
40 chuchotai-je.

– Nous le saurons ce matin, répondit lord John. C'était tout près.

– Nous avons eu le pri-
45 vilège d'entendre une tragédie préhistorique, quelque chose d'analogue aux drames qui se dérou-laient parmi les roseaux au
50 bord d'un lagon jurassique[5], lorsqu'un grand dragon par exemple s'abattait sur un plus petit, nous dit Chal-lenger d'une voix beaucoup
55 plus grave qu'à l'accoutu-mée. Cela a été une bonne chose pour l'homme qu'il vienne plus tard dans l'ordre de la création ! Dans les pre-

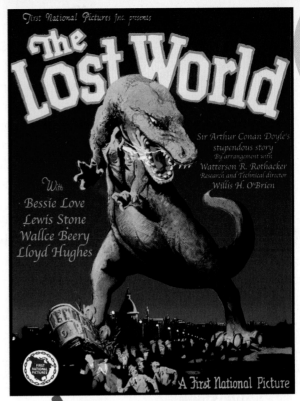

Affiche du film *Le Monde perdu* de Harry O. Hoyt (1925).

60 miers âges, il existait des puissances telles que ni son intelligence ni aucune technique n'auraient su prévaloir. Qu'auraient pu sa fronde, son gourdin ou ses flèches contre des forces dont nous venons d'entendre le déchaînement ? Même avec un bon fusil, je parierais sur le monstre.

– Je crois que, moi, je parierais sur mon petit camarade, dit lord John en
65 caressant son Express[6]. Mais la bête aurait certainement une bonne chance !

Summerlee leva la main en l'air :

– Chut ! J'entends quelque chose…

Du silence total émergea un tapotement pesant et régulier. C'était le pas d'un animal : le rythme lourd et doux à la fois de pas précautionneux.
70 Il tourna lentement autour de notre campement, s'arrêta près de l'entrée. Nous entendîmes un sifflement sourd qui montait et redescendait, le souffle de la bête. Seule notre faible clôture nous séparait de ce visiteur nocturne. Nous avions tous empoigné un fusil, et lord John avait légèrement écarté un buisson pour se tailler un créneau dans la clôture.

75 – Mon Dieu ! murmura-t-il. Je crois que je le vois !

Je m'accroupis et rampai jusqu'à lui ; par-dessus son épaule, je regardai par le trou. Oui, moi aussi je le voyais ! Dans l'ombre noire de l'arbre à épices se tenait une ombre plus noire encore, confuse, incomplète, une forme ramassée, pleine d'une vigueur sauvage. Elle n'était pas plus haute qu'un
80 cheval, mais son profil accusait un corps massif, puissant. Cette palpitation sifflante, aussi régulière qu'un moteur, suggérait un organisme monstrueu-sement développé. Une fois, je pense, je vis la lueur meurtrière, verdâtre, de ses yeux. Il y eut un bruissement de feuillages, comme si l'animal rampait lentement vers nous.

85   […]

5. Jurassique : période de la Préhistoire qui se situe il y a 200 millions d'années.

6. Express : marque de revolver.

– S'il saute par-dessus la haie, nous sommes faits ! dit Summerlee, dont la voix mourut dans un rire nerveux.

– Bien sûr, il ne faut pas qu'il saute ! fit lord John. Mais ne tirez pas encore. Je vais peut-être avoir raison de cette brute. En tout cas, je vais essayer.

90 Il accomplit l'action la plus courageuse que jamais homme risqua devant moi. Il se pencha vers le feu, prit une branche enflammée et se glissa à travers une ouverture de secours qu'il avait aménagée dans la porte. La bête avança avec un grognement terrifiant. Lord John n'hésita pas une seconde, il courut vers elle et lui jeta à la gueule le brandon[7] enflammé. L'espace d'une 95 seconde, j'eus la vision d'un masque horrible, d'une tête de crapaud géant, d'une peau pleine de verrues, d'une bouche dégouttante de sang frais. Aussitôt les fourrés retentirent de craquements, et l'apparition sinistre s'évanouit.

> ARTHUR CONAN DOYLE (1859-1930), *Le Monde perdu* (1929), trad. Gilles Vauthier
> © Robert Laffont, coll. « Bouquins », 1989.

7. brandon : torche, flambeau.

Lecture

→ Comprendre

1. Qui sont les différents personnages ?

2. Qu'est-ce qui crée un sentiment d'inquiétude au début du texte ?

3. Que se passe-t-il le troisième soir de leur séjour à Maple White ?

4. Relevez les deux passages dans lesquels le narrateur décrit la bête.

5. Quelle action héroïque lord John Roxton accomplit-il ?

→ Analyser

6. a. Relevez la phrase qui montre les difficultés du narrateur pour décrire les cris entendus.

b. Quelle comparaison (→ p. 366) le narrateur emploie-t-il pour tenter de nous décrire le premier cri, puis le deuxième ?

7. Quel est le COD (→ p. 287) du verbe *évoquer* (lignes 25-26) ? Que suggère cette expression ?

8. Relevez des lignes 16 à 38 toutes les expressions qui évoquent la peur des personnages.

→ Interpréter

9. Comment l'auteur s'y prend-il pour mettre en place la montée de la peur ?

10. Des lignes 44 à 46, quel ton le professeur Challenger emploie-t-il pour éclairer ses compagnons sur l'origine des cris entendus ?

11. En quoi la réflexion de Challenger (l. 44 à 63) contribue-t-elle à accroître le sentiment de peur ?

12. Lequel des personnages se comporte de la manière la plus adaptée à la situation ? Justifiez votre réponse en relevant ses actions ou ses paroles.

Vocabulaire

13. Cherchez dans un dictionnaire la définition du verbe *guetter*, et donnez un mot de la même famille.

14. Donnez un nom et un adverbe de la même famille que chacun de ces adjectifs :

effroyable, épouvantable, terrible, horrible.

Expression écrite

▌ Sujet

Vous campez avec quelques amis et en pleine nuit, vous êtes réveillés par un bruit... Racontez.

▌ Conseils

• Vous commencerez par la phrase suivante : « Au cœur de la nuit, nous fûmes réveillés par..., qui... »

• Vous emploierez le vocabulaire appartenant au champ lexical de la peur.

• Vous décrirez précisément ce bruit en employant la comparaison.

▌ Exercices de préparation

❶ Voici des mots pour décrire des bruits. Classez-les selon qu'ils expriment une impression positive ou négative.

mélodieux – aigre – funèbre – envoûtant – enchanteur – nasillard – discordant – lancinant – lugubre – criard – sépulcral – grinçant.

❷ Trouvez un complément du nom qui convienne à chacun de ces termes.

le clapotis – le grondement – le vacarme – le bruissement – le murmure – le tintamarre – le sifflement – le roulement – le tintement – le fracas – le froissement.

Henri Rousseau, *Surpris !* **(1891)**, huile sur toile, 162 x 130 cm (Londres, National Gallery).

Lire une image

Henri Rousseau (1844-1910), souvent appelé « le douanier Rousseau » car il fut employé à l'Octroi de Paris, est représentatif des peintres dits « **naïfs** » : ses portraits, ses paysages sont traités dans un style simple mais précis ; il en est de même dans ses jungles, dont l'exotisme – imaginaire, car il n'a jamais voyagé – lui a été inspiré par l'observation du Jardin des Plantes, à Paris, et des journaux illustrés de l'époque.

Une nature exotique
1. Parmi les adjectifs suivants, lesquels vous paraissent convenir pour qualifier ce paysage ?
Justifiez vos réponses.
foisonnant – aride – familier – luxuriant – accueillant – harmonieux – paisible – réaliste – hostile.
2. Observez bien le tigre par rapport aux herbes : pouvez-vous facilement le situer sur un plan précis ?
Quel est l'effet produit ?

Une nature ambivalente
3. Les couleurs choisies par le peintre sont-elles douces ou violentes ? Sont-elles harmonieuses ?
4. Observez le mouvement dessiné par les branches et les feuilles, ainsi que les lignes tracées dans le ciel : quelles informations ces détails vous donnent-ils ?
5. Quels éléments du tableau évoquent une nature sauvage ?

Un spectacle inattendu

Le jeune Axel accompagne son oncle, scientifique de renom, dans une périlleuse aventure : à la suite de la découverte d'un message codé, le savant emmène une équipe explorer le centre de la Terre. Après bien des péripéties, les voyageurs parviennent à leur but et découvrent un monde souterrain aux paysages stupéfiants.

Jules Verne
(1828-1905)

Tout en poursuivant des études de droit, il se passionne pour la science et se met à écrire des romans qui racontent tous des voyages extraordinaires. Il les publie dans des journaux et des revues destinées à la jeunesse. Ses œuvres rencontrent un immense succès en France et bien au-delà des frontières.

1. **Pétrifiés :** changés en pierre.

2. **Pied :** ancienne mesure de longueur de 30 cm environ.

3. **Dôme :** toit de forme arrondi.

4. **Lycopode :** petite plante couramment appelée « pied-de-loup ».

5. **et** 6. **Sigillaire** et **Lépidodendron :** arbres fossiles qu'on trouvait lors de la préhistoire et qui pouvaient atteindre 30 mètres de haut.

7. **Antédiluvien :** qui a précédé le déluge, très ancien.

Mais en ce moment mon attention fut attirée par un spectacle inattendu. À cinq cents pas, au détour d'un haut promontoire, une forêt haute, touffue, épaisse, apparut à nos yeux. Elle était faite d'arbres de moyenne grandeur, taillés en parasols réguliers, à contours nets et géométriques ; les
5 courants de l'atmosphère ne semblaient pas avoir prise sur leur feuillage, et, au milieu des souffles, ils demeuraient immobiles comme un massif de cèdres pétrifiés[1].

Je hâtais le pas. Je ne pouvais mettre un nom à ces essences singulières. […] Quand nous arrivâmes sous leur ombrage, ma surprise ne fut plus que
10 de l'admiration.

En effet, je me trouvais en présence de produits de la terre, mais taillés sur un patron gigantesque. Mon oncle les appela immédiatement de leur nom. « Ce n'est qu'une forêt de champignons », dit-il. Et il ne se trompait pas. Que l'on juge du développement acquis par ces plantes chères aux milieux
15 chauds et humides. Je savais que le « lycoperdon giganteum » atteint, suivant Bulliard, huit à neuf pieds[2] de circonférence ; mais il s'agissait ici de champignons blancs, hauts de trente à quarante pieds, avec une calotte d'un diamètre égal. Ils étaient là par milliers. La lumière ne parvenait pas à percer leur épais ombrage, et une obscurité complète régnait sous ces dômes[3]
20 juxtaposés comme les toits ronds d'une cité africaine.

[…]

Mais la végétation de cette contrée souterraine ne s'en tenait pas à ces champignons. Plus loin s'élevaient par groupes un grand nombre d'autres arbres au feuillage décoloré. Ils étaient faciles à reconnaître ; c'étaient les
25 humbles arbustes de la terre, avec des dimensions phénoménales, des lycopodes[4] hauts de cent pieds, des sigillaires[5] géantes, des fougères arborescentes, grandes comme les sapins des hautes latitudes, des lépidodendrons[6] à tiges cylindriques bifurquées, terminées par de longues feuilles et hérissées de poils rudes comme de monstrueuses plantes grasses.
30 « Étonnant, magnifique, splendide ! s'écria mon oncle. Voilà toute la flore de la seconde époque du monde, de l'époque de transition. Voilà ces humbles plantes de nos jardins qui se faisaient arbres aux premiers siècles du globe ! Regarde, Axel, admire ! Jamais botaniste ne s'est trouvé à pareille fête !

– Vous avez raison, mon oncle. La Providence semble avoir voulu conser-
35 ver dans cette serre immense ces plantes antédiluviennes[7] que la sagacité des savants a reconstruites avec tant de bonheur.

– Tu dis bien, mon garçon, c'est une serre ; mais tu dirais mieux encore en ajoutant que c'est peut-être une ménagerie.

– Une ménagerie !

40 – Oui, sans doute. Vois cette poussière que nous foulons aux pieds, ces ossements épars sur le sol.

– Des ossements ! m'écriai-

45 je. Oui, des ossements d'animaux antédiluviens ! »

JULES VERNE (1828-1905),
Voyage au centre de la Terre (1864).

Image du film ***Voyage au centre de la Terre***
d'Eric Brevig (2008).

Lecture

➡ Comprendre

1. Qu'est-ce qui attire l'attention du narrateur au début de ce texte ?

2. Que comprennent les personnages lorsqu'ils parviennent dans la forêt ?

3. Quelle est la particularité de toute la végétation qui les entoure ?

4. Quelle déduction l'oncle établit-il sur l'âge de cette flore ?

➡ Analyser

5. a. Aux lignes 19 et 20, à quoi sont comparées les calottes des champignons ?

b. Relevez, l. 24 à 29, deux autres comparaisons (➡ p. 366) qui permettent au lecteur de se représenter le gigantisme de la végétation.

6 À partir de la ligne 30, quel sentiment la ponctuation (➡ p. 280) traduit-elle ?

➡ Interpréter

7. Pourquoi le narrateur emploie-t-il de nombreuses comparaisons pour décrire cette végétation ?

8. Pourquoi l'auteur donne-t-il un aspect scientifique à ses descriptions ?

9. « Jamais botaniste ne s'est trouvé à pareille fête ! » (l. 33) : pourquoi les deux personnages sont-ils enthousiasmés ?

10. Quelle est la dernière déduction établie par l'oncle ? Quelle suite laisse-t-elle présager pour le récit ?

Vocabulaire

11. Cherchez dans le dictionnaire la définition du mot *botaniste*.

12. a. Trouvez dans le texte un synonyme du nom *flore*.
b. Qu'est-ce qu'une *ménagerie* ?

13. Complétez les phrases à l'aide des mots suivants :
souche – ramure – fût – taillis – orée.

1. Ils ont coupé le vieux chêne, il n'en reste que la ...

2. Cette forêt est bien entretenue et les ... des arbres s'élancent droit vers le ciel.

3. La bête traquée trouva refuge dans le ...

4. La maison du garde forestier se trouve à l'... du bois.

5. On entend piailler les oiseaux dans la ... du cerisier.

Expression écrite

Sujet

Imaginez la suite de ce texte : les personnages rencontrent une de ces bêtes antédiluviennes.

Conseils

• Décrivez l'animal en insistant sur ses proportions gigantesques.

• Utilisez un livre sur la préhistoire pour donner un aspect scientifique à votre description.

• Évoquez la surprise des personnages.

• N'oubliez pas que le narrateur est le jeune garçon de cette histoire.

La mort d'un titan

Porthos et Aramis, deux des célèbres mousquetaires dont Alexandre Dumas conte les aventures, sont poursuivis par les troupes du roi. Ils parviennent à s'enfuir de Belle-Île en passant par une grotte qui les mène au rivage ; là, une barque les attend.

Quant à Porthos, après avoir lancé le baril de poudre au milieu des ennemis, il avait fui, selon le conseil d'Aramis, et gagné le dernier compartiment[1], dans lequel pénétraient, par l'ouverture, l'air, le jour et le soleil.

Aussi, à peine eut-il tourné l'angle qui séparait le troisième compartiment
5 du quatrième, qu'il aperçut à cent pas de lui la barque balancée par les flots ; là étaient ses amis ; là était la liberté ; là était la vie après la victoire.

Encore six de ses formidables enjambées, et il était hors de la voûte ; hors de la voûte, deux ou trois vigoureux élans, et il touchait au canot.

Soudain, il sentit ses genoux fléchir : ses genoux semblaient vides, ses
10 jambes mollissaient sous lui.

[...]

– Au nom du Ciel ! Porthos, arrivez ! arrivez ! le baril va sauter !

– Arrivez, monseigneur, crièrent les Bretons à Porthos, qui se débattait comme dans un rêve.

15 Mais il n'était plus temps : l'explosion retentit, la terre se crevassa, la fumée, qui s'élança par les larges fissures, obscurcit le ciel, la mer reflua comme chassée par le souffle du feu qui jaillit de la grotte comme de la gueule d'une gigantesque chimère[2] ; le reflux emporta la barque à vingt toises[3], toutes les roches craquèrent à leur base, et se séparèrent comme des
20 quartiers sous l'effort des coins[4] ; on vit s'élancer une portion de la voûte enlevée au ciel comme par des fils rapides ; le feu rose et vert du soufre, la noire lave des liquéfactions argileuses, se heurtèrent et se combattirent un instant sous un dôme majestueux de fumée ; puis on vit osciller d'abord, puis se pencher, puis tomber successivement les longues arêtes de rocher que la
25 violence de l'explosion n'avait pu déraciner de leurs socles séculaires[5] ; ils se saluaient les uns les autres comme des vieillards graves et lents, puis se prosternaient couchés à jamais dans leur poudreuse tombe.

Cet effroyable choc parut rendre à Porthos les forces qu'il avait perdues ; il se releva, géant lui-même entre ces géants. Mais, au moment où il fuyait
30 entre la double haie de fantômes granitiques, ces derniers, qui n'étaient plus soutenus par les chaînons correspondants, commencèrent à rouler avec fracas autour de ce Titan qui semblait précipité du ciel au milieu des rochers qu'il venait de lancer contre lui.

Porthos sentit trembler sous ses pieds le sol ébranlé par ce long déchi-
35 rement. Il étendit à droite et à gauche ses vastes mains pour repousser les rochers croulants. Un bloc gigantesque vint s'appuyer à chacune de ses paumes étendues ; il courba la tête, et une troisième masse granitique vint s'appesantir entre ses deux épaules.

Un instant, les bras de Porthos avaient plié ; mais l'hercule réunit toutes

Alexandre Dumas
(1802-1870)

Petit-fils d'une esclave affranchie et fils d'un grand général républicain, le futur auteur des *Trois Mousquetaires* se montre peu courageux pour les études, alors qu'il se plaît beaucoup au maniement des armes. Cet auteur prolifique, ami de Victor Hugo, écrit des pièces de théâtre puis des romans historiques hauts en couleurs qui paraissent en feuilleton dans les journaux.

1. Compartiment : cavité de la grotte.

2. Chimère : animal fabuleux, mélange de lion, de chèvre et de dragon.

3. Toise : ancienne mesure de longueur valant presque deux mètres.

4. Coin : instrument utilisé pour fendre des matériaux.

5. Séculaire : qui existe depuis plusieurs siècles.

Un mousquetaire,
gravure d'**Abraham Bosse** (1602-1676).

6. **Monolithe :** bloc de pierre.

7. **Sépulcre :** tombeau.

8. **Râle :** respiration d'un mourant.

9. **Railleur :** moqueur.

10. **Tumulaire :** du tombeau.

40 ses forces, et l'on vit les deux parois de cette prison dans laquelle il était enseveli s'écarter lentement et lui faire place. Un instant, il apparut dans cet encadrement de granit comme l'ange antique du chaos ; mais, en écartant les roches latérales, il ôta son point d'appui au monolithe[6] qui pesait sur ses fortes épaules, et le monolithe, s'appuyant de tout son poids, précipita le géant sur ses 45 genoux. Les roches latérales, un instant écartées, se rapprochèrent et vinrent ajouter leur poids au poids primitif, qui eût suffi pour écraser dix hommes.

Le géant tomba sans crier à l'aide ; il tomba en répondant à Aramis par des mots d'encouragement et d'espoir, car un instant, grâce au puissant arc-boutant de ses mains, il put croire que, comme Encelade, il secouerait ce 50 triple poids. Mais, peu à peu, Aramis vit le bloc s'affaisser ; les mains crispées un instant, les bras roidis par un dernier effort, plièrent, les épaules tendues s'affaissèrent déchirées, et la roche continua de s'abaisser graduellement.

– Porthos ! Porthos ! criait Aramis en s'arrachant les cheveux, Porthos, où es-tu ? Parle !

55 – Là ! là ! murmurait Porthos d'une voix qui s'éteignait ; patience ! patience !

À peine acheva-t-il ce dernier mot : l'impulsion de la chute augmenta la pesanteur ; l'énorme roche s'abattit, pressée par les deux autres qui s'abattirent sur elle et engloutit Porthos dans un sépulcre[7] de pierres brisées.

60 En entendant la voix expirante de son ami, Aramis avait sauté à terre. Deux des Bretons le suivirent un levier à la main, un seul suffisant pour garder la barque. Les derniers râles[8] du vaillant lutteur les guidèrent dans les décombres.

Aramis, étincelant, superbe, jeune comme à vingt ans, s'élança vers la triple 65 masse, et de ses mains délicates, comme des mains de femme, leva par un miracle de vigueur un coin de l'immense sépulcre de granit. Alors, il entrevit dans les ténèbres de cette fosse l'œil brillant de son ami, à qui la masse soulevée un instant venait de rendre la respiration. Aussitôt les deux hommes se précipitèrent, se cramponnèrent au levier de fer, réunissant leur triple effort, non pas 70 pour le soulever, mais pour le maintenir. Tout fut inutile : les trois hommes plièrent lentement avec des cris de douleur, et la rude voix de Porthos, les voyant s'épuiser dans une lutte inutile, murmura d'un ton railleur[9] ces mots suprêmes venus jusqu'aux lèvres avec la suprême respiration :

– Trop lourd !

75 Après quoi, l'œil s'obscurcit et se ferma, le visage devint pâle, la main blanchit, et le Titan se coucha, poussant un dernier soupir.

Avec lui s'affaissa la roche, que, même dans son agonie, il avait soutenue encore !

Les trois hommes laissèrent échapper le levier qui roula sur la pierre 80 tumulaire[10].

Puis, haletant, pâle, la sueur au front, Aramis écouta, la poitrine serrée, le cœur à se rompre.

Plus rien ! Le géant dormait de l'éternel sommeil, dans le sépulcre que Dieu lui avait fait à sa taille.

Alexandre Dumas, *Le Vicomte de Bragelonne* (1848).

Géant écrasé par la chute de rochers, détail de la fresque de la salle des Géants, par Jules Romains, vers 1525-1535 (Mantoue, Palazzo del Te).

Lecture

➡ Comprendre

1. Qu'est-ce qui empêche Porthos de poursuivre sa fuite hors de la grotte ?

2. Quel nom est souvent donné à Porthos dans cet extrait ? Qu'est-ce que cela nous indique sur ce personnage ?

3. Quels personnages tentent de lui venir en aide ? De quelle manière ? Y parviennent-ils ?

➡ Analyser

4. Des lignes 25 à 27, à quoi sont comparés les rochers qui s'écroulent ?

5. Des lignes 29 à 33, relevez une expression qui poursuit cette comparaison (➡ p. 366).

6. Des lignes 34 à 38, relevez les autres groupes nominaux (➡ p. 302) qui désignent les rochers. Quelle impression domine ?

7. Aux lignes 32, 39, 42 et 49, relevez les noms des différents personnages à qui Porthos est comparé, et faites une recherche sur eux. Qu'ont-ils en commun ?

➡ Interpréter

8. En quoi cette mort est-elle à la fois spectaculaire et héroïque ?

9. Expliquez la dernière phrase du texte.

Vocabulaire

10. Cherchez dans un dictionnaire trois synonymes de *robuste*.

11. Pour exprimer l'effort physique, complétez ces noms avec les adjectifs suivants que vous accorderez :

tendu – ruisselant – battant – crispé.

a. les muscles ... – **b.** la tempe ... – **c.** le front ... – **d.** les mains ...

12. Classez les verbes suivants selon qu'ils évoquent un mouvement vers le haut ou un mouvement vers le bas :

se hisser – s'incliner – se voûter – s'élever – se hausser – gravir – dévaler – se jucher – se vautrer – escalader – se percher – se dresser – s'accroupir.

Expression écrite

▌ Sujet

À votre tour, décrivez un héros qui, par sa force exceptionnelle, parvient à se hisser d'un précipice dans lequel il était tombé.

▌ Conseils

● Employez les verbes de mouvement étudiés en vocabulaire (exercice 12).

● Exprimez les efforts du personnage en vous aidant du vocabulaire étudié (voir exercice 11).

● Comparez votre héros à des personnages qui incarnent la force (Hercule, Samson...), ou à des animaux.

Chez Fagin

Dans l'Angleterre du XIXe siècle, Oliver, un orphelin maltraité par ses différentes
familles d'accueil, décide un jour de fuir à Londres pour y gagner sa vie. Sans toit ni
ressources, cet enfant de neuf ans pense mourir de faim et de froid lorsqu'il rencontre
Le Filou, un garçon de son âge, qui lui propose de le conduire chez Fagin, son maître.
Celui-ci, dit-il, prendra soin de lui.

Charles Dickens
(1802-1870)

Cet écrivain anglais,
devenu l'un des plus
populaires dans le monde
entier, a beaucoup
souffert de la pauvreté
et des humiliations
subies dans son enfance.
Aussi a-t-il à cœur
de dénoncer dans
ses œuvres l'exploitation
industrielle et la misère.

Entraîné par son compagnon, Oliver parvint tant bien que mal à gravir dans l'obscurité les marches d'un escalier en ruine. Son guide ouvrit la porte d'une pièce donnant sur l'arrière de la maison et y introduisit Oliver.

Les murs et le plafond étaient parfaitement noirs de crasse et de vieillesse.
5 Il y avait une table de bois blanc et, dessus, une chandelle plantée dans une bouteille, trois pots en étain, du pain, du beurre, une assiette. Dans une poêle posée sur le feu, et dont la queue était attachée avec une ficelle au manteau de la cheminée, des saucisses cuisaient. Penché sur elles, une longue fourchette à la main, se tenait un vieillard fripé et ridé dont les traits repoussants de vieux
10 scélérat¹ disparaissaient sous une masse de poils et de cheveux roux emmêlés.

Il était vêtu d'une robe de chambre graisseuse et semblait partager son attention entre le poêle et un séchoir où étaient étendus un grand nombre de mouchoirs de soie.

Plusieurs lits grossiers faits de sacs de pommes de terre étaient alignés
15 côte à côte sur le plancher. Autour de la table, il y avait quatre ou cinq gamins pas plus âgés que Le Filou qui fumaient des pipes en terre et buvaient de l'eau-de-vie avec des façons d'adultes.

– C'est lui, Fagin, dit Le Filou. Mon ami Oliver Twist.

Le vieil homme fit un grand salut à Oliver, vint lui serrer la main.

20 – Nous sommes vraiment enchantés de te voir, Oliver, dit-il. J'espère avoir l'honneur de devenir un de tes amis proches.

Sur quoi, les jeunes gens avec les pipes se mirent à secouer très énergiquement les mains d'Oliver jusqu'à ce que le vieillard les interrompe dans leurs civilités par une distribution de coups de fourchette sur la tête et les épaules.

25 – Le Filou ! dit-il, sers donc les saucisses et tire un baquet près du feu pour notre ami. Ah ! Je vois que tu regardes les mouchoirs, hein ! mon petit. On vient juste de les trier et les voilà prêts pour la lessive. Y en a pas mal, hein ?

Les protégés du joyeux vieillard accueillirent ces derniers mots avec des exclamations de joie et s'installèrent pour le souper.

30 Oliver mangea sa part ; on lui servit ensuite du gin² chaud mélangé avec de l'eau qu'il dut avaler vite parce qu'un autre convive avait besoin du verre. Un instant plus tard, il se sentit porté jusqu'à un des sacs. Il sombra aussitôt dans un profond sommeil.

Le lendemain, la matinée était déjà avancée quand Oliver s'éveilla. Il n'y
35 avait personne d'autre dans la pièce que le vieillard qui faisait du café dans une casserole en sifflotant. De temps à autre il s'interrompait pour écouter puis revenait à son sifflement et au café.

1. Scélérat : qui a
des intentions criminelles.
2. Gin : alcool fort.

Quand le café fut fait, Fagin posa la casserole sur le bord du foyer. Il resta un moment indécis, se tourna vers Oliver pour le regarder, l'appeler 40 par son nom. Celui-ci ne répondit pas. Il présentait toutes les apparences du sommeil.

Le vieillard alla à la porte, la ferma à clef. Puis il sortit une boîte de ce qui sembla être à Oliver une trappe dans le plancher et la posa, avec mille précautions, sur la table. Ses yeux brillaient quand il souleva le couvercle. 45 Approchant une vieille chaise de la table, il s'assit et prit dans la boîte une montre en or tout étincelante de pierres précieuses.

– Ha ! Les sacripants[3], marmotta-t-il avec un hideux sourire, ils étaient doués, tout de même ! Dire qu'ils n'ont jamais avoué où ils sont, pas même au prêtre. Bah ! À quoi ça leur aurait servi ? Ça n'aurait pas dénoué la corde 50 autour de leur cou ! De bons petits gars, vraiment !

Tout en tenant ces propos, il tira encore une demi-douzaine de montres du coffret, et aussi des bagues, des broches, des bracelets, des bijoux de toutes sortes, qu'il contempla avec extase.

Il remit le tout dans la boîte et continua ses réflexions à voix haute.

55 – Quelle belle chose, la peine capitale ! Les morts ne donnent pas leurs complices ! Cinq à la file, pendus à la même corde, et pas un qui reste pour dénoncer le vieux Fagin ! Idéal pour le commerce !

Il prononçait ces derniers mots quand son regard tomba sur le visage d'Oliver. Les yeux de l'enfant le fixaient, pleins d'une curiosité muette. Fagin 60 ferma la cassette d'un coup sec, saisit un couteau à pain qui traînait sur la table et se leva d'un bond.

– Pourquoi tu m'espionnes, hein ! petit drôle ? Tu dormais pas ? T'as vu quoi ? Dis-le-moi, hein ! et vite, si tu tiens à la vie ! Vite !

– Je ne pouvais plus dormir, monsieur, dit Oliver d'une voix presque 65 imperceptible. Je suis désolé de vous avoir dérangé.

– Tu me regardes depuis longtemps ?

– Non ! Je viens tout juste de me réveiller !

– T'en es bien sûr ? insista Fagin en le dévisageant férocement.

– Je vous jure, monsieur. Ma parole !

70 – Bon, bon ! mon petit. Ça va ! dit Fagin en retrouvant brusquement sa cordialité habituelle. C'était pour rire.

Il joua un instant avec son couteau avant de le reposer comme s'il l'avait pris seulement pour plaisanter.

– Je voulais juste te faire un petit peu peur, hein ! Mais t'es courageux ! 75 T'es un vrai brave, hein ! Oliver.

Il se frotta les mains en gloussant de joie puis jeta un coup d'œil embarrassé vers la boîte, sur la table.

– Tu as vu certaines des jolies choses qu'il y a dans la boîte ?

– Oui, monsieur.

80 – Ah ! fit Fagin en devenant plutôt pâle. C'est que… c'est ma petite cagnotte, hein ! Pour mes vieux jours. Tu vois, je suis économe.

Oliver se dit que le vieillard était plutôt un sacré avare pour vivre dans une telle crasse en possédant autant de bijoux. Mais il songea qu'élever Le

3. Sacripant : canaille, vaurien, expression qu'on utilise volontiers pour désigner amicalement des enfants turbulents.

Photo du film
Oliver Twist,
de Roman Polanski
(2005), avec Barney Clark dans le rôle d'Oliver.

Filou et les autres garçons lui coûtait sans doute très cher, il se contenta de
85 lui demander l'autorisation de se lever.

CHARLES DICKENS, *Oliver Twist* (1837) trad. Michel Laporte © Le Livre de Poche.

Lecture

→ Comprendre

1. Quel est l'aspect du logis où Oliver est introduit ? Quels objets semblent ne pas y avoir leur place ?

2. Quels personnages y vivent ?

3. Qu'est-ce qui vous surprend dans le comportement des enfants ?

4. Que découvre Oliver sur le vieux Fagin ? Comprend-il clairement la situation ?

→ Analyser

5. Relevez les <u>expansions du nom</u> (→ p. 302) « vieillard », l. 8 à 10. Que révèlent-elles sur le personnage ?

6. Quel est l'<u>attribut des sujets</u> (→ p. 290) « murs » et « plafonds », l. 4 ? Qu'est-ce qui caractérise ce lieu ?

7. Relevez dans les gestes et paroles de Fagin toutes les marques d'extrême civilité.

→ Interpréter

8. Montrez que le personnage de Fagin est troublant :

a. Quel sentiment éprouve-t-on à la lecture de son portrait, au début du texte ?

b. Comment agit-il avec les enfants (l. 19 à 24) ?

c. Relevez des lignes 42 à 53 les compléments circonstanciels de manière qui précisent les gestes de Fagin. Que nous révèlent-ils ?

d. En quels termes Fagin parle-t-il des enfants qui ont volé pour lui les bijoux ? Pourquoi ces termes sont-ils choquants ?

9. En quoi Oliver se trouve-t-il dans une situation périlleuse ?

Photo du film ***Oliver Twist*** **de Frank Lloyd** (1922), avec Ion Chaney dans le rôle de Fagin.

Vocabulaire

10. a. Relevez le préfixe et le suffixe de l'adjectif *imperceptible*, puis donnez son radical. Déduisez ensuite le sens de ce mot.

b. En utilisant ce préfixe et ce suffixe, trouvez les mots qui signifient :

« qu'on ne peut pas vaincre. » – « qu'on ne peut pas entendre. » – « qu'on ne peut pas décrire. » – « qu'on ne peut pas voir. »

11. Cherchez dans le dictionnaire trois synonymes de l'adjectif *hideux*.

Expression écrite

Sujet

« <u>Penché</u> sur la [poêle], une longue fourchette <u>à la main</u>, <u>se tenait</u> un vieillard fripé <u>et</u> ridé <u>dont</u> les traits repoussants de vieux scélérat disparaissaient sous une masse de poils et de cheveux roux emmêlés. » (l. 8 à 10)

Sur le même modèle de phrase, et en employant obligatoirement les mots soulignés, décrivez :
– une jeune fille penchée sur son cahier ;
– une cuisinière penchée sur sa marmite ;
– un garagiste penché sur son moteur.

À la recherche du sentier perdu

Un jour qu'il s'est perdu dans la forêt, le héros du roman, le grand Meaulnes, s'est retrouvé en pleine fête costumée dans une vaste propriété. Il y rencontre une jeune fille dont il tombe éperdument amoureux. Ramené chez lui en pleine nuit après la fête, il ne connaît pas le chemin qui mène au « domaine mystérieux ». Désireux de retrouver la jeune fille, il se met en quête du « sentier perdu. » Le narrateur, qui est le fils de l'instituteur et le meilleur ami du grand Meaulnes, décide d'aider dans sa recherche celui qu'il considère comme son « grand frère ».

La merveilleuse promenade !… Dès que nous eûmes passé le Glacis et contourné le Moulin, je quittai mes deux compagnons, M. Seurel[1] dont on eût dit qu'il partait en guerre – je crois bien qu'il avait mis dans sa poche un vieux pistolet – et ce traître de Moucheboeuf.

5 Prenant un chemin de traverse, j'arrivai bientôt à la lisière du bois – seul à travers la campagne pour la première fois de ma vie comme une patrouille que son caporal a perdue.

Me voici, j'imagine, près de ce bonheur mystérieux que Meaulnes a entrevu un jour. Toute la matinée est à moi pour explorer la lisière du bois,
10 l'endroit le plus frais et le plus caché du pays, tandis que mon grand frère aussi est parti à la découverte. C'est comme un ancien lit de ruisseau. Je passe sous les basses branches d'arbres dont je ne sais pas le nom mais qui doivent être des aulnes. J'ai sauté tout à l'heure un échalier[2] au bout de la sente[3], et je me suis trouvé dans cette grande voie d'herbe verte qui coule sous les
15 feuilles, foulant par endroits les orties, écrasant les hautes valérianes[4].

Parfois mon pied se pose, durant quelques pas sur un banc de sable fin. Et dans le silence, j'entends un oiseau – je m'imagine que c'est un rossignol, mais sans doute je me trompe, puisqu'ils ne chantent que le soir – un oiseau qui répète obstinément la même phrase : voix de la matinée, parole dite sous
20 l'ombrage, invitation délicieuse au voyage entre les aulnes. Invisible, entêté, il semble m'accompagner sous la feuille.

Pour la première fois me voilà, moi aussi, sur le chemin de l'aventure. Ce ne sont plus des coquilles abandonnées par les eaux que je cherche, sous la direction de M. Seurel, ni des orchis[5] que le maître d'école ne connaisse pas,
25 ni même, comme cela nous arrivait souvent dans le champ du père Martin, cette fontaine profonde et tarie, couverte d'un grillage, enfouie sous tant d'herbes folles qu'il fallait chaque fois plus de temps pour la retrouver… Je cherche quelque chose de plus mystérieux encore. C'est le passage dont il est question dans les livres, l'ancien chemin obstrué[6], celui dont le prince
30 harassé de fatigue n'a pu trouver l'entrée. Cela se découvre à l'heure la plus perdue de la matinée, quand on a depuis longtemps oublié qu'il va être onze heures, midi… Et soudain, en écartant, dans le feuillage profond, les branches, avec ce geste hésitant des mains à hauteur du visage inégalement écartées, on l'aperçoit comme une longue avenue sombre dont la sortie est
35 un rond de lumière tout petit.

Alain-Fournier
(1886-1914)
Cet écrivain, mort à l'âge de 27 ans au cours des combats de la Première Guerre mondiale, est l'auteur d'un unique roman, *Le Grand Meaulnes*, qui évoque avec poésie le monde de l'adolescence.

1. M. Seurel est le père du narrateur et l'instituteur des deux amis.

2. Échalier : clôture mobile à l'entrée d'un champ.

3. Sente : petit sentier.

4. Valériane : plante des lieux humides à fleurs roses ou blanches.

5. Orchis : fleur sauvage qui ressemble à l'orchidée.

6. Obstrué : bouché par un obstacle.

Carte blanche **de René Magritte**, huile sur toile, 1965 (Washington, National Gallery of Art).

Mais tandis que j'espère et m'enivre ainsi, voici que brusquement je débouche dans une sorte de clairière, qui se trouve être tout simplement un pré. Je suis arrivé sans y penser à l'extrémité des Communaux[7], que j'avais toujours imaginée infiniment loin.

40 Et voici à ma droite, entre des piles de bois, toute bourdonnante dans l'ombre, la maison du garde. Deux paires de bas sèchent sur l'appui de la fenêtre.

7. **Communaux :** terrains appartenant à la commune.

Les années passées, lorsque nous arrivions à l'entrée du bois, nous disions toujours, en montrant un point de lumière tout au bout de l'immense allée 45 noire : « C'est là-bas la maison du garde ; la maison de Baladier. » Mais jamais nous n'avions poussé jusque-là. Nous entendions dire quelquefois, comme s'il se fût agi d'une expédition extraordinaire : « Il a été jusqu'à la maison du garde !… » Cette fois, je suis allé jusqu'à la maison de Baladier, et je n'ai rien trouvé.

ALAIN-FOURNIER, *Le Grand Meaulnes* (1912) © Mercure de France.

Lecture

→ Comprendre

1. Quel est le but du narrateur ? Qu'est-ce qui enchante le jeune garçon au début de cet extrait ?

2. Délimitez dans ce texte trois parties auxquelles vous donnerez les titres suivants :

– « une promenade en solitaire » ;

– « un voyage imaginaire » ;

– « le retour à la triste réalité ».

3. Sur quoi débouche l'expédition entreprise par le narrateur ? Quel sentiment éprouve-t-il à la fin du texte ?

→ Analyser

4. Dans la première partie du texte, relevez deux **adjectifs au superlatif** (→ p. 304) qui caractérisent l'endroit où il se trouve.

5. Lignes 17 à 20, relevez trois **groupes nominaux** (→ p. 302) qui définissent le chant de l'oiseau.

6. À partir de la ligne 27, relevez les expressions qui définissent ce que cherche le narrateur.

7. Quel est le **temps verbal** (→ p. 340 et 348) employé des lignes 1 à 7, puis de la ligne 8 jusqu'à la fin ? Comment expliquez-vous ce changement de temps ?

→ Interpréter

8. Pourquoi cette promenade se transforme-t-elle en une enivrante aventure ?

9. Pourquoi peut-on dire que l'oiseau évoqué des lignes 17 à 21 joue un rôle de passeur ?

10. Quel détail à la fin du texte ramène le narrateur à la banalité de la vie quotidienne ?

Le Château, gravure d'**André Dignimont** (1891-1965) pour *Le Grand Meaulnes* (Paris, BNF).

Vocabulaire

11. Quelle est la définition du mot *expédition* dans le texte ? Quel préfixe reconnaissez-vous dans ce mot ?

12. Donnez deux synonymes de *lisière*.

13. Quelle différence faites-vous entre *une route, un chemin, un sentier, une sente* ?

14. Ne confondez pas : *ombré, ombreux, ombragé, ombrageux*.
Complétez chacune de ces phrases avec l'adjectif qui convient.

1. Avec un crayon noir, il a ... cette partie de son dessin.

2. Par cette chaleur, il est agréable de se promener sur ces chemins ....

3. Son caractère ... le condamnait à vivre en solitaire.

4. Dans les sous-bois ..., le soleil ne pénètre pas.

Expression orale

15. Observez le tableau de Magritte, p. 29 : que voit-on au premier plan ? Où se trouve le personnage représenté ?

16. Comment le peintre s'y prend-il pour donner l'impression que la cavalière et sa monture viennent « d'ailleurs » ?

17. Cherchez la définition du mot *onirique*. Pourquoi peut-on dire que l'univers de Magritte est *onirique* ?

18. Quels rapprochements pouvez-vous faire entre le tableau de Magritte et le texte d'Alain-Fournier ?

Les caractéristiques du roman d'aventures

➤ De l'action avant toute chose

● Avec le roman d'aventures, **l'action occupe la place centrale.** « Le danger est la matière première de ce genre de roman », dira Stevenson. Les personnages, placés dans **des situations extraordinaires**, sont précipités de péril en péril : ils affrontent monstres, bandits, trahisons, environnement hostile, catastrophes naturelles...

● Ces **multiples péripéties** pourraient paraître invraisemblables si l'auteur ne prenait soin de justifier chacune d'elles, tout en s'efforçant de nous donner un **sentiment de réalité** : l'aventure est rendue possible par les découvertes scientifiques et techniques, et le soin apporté aux **descriptions** nous permet de nous figurer parfaitement le cadre de l'action. Ainsi pouvons-nous nous plonger dans l'histoire et y croire, le temps de la lecture.

➤ Une littérature d'évasion

Dans le roman d'aventures, ce n'est pas seulement l'action qui nous fait sortir de notre quotidien : jouant sur **le dépaysement et l'exotisme**, ce genre nous transporte ailleurs, dans un lieu ou un temps inconnu – le temps des mousquetaires, le Londres miséreux du XIXe siècle, le centre de la Terre. Le lecteur partage **l'effroi** mais aussi **l'émerveillement** des personnages.

➤ Le héros du roman d'aventures

● **Hors du commun**, le héros l'est par **ses qualités** – le courage face au danger, la force, la générosité, l'intelligence –, mais aussi parfois par **sa position sociale** : c'est souvent un orphelin ou un misérable pour qui la vie quotidienne devient en elle-même une source perpétuelle d'aventures.

● Ainsi, qu'il soit marginal et condamné à se battre pour gagner sa place dans la société ou que, bien intégré dans cette société, il en soit brutalement arraché par quelque péripétie, le héros va devoir **faire ses preuves** dans un monde inconnu et inquiétant, et ses aventures constituent souvent un **apprentissage** de la vie adulte. En cela – et ce sera l'objet du chapitre suivant –, le roman d'aventure est souvent un **roman d'initiation.**

Photo du **film *Oliver Twist*, de Roman Polanski** (2005), avec Barney Clark dans le rôle-titre.

Photographie et cinéma, arts de la mise en scène

1

Statue du taureau Nandi, monture du dieu Shiva, Bénarès (Inde), 1914 ; photographie de Stéphane Passet (Boulogne-sur-Seine, musée Albert-Kahn).

2

« Louis Dodier en prisonnier », 1847 ; photographie d'Adolphe Humbert de Molard (Paris, musée d'Orsay).

Questions

1. Décrivez la photographie 1 : cette scène vous est-elle familière ? Pourquoi ?

2. À votre avis, qu'est-ce qui fait l'intérêt de cette photographie ?

3. Sur la photographie 2, repérez les détails qui permettent de comprendre que l'homme est prisonnier : où sont-ils situés dans l'image ?

4. À votre avis, laquelle de ces photographies est prise sur le vif ? Laquelle est mise en scène ? Justifiez vos réponses.

Retenons

La photographie, regard sur le monde

● Mise au point en 1826, la technique de la photographie permet de **fixer des images** sur un support sensible grâce à la **lumière**.

● Dès le XIXᵉ siècle, considérant cette technique comme un outil de témoignage fidèle à la réalité, des photographes parcoururent le monde pour en rapporter des clichés étonnants à la fois de **réalisme** et d'**exotisme**.

● Mais la photographie permet également toutes les **mises en scène**. L'art du **cadrage, des contrastes, le choix des objets** peuvent être utilisés pour figurer une réalité recréée.

● Une photographie ne montre pas la réalité. Elle montre la partie de la réalité qu'on a choisi de mettre dans le cadre de l'image, sous un certain jour. **Une photographie est un regard sur le monde :** elle peut être poétique, réaliste, composée, artistique, engagée, amusée mais elle transmet immanquablement les choix, conscients ou non, de celui qui photographie.

③

④

3 et **4 Fay Wray dans** *King Kong*, film américain de Merian C. Cooper et Ernest B. Schoedsack, 1933 (Montparnasse Distribution)

Questions

Comparez les images 3 et 4, extraites du film *King-Kong* :

1. Décrivez chacune des deux images : Que voyez-vous ? Que ne voyez-vous pas, ou mal ? Quelle place la jeune femme occupe-t-elle dans chaque image ?

2. Quel est le plan utilisé pour chacune de ces images ?

3. Quel est l'intérêt de ces choix ?

4. Quel rôle les ombres et les lumières jouent-elles ?

Retenons

Le cinéma, héritier de plusieurs arts

• Le cinéma, né en 1895, hérite de **plusieurs traditions artistiques** : celle du théâtre, pour les décors, les costumes, le jeu des acteurs, celle de la photographie, pour la technique de l'image, le rôle de l'ombre et de la lumière, mais aussi celle de la littérature, car c'est **un art narratif**.

• Le cinéma est aussi un **art de l'image en mouvement** : le choix des **différents plans**, leur

cadrage et leur agencement au montage visent des effets précis : suspense, poésie, lyrisme...

• Parmi les différents plans utilisés, **le plan général** sert à présenter la totalité du décor et de l'action ; **le plan moyen** montre un ou plusieurs personnages dans leur totalité ; **le plan rapproché** montre ce que dit et fait un personnage et **le gros plan** met en valeur un détail ou l'expression d'un visage.

Vocabulaire

La nature

1 Récrivez ces phrases en supprimant « il y a » et en utilisant un verbe plus expressif choisi parmi cette liste :

serpenter – enjamber – embaumer – courir – surplomber – se découper.

1. Il y a une église en haut du village. → Une église ...
2. Il y a un pont sur la rivière. → Un pont ...
3. Il y a un chemin à travers les broussailles. → Un chemin ...
4. Il y a une rivière dans cette prairie. → Une rivière ...
5. Il y a un torrent au milieu des roches. → Un torrent ...
6. Il y a des fleurs qui sentent bon. → Des fleurs ...

2 Pour évoquer les bruits de la nature, complétez les phrases avec les verbes suivants :

planer – haleter – s'évanouir – siffler.

1. Un silence pesant ... sur la lande déserte.
2. Le vent ... rageusement dans les branches.
3. La bête aux aguets ... puis repartit aussitôt.
4. Le hurlement du loup retentit dans la nuit puis ... au loin.

3 Parmi ces mots, lesquels expriment l'idée de pluie fine ? de pluie violente ?

ondée – giboulée – déluge – bruine – brume – crachin – averse – grain – trombe – cataractes.

4 Classez les termes suivants en deux colonnes, selon qu'ils désignent des eaux courantes ou des eaux stagnantes.

torrent – mare – lac – rivière – fleuve – marais – étang – ruisseau – cascade – ruisselet – marécage – lagune – rapide.

5 Complétez les phrases suivantes à l'aide de ces mots :

lit – cours – crue – berge – estuaire – méandre.

1. Les saumons remontent le ... de la rivière.
2. Après l'orage, la rivière en ... est sortie de son ...
3. Les pêcheurs s'installèrent sur la ... à l'ombre des saules.
4. La Seine coule paresseusement et décrit de nombreux ... entre les collines.
5. Le point où le fleuve entre dans la mer est appelé ....

6 Remplacez les mots ou expressions en gras par l'un des noms suivants :

écueils – corniche – grève – abîme – falaise.

1. Les vagues déferlent sur le **rivage**.

2. Une bourrasque envoya la frêle embarcation se briser sur les **récifs**.
3. Du haut de ces **hauts murs** de craie, je contemple l'immensité de l'océan.
4. Les mouettes nichaient sur un **escarpement** au-dessus des flots.
5. Il jeta l'épée d'Arthur qui sombra au fond d'un **gouffre** sous-marin.

7 a. Complétez les phrases suivantes par ces verbes, que vous emploierez à l'imparfait ou au passé simple :

s'amonceler – déferler – zébrer – crever – s'obscurcir – gronder.

La mer était calme, mais d'énormes nuages ... à l'horizon. Bientôt le ciel tout entier ..., le tonnerre ... et les nuages ..., déversant des trombes d'eau sur le navire. Des éclairs ... le ciel et d'énormes vagues ... sur le pont.

b. Poursuivez la description de cette tempête en employant les mots suivants :

lame – rouleau – écume – flots – mugir – s'élancer – s'élever – bouillonner.

8 Complétez les phrases suivantes par ces noms :

crevasse – précipice – ravin.

1. J'avais le vertige sur cette route en corniche qui surplombait un immense ....
2. La voiture glissa dans le virage et tomba dans le ....
3. Le glacier était couvert de neige et l'alpiniste redoutait de tomber dans une ....

9 Décrivez ce paysage de montagne en réemployant en particulier le vocabulaire de l'exercice 8.

***Paysage de montagne* d'Henry Bright,** huile sur toile, XIXᵉ siècle (Londres, Victoria et Albert Museum).

Grammaire pour écrire

Faire une description expressive

Dans les textes que nous avons étudiés, les auteurs emploient fréquemment la comparaison ou le superlatif pour mettre en valeur certains détails. À votre tour, familiarisez-vous avec ces constructions.

Grammaire

Utiliser le superlatif → p. 304

1 Transformez les phrases selon le modèle suivant : *Cette tempête fut désastreuse pour les habitants de l'île.* → *Cette tempête fut la plus désastreuse que les habitants de l'île connurent.*

1. Cet orage est effrayant pour les enfants.
2. La chaleur était particulièrement accablante pour les touristes.
3. Cette grippe fut virulente pour les soldats de la Première Guerre mondiale.
4. Cet écueil est redoutable pour les navigateurs.

2 Transformez les phrases avec un superlatif introduit par *si... que.*
Exemple : *Quand il me regarde, ses yeux sont très doux, alors je sens mon cœur battre.* → *Quand il me regarde, ses yeux sont si doux que je sens mon cœur battre.*

1. L'après-midi était vraiment torride, alors ils remirent leur promenade au lendemain.
2. Magellan fut terriblement contrarié par l'absence de vent et décida de s'enfermer dans sa cabine pour réfléchir.
3. La soif qui l'accablait était tenace, alors il s'affala dans la première flaque.
4. Le vent soufflait violemment et emportait tout sur son passage.

Utiliser la comparaison → p. 366

3 Transformez les phrases avec une comparaison introduite par *autant de... que.*
Exemple : *Après la tempête, le ruisseau charria beaucoup de troncs morts, comme un grand fleuve en crue.* → *Après la tempête, le ruisseau charria autant de troncs morts qu'un grand fleuve en crue.*

1. L'enfant résista avec beaucoup de courage, comme les plus grands marins.
2. Le vent du Sud amenait des bouffées d'air suffocantes, comme la porte d'un four ouvert.
3. Le pirate lançait des regards en coin, comme une bête aux aguets.
4. Le train crachait beaucoup de vapeur, comme la gueule d'un dragon.
5. Elle examinait le large avec beaucoup d'attention, comme un marin averti.

4 Exprimez la comparaison en remplaçant le verbe *ressemble à* par l'un de ces outils : *pareil à, comme, tel, ainsi que.* Variez la place de la comparaison dans la phrase.
Exemple : *Les flots ressemblent à de vertes couleuvres et glissent le long du bord.* → *Telles de vertes couleuvres, les flots glissent le long du bord.*

1. Les nuages parcourent le ciel et ressemblent à de grands oiseaux hagards.
2. Des rochers surgissent brusquement et ressemblent à de grands monstres marins.
3. Le navire est couché sur ses flancs et ressemble à un combattant à l'agonie.
4. À perte de vue s'étend un désert de sable rouge qui ressemble à une mer sans limites.
5. Les grands chênes tordaient leurs branches qui ressemblaient à des bras musculeux.

Employer la tournure exclamative

5 Pour donner de l'expressivité à son propos, on peut employer des tournures exclamatives : construisez des phrases nominales exclamatives commençant par *quel* (que vous accorderez).
Exemple : *Les berges de ce ruisseau forment un monde mystérieux.* → *Quel monde mystérieux que les berges de ce ruisseau !*

1. C'est une chose étrange de voir la tempête se lever sur l'océan.
2. Cette pieuvre était un monstre gluant et sournois.
3. Les fonds sous-marins forment un monde fabuleux.
4. Cette ville aux multiples ruelles est un labyrinthe.

Orthographe

Accorder les adjectifs → p. 324

6 Accordez convenablement les adjectifs entre parenthèses.
1. Ce pirate témoigna d'une hardiesse, d'une audace et d'une témérité (*inouï*).
2. Il trouva les débris d'un vase de terre (*cuit*).
3. Ils souffrirent, au Sahara, d'une chaleur et d'un froid (*excessif*).
4. Ses pieds étaient (*brûlant*), sa tête (*douloureux*).
5. Le ciel est (*rose*), et (*rose*) les collines endormies.
6. Les pêcheurs, (*songeur*), considèrent avec stupéfaction son visage (*pâle*).
7. (*Sineux, pittoresque*), souvent (*ombragé*), ces (*beau*) routes nous conduisaient vers de (*paisible*) campagnes.

Écriture

Décrire un lieu propice à l'aventure

Rue éclairée par la lune de **Walter Meegan,** huile sur toile, 1887 (coll. part.).

A   Trouver des idées

1. L'aventure est liée au **sentiment de liberté...** Évoquez par quelques notions visuelles un espace ouvert à l'infini : des arbres, toujours des arbres ; la mer qui s'étend sans limites, l'entrelacement infini des ruelles...

2. Un lieu est propice au surgissement de l'aventure, s'il semble dissimuler des **mystères** ou des **dangers...** Évoquez le silence par quelques notations auditives légères : froissement des pas sur les feuilles, fuite d'un rongeur ou de tout autre animal, clapotis de l'eau...

B   Introduire sa description

3. a. Voici un extrait du *Grand Meaulnes* qui vous aidera à introduire votre description (voir p. 28) :

« Pour la première fois me voilà, moi aussi, sur le chemin de l'aventure. C'est le passage dont il est question dans les livres, l'ancien chemin obstrué, celui dont le prince harassé de fatigue n'a pu trouver l'entrée. Cela se découvre à l'heure la plus perdue de la matinée, quand on a depuis longtemps oublié qu'il va être onze heures, midi... »

b. Complétez ces phrases pour introduire la description de votre lieu :

« Pour la première fois me voilà, moi aussi, sur le chemin de l'aventure. C'est ... dont il est question dans les livres. Cela se découvre à l'heure la plus ..., quand on a depuis longtemps oublié qu'il va être ... »

C   Organiser sa description

4. Vous pouvez choisir de décrire le paysage au fur et à mesure que vous le découvrez. C'est ce qu'on appelle une description en mouvement.

● Employez des **verbes qui évoquent votre avancée :**

s'enfoncer, s'engouffrer, se précipiter, s'élancer, voguer, errer, flâner, rôder, se faufiler, ramper, escalader, enjamber, franchir...

● Employez des mots qui permettent de **situer dans l'espace** ce que l'on voit : *à l'est, à l'ouest, au nord, au sud, au loin, à l'horizon, à mes pieds...*

D   Exprimer des sensations

5. Employez **des verbes de perception variés :**
distinguer, apercevoir, contempler, observer/sentir, humer, s'enivrer...

6. Évoquez avec précision les différentes sensations que ce paysage fait naître en vous :

● **sensations visuelles :** *s'étendre, se dresser, s'élever...*
● **sensations auditives :** *chuchoter, s'atténuer, s'apaiser, s'amplifier, se répercuter, faire écho, se perdre...*
● **sensations olfactives :** *exhaler, répandre, diffuser...*

Des livres

❖ *Sans famille*, d'Hector Malot, Le Livre de Poche, 2007.

Un récit d'enfance émouvant et palpitant où le jeune héros découvre les difficultés de la vie et la force de l'entraide.

❖ *Croc-Blanc*, de Jack London, Folio Junior, 2008.

Croc-Blanc est un chien-loup qui, après avoir connu la vie sauvage de la meute, va découvrir le monde des hommes, souvent cruel.
En réaction, il deviendra un féroce combattant…

❖ *Deux Ans de vacances*, de Jules Verne, Librairie générale française, 2006.

Qui n'a jamais rêvé de s'embarquer sur un navire avec ses meilleurs camarades de collège et de faire naufrage sur une île, deux ans durant ? Comment les jeunes gens feront-ils face à la vie sauvage et aux pirates ?

❖ *Le Monde du bout du monde*, de Luis Sepulveda, Anne-Marie Métailié, 2005.

Un jeune garçon décide de s'embarquer comme mousse sur un baleinier et parcourt les côtes sauvages de la Patagonie. Cette initiation fera de notre héros un fervent défenseur de la cause écologique.

Des films

❖ *Voyage au centre de la Terre* de Henry Levin, 20th Century Fox, 1959.

Un fabuleux voyage en compagnie des héros de Jules Verne, qui découvrent les entrailles de la Terre en affrontant bien des dangers.

❖ *Oliver Twist* de Roman Polanski, Pathé, 2005.

Une version enlevée du roman de Dickens et un Oliver très attachant, parcourant le Londres misérable du XIXe siècle.

❖ *Indiana Jones* de Steven Spielberg, Paramount Pictures (4 films parus entre 1981 et 2008).

Les aventures du fameux archéologue, entre légendes et réalité historique, vous feront à la fois rire et trembler.

2

Voyages pour grandir

▶ **Comprendre le rôle initiatique de l'aventure**

Textes et images

1. « Un certain Vendredi », *Robinson Crusoé*, Daniel Defoe 40
2. « Une nouvelle vie », *Vendredi ou la Vie sauvage*,
   Michel Tournier 42
3. « Un capitaine de douze ans », *L'Île au trésor*,
   Robert Louis Stevenson 44
4. « Faits comme des rats ! », *Voyage au centre de la Terre*, Jules Verne 47
5. « La remontée » *Voyage au centre de la Terre*, Jules Verne 50
6. « Ce que j'ai fait », *Terre des hommes*, Antoine de Saint-Exupéry 54
Étude de l'image *La Mer de glace*, tableau de Gaspar David Friedrich 56

Synthèse Le récit d'aventures, un récit initiatique 57

Langue et Expression
- Vocabulaire : Les émotions 58
- Grammaire pour écrire : Mettre en valeur l'action d'un récit 59
- Écriture : Raconter une scène d'aventure 60

À lire & à voir 61

Image des **Contes de Terremer** (*Gedo Senki*),
film d'animation de Goro Miyazaki (2006).

Lire une image

1. Où se situe le personnage dans l'image ?
2. À votre avis, quel moment de la journée est représenté ?
   Justifiez votre réponse.
3. Quels sont les différents éléments de l'image qui suggèrent un départ ?

Un certain Vendredi

Seul rescapé d'un naufrage, Robinson Crusoé se retrouve sur une île déserte. Il organise sa survie. Un jour, il surprend un groupe d'indigènes en train de mettre à mort des prisonniers. Robinson intervient et parvient à sauver l'un d'eux.

Daniel Defoe
(1660-1731)
Cet écrivain anglais est avant tout connu comme l'auteur de *Robinson Crusoé* (1719) : inspirée par un fait divers authentique, l'histoire de ce marin naufragé atteindra une renommée universelle.

En peu de temps je commençai à lui parler et à lui apprendre à me parler. D'abord je lui fis savoir que son nom serait Vendredi ; c'était le jour où je lui avais sauvé la vie, et je l'appelai ainsi en mémoire de ce jour. Je lui enseignai également à m'appeler maître, à dire oui et non, et je lui appris ce que
5 ces mots signifiaient. Je lui donnai ensuite du lait dans un pot de terre ; j'en bus le premier, j'y trempai mon pain et lui donnai un gâteau pour qu'il fît de même : il s'en accommoda aussitôt et me fit signe qu'il trouvait cela fort bon.

Je demeurai là toute la nuit avec lui ; mais dès que le jour parut je lui fis comprendre qu'il fallait me suivre et que je lui donnerais des vêtements ; il
10 parut charmé de cela, car il était absolument nu.

Robinson décide de retourner au lieu où il a découvert Vendredi pour vérifier si les indigènes sont partis.

Ayant alors plus de courage et conséquemment[1] plus de curiosité, je pris mon Vendredi avec moi, je lui mis une épée à la main, sur le dos l'arc et les flèches, dont je le trouvai très adroit à se servir ; je lui donnai aussi à porter un fusil pour moi ; j'en pris deux moi-même, et nous marchâmes vers le lieu
15 où avaient été les Sauvages, car je désirais en avoir de plus amples nouvelles. Quand j'y arrivai, mon sang se glaça dans mes veines, et mon cœur défaillit à un horrible spectacle. C'était vraiment chose terrible à voir, du moins pour moi, car cela ne fit rien à Vendredi. La place était couverte d'ossements humains, la terre teinte de sang ; çà et là étaient des morceaux de chair à
20 moitié mangés, déchirés et rôtis, en un mot toutes les traces d'un festin de triomphe qu'ils avaient fait là après une victoire sur leurs ennemis. Je vis trois crânes, cinq mains, les os de trois ou quatre jambes, des os de pieds et une foule d'autres parties du corps. Vendredi me fit entendre par ses signes que les Sauvages avaient amené quatre prisonniers pour les manger, que trois l'avaient
25 été, et que lui, en se désignant lui-même, était le quatrième ; qu'il y avait eu une grande bataille entre eux et un roi leur voisin, – dont, ce semble, il était le sujet ; – qu'un grand nombre de prisonniers avaient été faits, et conduits en différents lieux par ceux qui les avaient pris dans la déroute[2], pour être mangés, ainsi que l'avaient été ceux débarqués par ces misérables.

30 Je commandai à Vendredi de ramasser ces crânes, ces os, ces tronçons et tout ce qui restait, de les mettre en un monceau et de faire un grand feu dessus pour les réduire en cendres. Je m'aperçus que Vendredi avait encore un violent appétit pour cette chair, et que son naturel était encore cannibale ; mais je lui montrai tant d'horreur à cette idée, à la moindre apparence
35 de cet appétit, qu'il n'osa pas le découvrir : car je lui avais fait parfaitement comprendre que s'il le manifestait je le tuerais.

DANIEL DEFOE, *Robinson Crusoé* (1719), traduction de Petrus Borel, 1835.

1. Conséquemment (adv.) : par conséquent.
2. Déroute (n. f.) : fuite, débandade.

Illustration de *Robinson Crusoé*, lithographie, vers 1900 (coll. part.).

Lecture

➡ Comprendre

1. Quelles transformations Robinson impose-t-il à Vendredi (l. 2 à 10) ?

2. a. Que comprend Robinson en se rendant sur le lieu où il a découvert Vendredi ?

b. Relevez plusieurs termes qui expriment sa réaction.

c. Pourquoi « cela ne fit-il rien à Vendredi » (l. 18) ?

3. a. Qu'est-ce que Robinson interdit à Vendredi à la fin du texte ?

b. De quoi le menace-t-il en cas de désobéissance ?

➡ Analyser

4. a. l. 1 à 6, quelle est la fonction des <u>pronoms personnels</u> (➡ p. 278) qui désignent Robinson ?

b. Quelle est celle des pronoms qui désignent Vendredi ?

c. Que pouvez-vous en conclure sur les relations entre les personnages ?

5. Quelle est la nature exacte du <u>déterminant</u> (➡ p. 276) qui précède le nom « Vendredi », ligne 12 ?

6. a. Dans le troisième paragraphe (l. 11 à 29), quels mots désignent les indigènes ?

b. Que pouvez-vous en déduire sur les sentiments de Robinson envers eux ?

➡ Interpréter

7. Quelle est l'attitude de Robinson vis-à-vis de Vendredi ? Justifiez votre réponse par des références précises au texte.

Vocabulaire

8. Cherchez l'étymologie et le sens du mot *paternalisme* : peut-on dire que Robinson se montre paternaliste avec Vendredi ? Pourquoi ?

9. Donnez un synonyme de *monceau* (l. 31) et cherchez un verbe de la même famille.

10. Quel est le sens du mot *sujet* à la ligne 27 ?

Expression orale

Sujet

Après la lecture de ce texte, l'image que vous vous faites de Robinson est-elle positive ou négative ? Pourquoi ? Quels éléments vous choquent, dans son attitude ? Comment pouvez-vous les expliquer ? Y a-t-il des éléments que vous admirez ? Lesquels ? Pourquoi ?

Une nouvelle vie

Comme chez Defoe (p. 40), le Robinson de Tournier sauve un indigène qui partagera désormais sa vie. Mais dans cette version, Vendredi n'est pas aussi docile : l'Indien refuse les règles qu'il ne comprend pas. Un jour, une de ses maladresses – Vendredi a voulu essayer en cachette la pipe du Maître – fait exploser la réserve de poudre : le fort que Robinson avait érigé de ses propres mains, et tout ce qu'il y avait entreposé, c'est-à-dire à peu près tout ce qui lui restait de la civilisation européenne, disparaît en fumée. Vendredi prend alors la situation en main.

Michel Tournier
(né en 1924)
Cet écrivain français reprend l'histoire de Robinson dans deux versions différentes : une version pour adultes, *Vendredi ou les Limbes du Pacifique* (1967) et une version pour enfants, *Vendredi ou la Vie sauvage* (1971).

Vendredi commença leur nouvelle vie par une longue période de siestes. Il passait des journées entières dans le hamac de lianes tressées qu'il avait tendues entre deux palmiers au bord de la mer. Il bougeait si peu que les oiseaux venaient se poser dans les arbres tout près de lui. Alors il tirait sur
5 eux avec sa sarbacane[1] et, le soir, il faisait rôtir avec Robinson le produit de cette sorte de chasse, certainement la plus paresseuse qui existât.

De son côté, Robinson avait commencé à se transformer complètement. Avant il portait des cheveux très courts, presque ras, et au contraire une grande barbe qui lui donnait un air de grand-père. Il coupa sa barbe – qui
10 avait été d'ailleurs déjà abîmée par l'explosion – et il laissa pousser ses cheveux qui formèrent des boucles dorées sur toute sa tête. Du coup, il paraissait beaucoup plus jeune, presque le frère de Vendredi. Il n'avait plus du tout la tête d'un gouverneur et encore moins d'un général.

Son corps aussi s'était transformé. Il avait toujours craint les coups de
15 soleil, d'autant plus qu'il était roux. Quand il devait rester au soleil, il se couvrait des pieds à la tête, mettait un chapeau et n'oubliait pas de surcroît sa grande ombrelle en peau de chèvre. Aussi il avait une peau blanche et fragile comme celle d'une poule plumée.

Encouragé par Vendredi, il commença à s'exposer nu au soleil. D'abord il
20 avait été tout recroquevillé, laid et honteux. Puis il s'était épanoui. Sa peau avait durci et avait une teinte cuivrée. Il était fier maintenant de sa poitrine bombée et de ses muscles saillants. Il s'exerçait avec Vendredi à toutes sortes de jeux. Ils faisaient la course sur le sable, ils se défiaient à la nage, au saut en hauteur, au lancer des bolas[2]. Robinson avait appris également à marcher
25 sur les mains, comme son compagnon. Il faisait « les pieds au mur » contre un rocher, puis il se détachait de ce point d'appui et partait lourdement, encouragé par les applaudissements de Vendredi.

Mais surtout il regardait faire Vendredi, il l'observait, et il apprenait grâce à lui comment on doit vivre sur une île déserte du Pacifique.

MICHEL TOURNIER, *Vendredi ou la Vie sauvage* (1971) © Gallimard.

1. Sarbacane : tube creux servant à envoyer des projectiles (fléchettes ou autres) par la force du souffle.
2. Bolas : lassos lestés de pierres.

Robinson dans son hamac, gravure de Félix Lorioux, éd. Hachette, 1930.

6. À quelles parties du visage peut-on associer les adjectifs suivants ? Si nécessaire, vérifiez leur sens dans le dictionnaire :

aquilin – arqués – bombé – broussailleux – carré – charnu – décollées – droit – enfoncés – épaté – fin – fuyant – globuleux – pétillants – pointu – retroussé – rond.

7. Recopiez chaque expression en remplaçant l'adjectif par un adjectif de sens contraire, que vous choisirez dans la liste proposée (attention aux accords) :

charnu – creux – droit- grêle – lisse – trapue.

1. Une silhouette *élancée*. – **2.** Un dos *voûté*. – **3.** Des membres *vigoureux*. – **4.** Un visage *ridé*. – **5.** Des joues *rebondies*. – **6.** Des lèvres *minces*.

Expression écrite

Sujet

Vous venez de lire un portrait de Robinson. Comment imaginez-vous Vendredi ? Faites son portrait en une demi-page environ.

Conseils

• Organisez vos informations pour que le portrait soit clair : décrivez selon un ordre précis, de haut en bas, par exemple, et du plus général au plus précis.

• Réutilisez une partie du vocabulaire étudié.

• Limitez l'utilisation des verbes *être* et *avoir*.

• Pour rendre votre portrait plus vivant, vous pouvez y insérer des phrases qui relatent les habitudes de Vendredi.

Exercice d'entraînement

Récrivez les phrases suivantes de manière à exprimer la même idée en supprimant *être* ou *avoir*.

Exemples : Sa bouche était souriante. → *Sa bouche souriait. – Il avait toujours un chapeau.* → *Il portait toujours un chapeau.*

Vous pouvez vous aider du texte et de celui de Daniel Defoe (p. 40).

1. Ses cheveux étaient bouclés. – **2.** Ses dents étaient blanches et brillantes. – **3.** Il avait des vêtements déchirés. – **4.** Il était nu. – **5.** Ses yeux avaient un regard dur. **6.** Il avait des rides sur tout le visage. – **7.** Il avait de gros muscles.

Lecture

➡ Comprendre

1. Quelles sont les nouvelles activités proposées par Vendredi ?

2. a. Quelles transformations physiques se produisent chez Robinson ?

b. Ces transformations sont-elles positives ou négatives ? Justifiez votre réponse.

c. Relevez une phrase qui montre que les relations entre les deux hommes sont elles aussi transformées.

➡ Analyser

3. Dans le premier paragraphe, quels détails donnent une impression de facilité et d'harmonie avec la nature ?

4. a. Quel est le <u>temps des verbes</u> (➜ p. 344) (hormis le premier), dans ce paragraphe ?

b. Qu'exprime ce temps verbal ?

➡ Interpréter

5. Comparez la relation entre Robinson et Vendredi dans ce texte et dans celui de Defoe, p. 40.

Un capitaine de douze ans

Jim Hawkins, un jeune garçon, qui est aussi le narrateur, est entré par hasard en possession d'une carte au trésor. Avec des amis, il embarque donc à bord de l'His-panola pour mettre la main sur ce trésor. Mais l'équipage s'avère composé d'une bande de pirates qui, une fois débarqués dans l'île, attaquent nos héros et prennent possession du bateau. Le narrateur, après bien des aventures, parvient à remonter secrètement à bord.

Robert Louis Stevenson
(1850-1894)

Cet écrivain anglais est encore méconnu lorsqu'il décide d'écrire, pour son beau-fils, une histoire de pirates et de trésor. Intitulé *l'Île au trésor*, ce récit, paru en feuilleton entre 1881 et 1882 avant d'être publié intégralement en 1883, lui vaudra une renommée immédiate.

1. Fauberté : balayé, nettoyé.

2. Dalot : ouverture pratiquée dans le bordage d'un navire, permettant d'évacuer l'eau.

3. Anspect : long bâton ferré servant à manœuvrer les treuils.

4. L'un des pirates.

5. Rictus : sourire grimaçant.

6. Durant la traversée, le narrateur, caché dans un tonneau de pommes, a surpris les plans cruels des pirates, qui voulaient les assassiner, lui et ses amis.

On ne voyait pas une âme. Les planches, n'ayant pas été faubertées[1] depuis la mutinerie, gardaient l'empreinte de plusieurs pas ; une bouteille au goulot cassé roulait çà et là dans les dalots[2] comme un être vivant. […]

Les deux hommes de garde étaient bien là. Le pirate au bonnet rouge
5 gisait sur le dos, raide comme un anspect[3], les bras en croix, ses lèvres écartées découvrant ses dents. Israel Hands[4] était appuyé contre le bastingage, le menton sur la poitrine, les mains ouvertes posées devant lui sur le pont, et le visage aussi blanc, sous son hâle, qu'une chandelle de suif.

[…] À chaque bond de la goélette, l'homme au bonnet rouge glissait d'un
10 côté à l'autre ; mais, spectacle effroyable, ce traitement brutal ne modifiait ni son attitude ni son rictus[5] immuable. À chaque bond, également, Hands semblait s'affaisser davantage sur lui-même et s'étaler sur le pont, ses pieds glissant toujours plus loin, tout son corps penchant vers l'arrière. Peu à peu son visage même me fut caché ; finalement, je ne distinguai plus qu'une de
15 ses oreilles et l'extrémité ébouriffée d'un de ses favoris.

En même temps, je remarquai des flaques de sang noir sur le pont autour des deux hommes, et je commençai à penser qu'ils s'étaient entretués dans leur fureur d'ivrognes.

Tandis que je les contemplais ainsi en réfléchissant, Hands, au cours d'une
20 brève accalmie pendant laquelle le navire demeura immobile, se retourna à demi, puis, poussant un gémissement sourd, parvint à reprendre la position où je l'avais vu tout d'abord. Ce gémissement (qui exprimait une vive souffrance et une faiblesse extrême) ainsi que la façon dont sa mâchoire inférieure pendait me touchèrent droit au cœur. Mais la conversation que j'avais
25 entendue dans le tonneau de pommes[6] m'étant revenue à la mémoire, toute pitié m'abandonna.

Je me dirigeai vers l'arrière et m'arrêtai au pied du grand mât.

– Je suis venu à bord, monsieur Hands, dis-je d'un ton ironique.

Il promena autour de lui un regard vague, mais il était trop épuisé pour
30 exprimer la moindre surprise. Tout ce qu'il put faire fut de murmurer un seul mot : « Eau-de-vie. »

Le narrateur tend au marin un flacon d'eau-de-vie.

Il dut en avaler près d'une demi-pinte avant de retirer la bouteille de sa bouche.

– Ah, tonnerre ! s'exclama-t-il ; j'avais bougrement besoin de ça.

35 Je m'étais déjà assis dans mon coin, et j'avais commencé à manger.

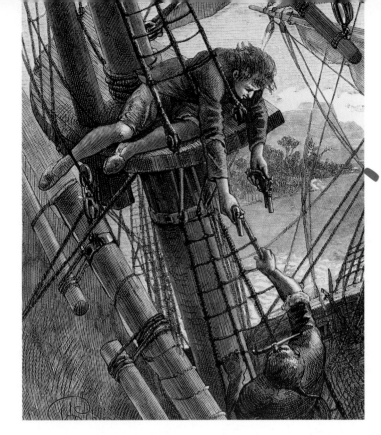

La Mort d'Israel Hands, **illustration de George Roux** pour *L'Île au trésor*, gravure Jules Ladmiral, fin XIXe siècle (Paris, BNF).

7. Les couleurs d'un navire : son pavillon.

8. Amener : a ici le sens de « baisser ».

9. Hauban : cordage suspendu entre les mâts.

– Grièvement blessé ? lui demandai-je.

Il poussa un grognement, ou, plutôt, une espèce d'aboiement, puis il répondit :

– Si ce foutu docteur était à bord, j'serais remis d'aplomb en un rien de
40 temps ; mais, vois-tu, j'ai jamais eu d'veine dans la vie, c'est ça qu'a toujours cloché pour moi… Pour ce qu'est de c'te foutue andouille, ajouta-t-il en montrant l'homme au bonnet rouge, il est mort, et bien mort. D'ailleurs, c'était pas un marin… Et toi, d'où c'est qu'tu sors ?

– Ma foi, monsieur Hands, je suis venu à bord pour prendre possession du
45 bateau, et, jusqu'à nouvel ordre, je vous prierai de bien vouloir me considérer comme votre capitaine. […] À propos, poursuivis-je, je ne peux pas tolérer ces couleurs[7], monsieur Hands ; avec votre permission, je vais les amener[8]. Il vaut mieux ne pas en avoir du tout.

Le jeune garçon passe un accord avec Hands : il manœuvrera le bateau pour le mettre à l'abri, guidé par les conseils du pirate. Mais à peine le navire en sûreté, celui-ci, requinqué par l'alcool, attaque Jim, qui a tout juste le temps de fuir dans les haubans[9].

Maintenant que je disposais d'un moment de répit, j'en profitai pour
50 changer sans plus attendre l'amorce de mon pistolet ; puis, certain d'avoir une arme prête à servir, j'entrepris, pour plus de sûreté, de retirer la charge de l'autre et de le recharger complètement.

Cette opération frappa Hands de stupeur. Il commença à comprendre que la chance tournait contre lui. […]

55 – Jim, dit-il, j'crois bien qu'on est salement engagés, toi et moi, et va falloir qu'on signe un traité. […] À cette heure, faut que j'amène mon pavillon,

Un pirate de *L'Île au trésor :* **Long John Silver,** ill. de Monro S. Orr, édition de 1937.

et c'est dur, vois-tu, pour un vieux mathurin comme moi, de mettre les pouces[10] devant un moussaillon de ton espèce.

60 Tandis que je buvais ses paroles en souriant, fier comme un coq perché sur un mur, il rejeta soudain sa main droite en arrière par-dessus son épaule. Quelque chose siffla dans l'air comme une flèche. Je sentis un choc, puis une douleur aiguë, et je me trouvai cloué au mât par l'épaule. Sous l'effet de la surprise et de la souffrance (je ne saurais dire que j'agis volontairement, et je suis sûr que je ne visai pas mon ennemi), mes deux pistolets partirent, 65 puis m'échappèrent des mains. Ils ne tombèrent pas seuls. Poussant un cri étouffé, le patron de canot lâcha les haubans, pour plonger ensuite dans l'eau, la tête la première.

R.- L. Stevenson, *L'Île au trésor* (1881), trad. Jacques Papy
© Gallimard, « Folio Junior », 1974.

Lecture

→ Comprendre

1. Pourquoi Jim veut-il récupérer le navire et le mettre en sûreté ?

2. Dans quel état Jim retrouve-t-il le bateau ? Répondez en citant des éléments précis du texte.

3. Quelle est sa première décision lorsqu'il a pris possession du navire (l. 44 à 48) ? Pourquoi ?

4. a. Pourquoi Jim n'achève-t-il pas le pirate lorsqu'il est blessé et sans défense ?

b. Que risque-t-il lorsque celui-ci l'attaque ?

5. Dans quelles circonstances le narrateur tue-t-il le pirate ? À votre avis, pourquoi ce choix de l'auteur ?

→ Analyser

6. a. Quels détails font du bateau un lieu de mort et de désolation (l. 1 à 18) ?

b. Quelle précision rend le cadavre encore plus inquiétant ?

7. Dans la tradition épique, il y a toujours un moment où le héros descend au pays des morts. Montrez que le bateau, dans cet épisode, ressemble à un tel pays.

→ Interpréter

8. De quelles qualités Jim fait-il preuve dans ce passage ?

9. Dans ce texte, le héros se comporte-t-il encore en enfant ? Justifiez votre réponse.

10. Que pouvez-vous en conclure sur le rôle que joue cette aventure dans l'évolution de l'enfant ?

Vocabulaire

11. Quel est le sens du verbe *toucher* (l. 24) ? Recopiez la phrase en remplaçant ce mot par un synonyme, et en faisant les transformations nécessaires.

12. Donnez le sens des mots *fureur* (l. 18) et *stupeur* (l. 53). Ces mots ont-ils un degré d'intensité fort ou faible ?

13. *Émotion* vient du latin *ex-movere* : « mettre en mouvement ». En français, cela a donné des mots contenant le radical *mot-* et *mouv-*. Donnez-en quelques exemples.

14. a. Analysez la formation du mot *immuable* (l. 11) et donnez son sens.

b. De la même manière, à partir du radical *ébranler*, formez un adjectif signifiant : « que l'on ne peut émouvoir », puis cherchez-lui des synonymes.

Expression écrite

▌ Sujet

Le début du combat entre Hands et Jim est ici résumé (l. 49 à 67). Racontez-le en dix à quinze lignes, en vous efforçant de souligner la violence de l'action.

▌ Conseils

● Choisissez des termes forts, en particulier pour exprimer les mouvements et les émotions.

● Pour les mouvements, vous utiliserez au moins six des verbes suivants :

se ruer – se précipiter – faire volte-face – escalader – dégringoler – bondir, surgir – jaillir – s'immobiliser – se figer – esquiver – projeter – s'élancer – s'effondrer – ployer.

Faits comme des rats !

Le narrateur, Axel, un jeune homme, et son oncle, un scientifique aussi célèbre qu'irascible, ont découvert un message codé laissé par un explorateur, dans lequel celui-ci affirme s'être rendu jusqu'au centre de la Terre. Ils se lancent aussitôt sur cette piste. Après une longue descente dans le cratère d'un volcan endormi, ils se trouvent à un carrefour. Ils empruntent une galerie au hasard mais, bientôt, l'eau manque...

Jules Verne
(1828-1905)

Ingénieur de formation, il rêvait depuis l'enfance de devenir marin, mais il ne voyagea jamais. En revanche, il a passé sa vie à imaginer des voyages tous plus fabuleux les uns que les autres, et nous a laissé une cinquantaine de romans d'aventure qui sont considérés comme les débuts de la science-fiction (voir chapitre 1, p. 20).

Ainsi que je l'avais prévu, l'eau fit tout à fait défaut à la fin du premier jour de marche ; notre provision liquide se réduisit alors à du genièvre ; mais cette infernale liqueur brûlait le gosier, et je ne pouvais même en supporter la vue. Je trouvais la température étouffante ; la fatigue me paralysait. Plus 5 d'une fois, je faillis tomber sans mouvement. On faisait halte alors ; mon oncle ou l'Islandais[1] me réconfortaient de leur mieux. Mais je voyais déjà que le premier réagissait péniblement contre l'extrême fatigue et les tortures nées de la privation d'eau.

Enfin, le mardi 8 juillet, en nous traînant sur les genoux, sur les mains, 10 nous arrivâmes à demi morts au point de jonction des deux galeries. Là je demeurai comme une masse inerte, étendu sur le sol de lave. Il était dix heures du matin.

Hans et mon oncle, accotés[2] à la paroi, essayèrent de grignoter quelques morceaux de biscuit. De longs gémissements s'échappaient de mes lèvres 15 tuméfiées[3]. Je tombai dans un profond assoupissement.

Au bout de quelque temps, mon oncle s'approcha de moi et me souleva entre ses bras :

« Pauvre enfant ! » murmura-t-il avec un véritable accent de pitié.

Je fus touché de ces paroles, n'étant pas habitué aux tendresses du 20 farouche professeur. Je saisis ses mains frémissantes dans les miennes. Il se laissa faire en me regardant. Ses yeux étaient humides.

Je le vis alors prendre la gourde suspendue à son côté. À ma grande stupéfaction, il l'approcha de mes lèvres :

[...]

25 « Oui, fit-il, une gorgée d'eau ! la dernière ! entends-tu bien ? la dernière ! Je l'avais précieusement gardée au fond de ma gourde. Vingt fois, cent fois, j'ai dû résister à mon effrayant désir de la boire ! Mais non, Axel, je la réservais pour toi.

– Mon oncle ! murmurai-je pendant que de grosses larmes mouillaient 30 mes yeux.

– Oui, pauvre enfant, je savais qu'à ton arrivée à ce carrefour, tu tomberais à demi mort, et j'ai conservé mes dernières gouttes d'eau pour te ranimer.

– Merci ! merci ! » m'écriai-je.

35 Si peu que ma soif fut apaisée, j'avais cependant retrouvé quelque force. Les muscles de mon gosier, contractés jusqu'alors, se détendaient ; l'inflammation de mes lèvres s'était adoucie. Je pouvais parler.

1. Hans, le guide des deux explorateurs.
2. Accoté : appuyé.
3. Tuméfié : enflé, gonflé.

Image du film
***Voyage au centre
de la Terre,***
de Henry Levin (1959),
avec Arlene Dahl,
Pat Boone
et James Mason.

« Voyons, dis-je, nous n'avons maintenant qu'un parti à prendre ; l'eau nous manque ; il faut revenir sur nos pas. »

40 Pendant que je parlais ainsi, mon oncle évitait de me regarder ; il baissait la tête ; ses yeux fuyaient les miens.

« Il faut revenir, m'écriai-je, et reprendre le chemin du Sneffels. Que Dieu nous donne la force de remonter jusqu'au sommet du cratère !

Revenir ! fit mon oncle, comme s'il répondait plutôt à lui qu'à moi-même.

45 – Oui, revenir, et sans perdre un instant. »

Il y eut un moment de silence assez long.

« Ainsi donc, Axel, reprit le professeur d'un ton bizarre, ces quelques gouttes d'eau ne t'ont pas rendu le courage et l'énergie ?

– Le courage !

50 – Je te vois abattu comme avant, et faisant encore entendre des paroles de désespoir ! »

À quel homme avais-je affaire et quels projets son esprit audacieux formait-il encore ?

« Quoi, vous ne voulez pas ?….

55 – Renoncer à cette expédition, au moment où tout annonce qu'elle peut réussir ! Jamais !

– Alors il faut se résigner à périr ?

– Non, Axel, non ! pars. Je ne veux pas ta mort ! Que Hans t'accompagne. Laisse-moi seul !

60 – Vous abandonner !

– Laisse-moi, te dis-je ! J'ai commencé ce voyage ; je l'accomplirai jusqu'au bout, ou je n'en reviendrai pas. Va-t'en, Axel, va-t'en ! »

Mon oncle parlait avec une extrême surexcitation. Sa voix, un instant attendrie, redevenait dure et menaçante. Il luttait avec une sombre énergie
65 contre l'impossible ! Je ne voulais pas l'abandonner au fond de cet abîme, et, d'un autre côté, l'instinct de la conservation me poussait à le fuir.

[…]

« Le manque d'eau, dit-il, met seul obstacle à l'accomplissement de mes projets. Dans cette galerie de l'est, faite de laves, de schistes, de houilles, nous

70 n'avons pas rencontré une seule molécule liquide. Il est possible que nous soyons plus heureux en suivant le tunnel de l'ouest. »

Je secouai la tête avec un air de profonde incrédulité.

« Écoute-moi jusqu'au bout, reprit le professeur en forçant la voix. Pendant que tu gisais, là sans mouvement, j'ai été reconnaître la conformation
75 de cette galerie. Elle s'enfonce directement dans les entrailles du globe, et, en peu d'heures, elle nous conduira au massif granitique. Là nous devons rencontrer des sources abondantes. La nature de la roche le veut ainsi, et l'instinct est d'accord avec la logique pour appuyer ma conviction. Or, voici ce que j'ai à te proposer. Quand Colomb a demandé trois jours à ses équi-
80 pages pour trouver les terres nouvelles, ses équipages, malades, épouvantés, ont cependant fait droit[4] à sa demande, et il a découvert le Nouveau Monde. Moi, le Colomb de ces régions souterraines, je ne te demande qu'un jour encore. Si, ce temps écoulé, je n'ai pas rencontré l'eau qui nous manque, je te le jure, nous reviendrons à la surface de la terre. »

85 En dépit de mon irritation, je fus ému de ces paroles et de la violence que se faisait mon oncle pour tenir un pareil langage.

« Eh bien ! m'écriai-je, qu'il soit fait comme vous le désirez, et que Dieu récompense votre énergie surhumaine. Vous n'avez plus que quelques heures à tenter le sort ! En route ! »

JULES VERNE, *Voyage au centre de la Terre* (1864).

4. Faire droit à : accéder à (une demande).

Lecture

→ Comprendre

1. Quel danger les héros courent-ils dans ce passage ?

2. Comment le narrateur souligne-t-il l'urgence de la situation (l. 1 à 15) ?

3. Comment chaque personnage affronte-t-il la situation ?

4. À quel choix difficile Axel se trouve-t-il confronté lorsque son oncle décide de poursuivre l'aventure ?

5. Quelle décision prend-il finalement ? Pourquoi ?

→ Analyser

6. Reformulez le raisonnement par lequel le professeur justifie sa décision (l. 68 à 78) en quelques phrases reliées entre elles par des conjonctions de coordination (→ p. 272).

7. Quel événement le professeur a-t-il déjà prévu grâce à ses capacités de déduction (l. 25 à 34) ?

→ Interpréter

8. a. À quel personnage historique le professeur se compare-t-il (l. 79 à 84) ?

b. Qu'est-ce qui, dans le caractère du personnage comme dans la situation, justifie cette comparaison ?

Vocabulaire

9. Parmi les expressions suivantes, lesquelles peuvent s'appliquer au professeur ?

audacieux – plein de sang-froid – tenace – prévoyant – prudent – impulsif – exalté – tendre – bourru – sentimental – dur – inventif – réfléchi – insouciant – timoré – généreux – ambitieux – démonstratif – froid.

Expression écrite

▌ Sujet

De retour chez lui, Hans fait le portrait du professeur. Rédigez ce portrait en dix à douze lignes.

▌ Conseils

• Vous ferez deux paragraphes, écrits à la première personne comme si vous étiez Hans :

– un paragraphe pour le portrait physique : imaginez l'apparence de ce personnage et décrivez-le en vous servant du travail effectué pour le portrait de Vendredi (p. 43) ;

– un paragraphe pour le portrait moral : réemployez les informations du texte et le vocabulaire de la question 9.

• Votre travail commencera par ces mots : « Le professeur était l'être le plus étonnant... »

• Il se terminera par : « Non, jamais je n'oublierai ce... »

La remontée

Sous terre, Hans, Axel et son oncle découvrent des mondes insoupçonnés. Mais leur exploration poussée sans cesse plus loin finit par leur faire perdre tout repère. La boussole s'affole. Errant dans cet univers souterrain à la recherche d'une issue, les trois hommes construisent un radeau et s'abandonnent au courant d'une rivière. Soudain, d'étranges phénomènes se produisent…

« **M**on oncle, mon oncle ! m'écriai-je, nous sommes perdus ! »

[...]

Mon oncle secoua doucement la tête.

« Un tremblement de terre ? fit-il.

5   – Oui !

– Mon garçon, je crois que tu te trompes !

– Quoi ! vous ne reconnaissez pas ces symptômes ?

– D'un tremblement de terre ? non ! J'attends mieux que cela !

– Que voulez-vous dire ?

10   – Une éruption, Axel.

– Une éruption ! dis-je ; nous sommes dans la cheminée d'un volcan en activité !

– Je le pense, dit le professeur en souriant, et c'est ce qui peut nous arriver de plus heureux ! »

15   De plus heureux ! Mon oncle était-il donc devenu fou ? Que signifiaient ces paroles ? pourquoi ce calme et ce sourire ?

Image du film
***Voyage au centre de la Terre**,*
d'Eric Brevig (2008),
avec Josh Hutcherson,
Brendan Fraser
et Anita Briem.

Gravure de Riou pour ***Le Voyage au centre de la Terre***, éd. Hetzel, 1864.

« Comment ! m'écriai-je, nous sommes pris dans une éruption ! la fatalité nous a jetés sur le chemin des laves incandescentes, des roches en feu, des eaux bouillonnantes, de toutes les matières éruptives ! nous allons être
20 repoussés, expulsés, rejetés, vomis, lancés dans les airs avec les quartiers de rocs, les pluies de cendres et de scories[1], dans un tourbillon de flammes ! et c'est ce qui peut nous arriver de plus heureux !

– Oui, répondit le professeur en me regardant par-dessus ses lunettes, car c'est la seule chance que nous ayons de revenir à la surface de la terre ! »
25 Je passe rapidement sur les mille idées qui se croisèrent dans mon cerveau. Mon oncle avait raison, absolument raison, et jamais il ne me parut ni plus audacieux ni plus convaincu qu'en ce moment, où il attendait et supputait[2] avec calme les chances d'une éruption.

Cependant nous montions toujours ; la nuit se passa dans ce mouvement
30 ascensionnel […]. Vers huit heures du matin, un nouvel incident se produisit pour la première fois. Le mouvement ascensionnel cessa tout à coup. Le radeau demeura absolument immobile.

« Qu'est-ce donc ? demandais-je, ébranlé par cet arrêt subit comme par un choc.
35 […]

« Est-ce que l'éruption s'arrêterait ? m'écriai-je.

– Ah ! fît mon oncle les dents serrées, tu le crains, mon garçon ; mais rassure-toi, ce moment de calme ne saurait se prolonger ; voilà déjà cinq minutes qu'il dure, et avant peu nous reprendrons notre ascension vers
40 l'orifice du cratère. »

Le professeur, en parlant ainsi, ne cessait de consulter son chronomètre, et il devait avoir encore raison dans ses pronostics. Bientôt le radeau fut repris d'un mouvement rapide et désordonné qui dura deux minutes à peu près, et il s'arrêta de nouveau.

1. **Scorie :** fragment de lave solidifiée.
2. **Supputer :** évaluer, calculer.

45 « Bon, fît mon oncle en observant l'heure, dans dix minutes il se remettra en route.

– Dix minutes ?

– Oui. Nous avons affaire à un volcan dont l'éruption est intermittente[3]. Il nous laisse respirer avec lui. »

50 Rien n'était plus vrai. À la minute assignée[4], nous fûmes lancés de nouveau avec une extrême rapidité ; il fallait se cramponner aux poutres pour ne pas être rejeté hors du radeau. Puis la poussée s'arrêta. […]

Combien de fois se reproduisit cette manœuvre, je ne saurais le dire ; tout ce que je puis affirmer, c'est qu'à chaque reprise du mouvement, nous étions 55 lancés avec une force croissante et comme emportés par un véritable projectile. Pendant les instants de halte, on étouffait ; pendant les moments de projection, l'air brûlant me coupait la respiration. Je pensai un instant à cette volupté de me retrouver subitement dans les régions hyperboréennes[5] par un froid de trente degrés au-dessous de zéro. Mon imagination surexcitée 60 se promenait sur les plaines de neige des contrées arctiques, et j'aspirais au moment où je me roulerais sur les tapis glacés du pôle ! Peu à peu, d'ailleurs, ma tête, brisée par ces secousses réitérées[6], se perdit. Sans les bras de Hans, plus d'une fois je me serais brisé le crâne contre la paroi de granit.

Je n'ai donc conservé aucun souvenir précis de ce qui se passa pendant 65 les heures suivantes. J'ai le sentiment confus de détonations continues, de l'agitation du massif, d'un mouvement giratoire[7] dont fut pris le radeau. Il ondula sur des flots de laves, au milieu d'une pluie de cendres. Les flammes ronflantes l'enveloppèrent. Un ouragan qu'on eût dit chassé d'un ventilateur immense activait les feux souterrains. Une dernière fois, la figure de Hans 70 m'apparut dans un reflet d'incendie, et je n'eus plus d'autre sentiment que cette épouvante sinistre des condamnés attachés à la bouche d'un canon, au moment où le coup part et disperse leurs membres dans les airs.

Quand je rouvris les yeux, je me sentis serré à la ceinture par la main vigoureuse du guide. De l'autre main il soutenait mon oncle. Je n'étais pas 75 blessé grièvement, mais brisé plutôt par une courbature générale. Je me vis couché sur le versant d'une montagne, à deux pas d'un gouffre dans lequel le moindre mouvement m'eût précipité. Hans m'avait sauvé de la mort, pendant que je roulais sur les flancs du cratère.

« Où sommes-nous ? » demanda mon oncle, qui me parut fort irrité d'être 80 revenu sur terre.

[…]

Après les surprises innombrables de ce voyage, une stupéfaction nous était encore réservée. Je m'attendais à voir un cône couvert de neiges éternelles, au milieu des arides déserts des régions septentrionales[8], sous les 85 pâles rayons d'un ciel polaire, au-delà des latitudes les plus élevées, et, contrairement à toutes ces prévisions, mon oncle, l'Islandais et moi, nous étions étendus à mi-flanc d'une montagne calcinée par les ardeurs du soleil qui nous dévorait de ses feux.

JULES VERNE, *Voyage au centre de la Terre* (1864).

Éruption du volcan Stromboli le 30 décembre 2002.

3. Intermittent : qui s'arrête et reprend par intervalles.

4. Assigné : fixé, déterminé précisément.

5. Hyperboréen (adj.) : de l'extrême nord.

6. Réitéré : souvent répété.

7. Giratoire : tournant, tourbillonnant.

8. Septentrional : du nord.

La vague, d'Yvan Aivazovsky (détail),
huile sur toile, 1886 (Brest, musée des Beaux Arts).

Lecture

➡ Comprendre

1. a. Dans quelle sorte de passage souterrain les personnages se trouvent-ils ?

b. Quel phénomène est en train de se produire ?

2. a. Comment Axel réagit-il face à ce phénomène ? Justifiez votre réponse en vous appuyant sur le texte, notamment sur la ponctuation.

b. Comment le professeur réagit-il ? Pourquoi ?

3. Quelles sont les différentes étapes de ce voyage ascensionnel ?

4. a. Pourquoi Axel ne peut-il pas raconter en détail toute la remontée ?

b. Quel intérêt ce procédé présente-t-il pour le lecteur ?

➡ Analyser

5. a. Relisez les lignes 17 à 19 : quel **procédé de style** (➡ p. 366) est utilisé dans cette phrase ? Dans quel but ?

b. Trouvez dans la suite du texte un autre exemple de ce même procédé.

6. Dans le paragraphe qui va des lignes 64 à 72, relevez tous les termes qui évoquent le feu : quelle impression produisent-ils ?

➡ Interpréter

7. Dans les rites d'initiation des sociétés traditionnelles, on retrouve certains éléments communs : la descente aux Enfers, l'épreuve de la souffrance, celle de la peur, l'épreuve du feu, la confrontation avec la mort. En vous appuyant sur ce texte et sur le précédent, montrez qu'Axel est bel et bien passé par toutes ces épreuves.

8. Qu'est-ce qui, dans les aventures vécues par Axel dans ce dernier extrait, peut faire penser à une naissance ?

9. Que symbolise le passage par le volcan ?

Vocabulaire

10. Qu'est-ce que la *fatalité* (l. 17-18) ?

11. Donnez le sens du mot *incandescentes* (l. 18).

12. a. Quels sont les différents sens du verbe *ébranler* ?

b. Que signifie-t-il dans le texte (l. 33)?

c. Employez-le dans une phrase où il aura un autre sens.

13. a. Quel est le sens du mot *ardeur* (l. 87) ?

b. Réemployez-le au sens figuré.

Expression écrite

▮ Sujet

Au cours de leur voyage, Hans, Axel et son oncle ont eu à traverser un vaste océan sur un simple radeau, et ont dû affronter une tempête sur cette frêle embarcation. Faites le récit de cette tempête à l'imitation du texte que vous venez de lire.

▮ Conseils

● Commencez par quelques phrases de dialogue constatant la tempête qui s'annonce. Les paroles de chaque personnage devront refléter leur caractère.

● Racontez ensuite la tempête proprement dite. Insistez sur les sensations ressenties par les personnages. Décrivez les mouvements de l'eau, du bateau, des nuages, des éclairs… Précisez aussi les bruits, les jeux d'ombre et de lumière. Réutilisez pour cela le vocabulaire étudié.

● Soulignez la violence de la tempête en utilisant quelques accumulations.

● Imaginez là aussi qu'Axel perd connaissance, en expliquant pourquoi.

● Précisez où et quand il reprend connaissance. Décrivez rapidement le nouvel environnement des héros et terminez par un commentaire d'Axel.

▮ Exercices de préparation

❶ Relevez tous les verbes du texte qui expriment un mouvement et vérifiez le sens de ceux que vous ne connaissez pas.

❷ a. Trouvez dans le texte deux noms désignant des bruits violents.

b. Classez les mots suivants selon qu'ils traduisent un bruit léger ou violent : *bruissement – chuchotement – clameur – claquement – grondement – martèlement – coup de tonnerre – tapage – tumulte – vacarme*.

c. Qu'est-ce qui peut… *bourdonner ? crépiter ? ronfler ? gémir ? siffler ? clapoter ? ronronner ? grésiller ? gargouiller ?*

Répondez par des noms désignant des objets inanimés.

Ce que j'ai fait...

L'histoire qui suit est une histoire vraie. Un jour de 1930, Guillaumet, pilote d'aviation et ami de Saint-Exupéry, s'écrase dans la cordillère des Andes. Les recherches restent vaines. Guillaumet, blessé, livré à lui-même dans un univers hostile, entreprend une marche insensée pour sa survie.

« Quand je me dégageai de l'avion, la tempête me renversa. Je me rétablis sur mes pieds, elle me renversa encore. J'en fus réduit à me glisser sous la carlingue et à creuser un abri dans la neige. Je m'enveloppai là de sacs postaux, et, quarante-huit heures durant, j'attendis.

5   Après quoi, la tempête apaisée, je me mis en marche. Je marchai cinq jours et quatre nuits... »

Boxeur vainqueur, mais marqué des grands coups reçus, tu revivais ton étrange aventure. Et tu t'en délivrais par bribes[1]. Et je t'apercevais, au cours de ton récit nocturne, marchant, sans piolet, sans cordes, sans vivres, esca-
10   ladant des cols de quatre mille cinq cents mètres, ou progressant le long de parois verticales, saignant des pieds, des genoux et des mains, par quarante degrés de froid. Vidé peu à peu de ton sang, de tes forces, de ta raison, tu avançais avec un entêtement de fourmi, revenant sur tes pas pour contourner l'obstacle, te relevant après les chutes, ou remontant celles des pentes qui
15   n'aboutissaient qu'à l'abîme, ne t'accordant enfin aucun repos, car tu ne te serais pas relevé du lit de neige.

Et, en effet, quand tu glissais, tu devais te redresser vite, afin de n'être point changé en pierre. Le froid te pétrifiait de seconde en seconde, et, pour avoir goûté, après la chute, une minute de repos de trop, tu devais faire jouer,
20   pour te relever, des muscles morts.

Tu résistais aux tentations. « Dans la neige, me disais-tu, on perd tout instinct de conservation. Après deux, trois, quatre jours de marche, on ne souhaite plus que le sommeil. Je le souhaitais. Mais je me disais : " Ma femme, si elle croit que je vis, croit que je marche. Les camarades croient que je marche.
25   Ils ont tous confiance en moi. Et je suis un salaud si je ne marche pas, " »

Une fois cependant, ayant glissé, allongé à plat ventre dans la neige, tu renonças à te relever. Tu étais semblable au boxeur qui, vidé d'un coup de toute passion, entend les secondes tomber une à une dans un univers étranger, jusqu'à la dixième qui est sans appel.

30   « J'ai fait ce que j'ai pu et je n'ai point d'espoir, pourquoi m'obstiner dans ce martyre ? » Il te suffisait de fermer les yeux pour faire la paix dans le monde. Pour effacer du monde les rocs, les glaces et les neiges.

Une fois debout, tu marchas deux nuits et trois jours.

Mais tu ne pensais guère aller loin :

35   « Je devinai la fin à beaucoup de signes. Voici l'un d'eux. J'étais contraint de faire halte toutes les deux heures environ, pour fendre un peu plus mon soulier, frictionner de neige mes pieds qui gonflaient, ou simplement pour laisser reposer mon cœur. Mais vers les derniers jours je perdais la mémoire.

Antoine de Saint-Exupéry
(1900-1944)
L'auteur du *Petit Prince* (1943) est aussi un des pionniers de l'aviation. Plusieurs de ses romans, notamment *Terre des Hommes* (1939), racontent l'aventure fabuleuse de ces hommes qui ont ouvert les premières lignes aériennes. Il a lui-même disparu en vol au cours d'une mission.

1. **Bribes :** petits fragments.

J'étais reparti depuis longtemps déjà,
40 lorsque la lumière se faisait en moi :
j'avais chaque fois oublié quelque
chose. La première fois, ce fut un gant,
et c'était grave par ce froid ! Je l'avais
déposé devant moi et j'étais reparti sans
45 le ramasser. Ce fut ensuite ma montre.
Puis mon canif. Puis ma boussole. À
chaque arrêt je m'appauvrissais…

« Ce qui sauve, c'est de faire un pas.
Encore un pas. C'est toujours le même
50 pas que l'on recommence…

Ce que j'ai fait, je le jure, jamais
aucune bête ne l'aurait fait. »

ANTOINE DE SAINT-EXUPÉRY,
Terre des Hommes (1939) © Gallimard.

Antoine de Saint-Exupéry et Henri Guillaumet
devant un Latécoère 28 de l'Aérospatiale.

Lecture

➔ Comprendre

1. a. Qui sont les deux narrateurs qui alternent dans ce texte ?

b. Quel signe de ponctuation permet de distinguer les deux récits ?

c. À qui chacun de ces récits s'adresse-t-il ?

2. Pourquoi Guillaumet ne s'arrête-t-il jamais pour se reposer ?

3. À quelles souffrances doit-il faire face ?

4. Contre quelles « tentations » doit-il lutter ?

5. Qu'est-ce qui lui donne la force de persévérer ?

➔ Analyser

6. Dans le troisième paragraphe (l. 8 à 16), quel est l'intérêt des indications chiffrées ?

7. Comment, dans ce même paragraphe, l'auteur souligne-t-il le dénuement du personnage ?

8. « Vidé peu à peu de ton sang, […] du lit de neige. » (l. 12 à 16)

a. Relevez dans cette phrase les verbes conjugués à un mode personnel (➔ p. 338).

b. À quel mode les autres verbes sont-ils conjugués ?

c. Qu'apportent-ils de plus à la phrase ?

➔ Interpréter

9. a. Quelle morale pourrait-on tirer de cette histoire ?

b. Relevez une phrase du texte qui pourrait exprimer cette leçon.

10. Quelle image de l'homme tirons-nous de ce texte ?

Expression écrite

Activité 1

À votre tour, utilisez le participe présent pour développer une action.

❶ Recopiez les phrases suivantes en mettant au participe présent les verbes entre parenthèses.

1. Lucien s'occupait merveilleusement bien des invités, (*faire* les présentations), (*passer* d'un groupe à l'autre), (*avoir* un mot aimable pour chacun).

2. Les policiers fouillèrent toute la pièce, (*vider* les tiroirs), (*jeter* à terre livres et vêtements), (*décrocher* les tableaux), (*crever* même les coussins).

3. Lola hésitait devant la glace, (*passer* une robe), (*l'enlever*), (*la remettre* aussitôt), (*changer* de chaussures).

Activité 2

Développez les phrases suivantes par une série de participes présents, comme dans l'exercice précédent.

1. Marie consacra toute sa journée aux préparatifs de la fête … – **2.** Ils s'amusèrent toute la soirée … – **3.** En une journée, Tom remit le jardin en état … – **4.** Les enfants firent toutes sortes de bêtises …

Expression orale

Sujet

Qu'admirez-vous chez Guillaumet ? D'une manière générale, quelles qualités admirez-vous volontiers chez un être humain ? Quels sont, au contraire, les défauts qui vous dérangent le plus ? Pourquoi ?

La Mer de glace, de Caspar David Friedrich (1774-1840),
huile sur toile, 96,7 cm x 126,9 cm, vers 1823-1824 (Hambourg, Kunsthalle).

Lire une image

Caspar David Friedrich (1774-1840) est le chef de file de la **peinture romantique allemande** du XIXᵉ siècle. Le romantisme exprime les tourments de l'individu face au monde et, chez ce peintre en particulier, les sentiments de solitude et d'impuissance de l'homme face aux forces de la nature.

Une nature extraordinaire

1. **a.** Analysez la composition du tableau : qu'est-ce qui occupe le premier plan ?
   Qu'est-ce qui est au centre ? Quel est l'effet produit ?
b. En regard, comment le bateau apparaît-il ?
2. Suivez les lignes tracées par les morceaux de glace : comment le peintre a-t-il créé une impression de force et de mouvement dans ce paysage inanimé ?
3. Trouvez-vous ce paysage beau ou effrayant ? Justifiez votre réponse.

Une scène suggestive

4. Que comprenez-vous de la situation du bateau ?
5. Quels sont tous les éléments de cette image qui évoquent la mort ? Y a-t-il un espoir ?
   Justifiez votre réponse.
6. Quel récit pouvez-vous imaginer à partir de cette peinture ?

Le récit d'aventure, un récit initiatique

➤ Le héros du roman d'aventures : un être en formation

● Le héros de roman d'aventures est souvent un enfant (comme Jim Hawkins, p. 44, ou Axel p. 47 sq.) ou un adulte jeune (comme Robinson, p. 40) : il a encore à **se former**, à faire la preuve de sa capacité à prendre place dans le monde des adultes, ou à évoluer. L'aventure va lui en fournir l'occasion.

● Arrachés à leur quotidien et jetés dans des situations extrêmes, les personnages de romans d'aventures **se confrontent au vaste monde**, subissent toutes sortes d'**épreuves** et doivent trouver en eux les ressources nécessaires pour se tirer d'affaire. Ils rencontrent aussi **des personnages qui les conseillent et les guident** dans leur parcours (le professeur du *Voyage au centre de la Terre*, Vendredi dans le roman de Michel Tournier).

➤ Un parcours initiatique

● Ainsi, **l'aventure devient le moment d'un véritable apprentissage.** Cet apprentissage passe par **des étapes symboliques** – épreuve de la solitude, confrontation avec la mort, seconde naissance (comme celle d'Axel expulsé par le volcan à la fin du *Voyage*). Ces épreuves sont parfois empruntées à des traditions antérieures (ainsi, le thème de la descente aux Enfers, que l'on retrouve dans *L'Île au trésor,* est tiré de l'épopée antique).

● De ces aventures, **le héros ressort métamorphosé** : il s'est affirmé, a beaucoup appris et cette évolution se traduit souvent par des transformations physiques (comme celles de Robinson). Il est désormais prêt à prendre sa place dans le monde des adultes : on dit que **ces épreuves ont un rôle initiatique**.

➤ Le lecteur sur les traces du héros

● Ainsi, si le roman d'aventures nous emporte par sa capacité à nous dépayser, à nous faire rêver, il n'est pas seulement exotique : **à travers la métaphore de l'aventure, il nous parle des difficultés de la vie réelle, de toutes les transformations nécessaires,** et des moyens que nous avons d'y faire face. Le lecteur suit les aventures du héros, partage ses émotions et profite lui aussi des enseignements du récit.

● Par ailleurs, en **nous identifiant aux héros**, nous pouvons donner libre cours à nos propres angoisses face aux épreuves de la vie et nous projeter dans des situations de réussite : par le biais de la fiction, le roman d'aventures apaise nos angoisses et satisfait notre désir de succès et de reconnaissance**.**

Photo du film ***Into the Wild***, de Sean Penn (2007), avec Emile Hirsch.

Vocabulaire

Les émotions

1 **a. À quel champ lexical les verbes suivants appartiennent-ils ?**

toucher – ébranler – bouleverser – émouvoir.

b. Quelles nuances existe-t-il entre ces différents verbes ?

c. Employez chacun d'eux dans une phrase de votre invention.

2 **a. Rappelez l'étymologie et le sens du mot** *émotion*.

b. Quelles différentes émotions peut-on ressentir ?

3 **Employez le verbe** *ébranler* **dans deux phrases, d'abord au sens propre puis au sens figuré.**

4 **Classez les adjectifs suivants selon qu'ils évoquent des sensations ou des émotions.**

affolé – bouleversé – brûlant – douloureux – difficile – ébloui – fatigué – fier – heureux – inquiet – invisible – lisse – nauséeux – triste.

5 **Recopiez les phrases suivantes et terminez-les de façon logique.**

1. Les médecins redoutent …
2. Elle est jalouse …
3. J'ai été bien déçu …
4. Je regrette …
5. Nous nous réjouissons …
6. La direction déplore …
7. J'enrage …

6 **Quel sentiment éprouveriez-vous dans les situations suivantes ? Choisissez parmi ces propositions :**

confusion – dépit – ressentiment – indignation – remords – consternation – préoccupation – satisfaction.

1. Vous êtes injustement accusé de vol.
2. Vous apprenez que c'est un de vos amis qui vous a accusé.
3. L'équipe dans laquelle vous jouez fait un score lamentable lors d'une compétition.
4. Vous vous rendez compte que vous avez fait une gaffe terrible.
5. Vos devoirs sont enfin terminés.
6. Vous espériez être élu délégué mais c'est un autre qui est choisi.
7. Vous vous êtes conduit méchamment envers une personne qui est à présent très malheureuse.
8. Vous devez jouer une pièce avec des amis, mais l'un d'eux est malade et la représentation a lieu dans deux jours.

7 **À partir de chacun des adjectifs suivants, formez un nom de la même famille :**

confus – consterné – dépité – ébahi – effrayé – éploré – humilié – ravi – stupéfait.

8 **À partir de chacun des noms suivants, formez un adjectif de la même famille.**

affection – chagrin – courroux – émotion – fureur – peur – pitié – terreur.

9 **Construisez un tableau sur le modèle ci-dessous, et classez les mots suivants dans la colonne qui leur correspond, en les rangeant du terme le plus faible au terme le plus fort.**

abattu – apeuré – accablé – bouleversé – comblé – confus – consterné – content – contrarié – désespéré – ébahi – ému – étonné – effrayé – exaspéré – euphorique – furieux – humilié – inquiet – irrité – mélancolique – ravi – satisfait – stupéfait – terrorisé – touché.

étonnement	peur	pitié	honte	colère	tristesse	joie

10 **Associez chaque expression de la liste A à une expression de sens contraire, que vous choisirez dans la liste B.**

A. affligé – affolé – bouleversé – captivé – consterné – désemparé – ému – estimé – satisfait – serein.

B. calme – dépité – ennuyé – ravi – impassible – indifférent – joyeux – méprisé – soucieux – sûr de soi.

11 **Complétez les phrases avec un des mots suivants :**

accablé – désemparé – ébranlé – enthousiaste – froissé – horrifié – nostalgique – serein – stupéfait.

1. Robinson, qui en rêvait depuis l'enfance, était très … à l'idée de voyager.
2. Robinson a été … en découvrant que Vendredi était cannibale.
3. Robinson se montrait souvent … quand il pensait à l'Angleterre.
4. Vendredi fut … par l'attitude supérieure de Robinson.
5. Malgré tout, Jim fut … par l'état du pirate.
6. Hands fut … de voir que l'enfant était parvenu à monter à bord.
7. Pendant un instant, Jim, seul face à ce pirate armé, se sentit … .
8. Axel,…, essayait de prendre la mesure de la situation.
9. Le professeur restait … malgré les catastrophes successives.

Mettre en valeur l'action d'un récit

Grammaire

Mettre l'adjectif en relief

1 L'adjectif peut se détacher du nom pour exprimer une qualité plus frappante, plus insolite.

Exemple : *Une ombre immense se dressait sur la falaise.* → *Une ombre se dressait, immense, sur la falaise.*

Sur ce modèle, détachez l'adjectif et placez-le après le verbe, de manière à le rendre plus frappant.

1. Un petit homme ahuri s'avança.

2. Des barques lentes passaient sur l'eau morte.

3. La vieille dame rassurée se mit à sourire.

4. Après ces quelques jours de neige, le volcan tout blanc fumait.

5. Le soir, l'étranger plus exalté encore que de coutume se mit à danser.

2 **Modifiez les phrases en mettant en tête l'adjectif et ses compléments et en supprimant le verbe *être*.**
Exemple : *Le pilote fut assez habile pour éviter l'ouragan et changea de cap.* → *Assez habile pour éviter l'ouragan, le pilote changea de cap.*

1. La bête de somme était trop chargée pour poursuivre une route si pénible et s'écroula à la fin de l'ascension.

2. La carte était bien trop illisible pour que nous puissions nous repérer et elle nous mena bien loin de notre destination.

3. La lune, ce soir-là, fut assez pleine pour éclairer la lande et parut nous guider dans notre périple.

4. Les vivres étaient insuffisants pour nourrir l'équipage et ils diminuèrent de moitié en trois jours.

Mettre le sujet en relief

3 **Pour ménager un effet de surprise, on peut rejeter le sujet du verbe en fin de phrase.**

Exemple : *À quelques pas de moi, apparut, noire et immense, grognant comme un félin, une bête à la bouche ensanglantée.*

Sur ce modèle, placez le groupe sujet en fin de phrase. N'oubliez pas de séparer les différents groupes de la phrase par des virgules.

1. D'une de ses blessures, un mince filet de sang coule sur sa peau tannée par le soleil et le vent.

2. C'est alors que le chef des Indiens apparut, tout hérissé de flèches et de plumes.

3. Dans la grisaille du lointain et sur la mer silencieuse une corne de brume retentit, longue et obsédante.

4. Derrière lui, une ombre silencieuse se glissait dans une cavité de la falaise.

5. Sur son visage fatigué et amaigri et dans ses grands yeux noirs, une surprenante espièglerie se lit.

Détacher les adjectifs par des virgules → p. 335

4 **La virgule sépare les adjectifs détachés. Placez-la correctement dans les phrases suivantes.**

1. Le gamin était parti heureux et fier de lui.

2. Lent et grave le capitaine se retourna une dernière fois vers le rivage.

3. La lune s'était levée au-dessus de la mer pure et translucide comme un diamant.

4. Au centre s'élevait abrupte déchiquetée une haute colline de verdure.

5. Ses cils longs et recourbés assombrissent encore son regard ténébreux.

Conjugaison

Utiliser le présent de narration

5 **Pour donner plus de vie à un passage qui raconte une série d'actions rapides et simultanées, on peut choisir de conjuguer les verbes au présent, même si l'ensemble du texte est au passé. On parle alors de présent de narration.**

Pour retrouver le texte original, conjuguez les verbes au présent à partir du moment où l'action se précipite.

Le vieux dormait dans son fauteuil, les mouches au plafond, les canaris dans leur cage, là-bas sur la fenêtre. La grosse horloge ronflait, tic-tac. [...] C'est à ce moment là que j'entrai… Un vrai coup de théâtre ! La petite poussa un cri, le gros livre tomba, les canaris, les mouches se réveillèrent, la pendule sonna, le vieux se dressa en sursaut, tout effaré, et moi-même un peu troublé, je m'arrêtai sur le seuil en criant bien fort : « Bonjour, braves gens, je suis l'ami de Maurice. »

ALPHONSE DAUDET, *Lettres de mon moulin* (1866).

Écriture

Raconter une scène d'aventure

Sujet

Au XIXᵉ siècle, un jeune garçon, seul rescapé d'un naufrage, se retrouve sur une île déserte. Tandis qu'il explore l'île, il est attaqué par un grand singe qui lui paraît redoutable. Après un difficile combat, l'enfant a le dessus mais, au moment où il s'apprête à tuer le monstre, il se rend compte qu'il s'agit en fait d'un homme, un autre naufragé, probablement seul sur cette île depuis des années. Il tente alors de communiquer avec cet homme.

Racontez cette scène au passé et à la première personne du singulier, en mettant l'accent sur l'action, mais aussi sur les émotions ressenties par le narrateur.

Vous commencerez par les mots suivants : « Tandis que je me frayais péniblement un chemin à travers les arbres... »

De mystérieuses traces dans la neige sont découvertes par une équipe de scientifiques à 4 900 m d'altitude, au Népal, ill. Reginald Cleaver, 1937.

A Faites votre plan

1. Pour être intéressant, votre récit doit ménager du suspense et créer des surprises : quelle ruse de l'enfant ou quel événement inattendu va créer un retournement de situation dans le combat ? Notez vos idées au brouillon et préparez les grandes étapes de votre récit à l'aide du tableau suivant.

Situation du narrateur	Péripétie	Émotions exprimées
a. L'enfant explore l'île.	Le monstre attaque.	
b. L'enfant a le dessous, il risque d'être tué.	Comment l'enfant prend-il le dessus ?	
c. L'enfant prend le dessus dans le combat.	L'enfant se rend compte que le monstre est un homme : comment ?	
d. L'enfant tente de communiquer avec l'autre naufragé.		

B Associez émotions et action

2. Formez des phrases exprimant à la fois une action et une émotion : pour cela, utilisez le participe passé en apposition et conjuguez à la première personne le verbe indiqué entre parenthèses.

Exemple : Intrigué (*s'approcher*) → Intrigué, je m'approchai avec précaution de l'endroit d'où venaient ces bruits.

Stupéfait (*s'immobiliser*) – affolé (*grimper*) – désespérer (*appeler*) – ragaillardi (*se redresser*) – réconforté (*tenter*) – bouleversé (*tendre*) – désemparé (*chercher*) – soulagé (*reprendre*) – consterner (*se rendre compte*).

3. Développez la phrase suivante à l'aide de participes présents (voir p. 55) :

« Je me défendais avec l'énergie du désespoir... »

4. Vous utiliserez les phrases ainsi préparées dans votre rédaction.

À lire & à voir

Des livres

❀ **L'Île mystérieuse, de Jules Verne,** Le Livre de Poche, 2008.

Sur l'île où se sont échoués ces quatre naufragés, il se passe des phénomènes bien étranges. Un suspense haletant.

❀ **Sa Majesté des Mouches, de William Golding,** texte intégral, trad. Lola Tranec, Belin/Gallimard, 2008.

Des enfants, seuls rescapés d'un accident aérien, se retrouvent seuls sur une île déserte. Comment s'organiseront-ils pour survivre sans adultes, dans un monde sans règles ?

❀ **L'Île au trésor, de Robert-Louis Stevenson,** texte en français de Déodat Serval, Castor Poche Flammarion, 2009.

Découvrez les aventures de Jim et de John Silver le pirate.

❀ **Vendredi ou la Vie sauvage, de Michel Tournier,** Gallimard Jeunesse, 2007.

Une belle réécriture moderne de l'histoire de Robinson Crusoé.

Des films

❀ **Les Révoltés du Bounty, de L. Milestone,** 1961.

En 1787, un navire, *Le Bounty*, se trouve à Tahiti d'où il doit ramener des plants d'arbres à pain. Afin d'arriver à la saison où l'arbre peut être replanté sans périr, le capitaine Bligh presse l'allure. Pour cela, il soumet son équipage à une discipline de fer, provoquant bientôt une véritable révolte...

❀ **Vingt Mille Lieues sous les mers, de Richard Fleischer,** 1954.

Une adaptation magistrale du célèbre roman de Jules Verne. Découvrez le mythique capitaine Nemo...

❀ **Le Voyage de Chihiro, de Hayao Miyazaki,** 2002.

Chihiro, petite fille japonaise de dix ans, se retrouve livrée à elle-même dans un monde de dieux, d'esprits et de monstres où les humains inutiles sont changés en animaux ou disparaissent. Pour survivre, Chihiro doit abandonner son nom et commencer à travailler...

3 Chevaliers dans la bataille

▶ **Découvrir le langage symbolique de l'univers médiéval**

Repères Le temps de la chrétienté 64

Textes et images

1. « La bête de l'Apocalypse », *Bible de Jérusalem* 66
Étude de l'image : *Saint Georges et le Dragon,* de Paolo Uccello 67
2. « Saint Georges et le dragon », *La Légende dorée*, Jacques de Voragine 68
3. « Yvain et le lion », *Yvain, le Chevalier au lion*, Chrétien de Troyes 70
4. « Roland refuse de sonner du cor », *La Chanson de Roland* 72
5. « La bataille de Roncevaux », *La Chanson de Roland* 75
6. « Roland sonne du cor », *La Chanson de Roland* 78
7. « La bataille du gouffre de Helm », *Le Seigneur des anneaux*, J. R. R. Tolkien 82

Synthèse La chanson de geste 85

Histoire des arts L'art de l'enluminure 86

Langue et Expression
• Vocabulaire : La société chrétienne et féodale 88
• Grammaire pour écrire : S'initier au style épique 89
• Écriture : Faire le récit d'un affrontement 90

À lire & à voir 91

Saint Georges, par August Macke (1887-1914), huile sur toile, 80 cm x 60 cm, 1912.

Lire une image

1. Quelle scène célèbre est représentée ici ? Aidez-vous du titre pour répondre.
2. **a.** Quel élément trace une diagonale à travers le tableau ?
   b. Où se situe chaque personnage par rapport à cette diagonale ?
   c. Que pouvez-vous en déduire sur le rapport de force entre les deux personnages ?
3. Quelle ligne forme une perpendiculaire avec la diagonale observée ? Quel est l'effet produit ?
4. À quelle date ce tableau a-t-il été réalisé ? Quelles sont les marques de sa modernité ?

Repères — Le temps de la chrétienté

Les trois ordres de la société médiévale, enluminure d'un manuscrit du XIIIe siècle (Londres, British Library).

La société médiévale

● Très **hiérarchisée**, la société médiévale se divise en **trois ordres** : ceux qui combattent (**les nobles**), ceux qui prient (**le clergé**) et ceux qui travaillent (**artisans et paysans**).

● En échange de leur obéissance, **le roi accorde aux seigneurs un fief**, c'est-à-dire une **terre** et des **pouvoirs**. Cette partie de la population constitue **la noblesse**. Elle vit du travail des paysans et d'impôts. En contrepartie, elle doit garantir la protection de la population, et entretient à cette fin des combattants d'élite : **les chevaliers**.

Question

❶ De quel ordre les personnes suivantes font-elles partie : prêtres – roi – pape – comtes – bourgeois – clercs – chevaliers – paysans – seigneurs ?

La toute-puissance de l'Église

● Au Moyen Âge, **toute l'Europe est chrétienne et soumise à l'autorité de l'Église**. C'est d'elle que le roi tient son pouvoir. Très puissante, elle impose des devoirs à tous et combat ceux qui ne partagent pas ses croyances, les « hérétiques ».

● Ainsi, au XIe siècle, commencent les **croisades** : les chevaliers chrétiens veulent délivrer le tombeau du Christ à Jérusalem et faire de la Palestine un territoire chrétien. Ces guerres dureront deux cents ans et contribueront au développement des échanges et à la richesse de l'Occident.

● Mais l'Église joue aussi un rôle capital dans la **conservation et la diffusion du savoir** : à une époque où l'imprimerie n'existe pas, ce sont les moines qui, au sein des **monastères, copient les livres** à la main – le plus souvent en **latin, langue officielle de l'Église** (voir p. 86).

Des chevaliers chrétiens montent à l'assaut d'une forteresse musulmane, enluminure du *Roman de Godefroy de Bouillon et de Saladin*, 1337 (Paris, BNF).

Questions

❷ Qu'appelle-t-on les croisades ?
❸ Comment les livres sont-ils diffusés au Moyen Âge ?

La Chanson de Roland

• *La Chanson de Roland* est l'**une des plus anciennes œuvres écrites de la littérature française.** Elle raconte la bataille qui, le 15 août 778, à Roncevaux, opposa l'armée de **Charlemagne,** commandée par son neveu Roland, à l'armée des **Sarrasins** – c'est-à-dire des musulmans.

• Le mot *chanson* indique qu'il s'agit d'un **récit poétique** des événements, **transmis** oralement **par des jongleurs** qui allaient de château en château distraire la population de leurs histoires et de leurs tours.

• On pense qu'un poète de génie, **un clerc,** a donné au texte sa forme définitive **vers 1100, à l'époque des croisades** : dans ce contexte, Charlemagne et Roland apparaissent comme des modèles pour les chevaliers chrétiens. Embellis et célébrés par les jongleurs, leurs exploits sont destinés à prouver la supériorité des chrétiens sur les Sarrasins.

Question

❹ Qui étaient les clercs ? Et les jongleurs ?

Un troubadour toulousain s'accompagnant de sa harpe, enluminure du XIIIᵉ siècle (Paris, BNF).

600   700   800   900   1000   1100   1200   1300

632-732
Conquête par les Arabes
d'un empire musulman
qui s'étend jusqu'en Espagne

768-814
Règne de
Charlemagne

vers 1100
La Chanson de Roland

1095-1270
Croisades

vers 1260-1298
La Légende dorée,
de Jacques de Voragine

732 : Charles Martel arrête l'avancée
des Sarrasins près de Poitiers

987
Début du règne des Capétiens

La bête de l'Apocalypse

L'Apocalypse est un des livres de la Bible. Dans une vision prophétique, l'apôtre Jean y décrit la fin du monde.

Un signe grandiose apparut au ciel : une femme ! Le soleil l'enveloppe, la lune est sous ses pieds et douze étoiles couronnent sa tête ; elle est enceinte et crie dans les douleurs et le travail de l'enfantement. Puis un second signe apparut au ciel : un énorme dragon rouge feu, à sept têtes et dix cornes,
5 chaque tête surmontée d'un diadème. Sa queue balaie le tiers des étoiles du ciel et les précipite sur la terre. En arrêt devant la femme en travail[1], le dragon s'apprête à dévorer son enfant aussitôt né. Or la femme mit au monde un enfant mâle, celui qui doit mener toutes les nations avec un sceptre[2] de fer ; et son enfant fut enlevé jusqu'auprès de Dieu et de son trône, tandis que la femme
10 s'enfuyait au désert, où Dieu lui a ménagé un refuge pour qu'elle y soit nourrie mille deux cent soixante jours. Alors, il y eut une bataille dans le ciel : Michel[3] et ses Anges combattirent le dragon. Et le dragon riposta, avec ses Anges, mais ils eurent le dessous et furent chassés du ciel.

La Bible de Jérusalem, livre de l'Apocalypse, 12, 1-8 traduction de l'École biblique et archéologique française de Jérusalem © Les éditions du Cerf, 1998.

1. En travail : en train d'accoucher.

2. Sceptre : bâton qui est l'insigne de l'autorité du souverain.

3. Saint Michel : un archange, c'est-à-dire celui qui commande aux autres anges.

Lecture

➜ Comprendre

1. En vous aidant du texte d'introduction, dites à quel moment particulier se déroule cette scène.

2. Qu'arrive-t-il à la femme ?

3. Quel est le but du dragon ?

4. À qui s'oppose-t-il ?

5. Quelle est l'issue du combat ?

➜ Analyser

6. Quelles caractéristiques physiques signalent que la femme et la bête sont hors du commun ?

➜ Interpréter

7. a. De quel livre ce texte est-il tiré ?
b. De quelle religion est-il le livre de référence ?

8. a. Pour cette religion, qui est cet « enfant mâle, celui qui doit mener toutes les nations avec un sceptre de fer » ?
b. Déduisez-en l'identité de la femme évoquée dans ce texte.

9. a. Citez un autre épisode biblique où un reptile se conduit en ennemi de Dieu.
b. Que symbolise le dragon ?

Une bête née de la mer fait face au dragon, miniature du livre de l'*Apocalypse* de saint Jean, début du XIVe siècle (Londres, British Library)

Expression orale

Sujet

De nombreux animaux servent de symboles. Lesquels connaissez-vous ?

Saint Georges et le dragon, de Paolo Uccello,
huile sur toile, 58,5 x 75,7 cm, vers 1470 (Londres, National Gallery).

Lire une image

Paolo Uccello (1397-1475) est un peintre italien de la première Renaissance, au XVe siècle.
Il a marqué l'histoire de la peinture par sa maîtrise des nouvelles règles de la perspective.

Une scène narrative

1. **a.** Dans quelle attitude saint Georges est-il représenté ? Pourquoi ?
   b. Comment la mise en scène de ce personnage crée-t-elle une impression de mouvement ?
2. Quel moment de l'histoire de saint Georges est représenté ici ? Justifiez votre réponse.

La victoire sur le mal

3. **a.** Observez bien le paysage : quels sont les différents éléments qui évoquent une nature sauvage ?
   b. Comment le peintre a-t-il créé un sentiment d'ordre dans le tableau ? Pour répondre, observez la composition et les symétries, la place des couleurs.
4. Comparez la posture du dragon et celle du cheval : comment la victoire du bien sur le mal est-elle annoncée ?

Saint Georges et le dragon

Georges, tribun[1], né en Cappadoce[2], vint une fois à Silcha, ville de la province de Libye. À côté de cette cité était un étang grand comme une mer, dans lequel se cachait un dragon pernicieux, qui souvent avait fait reculer le peuple venu avec des armes pour le tuer ; il lui suffisait d'appro-
5 cher des murailles de la ville pour détruire tout le monde de son souffle. Les habitants se virent forcés de lui donner tous les jours deux brebis, afin d'apaiser sa fureur ; autrement, c'était comme s'il s'emparait des murs de la ville ; il infectait l'air, en sorte que beaucoup en mouraient. Or, les brebis étant venues à manquer et ne pouvant être fournies en quantité suffisante,
10 on décida dans un conseil qu'on donnerait une brebis et qu'on y ajouterait un homme. Tous les garçons et les filles étaient désignés par le sort, et il n'y avait d'exception pour personne. Or, comme il n'en restait presque plus, le sort vint à tomber sur la fille unique du roi, qui fut par conséquent destinée au monstre. [...] Alors elle se jeta aux pieds de son père pour lui demander
15 sa bénédiction, et le père l'ayant bénie avec larmes, elle se dirigea vers le lac.

Or, saint Georges passait par hasard par là et, la voyant pleurer, il lui demanda ce qu'elle avait. [...] Après qu'elle l'eut instruit totalement, Georges lui dit : « Ma fille, ne crains point, car au nom de Jésus-Christ, je t'aiderai. » Elle lui dit : « Bon soldat ! mais hâte-toi de te sauver, ne péris pas avec moi !
20 C'est assez de mourir seule ; car tu ne pourrais me délivrer et nous péririons ensemble. » Alors qu'ils parlaient ainsi, voici que le dragon s'approcha en levant la tête au-dessus du lac. La jeune fille toute tremblante dit : « Fuis, mon seigneur, fuis vite. » À l'instant Georges monta sur son cheval, et se fortifiant du signe de la croix, il attaque avec audace le dragon qui avançait
25 sur lui : il brandit sa lance avec vigueur, se recommande à Dieu, frappe le monstre avec force et l'abat par terre : « Jette, dit Georges à la fille du roi, jette ta ceinture au cou du dragon ; ne crains rien, mon enfant. » Elle le fit et le dragon la suivait comme la chienne la plus douce.

Or, comme elle le conduisait dans la ville, tout le peuple témoin de cela
30 se mit à fuir par monts et par vaux en disant : « Malheur à nous, nous allons tous périr à l'instant ! » Alors saint Georges leur fit signe en disant : « Ne craignez rien, le Seigneur m'a envoyé exprès vers vous afin que je vous délivre des malheurs que vous causait ce dragon. Seulement, croyez en Jésus-Christ, et que chacun de vous reçoive le baptême[3], et je tuerai le monstre. » Alors le
35 roi avec tout le peuple reçut le baptême, et saint Georges, ayant dégainé son épée, tua le dragon et ordonna de le porter hors de la ville. Quatre paires de bœufs le traînèrent hors de la cité dans une vaste plaine. Or, ce jour-là vingt mille hommes furent baptisés, sans compter les enfants et les femmes.

JACQUES DE VORAGINE, *La Légende dorée*, XIIIe siècle,
traduction de l'Abbé Roze, éd. Édouard Rouveyre, 1902.

Jacques de Voragine
(1228-1298)

Ce chroniqueur italien entra très jeune dans l'ordre religieux des Dominicains, avant de devenir archevêque de Gênes ; il a consacré presque quarante années à la rédaction de *La Légende dorée*, recueil de vies de saints.

---

1. Tribun (n. m.) : chef militaire romain.

2. Cappadoce : cette région du centre de l'actuelle Turquie était une province romaine au Ier siècle de notre ère ; elle fut l'un des premiers foyers du christianisme en Asie.

3. Baptême : sacrement que l'on reçoit pour devenir chrétien(ne).

Lecture

➡ Comprendre

1. Quel fléau menace la ville de Silcha ?

2. a. Comment les habitants dissuadent-ils le dragon d'attaquer la ville ?

b. De quel mythe grec ce passage s'inspire-t-il ?

3. Le combat contre le dragon est-il développé ? Le but de l'auteur est-il de ménager du suspense ?

4. Qu'est-ce qui change, finalement, dans la vie des habitants de Silcha ?

➡ Analyser

5. De quelles qualités saint Georges fait-il preuve ?

6. Relevez les passages au <u>discours direct</u> (➡ p. 314) : de qui saint Georges se dit-il l'envoyé ?

7. Montrez, par des citations empruntées au dialogue, qu'il se place sans cesse sous la protection de Dieu.

8. Pourquoi ne peut-il être que vainqueur ?

➡ Interpréter

9. Quels éléments traditionnels du conte retrouve-t-on dans ce texte ?

10. a. Quelle condition saint Georges met-il à la mise à mort du dragon ?

b. Quel est le but de cette cérémonie ?

11. Que symbolise ici le dragon ?

Vocabulaire

12. Associez chaque verbe de la colonne de droite à un sujet possible de la colonne de gauche.

Sujets	Verbes
• Sa gueule…	• battent.
• Ses yeux…	• crache.
• Ses dents…	• détruisent tout.
• Sa queue…	• flamboient.
• Ses ailes…	• labourent l'air.
• Ses pattes…	• lancent des éclairs.
• Ses griffes…	• luisent.
• Ses écailles…	• tournoie.

13. Utilisez un des verbes proposés pour transformer les phrases de manière à supprimer le verbe *avoir* :

auréoler – couronner – être couvert – être hérissé – recouvrir – répandre – se dresser.

Exemple : elle avait plein de boutons sur la peau. → Sa peau était couverte de boutons.

1. Dans sa gueule, il y avait des milliers de dents pointues. → Sa gueule **…**

2. Il y avait une substance gluante sur tout son corps. → Une substance gluante **…**

3. Elle avait une crinière épaisse au sommet de la tête. → Une crinière épaisse **…**

4. Elle avait des ailes noires sur le dos. → Des ailes noires **…**

5. Il y avait plein de sang sur ses pattes. → Ses pattes **…**

6. Il y avait une lueur rouge tout autour du monstre. → Une lueur rouge **…**

7. Il y avait autour du monstre une odeur épouvantable. → Le monstre **…**

Expression écrite

▌ Sujet

À votre tour, décrivez en quelques phrases un monstre fabuleux.

▌ Conseils

Utilisez de préférence les verbes proposés dans les exercices précédents afin d'éviter *être* et *avoir*.

Saint Georges terrassant le dragon, icône de Novgorod (Russie), fin du XVe siècle (coll. part.)

Yvain et le lion

Yvain est un des chevaliers de la Table Ronde. Comme il a manqué à la parole qu'il lui avait donnée, Laudine, la femme qu'il aime, le repousse. Fou de douleur, Yvain abandonne tout pour vivre seul dans la forêt. Après des mois d'errance et de folie, il est soigné par la fée Morgane et décide de reprendre une vie digne d'un chevalier.

Chrétien de Troyes
(vers 1135-1183)

Nous ne savons presque rien de la vie de cet auteur, sinon qu'il était probablement clerc et qu'il a vécu à la cour d'Aliénor d'Aquitaine, où il s'est familiarisé avec la poésie des troubadours et leur idéal d'amour courtois (voir p. 95). Ses romans ont pourtant immortalisé la légende du roi Arthur et des chevaliers de la Table ronde.

1. En son for intérieur : en lui-même.

2. Malignité : méchanceté, volonté de nuire.

3. Écu : bouclier.

Monseigneur Yvain cheminait, absorbé dans ses pensées, dans une forêt profonde, lorsqu'il entendit, au cœur du bois, un cri de douleur perçant. Il se dirigea alors vers l'endroit d'où venait le cri, et quand il y fut parvenu, il vit, dans une clairière, un lion aux prises avec un serpent qui le
5 tenait par la queue et qui lui brûlait les flancs d'une flamme ardente. Monseigneur Yvain ne s'attarda guère à regarder ce spectacle extraordinaire. En son for intérieur[1], il se demanda lequel des deux il aiderait, et décida de se porter au secours du lion, car on ne peut que chercher à nuire à un être venimeux et perfide. Or le serpent est venimeux, et sa bouche lance des flammes
10 tant il est plein de malignité[2]. C'est pourquoi monseigneur Yvain décida de s'attaquer à lui en premier et de le tuer.

Il tire son épée et s'avance, l'écu[3] devant son visage pour se protéger des flammes qu'il rejetait par la gueule, une gueule plus large qu'une marmite. Si ensuite le lion l'attaque, il ne se dérobera pas. Mais quelles qu'en soient
15 les conséquences, il veut d'abord lui venir en aide. Il y est engagé par Pitié qui le prie de porter secours à la noble bête. Avec son épée affilée, il se porte à l'attaque du serpent maléfique ; il le tranche jusqu'en terre et le coupe en deux moitiés. Il frappe tant et plus, et s'acharne tellement qu'il le découpe et le met en pièces. Mais il fut obligé de couper un bout de la queue du lion
20 parce que la tête du serpent perfide y était accrochée. Il en trancha donc ce qu'il fallut : il lui était impossible d'en prendre moins.

Quand il eut délivré le lion, il pensa que celui-ci viendrait l'assaillir et qu'il allait devoir le combattre. Mais ce ne fut pas dans les intentions de l'animal. Écoutez ce que fit alors le lion, comme il se conduisit avec noblesse
25 et générosité. Il commença par montrer qu'il se rendait à lui, il tendait vers lui ses pattes jointes, et inclinait à terre son visage. Il se dressait sur ses pattes arrière, et s'agenouillait ensuite, tout en baignant humblement sa face de larmes. Monseigneur Yvain n'eut pas de doute et comprit que le lion lui manifestait sa reconnaissance et s'humiliait devant lui pour le remercier
30 d'avoir tué le serpent et de l'avoir sauvé de la mort.

Cette aventure lui fait grand plaisir. Il essuie son épée souillée par le venin répugnant du serpent et la remet au fourreau avant de reprendre son chemin. Voici que le lion marche à ses côtés. Jamais plus il ne le quittera, désormais il l'accompagnera partout, car il veut le servir et le protéger.

Yvain, le Chevalier au lion, « Étonnants Classiques »,
© Flammarion 1990, © Flammarion 1997.

Lecture

➜ Comprendre

1. Pourquoi Yvain se rend-il sur les lieux du combat entre le lion et le serpent ? Justifiez votre réponse par une citation du texte.

2. Pourquoi décide-t-il de défendre le lion plutôt que le serpent ?

3. De quelles qualités fait-il preuve ?

4. Que fait le lion pour le remercier ? Que signifient ces gestes ?

➜ Analyser

5. a. À quel <u>temps verbal</u> (➜ p. 340) le combat d'Yvain contre le serpent est-il raconté (l. 12 à 19) ?

b. Quelle est la valeur de ce temps ?

6. Relevez une <u>comparaison</u> (➜ p. 366) qui caractérise le serpent : quel effet produit-elle ?

7. a. Yvain rencontre-t-il des difficultés dans ce combat ? Justifiez votre réponse.

b. Pensez-vous que l'auteur ait cherché à créer du suspense ? Quel est son but ?

➜ Interpréter

8. Que symbolise le serpent dans la Bible ?

9. a. En vous appuyant sur le texte, dites quelles qualités incarne ici le lion.

b. Que symbolise donc ce combat entre le lion et le serpent ?

10. Ce combat nous explique, de manière symbolique, qu'Yvain a changé.

a. En vous aidant du texte d'introduction, dites quel était le point commun entre Yvain et le serpent.

b. Quels sont, dans ce texte, ses points communs avec le lion ?

c. Puisque le texte dit que le lion ne quittera plus Yvain, que pouvons-nous en conclure sur l'attitude future du chevalier ?

Vocabulaire

11. Dans les lignes 16 à 20, relevez deux adjectifs qui qualifient le serpent et expliquez leur sens.

12. Rappelez le sens du verbe *nuire* et réemployez-le dans une phrase de votre invention.

13. Donnez un adjectif de la famille de *malignité*.

14. Donnez un synonyme du verbe *assaillir* ainsi qu'un nom de la même famille.

Expression écrite

▌ Sujet

Rédigez un petit paragraphe racontant un combat entre un chevalier et un dragon. Vous utiliserez six verbes choisis dans la liste b de l'exercice qui suit.

▌ Exercice de préparation

Associez chacun des verbes de la liste **A** à un terme de même sens, mais plus intense ou plus soutenu, que vous choisirez dans la liste **B**.

● **Liste A :** détruire – calmer – courir vers – prendre – se dépêcher – tuer – attaquer – lever – sortir – lancer.

● **Liste B :** apaiser – assaillir – brandir – dégainer – se hâter – se jeter sur – massacrer – projeter – ravager – saisir.

Yvain combat le dragon, miniature du *Roman de Lancelot*, XVe siècle (Paris, bibliothèque de l'Arsenal).

Roland refuse de sonner du cor

Charlemagne envoie Ganelon auprès des rois de Saragosse, enluminure des *Chroniques de Saint-Denis*, XIIIe siècle (Paris, Bibliothèque Sainte-Geneviève).

Charlemagne, en guerre depuis sept ans contre le roi sarrasin Marsile, envoie Ganelon négocier la paix. Mais celui-ci trahit les siens. Il suggère à Marsile la ruse suivante : qu'il fasse semblant de se convertir, qu'il remette des otages en gage de fidélité et l'empereur s'en retournera chez lui en ne laissant à Saragosse qu'une arrière-garde de quelques milliers d'hommes. Alors, Marsile pourra passer à l'attaque.

Tout se passe comme Ganelon l'avait prévu : Roland, le neveu de Charlemagne et son meilleur chevalier, prend la tête de l'arrière-garde tandis que l'armée franque quitte l'Espagne par les Pyrénées. Mais Olivier, un des chevaliers francs et l'ami de Roland, aperçoit au loin les armures étincelantes des Sarrasins qui approchent ; il demande alors à Roland de sonner du cor : peut-être n'est-il pas trop tard pour que Charlemagne, en entendant cet appel, fasse demi-tour et vienne à leur secours ?

Olivier dit : « Les païens sont en force ; et nos Français, ce me semble, sont bien peu ! Compagnon Roland, sonnez de votre cor ; Charles l'entendra et l'armée reviendra. » Roland répond : « J'agirais comme un fou ! En douce France j'en perdrais mon renom. Je vais frapper, de Durendal¹, de 5 grands coups ; sanglante en sera la lame jusqu'à l'or du pommeau. Pour leur malheur les félons païens sont venus à ces ports² ; je vous le jure, tous sont frappés de mort ». […]

« Compagnon Roland, sonnez votre olifant³ : Charles l'entendra et fera retourner l'armée ; il nous secourra, avec son baronnage. » Roland répond :
10 « Au Seigneur Dieu ne plaise que pour moi mes parents soient blâmés, ni que France la douce tombe en déshonneur ! Mais je frapperai de Durendal, ma bonne épée que j'ai ceinte au côté : vous en verrez la lame ensanglantée. Pour leur malheur les félons païens se sont ici rassemblés : je vous le jure, ils sont tous livrés à la mort. »

15 « Compagnon Roland, sonnez votre olifant : Charles l'entendra, qui passe les ports. Je vous le jure, les Français reviendront.

– À Dieu ne plaise, répond Roland, qu'il soit dit par homme vivant que pour des païens j'aie sonné du cor ! Jamais mes parents n'en auront le reproche. Quand je serai dans la grande bataille, et que je frapperai mille
20 coups et sept cents, de Durendal vous verrez l'acier sanglant. Les Français sont braves et frapperont vaillamment : ceux d'Espagne ne sauraient échapper à la mort. »

Olivier dit : « Je ne sais où serait le blâme. J'ai vu les Sarrasins d'Espagne : couvertes en sont les vallées et les montagnes et les landes et toutes les
25 plaines. Grandes sont les armées de cette gent⁴ étrangère et nous n'avons qu'une bien faible troupe. » Roland répond : « Mon ardeur s'en augmente. Ne plaise au Seigneur Dieu ni à ses anges que pour moi France perde sa valeur ! Mieux vaut mourir que tomber dans la honte. C'est parce que nous frappons bien que l'empereur nous préfère. »

30 Roland est preux et Olivier est sage. Tous deux ont une merveilleuse vaillance : puisqu'ils sont à cheval et en armes, même pour la mort⁵ ils n'es-

1. Durendal : nom de l'épée de Roland.

2. Port (n. m.) : ici, passage, col.

3. Olifant : cor taillé dans une défense d'éléphant.

4. Gent (n. f.) : nation, peuple.

5. Pour la mort : à cause de la mort, par peur de la mort.

L'empereur Charlemagne assiégeant un roi sarrasin à Agen, enluminure des *Chroniques de France ou de Saint-Denis*, seconde moitié du XIVᵉ siècle (Londres, British Library).

quiveront pas la bataille. Braves sont les comtes et leurs paroles hautes. Les païens félons chevauchent en grande fureur. Olivier dit : « Roland, voyez leur nombre : ceux-ci sont près de nous, mais Charles est trop loin. Votre
35 olifant, vous n'avez pas daigné le sonner ; le roi serait ici et nous n'aurions pas de dommage. Regardez là-haut, vers les ports d'Espagne : vous pouvez voir bien triste arrière-garde. Qui fait celle-ci, jamais n'en fera d'autre[6]. » Roland répond : « Ne dites pas un tel outrage ! Maudit le cœur qui, dans la poitrine, se relâche ! Nous tiendrons ferme, sur place. C'est de nous que viendront les
40 coups et les combats. »

    Quand Roland voit qu'il y aura bataille, il se fait plus fier que lion ou léopard. Il s'adresse aux Français, il appelle Olivier : « Sire compagnon, ami, n'en parlez plus ! L'empereur, qui nous laissa[7] les Français, a mis à part ces vingt mille hommes, sachant qu'il n'y avait pas un couard. Pour son seigneur on
45 doit souffrir de grands maux et endurer le grand froid, le grand chaud ; on doit perdre du sang et de la chair. Frappe de ta lance et moi de Durendal, ma bonne épée que le roi me donna. Si je meurs, il pourra dire, celui qui l'aura, qu'elle fut à un noble vassal. »

    D'autre part est l'archevêque Turpin. Il éperonne son cheval et monte
50 sur un tertre. Il appelle les Français et leur adresse un sermon : « Seigneurs barons, Charles nous a laissés ici : pour notre roi nous devons bien mourir. Aidez à soutenir la Chrétienté ! Vous aurez bataille, vous en êtes bien sûrs, car de vos yeux vous voyez les Sarrasins. Battez votre coulpe et demandez à

6. Celui qui prend part à cette arrière-garde ne combattra plus jamais.
7. Laissa : confia.

Dieu merci ; je vous absoudrai pour sauver vos âmes. Si vous mourez, vous
55 serez de saints martyrs, vous aurez des sièges dans le grand paradis. » Les
Français descendent de cheval, s'agenouillent à terre, et l'archevêque, au
nom de Dieu, les bénit ; pour pénitence il leur commande de frapper.

La Chanson de Roland, laisses 84 à 89, adaptation en français moderne
Lagarde et Michard © éditions Bordas.

Lecture

→ Comprendre

1. Pourquoi l'arrière-garde est-elle en danger ?

2. Que veut faire Olivier ? Pourquoi ? Agit-il par lâcheté ? Justifiez votre réponse en citant le texte.

3. Comment Roland réagit-il ? Quel trait de caractère cette réaction révèle-t-elle ?

4. Combien de fois Olivier demande-t-il à Roland de sonner du cor ?

5. a. Connaissez-vous d'autres textes construits sur une telle répétition ?

b. Qu'apporte cette répétition ?

6. Comparez les différentes réponses de Roland : quels arguments donne-t-il pour refuser de sonner du cor ?

→ Analyser

7. Dans les lignes 23 à 26, comment Olivier souligne-t-il la puissance des Sarrasins ? Pour répondre, observez en particulier l'ordre des mots (→ p. 284).

8. « Couvertes en sont les vallées et les montagnes et les landes et toutes les plaines » : quel autre procédé de style (→ p. 366) renforce cette impression de puissance ?

9. a. « Grandes sont les armées de cette gent étrangère et nous n'avons qu'une bien faible troupe. » Sur quelle opposition cette phrase est-elle construite ?

b. Trouvez dans les lignes 33 à 37 un autre exemple d'une telle opposition.

10. Dans les lignes 17 à 22, quelle impression l'indication du nombre de coups produit-elle ?

→ Interpréter

11. Quelle image a-t-on des deux amis dans ce passage ?

12. Relevez, dans la dernière réplique de Roland (l. 42 à 48), le champ lexical de la souffrance.

13. Quel sens l'archevêque donne-t-il à ce combat ?

Vocabulaire

14. a. Cherchez le sens du verbe *ceindre* (l. 12) et employez-le dans une phrase au passé composé.

b. Donnez un nom de la même famille.

15. a. Qu'est-ce qu'un *blâme* (l. 23) ?

b. Proposez un synonyme du mot *outrage* (l. 38).

c. Pour chacun des deux mots précédents, trouvez un verbe de la même famille et employez-le dans une phrase qui mettra son sens en valeur.

16. Dans la dernière strophe, relevez tous les mots ou expressions qui appartiennent au domaine religieux et expliquez leur sens.

Expression écrite

▌ Activité

Mettez en relief les adjectifs en les plaçant en tête de phrase, et faites les transformations nécessaires.

Exemple : Les armées de cette gent étrangère sont grandes. → Grandes sont les armées de cette gent étrangère.

1. La colère de Ganelon fut violente. – **2.** L'étonnement de Charlemagne fut grand. – **3.** Les armures étaient étincelantes sous le soleil. – **4.** Le conseil d'Olivier était sage. – **5.** Roland était fou.

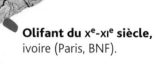

Olifant du xᵉ-xiᵉ siècle,
ivoire (Paris, BNF).

La bataille de Roncevaux

Roland tranche le bras droit de Marsile lors de la bataille de Roncevaux, enluminure des *Grandes Chroniques de France ou Chroniques de Saint-Denis*, XIVᵉ siècle (Paris, BNF).

Enfin, les deux armées s'affrontent.

Le neveu de Marsile – il a nom Aelroth – tout le premier chevauche devant l'armée. Sur nos Français il va disant de vilains mots : « Félons[1] Français, aujourd'hui nous allons nous mesurer. Il vous a trahis, celui qui devait vous garder. Fol est le roi qui vous laissa aux ports. En ce jour, France
5 la douce perdra sa gloire, et Charles le Grand, le bras droit de son corps ! » Quand Roland l'entend, Dieu ! quelle grande douleur ! Il pique son cheval, le laisse courir à fond, va frapper Aelroth autant qu'il peut. Il lui brise l'écu et lui ouvre le haubert, lui tranche la poitrine, lui rompt les os et lui sépare l'échine du dos. De son épieu il lui jette l'âme dehors ; il l'enfonce bien, lui
10 ébranle le corps ; à pleine lance il l'abat, mort, de son cheval : en deux moitiés il lui a rompu le cou. Il ne laissera point[2], pourtant, de lui parler : « Non, misérable, Charles n'est pas fou, et jamais il n'aima la trahison. Il a agi en preux quand il nous laissa aux ports. En ce jour, France la douce ne perdra pas sa gloire. Frappez, Français, le premier coup est pour nous ! Nous avons
15 le droit et ces gloutons ont tort ! » […]

Un duc est là, qui a nom Falsaron. Il était frère du roi Marsile : il tenait la terre de Dathan et d'Abiron. Sous le ciel il n'y a pire félon. Entre les deux yeux il a le front très large : on peut y mesurer un grand demi-pied. Saisi de douleur quand il voit mort son neveu, il sort de la presse[3] et s'élance en
20 avant en poussant le cri de guerre des païens. Envers les Français il est plein d'insolence : « En ce jour, France la douce perdra son honneur ! » Olivier l'entend et en a grande colère. Il pique son cheval de ses éperons d'or, va le frapper d'un coup de vrai baron. Il lui brise l'écu, lui rompt le haubert, lui

1. Félon : traître, parjure.
2. Il ne laissera point de : il n'hésitera pas à.
3. La presse : la foule.

La bataille de Roncevaux, enluminure des *Grandes Chroniques de France ou Chroniques de Saint-Denis*, XIVᵉ siècle (Bruxelles, Bibliothèque royale).

4. **Gonfanon :** bannière accrochée à une lance.

5. **Arçon :** armature en forme d'arceau à chaque extrémité de la selle.

6. **Gisant :** allongé à terre.

7. Cri de ralliement.

8. **Hampe :** manche de la lance.

9. **Escarboucle (n. f.) :** pierre précieuse.

enfonce dans le corps les pans de son gonfanon[4] ; à pleine lance il l'abat mort,
25 hors des arçons[5]. Il regarde à terre, voit le glouton gisant[6], et lui dit alors fièrement : « De vos menaces, misérable, je ne me soucie. Frappez, Français, car nous les vaincrons très bien ! » « Monjoie[7] ! », s'écrie-t-il : c'est l'enseigne de Charles… […]

La bataille est merveilleuse et générale. Le comte Roland ne se ménage
30 pas. Il frappe de son épieu tant que dure la hampe[8] ; au quinzième coup il l'a brisée et rompue. Il tire Durendal, sa bonne épée, toute nue, pique son cheval, et va frapper Chernuble. Il lui brise le heaume où luisent les escarboucles[9], tranche la coiffe et la chevelure, tranche les yeux et le visage, et le blanc haubert dont la maille est menue, et tout le corps jusqu'à l'enfour-
35 chure. À travers la selle qui est incrustée d'or, l'épée atteint le cheval, tranche l'échine sans chercher de jointure et les abat morts, homme et cheval, dans le pré, sur l'herbe drue. Puis il dit : « Misérable, c'est pour votre malheur que vous êtes venu ! De Mahomet vous n'aurez aucune aide. Un tel glouton ne gagnera pas aujourd'hui la bataille ! »

Mais peu à peu la bataille devient plus dure et les chevaliers chrétiens commencent à tomber. Alors se produisent des phénomènes surnaturels…

40 En France s'élève une étrange tourmente[10] : une tempête de tonnerre et de vent, de pluie et de grêle, démesurément. La foudre tombe et menu et souvent, et la terre tremble, en vérité. De Saint Michel du Péril jusqu'aux Saints de Cologne, de Besançon jusqu'au port de Wissant, il n'y a maison dont les murs ne crèvent. À l'heure de midi, il y a de grandes ténèbres[11] : 45 point de clarté, sauf quand le ciel se fend. Nul ne le voit sans grande épouvante. Beaucoup disent : « C'est la fin, la fin du monde que nous voyons. » Ils ne savent pas, ils ne disent point vrai : c'est la grande douleur pour la mort de Roland.

10. **Tourmente :** tempête.

11. Allusion au passage des Évangiles qui raconte la mort de Jésus : le même phénomène se produit alors.

La Chanson de Roland, laisses 94, 104 et 110, adaptation en français moderne Lagarde et Michard © éditions Bordas.

Lecture

➡ Comprendre

1. Qui sont, dans ce passage, les adversaires de Roland et Olivier ?

2. Quelle impression ce récit vous fait-il ?

3. a. Quels sont les points communs entre les deux premières strophes ? En les comparant, reconstituez les étapes traditionnelles du combat entre deux chevaliers.
b. Quel est le rôle des paroles rapportées ?
c. Dans quels autres récits un dialogue des adversaires encadre-t-il ainsi le combat ?

4. Quel événement le poète annonce-t-il à la fin du texte ?

➡ Analyser

5. À quel temps verbal (➡ p. 340) le combat est-il raconté ? Quelle est la valeur de ce temps ?

6. Analysez la manière dont sont reliées les différentes propositions (➡ p. 310) dans les phrases qui décrivent l'affrontement entre Roland et Aelroth, puis entre Falsaron et Olivier : quel est l'effet sur le rythme du combat ?

7. Dans les lignes 30 à 37, relevez les verbes : qu'expriment-ils ? Apportent-ils tous une précision particulière ou se répètent-ils ? Quel est le but recherché ?

8. Dans cette strophe, relevez toutes les expressions qui soulignent l'intensité de l'action : quel est le but de l'auteur ?

9. Dans les lignes 29 à 37, quels détails tranchent au milieu de ce carnage ?

➡ Interpréter

10. Contre qui Charlemagne est-il en guerre ? Pourquoi ? Que veut-il obtenir ?

11. a. Quels prodiges accompagnent la fin de cette bataille (l. 40 à 46) ?
b. Quelles figures de style renforcent le récit de ces prodiges ?

12. a. « À l'heure de midi, il y a de grandes ténèbres ». À quel événement biblique ce phénomène fait-il penser ? À qui Roland est-il ainsi associé ?
b. Qui manifeste ici sa colère ? Pourquoi ?

Vocabulaire

13. Dans la Bible, Astaroth est un démon : quel personnage du texte porte un nom proche ?

14. a. Que signifie le verbe *falsifier* ? Sur quel radical est-il construit ?
b. Que pouvez-vous en déduire sur le personnage nommé « Falsaron » ?

15. Dans le texte original, *Falsaron* rime avec *félon* :
a. Quel est le sens du mot *félon* (l. 2) ?
b. Que nous apprend cette rime sur le personnage ?
c. Quel personnage chrétien, proche de Charlemagne, porte aussi un nom qui rime avec *félon* ? Pourquoi ?

16. Quelle image avons-nous des ennemis dans ce texte ? Et, par contraste, quelle image avons-nous des Francs ?

Expression écrite

Sujet

À votre tour, rédigez un petit paragraphe qui fera s'affronter un chevalier de Charlemagne et un Sarrasin.

Conseils

• Cherchez dans un dictionnaire les noms d'autres vassaux de Charlemagne.

• Pour établir votre plan, respectez les différentes étapes du combat épique.

• Utilisez des mots forts, des répétitions et des hyperboles pour rendre votre récit plus saisissant.

Roland sonne du cor

La bataille est terrible. Les Francs se battent vaillamment et mettent en déroute l'armée sarrasine. Mais aussitôt, Marsile envoie une nouvelle charge de soldats frais et dispos. Le combat est trop inégal et, peu à peu, les meilleurs chevaliers francs tombent. Roland décide de mettre fin au massacre en appelant Charlemagne à l'aide.

Le comte Roland voit qu'il y a grande perte des siens ; il appelle Olivier, son compagnon : « Beau Sire, cher compagnon, pour Dieu, que vous en semble ? Voyez tant de bons vassaux qui gisent à terre ! Nous pouvons plaindre France la douce, la belle : de tels barons, comme elle reste déserte !
5 Ah ! roi, mon ami, que n'êtes-vous ici ? Olivier, frère, comment pourrons-nous faire ? Comment lui mander[1] de nos nouvelles ? » Olivier dit : « Je ne sais comment l'appeler. Mieux vaut mourir que d'attirer sur nous la honte. » […]

Roland dit : « Je sonnerai l'olifant. Charles l'entendra, qui passe les ports. Je vous le jure, les Français reviendront. » Olivier dit : « La honte serait
10 grande, et l'opprobre sur tous vos parents : cette honte durerait toute leur vie ! Quand je vous l'ai dit, vous n'en avez rien fait ; vous ne le ferez pas avec mon assentiment[2] : si vous sonnez du cor, ce ne sera pas d'un vaillant. Mais vous avez déjà les deux bras sanglants ! » Le comte répond : « J'ai frappé de beaux coups. »

15 Roland dit : « Notre bataille est rude ; je sonnerai du cor, le roi Charles l'entendra. » Olivier dit : « Ce ne serait pas d'un brave. Quand je vous l'ai dit, compagnon, vous n'avez pas daigné. Si le roi eût été ici, nous n'aurions pas subi de désastre. Ceux qui sont là n'en doivent pas avoir de blâme. Par ma barbe, si je puis revoir ma gente sœur Aude[3], vous ne serez jamais dans ses bras ! »

20 Roland dit : « Pourquoi cette colère contre moi ? » L'autre répond : « Compagnon, c'est vous le responsable, car la vaillance sensée n'est pas la folie : mieux vaut mesure que présomption. Les Français sont morts par votre légèreté. Jamais plus nous ne serons au service de Charles. […] »

L'Archevêque les entend se quereller ; il pique son cheval de ses éperons
25 d'or pur, vient jusqu'à eux et se met à les reprendre : « Sire Roland, et vous, Sire Olivier, pour Dieu, je vous en prie, ne vous querellez pas ! Sonner du cor ne nous servirait plus ; et cependant cela vaudrait mieux : vienne le roi, il pourra nous venger ; ceux d'Espagne ne doivent pas s'en retourner joyeux. Nos Français descendront de cheval ; ils nous trouveront morts et déchirés ;
30 ils nous mettront en bière[4] et nous emporteront sur leurs chevaux ; ils nous pleureront, pleins de deuil et de pitié ; ils nous enterreront dans la cour des moutiers[5]. Ni loups, ni porcs, ni chiens ne nous mangeront. » Roland répond : « Sire, vous dites bien. »

Roland a mis l'olifant à sa bouche ; il l'enfonce bien, sonne avec grande
35 force. Hauts sont les monts et la voix porte loin ; à trente grandes lieues on l'entendit se répercuter. Charles l'entend, et tous ses compagnons. Le roi dit : « Nos hommes livrent bataille ! » Ganelon lui répliqua : « Si un autre l'eût dit, cela paraîtrait grand mensonge ! »

1. **Mander :** faire savoir.
2. **Assentiment :** accord.
3. Aude, la sœur d'Olivier, est la fiancée de Roland.
4. **Mettre en bière :** déposer dans un cercueil.
5. **Moutier (n. m.) :** église.

Roland sonne du cor auprès de son cheval blessé, miniature du XIIIᵉ siècle (Paris, BNF).

Le comte Roland, à grand'peine, à grand effort, à grande douleur, sonne
40 son olifant. De sa bouche jaillit le sang clair ; de son chef[6] la tempe se rompt.
Du cor qu'il tient, le son porte fort loin. Charles l'entend, qui passe les ports.
Le duc Naimes l'entend, et tous les Français l'écoutent. Le roi dit : « J'entends
le cor de Roland. Jamais il n'en sonnerait s'il ne livrait bataille. » Ganelon
répond : « De bataille, il n'y en a pas ! [...] Chevauchez donc ! Pourquoi vous
45 arrêter ? La Terre des Aïeux est encore bien loin devant nous. »

Le comte Roland a la bouche sanglante. De son chef la tempe s'est rompue. Il sonne l'olifant, à grande douleur, à grand'peine. Charles l'entend,
et ses Français l'entendent. Le roi dit : « Ce cor a longue haleine ! » Le duc
Naimes répond : « C'est qu'un baron y prend peine ! Il y a bataille, j'en suis
50 sûr. Celui-là a trahi qui vous en veut détourner. Armez-vous, lancez votre
cri de ralliement et secourez votre noble maison : vous entendez assez que
Roland se lamente ! »

L'empereur a fait sonner ses cors. Les Français mettent pied à terre, et
s'arment de hauberts et de heaumes et d'épées ornées d'or. Ils ont des écus et
55 des épieux grands et forts, et des gonfanons[7] blancs, vermeils et bleus. Tous
les barons de l'armée montent sur leurs destriers. Ils éperonnent aussi longtemps que durent les défilés[8]. Pas un qui ne dise à l'autre : « Si nous voyions
Roland avant qu'il ne soit mort, avec lui nous donnerions de grands coups. »
Mais à quoi bon ? Ils ont trop attendu.

*Tandis que les hommes de Charlemagne chevauchent à toute allure, la bataille se
poursuit. Côté Francs, il ne reste plus que trois hommes, qui tiennent tête à quarante
mille. Mais Gautier et l'évêque Turpin succombent à leur tour et Roland reste seul.
Sentant que tout est perdu mais refusant que son épée tombe entre les mains de ses
ennemis, il tente de la briser.*

60 Roland frappe contre une pierre bise[9], plus en abat que je ne vous sais
dire. L'épée grince, mais elle n'éclate ni ne se brise ; vers le ciel elle rebondit.
Quand le comte voit qu'il ne la brisera pas, très doucement, il la plaint en lui-

6. **Son chef :** sa tête.

7. **Gonfanon :** étendard.

8. **Défilé :** passage encaissé entre deux flancs de montagne.

9. **Bise :** grise.

La mort de Roland,
miniature allemande
du début XIVᵉ siècle
(Berlin, Bibliothèque
nationale).

même : « Ah ! Durendal, comme tu es belle et sainte ! Dans ton pommeau
doré, il y a beaucoup de reliques : une dent de saint Pierre, du sang de saint
65 Basile et des cheveux de Monseigneur saint Denis, et du vêtement de sainte
Marie. Il n'est pas juste que des païens te possèdent : c'est par des chrétiens
que vous devez être servie. Ne vous ait homme atteint de couardise ! Par
vous, j'aurai conquis tant de vastes terres, que Charles tient, qui a la barbe
fleurie ! Et l'empereur en est puissant et riche. » [...]

70   Roland sent que la mort le pénètre ; de la tête, elle lui descend vers le
cœur. Sous un pin il est allé, en courant. Sur l'herbe verte, il s'est couché,
face contre terre ; sous lui il place son épée et l'olifant. Il a tourné sa tête vers
la gent païenne : il veut que Charles dise, et toute son armée, qu'il est mort,
le gentil[9] comte, en conquérant. Il bat sa coulpe et menu et souvent ; pour
75 ses péchés il tend vers Dieu son gant[10].

   [...] Le comte Roland se couche sous un pin : vers l'Espagne il a tourné
son visage. De bien des choses lui vient le souvenir : de tant de terres qu'il a
conquises, le baron, de douce France, des hommes de son lignage[11], de Charlemagne, son seigneur, qui l'a nourri ; il ne peut s'empêcher d'en pleurer et d'en
80 soupirer. Mais il ne veut pas s'oublier lui-même ; il bat sa coulpe et demande à
Dieu merci : « Vrai Père, qui jamais ne mentis, qui ressuscitas des morts saint

9. *Gentil* a ici le sens
de noble, comme dans
gentilhomme.

10. Par le geste de *tendre son
gant* à Dieu, Roland lui exprime
sa loyauté et son entière
soumission.

11. Lignage : lignée, famille.

12. **Lazare et Daniel :** personnages bibliques.
13. **Saint Gabriel :** nom d'un archange.
14. **Saint Michel :** autre archange.

Lazare et sauvas Daniel[12] des lions, sauve mon âme de tous les périls, pour les péchés que j'ai faits en ma vie ! ». Il a offert à Dieu son gant droit. Saint Gabriel[13] l'a pris de sa main. Sur son bras, il tient sa tête inclinée ; les mains jointes, il est
85 allé à sa fin. Dieu lui envoie son ange chérubin et saint Michel du Péril[14] ; avec eux y vint saint Gabriel. Ils portent l'âme du comte en paradis.

La Chanson de Roland, laisses 128 à 136, et 173 à 176, adaptation en français moderne de Lagarde et Michard © éditions Bordas.

Lecture

➡ Comprendre

1. a. Dans la première partie du texte, que veut faire Roland ? Pourquoi ? Olivier est-il d'accord ? Pourquoi ?
b. Comparez la situation à celle du texte 4, p. 72.

2. Quels sont les différents reproches qu'Olivier adresse à Roland ? Vous paraissent-ils justifiés ?

3. À qui Roland s'adresse-t-il dans les lignes 63 à 69 ?

4. a. Pourquoi, avant de mourir, Roland place-t-il sous lui son épée et son cor ?
b. Pourquoi tourne-t-il la tête vers les païens ?
c. Pourquoi tend-il son gant vers Dieu ?

5. Quelles créatures surnaturelles interviennent à la mort de Roland ? Que font-elles ?

➡ Analyser

6. Quel est le type de phrases (→ p. 280) utilisées par Roland dans la première strophe ? Quels sentiments sont ainsi exprimés ?

7. Quel est le mode du verbe (→ p. 350) *voir* (l. 3) ? Quel est l'effet produit sur le lecteur ?

8. Relevez tous les verbes au futur (→ p. 346) dans le discours de l'évêque : de quoi parlent-ils ? Quel effet produit ce récit au futur dans le texte ?

9. À quel temps (→ p. 340) le verbe *se rompre* est-il conjugué (l. 40) ? À quel temps est-il répété dans la strophe suivante ? Quelle conclusion pouvez-vous en tirer quant à l'évolution de l'action ?

➡ Interpréter

10. Quel défaut de Roland a conduit l'armée des Francs à la catastrophe ?

11. De quoi Roland meurt-il finalement ? Dans quel but ?

12. Le pin est un arbre haut et droit, qui s'élance loin vers le ciel et ne perd jamais ses feuilles. À votre avis, pourquoi l'auteur a-t-il choisi de faire mourir Roland sous un pin plutôt que sous un chêne ou un autre arbre ? Qu'est-ce que cela peut symboliser ?

13. En quoi la mort de Roland est-elle digne d'un chevalier ? En quoi est-elle digne d'un chrétien ?

Vocabulaire

14. Dans le discours d'Olivier (l. 9 à 13), relevez le champ lexical de la honte et celui de la vaillance et recherchez la définition des mots que vous ne connaissez pas.

15. Donnez le sens dans le texte des mots *présomption* (l. 22), *légèreté* (l. 23) et *deuil* (l. 31).

16. a. Expliquez le sens du mot *reliques* (l. 64).
b. Pourquoi Durendal est-elle « sainte » ?

Expression écrite

Sujet

En un paragraphe, racontez la douleur de Charlemagne lorsqu'il découvre le corps de son neveu.

▌ Conseils

• Vous respecterez le plan suivant :

a. Faites une phrase d'introduction racontant la découverte du corps.

b. L'empereur prend la parole : d'abord il exprime son chagrin ; puis il rappelle la valeur de Roland ; enfin, il fait ses adieux au chevalier.

• Jouez sur la ponctuation, les accumulations et l'ordre des mots pour mettre en relief les sentiments exprimés.

▌ Exercices de préparation

❶ Transformez les phrases suivantes en exclamatives. Vous utiliserez pour cela le mot exclamatif précisé entre parenthèses.

Exemple : C'était un preux chevalier (*quel*). → Quel preux chevalier c'était !

1. Tu me manqueras (*combien*). – **2.** Tu étais noble et beau (*que*). – **3.** Les Francs seront découragés sans toi (*comme*). – **4.** Tu faisais un fier combattant (*quel*).

❷ Exprimez l'inquiétude sous forme d'interrogations : imaginez trois questions formulées par Charlemagne à propos de :

1. la personne qui le conseillera désormais – **2.** l'avenir de la France sans son meilleur chevalier – **3.** la manière dont il doit se conduire à présent.

La bataille du gouffre de Helm

**John Ronald Reuer
Tolkien**
(1892-1973)

Ce romancier anglais,
qui a beaucoup étudié
les textes anciens,
est l'auteur du célèbre
Seigneur des anneaux.
Cette œuvre, dans laquelle
se rencontrent plusieurs
traditions mythologiques,
fait de Tolkien le père
de l'épopée fantastique
moderne (appelée *heroic
fantasy*).

1. **Escarpement :** versant
en pente raide.

2. **Parapet (n. m.) :** partie
supérieure d'un rempart.

3. **Orques :** créatures
monstrueuses qui
constituent le gros de
l'armée du Mordor.

4. **Les hommes de
la Marche :** autre nom
des hommes de Rohan,
commandés par Eomer.

5. **Airain :** autre nom
du bronze.

6. **La main de l'Isengard :**
signe distinctif des armées
de Saroumane, allié de
Sauron.

Dans les Terres du Milieu, rien ne va plus. Le puissant Sauron, seigneur du Mordor, a envoyé ses armées à l'assaut de toutes les terres libres. Chacun doit choisir son camp. Eomer, prince de Rohan, et Boromir, roi de tous les Humains, ont allié leurs forces pour défendre Fort le Cor, place forte du royaume de Gondor, contre la terrible armée du Mordor. Mais un des murs d'enceinte du Fort a cédé.

Il était à présent minuit passé. Le ciel était totalement noir, et l'immobilité de l'air lourd annonçait l'orage. Un éclair aveuglant roussit soudain les nuages. La foudre ramifiée frappa les collines à l'est. Pendant un instant éblouissant, les guetteurs des murs virent tout l'espace qui les séparait du
5 Fossé éclairé d'une lumière blanche : il bouillonnait et fourmillait de formes noires, les unes larges et trapues, les autres grandes et sinistres, avec de hauts casques et des boucliers noirs. Des centaines et des centaines se déversaient au bord du Fossé et à travers la brèche. La marée sombre montait jusqu'aux murs, d'escarpement[1] en escarpement. Le tonnerre roulait dans la vallée.
10 Une pluie cinglante se mit à tomber.

Des flèches, aussi drues que la pluie, sifflaient au-dessus des parapets[2] et tombaient en cliquetant et ricochant sur les pierres.

Les assaillants s'arrêtèrent, déroutés par la menace silencieuse du roc et du mur. À chaque instant, des éclairs déchiraient les ténèbres. Puis, les
15 Orques[3] poussèrent des cris aigus, agitant lances et épées et tirant une nuée de flèches sur tout ce qui se révélait sur les parapets ; et les hommes de la Marche[4], confondus, croyaient voir un grand champ de blé noir, secoué par une tempête guerrière et
20 dont chaque épi luisait d'une lumière barbelée.

Des trompettes d'airain[5] retentirent. Le flot des ennemis déferla ; une partie se porta contre le Mur du Gouffre, et une autre vers la chaus-
25 sée et la rampe menant aux portes du Fort le Cor. Là étaient rassemblés les plus énormes des Orques et les montagnards sauvages du Pays de Dun. Après un moment d'hésitation, ils se portèrent en avant. Il y eut un éclair, et l'on put
30 voir, blasonnée sur chaque casque et chaque bouclier, l'affreuse main de l'Isengard[6]. Ils atteignirent le sommet du rocher ; ils s'avancèrent vers les portes.

Alors enfin, vint une réponse : une tem-
35 pête de flèches les accueillit en même temps qu'une grêle de pierres. Ils fléchirent, se débandèrent et s'enfuirent ; ils chargèrent encore et

se débandèrent à plusieurs reprises ; et chaque fois, comme la marée montante, ils s'arrêtaient en un point plus élevé. Les trompettes retentirent de
40 nouveau, et une foule d'hommes hurlants bondit en avant. Ils tenaient leurs grands boucliers au-dessus d'eux comme un toit, et ils portaient parmi eux les troncs de deux puissants arbres. Derrière se pressaient des archers orques, qui lançaient une grêle de traits sur les archers des murs. Ils atteignirent les portes. Les arbres, balancés par des bras vigoureux, frappèrent les battants
45 avec un grondement fracassant. Quand un homme tombait, écrasé par une pierre précipitée d'en haut, deux autres s'élançaient pour prendre sa place. Maintes et maintes fois, les grands béliers[7] se balancèrent et s'abattirent.

Eomer et Aragorn se tenaient ensemble sur le Mur du Gouffre. Ils entendaient le rugissement des voix et le bruit sourd des béliers ; et tout à coup, à
50 la lumière d'un éclair, ils virent le péril qui menaçait les portes.

« Venez ! dit Aragorn. Voici l'heure de tirer l'épée ensemble ! »

Courant à toutes jambes, ils filèrent le long du mur, grimpèrent les escaliers quatre à quatre et passèrent dans la cour extérieure sur le Roc. Tout en allant, ils réunirent une poignée de vigoureux sabreurs. Il y avait dans un
55 angle du mur du fort une petite poterne[8] qui ouvrait sur l'ouest, à un endroit où la falaise s'avançait jusqu'à elle. De ce côté, un étroit sentier descendait à la grande porte, entre le mur et le bord à pic du Rocher. Eomer et Aragorn s'élancèrent ensemble par la porte, suivis de près par leurs hommes. Les deux épées sortirent du fourreau en un même éclair.
60 « Guthwinë ! cria Eomer. Guthwinë pour la Marche ! »

« Anduril ! cria Aragorn. Anduril pour les Dunedains ! »

7. Bélier (n. m.) : lourde poutre de bois dont on se sert pour enfoncer les murs.

8. Poterne (n. f.) : petite porte.

Photo du film *Le Seigneur des anneaux : Les deux tours,* de Peter Jackson, 2002.

Chargeant du côté, ils se ruèrent sur les hommes sauvages. Anduril se leva et retomba, luisante d'un feu blanc. Un cri s'éleva du mur et de la tour : « Anduril ! Anduril part en guerre. La lame qui fut brisée[9] brille de nouveau ! »

J. R. R. TOLKIEN, *Le Seigneur des anneaux*, Livre III, chapitre 7, trad. Francis Ledoux
© Christian Bourgois Éditeur, 1972.

9. La lame qui fut brisée : il s'agit de l'épée des princes de Gondor, brisée lors de la première guerre contre Sauron. Conservée par les Elfes, elle est réparée et remise à Aragorn lorsque celui-ci relance le combat contre Sauron.

Lecture

→ Comprendre

1. Quelle sorte de scène est décrite dans ce texte ? Où et quand se passe-t-elle ? Justifiez vos réponses.

2. Qui sont les deux armées qui s'opposent ? Où se trouve chacune d'elles ?

3. Faites la liste de tout ce que l'on peut voir et entendre : qu'est-ce qui caractérise cette scène ?

4. Divisez ce texte en trois parties et donnez-leur un titre.

→ Analyser

5. a. Qui est désigné par le nom *marée* (l. 8) ?
b. Quels sont, dans le même paragraphe, les verbes qui renforcent cette image ?
c. Relevez dans les lignes 22 à 27 un autre nom qui développe la même image (→ p. 366).

6. « Alors enfin, vint une réponse » : quel est le sujet du verbe (→ p. 320) ? Comment est-il mis en valeur ?

7. a. Dans le cinquième paragraphe (l. 34 à 47), relevez les verbes conjugués (→ p. 344 et 348) : qu'expriment-ils ?
b. Analysez la manière dont s'enchaînent les propositions (→ p. 310) : comment l'auteur donne-t-il du rythme au récit ?

→ Interpréter

8. a. Comparez ce récit à celui de la bataille de Roncevaux (p. 75) : quels sont les points communs ? Pour répondre, appuyez-vous en particulier sur les impressions créées par le combat.
b. Quelles sont les différences ? Analysez en particulier les éléments merveilleux du récit.

9. a. Relisez les trois premiers paragraphes puis les trois derniers et relevez les expressions relatives à l'obscurité et à la lumière : à quel moment du récit la lumière apparaît-elle ? Dans quel camp ?
b. Quelle sera, à votre avis, l'issue de la bataille ?

Vocabulaire

10. a. Analysez la formation des mots *déroutés* (l. 13) et *(se) débandèrent* (l. 38) et donnez leur sens.
b. Pour chacun d'eux, donnez un nom de la même famille construit avec le même préfixe.

11. Sur quel radical l'adjectif *blasonné* (l. 32) est-il formé ? Déduisez-en le sens de ce mot.

12. a. Quel est ici le sens du mot *nuée* (l. 16) ?
b. Quel est le sens propre de ce mot ?

Expression écrite

Sujet

Poursuivez ce récit de bataille d'une quinzaine de lignes, en mettant en valeur la violence de l'action.

Conseils

• Vous utiliserez pour cela certaines phrases formées lors des exercices de préparation ci-dessous.

• Vous ajouterez des notations relatives aux bruits et aux lumières.

• Vous choisirez des termes forts.

Exercices de préparation

1 Avec chacune des expressions suivantes, faites une phrase décrivant une scène de bataille, de manière à créer, comme dans le texte de Tolkien, une impression de marée irrépressible :

flots – marée – déferler – une pluie de – une nuée de

2 Voici quelques groupes nominaux tirés du texte :

« une foule d'hommes hurlants » – « la marée montante » – « un grondement fracassant » – « une pluie cinglante ».

a. Qu'apportent les adjectifs utilisés dans la description de la bataille ?
b. Sur quel verbe chacun de ces adjectifs est-il formé ?
c. À votre tour, formez des adjectifs en *-ant* à partir des verbes suivants : *crépiter – déchirer – gronder – siffler – menacer – rugir.*
d. Associez chacun des adjectifs que vous avez formés à l'un des noms suivants et, avec ce groupe nominal, faites une phrase décrivant une scène de bataille. Attention aux accords.

La tour – l'armée – des cris – les flèches – une pluie – la foule.

La chanson de geste

➤ Un langage symbolique

● L'Europe médiévale est une Europe chrétienne. L'Église y est toute-puissante et la religion imprègne tous les domaines de l'existence. La littérature subit particulièrement cette influence. En effet, si les œuvres littéraires sont surtout transmises oralement par les jongleurs, **l'écriture est presque toujours l'œuvre de clercs**, qui connaissent parfaitement la Bible et y font de nombreuses allusions. Ils écrivent pour se distraire, mais aussi pour diffuser les idées de l'Église.

● Dans toutes leurs histoires, **on retrouve les mêmes symboles, empruntés à la Bible** : le serpent symbolise le mal, le renard la ruse, le lion la noblesse, etc. L'homme du Moyen Âge est habitué à ce mode d'expression et le déchiffre aisément : **de manière imagée, les œuvres médiévales parlent toujours de la puissance de Dieu et de la lutte éternelle du bien contre le mal.**

➤ Une épopée médiévale

● *La Chanson de Roland* est ce que l'on appelle **une chanson de geste**. *Geste* a ici le sens d' « action héroïque » : une chanson de geste est **un long poème qui chante les exploits d'un héros**. Il s'agit donc d'une épopée, mais d'une **épopée médiévale** : si le style garde des caractéristiques du **modèle antique**, le merveilleux est un **merveilleux chrétien** : Dieu intervient en personne dans l'action pour faire triompher le bien et la vérité.

● **Tout y est spectaculaire** : l'action est placée sous le signe de l'**hyperbole** et la moindre **émotion** est montrée dans ses manifestations physiques les plus violentes. Le style privilégie l'emploi de propositions juxtaposées, qui donnent au récit un **rythme alerte**.

➤ Roland, chevalier modèle

● **Véritable héros épique, Roland en a toutes les qualités – vaillance, loyauté, noblesse – mais aussi la démesure** : c'est son orgueil qui conduit l'armée de Charlemagne à la catastrophe ; mais, comme Jésus dans la Bible, Roland donne sa vie en sacrifice pour racheter cette faute. Ainsi, son parcours rappelle le message du Christ, et constitue **un modèle à la fois pour les chevaliers et pour tous les chrétiens.**

Photo du film
Le Seigneur des anneaux :
Les deux tours,
de Peter Jackson, 2002..

L'art de l'enluminure

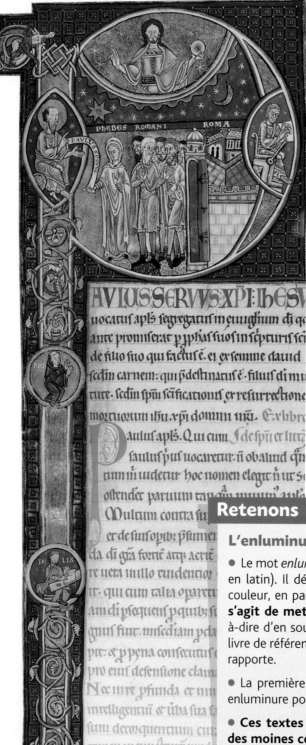

1

Enluminure d'un manuscrit en latin :
le « Commentaire des *Épîtres* de saint Paul »
(Nouveau Testament), provenant
de l'abbaye de Corbie, 1164 (Paris, BNF).
Traduction de la première ligne :
« Saint Paul, serviteur de Jésus-Christ ».

Questions

Observez le document 1 :

1. Que représente cette image ?
À l'aide de la légende, identifiez
les principaux personnages représentés.

2. Quelles couleurs attirent votre œil ?

3. Quel texte est ici reproduit ?
Selon quelle technique ?

4. À votre avis, pourquoi un tel soin est-il
accordé à ce texte ?

5. D'après vos réponses, déduisez le radical
et le sens du mot *enluminure*.

Retenons

L'enluminure, art des moines copistes

● Le mot *enluminure* est formé sur le radical *lumen* (« lumière »,
en latin). Il désigne **un manuscrit ornementé** dans lequel la
couleur, en particulier les dorures, occupe une grande place. **Il
s'agit de mettre littéralement en lumière un texte**, c'est-
à-dire d'en souligner la valeur. Ce texte est presque toujours le
livre de référence des chrétiens, **la Bible**, ou tout ouvrage qui s'y
rapporte.

● La première lettre d'un texte est toujours enluminée. Cette
enluminure porte le nom de **lettrine**.

● **Ces textes sont calligraphiés et illustrés à la main par
des moines copistes** : les livres, au Moyen Âge, sont donc des
objets rares et précieux, et **les monastères sont les lieux de
conservation et de diffusion du savoir**.

Carte du monde du monastère d'Ebsdorf
(Allemagne), XIIIe siècle (Paris, BNF).

Questions

Observez la carte :

1. Quelle est la forme du monde ?

2. À l'aide des détails agrandis, identifiez :
a. une scène légendaire
b. des animaux exotiques.

3. Quelle ville est au centre ? À votre avis, pourquoi ?

4. Quels détails surprenants figurent aux quatre points cardinaux ?

5. À votre avis, quelle est la fonction de cette carte ?

Retenons

Des images aux fonctions multiples

● Dans une société où peu de gens savent lire, on communique beaucoup par l'image. Ainsi, les vitraux des églises sont une mise en images du récit biblique.

● **Les cartes médiévales récapitulent différents savoirs : elles représentent le monde tel qu'il est décrit par les voyageurs, mais aussi et surtout par la Bible ;** elles font ainsi cohabiter personnages historiques et légendaires, animaux réels et fabuleux...

● **Le monde représenté est un monde chrétien,** avec Jérusalem comme centre.

● Ces cartes ont aussi une **fonction symbolique.** Le chemin qu'elles indiquent est celui qui va du Péché originel au Salut : elles sont pour le chrétien un objet de méditation et une incitation à suivre les commandements de l'Église.

Vocabulaire

La société chrétienne et féodale

1 Complétez les phrases avec un des mots suivants :

absoudre – battre sa coulpe – blâmer – demander merci – honnir – martyr – pénitence – reliques.

1. Roland refusa de ... à l'ennemi. – **2.** Olivier ... l'orgueil de Roland. – **3.** Au moment de mourir, Roland ... pour toutes les fautes qu'il a commises. – **4.** Pour obtenir le pardon de ses fautes, un chrétien doit faire ....– **5.** Avant le combat, l'évêque Turpin ... tous les chevaliers de leurs péchés. – **6.** En donnant sa vie pour la victoire des chrétiens, Roland est mort en .... – **7.** La France sera ... si elle perd cette bataille. – **8.** Les restes des saints étaient souvent conservés comme des ... sacrées.

2 Associez chacun des termes de la liste A à son synonyme choisi dans la liste B.

- **Liste A :** tomber – peureux – colère – pitié – cheval – bouclier – traître – trompeur – orgueil – courageux – courage.
- **Liste B :** preux – couard – choir – présomption – félon – vaillance – perfide – destrier – merci – écu – courroux.

3 Complétez les phrases avec l'un des mots suivants :

bâton – hommage – félon – féodale – fief – gant – suzerain – vassal.

1. Charlemagne est le ... de Roland. – **2.** Le ... et le ... sont les insignes du commandement. – **3.** Lors de l' ..., un homme accepte de devenir le ... d'un autre en échange de sa protection ; il reçoit alors une terre qu'on appelle un ... . – **4.** Cette société très hiérarchisée s'appelle la société ... – **5.** Un chevalier qui trahit son seigneur est un ... .

4 Classez les mots suivants selon qu'ils expriment le chagrin, la colère ou la peur et précisez s'ils traduisent un sentiment fort ou faible.

fureur – désespoir – deuil – terreur – angoisse – courroux – affliction – irritation – effroi – crainte – épouvante – abattement.

5 Formez des adjectifs avec chacun des noms de l'exercice précédent.

6 Donnez le plus possible de synonymes des mots suivants.

courageux – traître – honte – orgueil.

7 Dans les phrases suivantes, remplacez le mot surligné par un mot de même sens, mais plus fort ou plus soutenu.

1. Roland **lève** Durendal et pousse le cri de ralliement des Francs. – **2.** Il **tue** les ennemis par dizaines. – **3.** Il **monte** sur son cheval et **va** au combat. – **4.** Il **descend** de cheval et **prend** son épée. – **5.** D'un seul coup, il **fait tomber** son ennemi. – **6.** Sa colère est telle qu'il **détruit** tout autour de lui. – **7.** Alors il **prit** son épée. – **8.** Ce chevalier était très **gentil** et **courageux**. – **9.** Le comte **se fâcha**. – **10.** Le chevalier **coupa** la tête de son ennemi. – **11.** Il **envoya** sa lance de toutes ses forces. – **12.** Le chevalier **courut vers** lui.

8 Photocopiez cette grille de mots croisés et complétez-la.

PHOTOCOPIE AUTORISÉE

Horizontalement

2. passer autour de sa taille.

4. restes du corps d'un saint qui a une valeur sacrée.

5. orgueil.

8. grande douleur ressentie après une perte.

9. insulte grave.

Verticalement

1. traître.

2. grande colère.

3. manque de réflexion, insouciance.

6. qui cherche à tromper, à nuire.

7. tomber.

Grammaire pour écrire

S'initier au style épique

→ p. 334
→ p. 340

Grammaire

Donner du rythme au récit

1 Reliez les phrases suivantes en propositions juxtaposées, en supprimant tous les pronoms superflus.

Exemple : *Roland pique son cheval. Il le laisse courir. Il frappe Aelroth et il lui brise l'écu. Puis il le coupe en deux.* → *Roland pique son cheval, le laisse courir, frappe Aelroth, lui brise l'écu et le coupe en deux.*

1. Roland lance son cheval au galop. Alors il se baisse, il brandit sa lance et il l'enfonce dans le corps de son ennemi.

2. Olivier tombe. Mais il se relève aussitôt. Et il repart à l'assaut, il se jette sur Falsaron.

3. Turpin enfourche sa monture et il pique des deux. Il fait tournoyer autour de lui son épée. Il abat autour de lui des dizaines d'hommes.

Enchaîner les actions dans un récit

2 **a.** Dans le texte suivant, relevez tous les mots de liaison qui organisent les actions, en particulier les adverbes.

b. Réemployez-les dans l'ordre, en construisant un petit paragraphe que vous pourrez réutiliser dans votre rédaction (voir p. 90).

Soudain apparut derrière [Grand-Pas] une pâle lumière au-dessus du sommet du Mont Venteux. Le croissant de la lune montait doucement au-dessus de la colline. Tout paraissait calme et silencieux, mais Frodon sentit une peur froide lui envahir le cœur. Bientôt il n'y eut plus aucun doute : trois ou quatre hautes silhouettes se tenaient là sur la pente, les regardant d'en dessus. Elles étaient si noires qu'elles semblaient être des trous noirs dans l'ombre profonde derrière eux. Frodon crut entendre un léger sifflement. Puis les formes avancèrent lentement. Sam se serra au côté de Frodon. Celui-ci était à peine moins terrifié que ses compagnons.

> J. R. R. TOLKIEN, *Le Seigneur des anneaux,*
> trad. F. Ledoux © Christian Bourgois éditeur, 1972.

Utiliser l'accumulation pour mettre une idée en valeur

3 Recopiez les phrases suivantes en remplaçant les groupes nominaux surlignés par une accumulation.

Exemple : *Le roi n'y perdra pas un cheval.* → *Le roi n'y perdra ni palefroi ni destrier, ni mule ni roussin.*

1. Dans le coffre s'accumulaient **des trésors**. – **2.** Les Sarrasins n'épargnèrent **personne**. – **3.** Roland faisait voler autour de lui **les armes de ses ennemis**. – **4.** L'armée détruisit sur son passage **tous les monuments qu'elle rencontra**.

Savoir ponctuer les dialogues → p. 334

4 Dans le texte suivant, repérez les phrases de dialogue. Quel signe de ponctuation permet de les distinguer du récit ?

« Francs chevaliers, dit l'empereur Charles, élisez-moi donc un baron de ma marche[1], pour qu'à Marsile il porte mon message ». Roland dit : « Ce sera Ganelon, mon parâtre[2]. » Les Français disent : « Il peut bien le faire. Si vous l'écartez, vous n'en enverrez pas de plus sage. » Et le comte Ganelon en fut saisi d'angoisse.

> *La Chanson de Roland.*

1. Marche : province frontière d'un État.
2. Parâtre : mari de la mère.

5 Recopiez le texte suivant en rétablissant les guillemets manquants.

Parmi l'armée, l'empereur très fièrement chevauche : Seigneurs barons, dit l'empereur Charles, voyez les ports[1] et les étroits passages : désignez-moi qui tiendra l'arrière-garde. Ganelon répond : Roland, mon fillâtre : vous n'avez baron d'aussi grande bravoure. Le roi l'entend et le regarde farouchement. Il lui dit : […] Et qui sera devant moi, à l'avant-garde ? Ganelon répond : Ogier de Danemark : vous n'avez baron qui mieux que lui le fasse.

> *La Chanson de Roland.*

1. port : passage, col de montagne.

Conjugaison

Utiliser le présent de narration → p. 340

6 Recopiez le texte suivant en mettant les verbes au présent à partir du moment où l'action bat son plein. Quel est l'effet produit par ce changement ?

Alors arriva, enflammé d'une colère plus vive que la braise, le chevalier. À peine les deux hommes se furent-ils aperçus qu'ils s'élancèrent l'un contre l'autre. Ils échangèrent de si grands coups que les deux écus qui pendaient à leur cou furent percés et les hauberts démaillés ; les lances se fendirent, les tronçons volèrent en l'air. Ils s'attaquèrent alors à l'épée ; à grands coups ils tranchaient les courroies des écus, puis brisaient les écus. Ils se mesuraient avec rage et ne cédaient pas un pouce de terrain.

> D'après CHRÉTIEN DE TROYES, *Yvain, Le Chevalier au lion.*

Faire le récit d'un affrontement

Sujet

Vous allez raconter l'affrontement entre un noble chevalier et un monstre. Votre travail prendra la forme d'un récit complet de deux pages environ, depuis la présentation du personnage principal et l'exposé de la situation causée par le monstre jusqu'au dénouement.

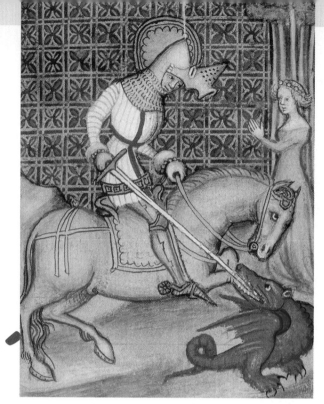

Chevalier terrassant un dragon, miniature du XIVᵉ siècle.

A Construisez votre plan

Paragraphe 1. Présentez **le cadre et la situation** : où et quand l'histoire se passe-t-elle ? Quels sont les malheurs causés par le monstre ? Comment la population réagit-elle ? et le roi ?

Paragraphe 2. Introduisez le personnage principal : ce paragraphe commencera par **un portrait de ce personnage,** un noble chevalier, dont il mettra en évidence les qualités. Il s'achèvera par un dialogue dans lequel le chevalier s'engagera à combattre le monstre.

Paragraphe 3. Le chevalier se met en quête du monstre : au moment où il le découvre, insérez une **description** de celui-ci, en veillant à y intégrer des **éléments symboliques**.

Paragraphe 4. Décrivez en détail l'**affrontement** entre le monstre et le chevalier.

Paragraphe 5. Concluez en quelques lignes : quelle est l'issue du combat ? Quelles en seront les **conséquences** pour le personnage principal ? pour la population ? pour le roi ?

B Pour réussir chaque partie

Paragraphe 1 : ce paragraphe doit permettre de comprendre la situation de départ : donnez **des détails** pour que l'on se représente bien cette situation.

Paragraphe 2 :
• Justifiez l'arrivée de votre personnage : que vient-il faire ici ? Passe-t-il par hasard ? Répond-il à une demande précise ou est-il en quête d'aventures ? Y a-t-il une récompense promise ?
• Pour le portrait, variez la construction des phrases et limitez l'emploi d'*être* et *avoir* (voir p. 43).
• Soignez la ponctuation du dialogue (voir p. 89).

Paragraphe 3 :
• Résumez le voyage de votre héros en une ou deux phrases.
• Pour le portrait du monstre, choisissez des verbes expressifs (voir p. 88).

Paragraphe 4 : pour rendre le récit du combat plus spectaculaire, remplacez les **verbes** courants par des synonymes plus **forts** (voir p. 88). Attention à l'**enchaînement des actions** (voir p. 89)

Des livres

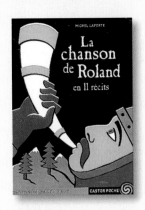

❖ **La Chanson de Roland en 11 récits, adapté par Michel Laporte,** 2009, Castor Poche Flammarion.

Une réécriture pour la jeunesse des exploits du célèbre chevalier, plus accessible que la version originale.

❖ **Yvain ou le chevalier au lion, adapté par Anne-Marie Cadot-Colin,** Le Livre de Poche Jeunesse, 2008.

Un grand classique du roman courtois, adapté pour la jeunesse, avec quelques éléments historiques pour mieux comprendre l'histoire.

❖ **Histoires de monstres et de dragons,** de Gérard Moncomble, Milan Jeunesse, coll. « Mille et un contes », 2003.

Un recueil de douze contes traditionnels ou contemporains sur le thème du dragon.

❖ **Bilbo le Hobbit,** de J. R. R. Tolkien, Hachette Jeunesse, 2006.

Bilbo est un gentil hobbit sans histoires, jusqu'au jour où le magicien Gandalf le traîne littéralement à l'aventure pour s'emparer d'un trésor gardé par un terrible dragon. Accessible à tous.

Des films

❖ **Les Visiteurs du soir,** de Marcel Carné et Jacques Prévert, 1942

« Or donc, en ce joli mois de mai 1485 Messire le Diable dépêcha sur terre deux de ses créatures afin de désespérer les hommes… »

❖ **Henry V, de Kenneth Branagh,** 1991

La bataille d'Azincourt, une des plus célèbres de l'Histoire, racontée par Shakespeare et mise en scène par un grand cineaste, ou comment 12 000 soldats anglais ont vaincu 50 000 chevaliers français.

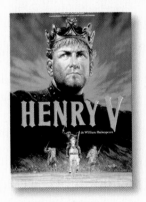

❖ **La Chevauchée fantastique, de John Ford,** 1939

Le style épique appliqué au western, dans un classique du genre.

❖ **Le Seigneur des anneaux, adapté de J. R. R. Tolkien :** trois films de Peter Jackson sortis entre 2001 et 2003

La célèbre quête des Hobbits et des Elfes visant à détruire l'anneau de puissance et à vaincre les armées du Mordor est animée par un souffle épique continu.

4 À la cour du roi Arthur

▶ **Découvrir l'idéal chevaleresque**

Repères Les légendes arthuriennes 94

Textes et images

1. « Le philtre », *Tristan et Iseut*, Joseph Bédier 96
2. « La fuite dans le Morrois », *Le Roman de Tristan*, Béroul 99
3. « L'avènement d'Arthur », *Merlin l'Enchanteur*, Robert de Boron 102
4. « La fondation de la Table ronde », *Merlin l'Enchanteur*, Robert de Boron 105
5. « Perceval le Gallois », *Perceval ou le Conte du Graal*,
   Chrétien de Troyes 108
6. « Perceval devient chevalier », *Perceval ou le Conte du Graal*,
   Chrétien de Troyes 111
7. « Le Pont de l'épée », *Lancelot ou le Chevalier à la charrette*,
   Chrétien de Troyes 114

Étude de l'image Photo du film *Excalibur*, de John Boorman 117

8. « La rencontre avec Laudine », *Yvain, Le Chevalier au lion*,
   Chrétien de Troyes 118
9. « La mort d'Arthur », anonyme 120

Synthèse La littérature courtoise 123

Histoire des arts Le jardin médiéval, un espace symbolique 124

Langue et Expression

• Vocabulaire : L'univers du chevalier 126
• Grammaire pour écrire : Enchaîner les actions dans un récit 127
• Écriture : Faire le récit d'une épreuve 128

À lire & à voir 129

« Tristan affronte Palamède en duel »,
enluminure de *Tristan et Iseut*, XIIIᵉ siècle (Paris, BNF).

Lire une image

1. Quelles remarques pouvez-vous faire sur la composition de l'image :
quels éléments se répondent symétriquement ? Lesquels sont placés au centre ?

2. D'après vous, quel rôle la dame joue-t-elle dans cette scène de combat ?

3. Observez les couleurs portées par les chevaliers : quels indices vous permettent
d'identifier Tristan ?

Les ruines de Tintagel, château du roi Arthur, en Cornouailles.

Questions

1 À quels territoires la Bretagne correspondait-elle au Moyen Âge ?

2 Que savez-vous du roi Arthur ? Nommez quelques-uns des personnages qui l'entourent.

Les légendes celtiques

● Tandis qu'en France se développe le récit de hauts faits héroïques (*voir La Chanson de Roland*, p. 72 et suivantes), en Bretagne subsistent, transmis par la tradition orale, **des contes et légendes hérités des mythologies celtiques.** Le merveilleux **païen** y rencontre l'imaginaire **chétien**. Le roman naissant va s'emparer de ce fonds si riche, qui se prête si bien au rêve, avec ses fées ensorcelantes, ses épées ou anneaux magiques, ses nains et ses magiciens, sans oublier le mystérieux **Graal.**

● La plus ancienne et la plus célèbre des légendes celtiques est sans doute celle de **Tristan et Iseut**, jeunes gens unis par un amour fatal à cause d'un philtre magique. Les conteurs celtiques propagent aussi l'histoire du roi **Arthur, roi légendaire du Vᵉ siècle**, qui réussit à réunir tribus celtes et romaines contre l'envahisseur saxon.

Les premiers romans

● Avec les légendes arthuriennes naissent les premiers romans. *Roman* signifie d'abord : **« écrit en langue romane »**, par opposition au latin, langue des clercs. Les romans du XIIᵉ siècle sont écrits en vers, mais, tandis que le rythme se rapproche progressivement de celui de la prose, la disposition en strophes disparaît.

● Le *Lancelot* anonyme, écrit vers 1225, est **le premier roman en prose**. Les récits deviennent plus touffus, les personnages et leur psychologie s'étoffent. Ainsi émerge peu à peu le genre que nous connaissons aujourd'hui.

Le début d'**Yvain, le Chevalier au lion, roman de Chrétien de Troyes**, enluminure du XIIIᵉ siècle (Paris, BNF).

Question

3 Rappelez qui sont les *clercs* au Moyen Âge.

Chrétien de Troyes

- **Chrétien de Troyes** vit en France au XIIᵉ **siècle**. On ne sait presque rien de sa vie. On pense que c'était un clerc et qu'il a séjourné à la cour d'Aliénor d'Aquitaine, épouse du roi d'Angleterre, où il s'est familiarisé avec la poésie lyrique des **troubadours** et avec la légende du roi Arthur. De ces récits guerriers, qui appartiennent à l'origine au genre de l'épopée, il fait une **littérature courtoise, destinée à satisfaire le goût raffiné des grands seigneurs ; l'amour y tient une place importante.**

- Chrétien de Troyes aura de nombreux imitateurs, mais il reste celui qui a rendu inoubliables les amours de Lancelot et de Guenièvre et la noble attitude des **Chevaliers de la Table ronde.**

Arthur Hughes (1832-1915),
Galahad et la quête du saint Graal,
1870, huile sur toile, 113 x 167 cm
(Liverpool, National Museum,
Walker Art Gallery).

Questions

4 Cherchez dans le sommaire de ce chapitre le titre de plusieurs romans de Chrétien de Troyes.

5 En quoi cet auteur a-t-il transformé la légende du roi Arthur ?

| 900 | 1000 | 1100 | 1300 |

987 : Hugues Capet roi de France

1066 : Guillaume de Normandie, duc français, conquiert l'Angleterre et devient roi

842 : Serments de Strasbourg, premier texte officiel écrit en ancien français et non plus en latin

1096-1099 : 1ʳᵉ Croisade Prise de Jérusalem par les Croisés

1147-1149 : 2ᵉ Croisade

environ **1135-1183** Chrétien de Troyes

1180-1223 Philippe Auguste roi de France

1226-1270 : saint Louis (Louis IX) roi de France

1187 : Saladin reprend Jérusalem

Le philtre

Tristan, après avoir conquis la main d'Iseut pour son oncle, le roi Marc, reconduit en bateau la jeune femme vers la Cornouaille pour qu'elle y épouse celui à qui elle est destinée.

Un jour, les vents tombèrent, et les voiles pendaient dégonflées le long du mât. Tristan fit atterrir dans une île, et, lassés de la mer, les cent chevaliers de Cornouailles et les mariniers descendirent au rivage. Seule Iseut était demeurée sur la nef, et une petite servante. Tristan vint vers la
5 reine et tâchait de calmer son cœur. Comme le soleil brûlait et qu'ils avaient soif, ils demandèrent à boire. L'enfant chercha quelque breuvage, tant qu'elle découvrit le coutret[1] confié à Brangien[2] par la mère d'Iseut.

– J'ai trouvé un vin ! leur cria-t-elle.

Non, ce n'était pas du vin : c'était la passion, c'était l'âpre joie et l'angoisse
10 sans fin, et la mort. L'enfant remplit un hanap[3] et le présenta à sa maîtresse. Elle but à longs traits puis le tendit à Tristan, qui le vida.

À cet instant, Brangien entra et les vit qui se regardaient en silence, comme égarés et comme ravis. Elle vit devant eux le vase presque vide et le hanap. Elle prit le vase, courut à la poupe, le lança dans les vagues et gémit :
15 – Malheureuse ! maudit soit le jour où je suis née et maudit le jour où je suis montée sur cette nef ! Iseut, amie, et vous, Tristan, c'est votre mort que vous avez bue !

De nouveau, la nef cinglait vers Tintagel[4]. Il semblait à Tristan qu'une ronce vivace, aux épines aiguës, aux fleurs odorantes, poussait ses racines
20 dans le sang de son cœur et par de forts liens enlaçait au beau corps d'Iseut son corps et toute sa pensée, et tout son désir. Il songeait : « Andret, Denoalen, Guenelon et Gondoïne[5], félons qui m'accusiez de convoiter la terre du roi Marc, ah ! Je suis plus vil encore, et ce n'est pas sa terre que je convoite ! […] Bel oncle, que n'avez-vous, dès le premier jour, chassé l'enfant errant[6]
25 venu pour vous trahir ? Ah ! qu'ai-je pensé ? Iseut est votre femme, et moi votre vassal. Iseut est votre femme, et moi votre fils. Iseut est votre femme, et ne peut pas m'aimer. »

Iseut l'aimait. Elle voulait le haïr, pourtant : ne l'avait-il pas vilement dédaignée ? Elle voulait le haïr, et ne pouvait, irritée en son cœur de cette ten-
30 dresse plus douloureuse que la haine. Brangien les observait avec angoisse, plus cruellement tourmentée encore, car seule elle savait quel mal elle avait causé. Deux jours elle les épia, les vit repousser toute nourriture, tout breuvage et tout réconfort, se chercher comme des aveugles qui marchent à tâtons l'un vers l'autre, malheureux quand ils languissaient séparés, plus
35 malheureux encore quand, réunis, ils tremblaient devant l'horreur du premier aveu.

Au troisième jour, comme Tristan venait vers la tente, dressée sur le pont de la nef, où Iseut était assise, Iseut le vit s'approcher et lui dit humblement :

– Entrez, seigneur.

1. **Coutret :** flacon.

2. **Brangien :** la servante d'Iseut.

3. **Hanap :** coupe.

4. **Tintagel :** nom du château du roi Marc.

5. Vassaux et conseillers du roi Marc, jaloux de Tristan.

6. Il s'agit de Tristan, recueilli par le roi Marc à la mort de sa mère.

Tristan et Iseut boivent ensemble le breuvage amoureux, enluminure du XVe siècle (Paris, BNF).

40 — Reine, dit Tristan, pourquoi m'avoir appelé seigneur ? Ne suis-je pas votre homme lige[7], au contraire, et votre vassal, pour vous révérer, vous servir et vous aimer comme ma reine et ma dame ?

Iseut répondit :

— Non, tu le sais, que tu es mon seigneur et mon maître ! Tu le sais, que
45 ta force me domine et que je suis ta serve ! Ah ! que n'ai-je avivé naguère les plaies du jongleur[8] blessé ! Que n'ai-je laissé périr le tueur du monstre[9] dans les herbes du marécage ! Que n'ai-je asséné[10] sur lui, quand il gisait dans le bain, le coup de l'épée déjà brandie ! Hélas ! je ne savais pas alors ce que je sais aujourd'hui !

50 — Iseut, que savez-vous donc aujourd'hui ? Qu'est-ce donc qui vous tourmente ?

— Ah ! tout ce que je sais me tourmente, et tout ce que je vois. Ce ciel me tourmente, et cette mer, et mon corps, et ma vie !

Elle posa son bras sur l'épaule de Tristan ; des larmes éteignirent le rayon
55 de ses yeux, ses lèvres tremblèrent. Il répéta :

— Amie, qu'est-ce donc qui vous tourmente ?

Elle répondit :

— L'amour de vous.

Alors il posa ses lèvres sur les siennes.

60 Mais, comme pour la première fois tous deux goûtaient une joie d'amour, Brangien, qui les épiait, poussa un cri, et, les bras tendus, la face trempée de larmes, se jeta à leurs pieds.

7. Votre homme lige : à votre service.

8. Il s'agit de Tristan qui, la première fois, s'était présenté à la cour d'Irlande comme un jongleur errant.

9. Tristan a combattu et tué le géant Morholt, beau-frère du roi, mais il a reçu un coup d'épée empoisonnée dont Iseut l'a guéri.

10. Assener : porter un coup violent.

– Malheureux ! arrêtez-vous, et retournez, si vous le pouvez encore ! Mais non, la voie est sans retour, déjà la force de l'amour vous entraîne et
65 jamais plus vous n'aurez de joie sans douleur. C'est le vin herbé qui vous possède, le breuvage d'amour que votre mère, Iseut, m'avait confié. Seul, le roi Marc devait le boire avec vous ; mais l'Ennemi[11] s'est joué de nous trois, et c'est vous qui avez vidé le hanap. Ami Tristan, Iseut amie, en châtiment de la male garde que j'ai faite, je vous abandonne mon corps, ma vie car par
70 mon crime, dans la coupe maudite, vous avez bu l'amour et la mort !

Les amants s'étreignirent ; dans leurs beaux corps frémissaient le désir et la vie. Tristan dit :

– Vienne donc la mort !

Et quand le soir tomba, sur la nef qui bondissait plus rapide vers la terre
75 du roi Marc, liés à jamais, ils s'adonnèrent à l'amour.

Tristan et Iseut, adaptation de Joseph Bédier, © Union générale des éditeurs.

11. **L'Ennemi :** le diable.

Lecture

➡ Comprendre

1. Où et quand la scène se passe-t-elle ?

2. Dans quelles circonstances Tristan et Iseut absorbent-ils le breuvage magique ?

3. Quels sont les effets de ce breuvage sur les deux jeunes gens ?

4. D'après Brangien, quelles seront les conséquences de l'absorption du breuvage pour les deux jeunes gens ?

➡ Analyser

5. a. Quels sont les sentiments contradictoires qui animent les deux jeunes gens ?

b. Quels reproches Tristan se fait-il ? Pourquoi ?

6. À partir de la ligne 18, divisez le texte en trois parties auxquelles vous donnerez un titre : comment évolue la situation des deux amants ?

7. Dans les lignes 18 à 21, quelle <u>métaphore</u> (➡ p. 366) montre les effets du philtre sur Tristan ? Expliquez-la.

8. Dans les lignes 28 à 36, comment se manifeste la souffrance des amants ?

9. Dans les lignes 37 à 45, relevez tous les termes qui évoquent la soumission : quelle est l'attitude de chacun des amants envers l'autre ?

➡ Interpréter

10. D'après les dernières paroles de Brangien, qui est responsable de ce terrible accident ?

11. Tristan et Iseut étaient appelés à un avenir insouciant et heureux. Mais voilà qu'ils ont bu quelque chose qu'ils ne devaient pas boire et que cet équilibre s'écroule. Quel célèbre couple biblique a connu la même situation ?

Vocabulaire

12. Qu'est-ce qu'une *nef* (l. 4) ? Donnez des mots de la même famille.

13. Voici quatre adjectifs tirés du texte : *égarés* (l. 13), *ravis* (l. 13), *irritée* (l. 29) et *tourmentée* (l. 31).

a. Donnez le sens de chacun d'eux.

b. Réemployez chacun d'eux dans une phrase de votre invention qui mettra son sens en valeur.

c. Pour chacun d'eux, trouvez un nom de la même famille.

14. « Je suis plus vil encore » (l. 23) :

a. Recopiez cette phrase en remplaçant le mot *vil* par un synonyme.

b. Dans les lignes 28 à 30, relevez un adverbe de la même famille.

Expression écrite

Sujet

Une sorcière fait absorber à un chevalier un philtre qui le rend insensible à l'amour. Alors qu'il est devant sa dame qui lui confie quelque mission, le chevalier sent les premiers effets du philtre. Décrivez cet effet en une douzaine de lignes.

Conseils

a. Vous commencerez par cette phrase : « Il semblait à Yonec que... » et vous la compléterez par une métaphore de votre choix.

b. Puis vous continuerez par : « Il songeait : » et vous développerez à la première personne les sentiments contradictoires qui animent le chevalier.

La fuite dans le Morrois

**Tristan et Iseut
dans la forêt du Morrois**,
miniature du *Roman de la
Poire* de Thibaut, XIIe siècle
(Paris, BNF).

Iseut a épousé le roi Marc. Pendant plusieurs années, Tristan et elle entretiennent en secret leur amour adultère, jusqu'au jour où ils sont découverts, jugés et condamnés au bûcher. Mais les deux amants parviennent à s'enfuir et vont se cacher dans la forêt.

Seigneurs, Tristan séjourne longtemps dans la forêt. Il y connaît beaucoup de peines et d'épreuves. Il n'ose pas rester toujours au même endroit. Il ne couche pas le soir là où il s'est levé le matin. Il sait bien que le roi le fait chercher et qu'un ban[1] a été proclamé sur ses terres afin que quiconque le
5 trouverait le capture.

Dans la forêt, le pain leur manque beaucoup. Ils vivent de venaison[2] et ne mangent rien d'autre. Qu'y peuvent-ils si leur teint s'altère ? Leurs habits tombent en lambeaux ; les branches les déchirent. Ils fuient longtemps à travers le Morrois. Tous les deux souffrent de la même façon mais chacun
10 grâce à l'autre oublie ses maux.

Un jour, Tristan rentre si fatigué de la chasse qu'il s'endort auprès d'Iseut sans même s'être dévêtu, ayant planté entre eux deux son épée. Tandis que les amants dorment, un forestier découvre leur cachette et va les dénoncer au roi qui accourt.

[Le roi] tire son épée du fourreau, s'avance furieux en disant qu'il préfère mourir s'il ne les tue pas maintenant. L'épée nue, il pénètre dans la loge[3]. Le forestier arrive derrière lui et rejoint vite le roi. Marc lui fait signe de se retirer. Il lève l'arme pour frapper ; sa colère l'excite puis s'apaise soudaine-

1. **Ban** (*n. m.*) : publication officielle.
2. **Venaison** (*n. f.*) : produit de la chasse.
3. **La loge** : la cabane des deux amants.

15 ment. Le coup allait s'abattre sur eux ; s'il les avait tués, c'eût été un grand malheur. Quand il vit qu'elle portait sa chemise et qu'un espace les séparait, que leurs bouches n'étaient pas jointes, quand il vit l'épée nue qui les séparait et les braies[4] de Tristan, le roi s'exclama :

« Dieu ! Qu'est-ce que cela signifie ? Maintenant que j'ai vu leur compor-
20 tement, je ne sais plus ce que je dois faire, les tuer ou me retirer. Ils sont dans ce bois depuis bien longtemps. Je puis bien croire, si j'ai un peu de bon sens, que s'ils s'aimaient à la folie, ils ne seraient pas vêtus, il n'y aurait pas d'épée entre eux et ils se seraient disposés d'une autre manière. J'avais l'intention de les tuer, je ne les toucherai pas. Je refrénerai ma colère. [...] Avant qu'ils ne
25 s'éveillent, je leur laisserai des signes tels qu'ils sauront avec certitude qu'on les a trouvés endormis, qu'on a eu pitié d'eux et qu'on ne veut nullement les tuer, ni moi, ni qui que ce soit dans mon royaume. Je vois au doigt de la reine l'anneau serti d'émeraude que je lui ai donné un jour (il est d'une grande valeur). Moi, j'en porte un qui lui a appartenu. Je lui ôterai le mien du doigt.
30 J'ai sur moi des gants de vair[5] qu'elle apporta d'Irlande. Je veux en couvrir son visage à cause du rayon de lumière qui brûle son visage et lui donne chaud. Quand je repartirai, je prendrai l'épée qui se trouve entre eux et qui servit à décapiter le Morholt. »

Le roi ôta ses gants et regarda les deux dormeurs côte à côte ; avec ses
35 gants, il protégea délicatement Yseut du rayon de lumière qui tombait sur elle. Il remarqua l'anneau à son doigt et le retira doucement, sans faire bouger le doigt. Autrefois, l'anneau était entré difficilement mais elle avait maintenant les doigts si grêles[6] qu'il en glissait sans peine. Le roi sut parfaitement lui retirer. Il ôta doucement l'épée qui les séparait et mit la sienne à la place.
40 Il sortit de la loge, rejoignit son destrier et l'enfourcha. Il dit au forestier de s'enfuir : qu'il s'en retourne et disparaisse !

Le roi s'en va et les laisse dormir.

4. **Braies** (*n. f. pl.*) : pantalons.
5. **Vair** : fourrure.
6. **Grêle** : maigre, fragile.

Tristan et Iseut dans la forêt du Morrois, miniature du *Roman de la Poire* de Thibaut, XIIe siècle (Paris, BNF).

Soudain, Iseut s'éveille en sursaut et découvre les signes que le roi Marc a laissés.

« Seigneur, hélas ! Le roi nous a découverts.

– Dame, c'est vrai, lui répond-il. Maintenant, il nous faut quitter le Mor-
45 rois car nous sommes très coupables à ses yeux. Il m'a pris mon épée et m'a
laissé la sienne. Il aurait très bien pu nous tuer.

– Sire, vraiment, je le pense aussi.

– Belle, maintenant il ne nous reste plus qu'à fuir. Le roi nous a quittés
pour mieux nous tromper. Il était seul et il est allé chercher du renfort ; il
50 pense vraiment s'emparer de nous. Dame, fuyons vers le pays de Galles !
Mon sang se retire. »

[…] Ils n'ont pas de temps à perdre. Ils ont peur mais n'y peuvent rien.
Ils savent que le roi est furieux et cruel. Ils s'en vont à toute allure. Ils crai-
gnent le roi à cause de ce qui vient de leur arriver. Ils traversent le Morrois
55 et s'éloignent. Leur peur les contraint à franchir de grandes distances. Ils
s'en vont directement vers le pays de Galles. L'amour leur aura causé bien
des souffrances. Pendant trois années entières, ils souffrent le martyre. Ils
pâlissent et maigrissent.

Béroul, *Le Roman de Tristan*, traduction de D. Lacroix et P. Walter,
© Librairie générale française - Le Livre de Poche, 1989.

Lecture

→ Comprendre

1. Où vivent Tristan et Iseut pour échapper au roi Marc ? Dans quelles conditions ?

2. Quels sont les différents sentiments qui animent le roi Marc lorsqu'il découvre les amants endormis ?

3. Pourquoi leur laisse-t-il son gant, son épée et son anneau ? Que symbolisent ces objets, l'épée en parti-culier ?

4. a. Quelle décision Tristan et Iseut prennent-ils à leur réveil ? Pourquoi ?

b. Quelle est la conséquence de cette décision sur leurs conditions de vie ?

→ Analyser

5. Dans le premier paragraphe, relevez une intervention directe du narrateur. À qui s'adresse-t-il ?

6. Sur quel **radical** (→ p. 362) le nom de la forêt où vivent Tristan et Iseut est-il formé ?

7. Pourquoi peut-on dire que ce lieu est, pour les deux amants, un lieu d'épreuves et de pénitence ?

→ Interpréter

8. Pourquoi Tristan et Iseut ne sont-ils pas capables de comprendre les signes laissés par le roi ?

9. Voici le début d'un poème de Victor Hugo intitulé « La conscience », qui décrit la fuite de Caïn, le fils d'Adam et Ève, après qu'il a tué son frère Abel. Quels rapprochements pouvez-vous établir entre la situation de Tristan et Iseut et celle de Caïn et sa famille ?

« Lorsque avec ses enfants vêtus de peaux de bêtes,
Échevelé, livide au milieu des tempêtes,
Caïn se fut enfui de devant Jéhovah,
Comme le soir tombait, l'homme sombre arriva
Au bas d'une montagne en une grande plaine ;
Sa femme fatiguée et ses fils hors d'haleine
Lui dirent : « Couchons-nous sur la terre,
et dormons. »
Caïn, ne dormant pas, songeait au pied des monts.
Ayant levé la tête, au fond des cieux funèbres,
Il vit un œil, tout grand ouvert dans les ténèbres,
Et qui le regardait dans l'ombre fixement.
« Je suis trop près », dit-il avec un tremblement.
Il réveilla ses fils dormant, sa femme lasse,
Et se remit à fuir sinistre dans l'espace. »

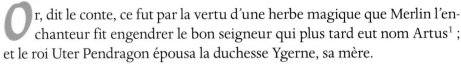

L'avènement d'Arthur

r, dit le conte, ce fut par la vertu d'une herbe magique que Merlin l'enchanteur fit engendrer le bon seigneur qui plus tard eut nom Artus[1] ; et le roi Uter Pendragon épousa la duchesse Ygerne, sa mère.

Quand l'enfant fut né, il en fit don à Merlin, qui le remit secrètement à 5 l'un des plus honnêtes chevaliers du royaume, appelé Antor, dont la femme avait accouché six mois auparavant. Elle confia son propre fils à une nourrice et allaita celui qu'on lui amenait. Puis, le moment venu, Antor fit baptiser l'enfant sous le nom d'Artus et l'éleva en tout honneur et bien, en compagnie de son propre fils qu'on appelait Keu.

10 Uter Pendragon mourut seize ans plus tard, à la Saint-Martin, deux ans après Ygerne. Comme il ne laissait point d'enfant connu, les barons prièrent Merlin de leur désigner celui qu'ils devaient élire afin que le royaume fût gouverné pour le bien de la sainte Église et la sûreté du peuple. Mais il leur dit seulement d'attendre le jour de la naissance de Notre-Seigneur, et jusque-15 là de prier Dieu de les éclairer. La veille de Noël, tous les barons du royaume de Logres vinrent à Londres, et parmi eux Antor, avec Keu et Artus, ses deux enfants, dont il ne savait lequel il préférait. Tout le monde assista à la messe de minuit en grande piété, puis à la messe du jour. Et comme la foule sortait de l'église, des cris d'étonnement retentirent : une grande pierre taillée gisait 20 au milieu de la place, portant une enclume de fer où une épée se trouvait fichée jusqu'à la garde.

On avertit aussitôt l'archevêque qui s'en vint avec l'eau bénite. Et comme il se baissait pour asperger la pierre, il lut à haute voix ces mots qui s'y trouvaient écrits en lettres d'or :

25 *Celui qui ôtera cette épée sera le roi élu par Jésus-Christ.*

Déjà les plus hauts et riches hommes disputaient entre eux à qui ferait l'essai le premier. Mais l'archevêque leur dit :

– Seigneurs, vous n'êtes point aussi sages qu'il faudrait. Ne savez-vous point que Notre-Sire[2] n'a souci de richesse, ni de noblesse, ni de fierté ? Seul, 30 celui qu'il a désigné réussira, et, s'il était encore à naître, l'épée ne serait jamais ôtée devant qu'il vînt.

Alors il choisit lui-même deux cent cinquante prud'hommes[3] pour tenter l'aventure tout d'abord. Mais aucun ne parvint à mouvoir l'épée. Après eux, tous ceux qui voulurent y tâchèrent, mais vainement, et le jour des étrennes 35 advint.

Ce jour-là, il était coutume qu'on donnât un grand tournoi aux portes de la cité. Quand les chevaliers eurent assez jouté, ils firent une telle mêlée, que toute la ville accourut pour la voir. Keu, le fils d'Antor, qui venait d'être fait chevalier à la Toussaint, appela son jeune frère et lui dit :

40 – Va chercher mon épée à notre hôtel.

Artus était un bel et grand adolescent de seize ans, fort aimable et serviable : il piqua des deux[4] vers leur logis, mais il ne put trouver l'épée de son frère ni aucune autre, car la dame de la maison les avait toutes rangées

1. Artus : Arthur, en ancien français.

2. Notre-Sire : notre Seigneur, le Christ

3. Prud'homme : homme courageux, de grande valeur.

4. Piquer des deux : piqua des deux (éperons), partit au galop.

Photo du film *Excalibur*, de John Boorman (1981).

dans une chambre, et elle était allée voir la mêlée. Il s'en revenait, lorsqu'en
45 passant devant l'église il pensa qu'il n'avait pas encore fait l'essai : aussitôt il
s'approche du perron et, sans même descendre de cheval, il prend le glaive
merveilleux par la poignée, le tire sans la moindre peine, et l'apporte sous
un pan de manteau à son frère, à qui il dit :

— Je n'ai pu trouver ton épée, mais je t'apporte celle de l'enclume.

50 Keu la prit sans sonner mot, et se mit en quête de son père.

— Sire, lui dit-il, je serai roi : voici l'épée du perron.

Mais Antor, qui était vieil et sage, ne le crut guère et lui fit confesser la
vérité. Puis il appela Artus et lui commanda d'aller remettre le glaive où il
l'avait pris : l'enfant replongea la lame dans l'enclume aussi aisément qu'il
55 eût fait dans la glaise. Ce que voyant, le prud'homme l'embrassa :

— Beau fils, si je vous faisais roi, quel bien m'en reviendrait ?

— Sire, répondit Artus, il ne serait rien que j'eusse dont vous ne fussiez
maître, étant mon père.

— Beau sire, je suis votre père adoptif, mais non celui qui vous a engen-
60 dré. J'ai confié mon propre fils à une nourrice pour que sa mère vous nourrît
de son lait. Et je vous ai élevé aussi doucement que j'ai pu.

— Je vous supplie, dit Artus, de ne pas me renier comme votre fils, car je
ne saurais où aller. Et si Dieu veut que j'aie cet honneur d'être roi, vous ne
saurez me demander chose que vous ne l'ayez.

65 — Beau sire, je vous demande qu'en récompense de ce que j'ai fait pour
vous, Keu soit votre sénéchal[5] tant que vous vivrez, et que, quoi qu'il fasse,
il ne puisse perdre sa charge. S'il est fol, s'il est félon, vous vous direz que

5. Sénéchal : grand officier royal.

peut-être il ne l'eût point été s'il avait été allaité par sa propre mère et non par une étrangère, et que c'est peut-être à cause de vous qu'il est ainsi.

70   Et Artus jura sur les saints qu'il garderait Keu à jamais.

Antor attendit vêpres[6], et, quand tous les barons furent assemblés dans l'église, il fut trouver l'archevêque et lui demanda de permettre que son plus jeune fils, qui n'était pas encore chevalier, fît l'essai. Et Artus ôta l'épée sans peine et la baillant[7] à l'archevêque qui entonna à pleine voix le *Te Deum* 75 *laudamus*.

Jacques Boulenger, *Merlin l'Enchanteur*, adapté de Robert de Boron © Plon 1941.

6. **Vêpres :** messe de fin d'après-midi.
7. **baillant :** donnant.

Lecture

➜ Comprendre

1. Où et quand l'action se passe-t-elle ?

2. Qui sont les principaux personnages de ce texte ? Précisez leur âge, leurs liens et leur situation sociale.

3. Quel problème les Bretons rencontrent-ils à la mort d'Uter Pendragon ?

4. À qui est confié le soin de choisir un nouveau roi ? Pourquoi ?

5. Quels sont, dans cet extrait, les deux événements qui bouleversent la vie d'Arthur ?

➜ Analyser

6. D'après l'inscription portée sur la pierre, qui va réellement désigner le roi des Bretons ?

7. Pourquoi Arthur saisit-il l'épée ? Prétend-il au trône ?

8. Le passage où Arthur prend l'épée est-il développé ? Y a-t-il du suspense ? Que veut montrer l'auteur ?

➜ Interpréter

9. a. D'après le texte (l. 10 à 15), quel doit être le but d'un bon roi ?

b. La noblesse ou la richesse sont-elles importantes ? Justifiez votre réponse par une citation du texte.

10. À votre avis, Arthur a-t-il les qualités pour faire un bon roi ? Justifiez votre réponse.

Vocabulaire

11. a. Que signifie le verbe *jouter* (l. 37) ?

b. Donnez un mot de la même famille, synonyme de *tournoi* (l. 36).

12. Rappelez le sens du mot *félon* (l. 67).

13. a. Recopiez la phrase des lignes 65 à 67 en remplaçant le mot *charge* par un synonyme. (« Beau sire, je vous demande [...] que, quoi qu'il fasse, il ne puisse perdre sa charge. »)

b. Réemployez ce mot dans une phrase de votre invention.

Expression écrite

Activité 1

Voici, dans l'ordre, quelques phrases tirées du texte que vous venez de lire. Relevez les adverbes de temps qui servent à enchaîner les actions.

1. « Et comme la foule sortait de l'église, des cris d'étonnement retentirent : une grande pierre taillée gisait au milieu de la place, portant une enclume de fer où une épée se trouvait fichée jusqu'à la garde.
On avertit aussitôt l'archevêque qui s'en vint avec l'eau bénite. »

2. « Déjà les plus hauts et riches hommes disputaient entre eux à qui ferait l'essai le premier. »

3. « Alors il choisit lui-même deux cent cinquante prud'hommes pour tenter l'aventure tout d'abord. »

Activité 2

Complétez le texte suivant avec les adverbes proposés :

alors – à peine – aussi – aussitôt – d'abord – déjà – finalement – soudain.

Yvain voulait tenter à son tour l'épreuve de la fontaine ... se mit-il en route dès le lendemain. Il trouva la fontaine merveilleuse et y versa de l'eau ..., une formidable tempête s'éleva et un chevalier en armes apparut ... Yvain eut-il le temps de comprendre ce qui ce passait que le chevalier l'attaquait ..., le combat parut égal : aucun des chevaliers ne cédait un pouce de terrain ... la fatigue se faisait sentir .... Yvain porta un coup si violent que sa lance éclata. Son adversaire chancela et ... s'écroula. Voyant que le combat était perdu pour lui, il prit ... la fuite.

La fondation de la Table ronde

Après son sacre, Arthur épouse Guenièvre. À Noël, il rassemble sa cour à Carduel, au Pays de Galles, afin que chacun y amène ses vassaux et sa femme, ou son amie. Lors du banquet, Merlin l'enchanteur apparaît…

Quand les tables furent levées, [Merlin] se mit debout et après avoir demandé congé[1] au roi, il dit à si haute voix que tous l'entendirent dans la salle :

« Seigneurs, sachez que le très Saint Graal, le vase où Notre Sire[2] offrit
5 pour la première fois son saint corps et où Joseph d'Arimathie[3] recueillit le précieux sang qui coula des plaies de Jésus-Christ, a été transporté dans la Bretagne bleue. Mais il ne sera trouvé et ses merveilles découvertes que par le meilleur chevalier du monde. Et il est dit qu'au nom de la très Sainte Trinité[4], le roi Artus doit établir la table qui sera la troisième après celle
10 de la Cène[5] et celle du Graal, et qu'il en adviendra de grands biens et de grandes merveilles à ce royaume. Cette table sera ronde pour signifier que tous ceux qui s'y devront asseoir n'y auront nulle préséance[6] et à la droite de monseigneur le roi demeurera toujours un siège vide en mémoire de Notre Seigneur Jésus-Christ : personne ne pourra s'y placer sans risquer le sort de
15 Moïse qui fut englouti en terres, hormis le meilleur chevalier du monde qui conquerra le Saint Graal et en connaîtra le sens de la vérité.

– Je veux, dit le roi Artus, que Notre Sire ne perde rien par ma faute. » Il n'avait pas achevé ces mots que parut tout soudain au milieu de la salle une table ronde autour de laquelle se trouvaient cent cinquante sièges de
20 bois. Et sur la plupart d'entre eux on lisait en lettres d'or : *Ici doit seoir Un Tel* ; pourtant, sur celui qui se trouvait en face du fauteuil du roi, nul nom n'était inscrit.

« Seigneurs, dit Merlin, voyez-ci les noms de ceux que Dieu a choisis pour siéger à la Table ronde et pour se mettre en quête du Graal quand le temps
25 sera venu. »

Alors le roi et les chevaliers désignés de la sorte vinrent prendre place, en veillant à laisser libre le siège périlleux : et c'était messire Gauvain avec les damoiseaux qui avaient défendu le royaume durant l'absence du roi, et les trente-neuf compagnons qui étaient allés en Carmélide en compagnie d'Artus
30 et de Merlin. Aussitôt assis, ils se sentirent pleins de douceur et d'amitié.

« Beaux seigneurs, reprit Merlin, lorsque vous entendrez parler d'un bon chevalier, vous ferez tant que vous l'amènerez à cette cour où, s'il témoigne qu'il est preux et bien éprouvé, vous le recevrez parmi vous : car il est dit que le nombre des compagnons de la Table ronde s'élèvera à cent cinquante
35 devant que[7] la quête du Saint Graal soit entreprise. Mais il vous faudra le bien choisir : un seul mauvais homme honnirait toute la compagnie. Et gardez que nul de vous ne s'asseye au siège périlleux, car il lui adviendrait grand mal. »

L'apparition du Saint Graal, miniature du *Livre de Messire Lancelot du Lac,* XIVe siècle.

1. **Demander congé :** demander l'autorisation de prendre la parole.

2. **Notre Seigneur :** Jésus-Christ.

3. **Joseph d'Arimathie :** personnage des Evangiles qui aurait recueilli le corps de Jésus après sa mort.

4. **La Trinité :** représentation de Dieu sous la forme de trois personnes : le Père, le Fils (Jésus) et le Saint Esprit.

5. **La Cène :** nom donné au dernier repas de Jésus, peu de temps avant sa mort.

6. **Préséance :** droit de prendre place avant un autre.

7. **Devant que :** avant que.

Le roi Arthur et les chevaliers de la Table ronde, enluminure du XIIIᵉ siècle (Paris, BNF)

Messire Gauvain, après avoir consulté ses compagnons, parla ainsi :

40 « De par les chevaliers de la Table ronde, dit-il, je fais vœu que jamais pucelle ou dame ne viendra en cette cour pour chercher secours qui puisse être donné par un seul chevalier, sans le trouver. Et jamais un homme ne viendra nous demander aide contre un chevalier sans l'obtenir. Et s'il arrivait que l'un de nous disparût, tour à tour ses compagnons se mettraient à sa

45 recherche ; et chaque quête durerait un an et un jour. »

Le roi fit apporter les meilleures reliques qu'on put trouver et tous les compagnons de la Table ronde jurèrent sur les saints de tenir le serment qu'avait fait en leur nom messire Gauvain.

Jacques Boulenger, *Merlin l'Enchanteur*, adapté de Robert de Boron © Plon 1941.

Lecture

➡ Comprendre

1. Quel événement merveilleux se produit dans cet extrait ?

2. Quelle mission Merlin confie-t-il aux chevaliers d'Arthur ? Dans quel but ?

3. Qu'est-ce que le Graal ?

➡ Analyser

4. Quel est le temps verbal (➡ p. 314) dominant dans les paroles de Merlin ?

5. a. À qui la place vide est-elle réservée ?

b. Qu'est-ce qui est annoncé au sujet de cet excellent chevalier ?

6. Quel rôle l'enchanteur joue-t-il ici ?

➡ Interpréter

7. D'après Merlin, pourquoi cette table doit-elle avoir une forme ronde ?

8. Quel est l'effet de cette Table sur les chevaliers qui y prennent place ?

9. a. Reformulez les engagements pris par les chevaliers.

b. Pourquoi peut-on dire que la société formée par les Chevaliers de la Table ronde est une société idéale ?

10. Que symbolise la Table ronde ? Et le Graal ?

Vocabulaire

11. Que signifie le verbe *honnir* (l. 36) ?

12. Donnez un synonyme de *périlleux* (l. 37), puis réemployez ce mot dans une phrase de votre invention.

13. Les chevaliers jurent sur les *reliques* : que sont des reliques ?

Expression écrite

Activité 1

Relisez les trois premières phrases prononcées par Merlin, puis sa réplique des lignes 31 à 38 : quelles conjonctions de coordination relient les phrases entre elles ? Quel lien logique exprime chacune d'elles ?

Activité 2

Complétez les phrases suivantes par une conjonction de coordination.

1. Antor avait élevé Arthur ... l'aimait comme son fils.

2. Arthur n'avait pas tenté l'épreuve du perron, ... il cherchait désespérément une épée pour Keu.

3. Il s'empara ... de l'épée merveilleuse.

Photo du film *Excalibur, l'épée magique,* de Frederik Du Chau, 1998.

Perceval le Gallois

Perceval est le fils d'un noble seigneur. Mais sa mère, qui a déjà vu mourir au combat son époux et ses deux premiers fils, s'est juré que son dernier enfant ne deviendrait jamais chevalier : elle vit avec lui cachée au cœur de la forêt, loin de l'éclat de la cour d'Arthur.

C'était au temps où les arbres fleurissent, où les bois se couvrent de feuilles et les prés verdissent, où les oiseaux dans leur ramage chantent doucement au matin, où toute créature brûle de joie : le fils de la Veuve de la solitaire Forêt Déserte se leva, et il n'eut aucune peine à seller

5 son cheval de chasse et à prendre trois javelots. [...] Ainsi entra-t-il dans la forêt et aussitôt son cœur, au plus profond de lui-même, fut transporté de bonheur à cause de la douceur du temps et du chant des oiseaux qui s'en donnaient à cœur joie. [...] Habile à manier ses javelots, il allait les lançant de tous côtés, tantôt en avant et tantôt en arrière, tantôt en bas

10 et tantôt en haut, quand il entendit parmi le bois venir cinq chevaliers en armes, équipés de pied en cap[1]. Quel grand vacarme faisaient les armes de ceux qui venaient ! Car souvent se heurtaient aux armes les branches des chênes et des charmes ; les lances se heurtaient aux boucliers, et tous les hauberts bruissaient. Résonnait le bois et résonnait le fer des boucliers

15 et des hauberts.

Le jeune homme entendit sans les voir ceux qui arrivaient au galop. Il s'en étonna et se dit : « Par mon âme, elle m'a dit la vérité, madame ma mère, quand elle m'a dit que les diables sont plus effrayants que tout au monde ; elle m'a dit aussi, en vue de m'instruire, que pour s'en garder on doit se signer[2] ;

20 mais je mépriserai cet enseignement : non, vraiment, je ne me signerai pas, mais je frapperai le plus fort d'un de mes javelots, si bien qu'aucun des autres ne s'approchera jamais de moi, j'en suis persuadé. »

Tels sont les propos que se tint à lui-même le jeune homme avant qu'il ne les vît. Mais quand il les vit à découvert, sortant du bois, et qu'il vit les

25 hauberts qui bruissaient et les heaumes clairs et brillants, et les lances et les boucliers qu'il n'avait jamais vus, quand il vit le vert et le vermeil reluire au soleil, et l'or et l'azur et l'argent, le spectacle lui parut extraordinaire de beauté et de grandeur.

Ah ! Seigneur Dieu, pardon ! Ce sont des anges que je vois ici. [...]

30 Aussitôt il se jette à terre et récite son credo et toutes les prières qu'il savait et que sa mère lui avait apprises. Le chef des chevaliers, à sa vue, dit :

[...] « Jeune homme, n'ayez pas peur.

– Je n'ai pas peur, fit le jeune homme, par le Sauveur en qui je crois. Êtes-vous Dieu ?

35 – Non, par ma foi.

– Qui êtes-vous donc ?

– Je suis chevalier.

– Jamais je n'ai connu de chevalier, je n'en ai vu aucun, et jamais je n'en

Chrétien de Troyes
(vers 1135-1183)

Nous ne savons presque rien de la vie de cet auteur, dont les romans ont pourtant rendu inoubliables la légende du roi Arthur et la noble attitude des chevaliers de la Table ronde.

1. De pied en cap : des pieds à la tête, entièrement.

2. Se signer : faire le signe de la croix (ici, pour se protéger).

« Cinq chevaliers en armes, équipés de pied en cap », photo du film *Excalibur* de John Boorman (1981).

ai entendu parler. Mais vous êtes plus beau que Dieu. Ah ! si je pouvais être 40 comme vous, tout brillant et fait comme vous ! »

Sur ce, le chevalier s'est approché de lui et il lui demande : « As-tu vu aujourd'hui sur cette lande cinq chevaliers et trois jeunes filles ? »

Ce sont d'autres nouvelles que le jeune homme cherche à obtenir ; il tend la main vers sa lance, la prend et dit :

45 « Mon cher seigneur, vous qui avez nom de chevalier, qu'est-ce que vous tenez là ?

– Me voici bien avancé, fait le chevalier, me semble-t-il. Je croyais, mon cher ami, obtenir des nouvelles de toi, et c'est toi qui veux les apprendre de moi. Je vais te répondre : ceci est ma lance.

50 – Voulez-vous dire qu'on la lance tout comme moi mes javelots ?

– Non pas, jeune homme, tu es vraiment sot. On en frappe plutôt de près.

– Alors mieux vaut l'un de mes trois javelots que vous voyez ici, car tout ce que je veux, je le tue avec, oiseaux et bêtes, selon les besoins, et je les tue d'aussi loin qu'on pourrait tirer une flèche.

55 – Jeune homme, de cela je n'ai que faire, mais sur les chevaliers réponds-moi : dis-moi si tu sais où ils sont. Et les jeunes filles, les as-tu vues ?

Le jeune homme le saisit par le bord du bouclier et lui dit tout à trac[3] :

« Cela, qu'est-ce que c'est, et à quoi cela vous sert il ?

– [...] Bouclier, c'est le nom de ce que je porte.

Perceval interroge encore le chevalier sur son haubert.

60 Quant au chevalier, il lui répéta :

« Jeune homme, avec l'aide de Dieu, peux-tu me donner des nouvelles des chevaliers et des jeunes filles ? »

Et l'autre qui n'était pas bien malin, de lui rétorquer :

« Êtes-vous né ainsi ?

65 – Non, jeune homme, c'est impossible : aucun être ne peut naître ainsi.

– Qui vous a donc équipé ainsi ?

– Jeune homme, je vais bien te dire qui.

– Dites-le donc.

– Bien volontiers. Il n'y a pas encore cinq jours passés que le roi Arthur 70 m'a donné cet équipement lorsqu'il m'a adoubé[4]. Mais de ton côté dis-moi maintenant ce que devinrent les chevaliers qui vinrent par ici, conduisant trois jeunes filles. Vont-ils au pas ou s'enfuient-ils ?

[...]

3. Tout à trac : tout d'un coup.

4. Adouber : armer chevalier, lors d'une cérémonie qu'on appelle l'adoubement (voir texte 6, p. 00).

« Seigneur, c'est par ici que sont passés les chevaliers et les jeunes filles. 75 Mais de votre côté donnez-moi des nouvelles du roi qui fait les chevaliers et du lieu où il se rend le plus souvent.

– Jeune homme, je veux bien te répondre : le roi séjourne à Carduel. Il n'y a pas encore cinq jours, il s'y trouvait : j'y étais, et je le vis. Et si tu ne le trouves pas là, il y aura bien quelqu'un qui te renseignera ; il ne sera jamais 80 si éloigné que tu n'en entendes des nouvelles. Mais je t'en prie, apprends-moi de quel nom je t'appellerai.

– Seigneur, je vais vous le dire : je m'appelle Cher Fils.

– Cher Fils, c'est ton nom ? [...] Grand Dieu ! j'entends des propos extraordinaires, les plus étonnants que j'ai jamais entendus, et que je ne pense pas 85 entendre jamais. »

Aussitôt le chevalier partit au grand galop : il était fort impatient de rattraper les autres.

Chrétien de Troyes, *Perceval ou le Conte du Graal*, trad. Jean Dufournet © Garnier Flammarion, 1997.

Lecture

→ Comprendre

1. Qui sont les personnages ? Présentez-les en vous aidant de l'introduction.

2. Qu'est-ce qui impressionne Perceval quand il entend les chevaliers, puis quand il les voit ? Justifiez vos réponses par le relevé de champs lexicaux précis.

3. Quelles sont les différentes méprises que commet Perceval dans ce passage ?

4. Pourquoi Perceval ne répond-il pas aux questions du chevalier ?

5. Quels adjectifs vous paraissent convenir pour qualifier ce texte : *grave, léger, dramatique, comique, solennel* ?

→ Analyser

6. a. Où vit Perceval ? Que symbolise ce lieu ?

b. En quoi l'équipement de Perceval diffère-t-il de celui d'un chevalier ?

7. Dans le dialogue avec le chevalier, quel est le type de phrase (→ p. 280) principalement utilisé par Perceval ? Que révèlent ces phrases ?

8. Expliquez le nom que Perceval donne au chevalier : qu'est-ce que cela vous apprend sur le jeune homme ?

→ Interpréter

9. À votre avis, hormis l'éducation, Perceval a-t-il les qualités qui feraient de lui un bon chevalier ? Justifiez votre réponse par des références précises au texte.

10. En quelle saison se passe la scène ? Que symbolise cette saison ?

11. À quoi pouvons-nous vous attendre pour la suite de l'histoire ?

Vocabulaire

12. Qu'est-ce qu'un *bocage* ? *un manoir* ?

13. « [Il] le laisse aller à *son gré* » : donnez le sens de cette expression puis citez et expliquez d'autres expressions avec le mot *gré*.

14. Relevez tous les termes qui désignent les armes du chevalier, et donnez-en une définition précise.

Expression écrite

Sujet

Imaginez la suite de ce texte : Perceval se rend à la cour d'Arthur. Qu'y découvre-t-il ? Quelles sont ses réactions ? Comment est-il accueilli par Arthur et ses chevaliers ? Racontez en mêlant récit et dialogues.

▌ Conseils

• Votre récit commencera par ces mots : « À peine le chevalier parti... ».

• Vous y intégrerez, dans l'ordre, les phrases suivantes, que vous compléterez :

1. « Comme il approchait du lieu où le roi tenait sa cour,... »

2. « Sitôt qu'il vit le roi... »

3. « À ces mots, les autres chevaliers... »

4. « Alors, le jeune homme... mais le roi... »

5. « Perceval décida donc... »

Perceval devient chevalier.

Après le passage des chevaliers, Perceval se rend à Carduel, où il trouve le roi en grand désarroi, car il a été défié par un chevalier à l'armure vermeille, si puissant que personne n'ose relever son défi. Perceval demande alors au roi la permission de prendre les armes de ce chevalier. Keu la lui accorde sur le ton de la moquerie. Mais Perceval, tout naïf qu'il est, rattrape le chevalier Vermeil, l'affronte, le tue et s'empare de ses armes. Il rencontre alors un gentilhomme qui, impressionné par la valeur de ce jeune garçon, décide de faire son éducation et lui apprend tout ce que doit savoir un chevalier.

D e bon matin, le gentilhomme se leva et se rendit au lit du garçon qu'il trouva couché. Il lui fit porter comme présent une chemise et des braies¹ de toile fine, des chausses teintes en rouge et une tunique de soie violette qui avait été tissée et fabriquée en Inde. Il les lui avait envoyées pour
5 qu'il les portât, et il lui dit :

« Ami, ces habits que voici, vous les mettrez, si vous m'en croyez.

– Cher seigneur, répondit le garçon, vous pourriez beaucoup mieux parler. Les habits que ma mère m'a faits, est-ce qu'ils ne valent pas mieux que ceux- ci ? Et vous voulez que je mette les vôtres !

10 – Jeune homme, je vous le jure, repartit le gentilhomme, au contraire ils valent beaucoup moins. Vous m'avez dit, cher ami, quand je vous ai amené ici, que vous feriez tout ce que je vous commanderais.

– Oui, je le ferai, dit le jeune homme ; jamais je ne m'opposerai à vous en rien du tout. »

15 À mettre les habits, il ne perdit pas de temps, après avoir laissé ceux de sa mère. Le gentilhomme se baissa et lui chaussa l'éperon droit. C'était alors la coutume que celui qui faisait un chevalier devait lui chausser l'éperon. Il y avait beaucoup d'autres jeunes gens dont chacun, quand il le pouvait, prêta la main pour l'armer. Le gentilhomme prit l'épée ; il la lui ceignit² et
20 lui donna l'accolade³ en lui disant qu'il lui avait conféré avec l'épée l'ordre le plus élevé que Dieu eût créé et établi : c'est l'ordre de chevalerie qui n'admet pas de bassesse.

« Cher frère, ajouta-t-il, souvenez-vous-en, s'il arrive qu'il vous faille combattre contre un chevalier, voici ce que je veux vous dire et vous prier de
25 faire : si vous avez le dessus si bien qu'il ne puisse plus se défendre contre vous ni vous résister, et qu'il lui faille demander grâce, ne le tuez pas sciemment. Gardez-vous aussi d'être trop bavard et de trop colporter les bruits. Personne ne peut être bavard sans dire souvent une parole qu'on lui impute à bassesse⁴. Le sage le dit et l'enseigne : « À trop parler, péché on fait. » C'est
30 pourquoi, cher frère, je vous interdis de trop parler, et je vous fais aussi cette prière : si vous trouvez un homme ou une femme, demoiselle ou dame, qui soient dans l'embarras, aidez-les, vous ferez une bonne action, si vous savez le faire et si vous le pouvez. Voici une autre chose que je vous commande, ne la traitez pas par le dédain, car elle n'est pas à dédaigner ; allez volontiers

1. Braies : sorte de caleçon.

2. Ceindre : fixer en entourant le corps.

3. Donner l'accolade : donner un coup sur l'épaule avec le plat de l'épée.

4. Qu'on lui impute à bassesse : qu'on lui reproche comme une bassesse.

Une cérémonie d'adoubement, manuscrit du XVe siècle (Paris, BNF).

35 à l'église prier Celui qui a tout créé d'avoir pitié de votre âme et de vous garder en ce monde terrestre comme son fidèle chrétien.

Le jeune homme lui répondit :

« De tous les apôtres de Rome soyez béni, cher seigneur, car ce sont les paroles mêmes de ma mère.

40 — Désormais, ne dites plus jamais, cher frère, reprit le gentilhomme, que c'est votre mère qui vous l'a appris et enseigné. Je ne vous blâme pas du tout de l'avoir dit jusqu'à présent, mais désormais faites-moi la grâce, je vous en prie, de vous en corriger, car, si vous le disiez encore, on le prendrait pour de la folie. C'est pourquoi je vous prie de vous en garder.

45 — Que dirai-je donc, cher seigneur ?

— Vous pouvez dire que c'est le vavasseur[5], celui qui vous a chaussé l'éperon, qui vous l'a appris et enseigné.

Chrétien de Troyes, *Perceval ou le Conte du Graal,* trad. Jean Dufournet
© Garnier Flammarion, 1997.

5. Vavasseur : gentilhomme qui est lui-même vassal d'un seigneur.

Lecture

→ Comprendre

1. Quelle est l'attitude de Perceval vis-à-vis du gentilhomme ? Justifiez votre réponse par une citation du texte.

2. Quel ordre confère-t-il à Perceval ? Par quels gestes ?

3. D'après le gentilhomme, quels sont les devoirs du chevalier :

a. vis-à-vis des faibles ? – **b.** vis-à-vis des ennemis ? – **c.** vis-à-vis de Dieu ?

→ Analyser

4. Quels groupes nominaux (→ p. 302) le gentilhomme utilise-t-il pour s'adresser à Perceval ? Comparez avec le nom que se donnait Perceval dans le texte précédent : quelle évolution constatez-vous ?

→ Interpréter

5. Quelle transformation Perceval subit-il dans ce texte ?

6. D'où venaient les vêtements qu'abandonne Perceval ? Que symbolise cet abandon ?

7. Quel rôle le gentilhomme remplit-il auprès de Perceval ?

Galaad dans un épisode de la quête du Graal, miniature du XIVᵉ siècle, (Bibliothèque municipale de Dijon).

Expression écrite

▌Sujet

Lancelot, l'un des meilleurs chevaliers de la Table ronde, est appelé le Blanc Chevalier : sa mère, la Dame du Lac, lui a remis des armes magiques et une armure toute blanche.

Faites un portrait physique de Lancelot qui mettra en valeur l'éclat de ce chevalier.

▌Conseils

● Ordonnez votre portrait : décrivez l'allure générale avant de donner des détails.

● Ajoutez des comparaisons qui souligneront l'éclat du personnage.

▌Exercices de préparation

❶ Associez chacun des sujets à l'un des verbes proposés et terminez la phrase ainsi commencée :

Sujets : *ses yeux – son sourire – son heaume.*

Verbes : *briller – étinceler – illuminer.*

❷ Employez chacun des adjectifs suivants dans une phrase, en fonction d'épithète pour éviter *être* et *avoir* :

éclatant – lumineux – éblouissant.

❸ Voici plusieurs mots évoquant la couleur blanche : classez-les selon que leur connotation est péjorative ou méliorative :

immaculé – blême – blafard – opalescent – ivoirin.

❹ Parmi les détails suivants, lesquels sont suffisamment significatifs pour présenter un intérêt dans le portrait d'un chevalier ? Discutez vos réponses à l'oral :

cheveux blonds – yeux brillants – petit nez – petite bouche – sourire charmant – épaules carrées – poitrine large – gros ventre – longs bras – longues jambes – bras musclés – jambes puissantes – petits pieds.

Expression orale

▌Activité 1

Choisissez l'une des couleurs suivantes et faites une recherche sur le symbolisme qui lui est associé au Moyen Âge : noir, blanc, or, argent, rouge, vert, bleu, jaune.

▌Activité 2

Choisissez une image médiévale dans laquelle cette couleur joue un rôle important et présentez-la à vos camarades en expliquant ce rôle. Vous pourrez, pour ce travail, utiliser les ressources proposées par les sites suivants :
http ://www.moyenageenlumiere.com/themes/
http ://www.enluminures.culture.fr/documentation/enlumine/fr

Le Pont de l'épée

Lancelot est le meilleur chevalier d'Arthur et son meilleur ami. Mais il a commis une faute : il est tombé éperdument amoureux de la reine Guenièvre. Lorsque Méléagant enlève cette dernière, il se lance à sa poursuite. Pour le retrouver et sauver celle qu'il aime, Lancelot doit franchir le Pont de l'Épée.

Ce jour-là, dès la matinée [Lancelot et ses deux compagnons] ont chevauché jusqu'à la vesprée[1] sans trouver aventure – vont cheminant le droit chemin. Comme le jour va déclinant, ils viennent au *Pont de l'Épée*.

À l'entrée de ce pont terrible, ils mettent pied à terre. Ils voient l'onde félo-
5 nesse, rapide et bruyante, noire et épaisse, aussi laide et épouvantable que si ce fût fleuve du diable. Et si périlleuse et profonde qu'il n'est nulle créature au monde, si elle tombait, qui ne soit perdue comme en la mer salée. Le pont qui la traverse n'est pareil à nul autre qui fut ni qui jamais sera. Non, jamais on ne trouvera si mauvais pont, si male[2] planche. D'une épée fourbie[3] et
10 blanche était fait le pont sur l'eau froide. L'épée était forte et roide[4] et avait deux lances de long. Sur chaque rive était un tronc où l'épée était clofichée[5]. Nulle crainte qu'elle se brise ou ploie. Et pourtant, il ne semble pas qu'elle puisse grand faix[6] porter. Ce qui déconfortait[7] les deux compagnons, c'est qu'ils croyaient voir deux lions ou deux léopards à chaque tête de ce pont,
15 enchaînés à une grosse pierre.

L'eau et le pont et les lions mettent les deux compagnons en une telle frayeur qu'ils tremblent de peur et disent au chevalier :

« Sire, croyez le conseil que vous donnent vos yeux ! Il vous faut le recevoir ! Ce pont est mal fait, mal joint et mal charpenté ! Si vous ne vous en
20 retournez maintenant, vous vous en repentirez trop tard. Avant d'agir, il convient de délibérer. Imaginons que vous ayez passé ce pont – ce qui ne peut advenir, pas plus que de retenir les vents, de leur défendre de venter, d'empêcher les oiseaux de chanter ou de faire rentrer un homme dedans le ventre de sa mère et de faire qu'il en renaisse. Ce serait faire l'impossible
25 comme de vider la mer. Comment pouvez-vous penser que ces deux lions forcenés[8] enchaînés à ces pierres ne vont vous tuer puis sucer le sang de vos veines, manger votre chair, ronger vos os ? Nous nous sentons trop hardis rien que d'oser les regarder. Si vous ne vous en gardez point, ils vous occi-
ront, sachez-le. Et les membres de votre corps ils vous rompront et arrache-
30 ront. Jamais n'auront pitié de vous !

– Ayez donc pitié de vous-même et demeurez avec vos compagnons ! Vous auriez tort si, par votre faute et le sachant, vous vous mettiez en péril de mort ! »

Le chevalier leur répond en riant :

35 « Seigneurs, je vous ai gré très vif de vous émouvoir ainsi pour moi. C'est preuve de cœurs amis et généreux. Je sais bien qu'en nulle guise[9] vous ne voudriez qu'il m'arrive malheur. J'ai telle foi, telle confiance en Dieu qu'il me protègera en tous lieux. Le pont ni cette eau je ne crains, non plus que

Le Pont de l'Épée, détail d'une enluminure du *Roman de Lancelot du Lac,* de Gautier Map, 1344 (Paris, BNF).

1. **Vesprée** : soir
2. **Male** : mauvaise.
3. **Fourbie** : polie.
4. **Roide** : raide.
5. **Clofichée** : enfoncée.
6. **Le faix** : le poids.
7. **Déconforter** : inquiéter, effrayer.
8. **Forcenés** : fous furieux.
9. **En nulle guise** : en aucune façon.

cette terre dure. Je veux me mettre à l'aventure, me préparer à passer outre.
40 Plutôt mourir que reculer ! »

Lors, ils ne savent plus que dire, mais de pitié pleurent et soupirent. Et lui de passer le gouffre. Le mieux qu'il peut, il se prépare et – très étrange merveille ! – il désarme ses pieds, ses mains. Il se tenait bien sur l'épée qui était plus tranchante qu'une faux, les mains nues et les pieds déchaux[10], car il 45 n'avait laissé aux pieds souliers, ni chausses, ni avanpiés. Mais il aimait mieux se meurtrir que choir du pont et se noyer dans l'eau dont il ne pourrait sortir. À grand douleur, comme il convient, il passe outre, et en grand détresse, mains, genoux et pieds il se blesse. Mais l'apaise et le guérit Amour qui le conduit et mène. Tout ce qu'il souffre lui est doux. Des mains, des pieds et 50 des genoux, il fait tant qu'il parvient de l'autre côté. Alors il se souvient des deux lions qu'il croyait avoir vus quand il était sur l'autre rive. Il regarde tout autour de lui. N'y avait pas même un lézard qui pût donner à craindre. Il met sa main devant sa face, regarde son anneau[11] et ne trouve aucun des deux lions qu'il croyait pourtant avoir vus. Il pense être déçu[12] par un enchante-55 ment, car il n'y a rien là qui vive.

Ceux qui sont sur l'autre rive font grande joie quand ils voient que le chevalier a passé le pont. Mais 60 ils ne savent pas la peine qu'il a eue. Le chevalier se tient pour heureux de n'avoir pas souffert davantage. Il étanche avec sa che-65 mise le sang qui coule de ses plaies.

Chrétien de Troyes, *Lancelot ou le Chevalier à la charrette,* trad. J.-P. Foucher © Gallimard, coll. Folio, 1970.

10. **Déchaux :** nus.

11. Il s'agit d'un anneau magique que lui a remis la Dame du Lac, qui dissipe tous les enchantements.

12. **Déçu,** ici : trompé.

Didier Graffet, artiste contemporain, ***Lancelot au Pont de l'épée.***

Lecture

→ Comprendre

1. a. Pourquoi le passage de ce pont est-il dangereux ?

b. Pourquoi Lancelot tient-il à la franchir malgré tout ?

2. Quelle est la réaction des compagnons de Lancelot à la vue de ce pont ?

3. Pourquoi Lancelot ôte-t-il ses gants et ses chausses ?

→ Analyser

4. Relevez, des lignes 4 à 10, des **adverbes d'intensité** et des **hyperboles** (→ p. 272 et 366) : quel est le but recherché ?

5. À la ligne 16, quel effet produit la répétition de la **conjonction** (→ p. 272) « et » ?

6. « À grand douleur, comme il convient, il passe outre, et en grand détresse, mains, genoux et pieds il se blesse » : dans cette phrase, comment la souffrance du chevalier est-elle mise en évidence ?

7. a. Quelle force permet à Lancelot de surmonter cette souffrance ?

b. Pourquoi cette force est-elle nommée avec une majuscule ?

→ Interpréter

8. Pourquoi Lancelot pense-t-il qu'il ne peut rien lui arriver ? De quelle qualité essentielle pour un chevalier fait-il preuve ?

9. a. Que constate Lancelot à propos des lions en arrivant sur l'autre rive ?

b. Que peut-on en conclure sur « le conseil que donnent [les] yeux » ? À quoi vaut-il mieux se fier ?

10. a. À quelles parties du corps Lancelot est-il blessé en traversant le pont ?

b. Quelle forme une épée dessine-t-elle ?

11. Pourquoi Lancelot doit-il souffrir ?

Vocabulaire

12. Que signifient les verbes *advenir* (l. 22) et *choir* (l. 46) ?

13. Quel mot de la même famille que *vesprée* (l. 2) désigne la messe du soir chez les chrétiens ?

14. a. « Je vous ai gré très vif... » (l. 35) : quel est le sens de cette expression ?

b. Donnez deux autres expressions où l'on retrouve de mot gré.

15. *Outre* est un mot qui vient du latin *ultra*, qui signifie : « au-delà ».

a. Dans quel sens ce mot est-il pris dans la phrase : « Il passe *outre* » (l. 39) ?

b. Que signifie : « *outrepasser* ses droits » ? « Passer *outre* les conseils de quelqu'un » ?

Expression écrite

Sujet

Voici une autre des épreuves que Lancelot subit au cours de ses aventures : il doit pénétrer dans les souterrains d'un château enchanté, d'où s'échappent des cris terrifiants.

Décrivez ce souterrain.

▌ Conseils

● Comme Chrétien de Troyes lorsqu'il décrit le fleuve, vous utiliserez des hyperboles (voir p. 366) et des comparaisons pour souligner l'aspect épouvantable de ce souterrain. Vous pouvez vous inspirer pour cela du deuxième paragraphe du texte, en réutilisant par exemple les expressions suivantes :

« À l'entrée du souterrain, il met pied à terre. Il voit..., aussi... et... que si ce fut... » « Non, jamais on ne trouvera si... passage... »

● Vos comparaisons devront évoquer le monde de l'enfer.

● Attention : le sujet se limite à la description du souterrain. Donnez de nombreuses précisions sur ce que l'on voit, ce que l'on sent, ce que l'on entend.

▌ Exercices de préparation

❶ Associez chaque nom à l'un des adjectifs proposés (aidez-vous des accords).

● **Noms :** un passage – de la terre – des pierres – un sol – des murs – une voûte – un air – une haleine – des ténèbres – une lueur.

● **Adjectifs :** basse – épaisses – étouffant – étroit – fétide – grasse – humides – spongieux – suintants – vacillante.

❷ Les mots suivants évoquent-ils des sons faibles ou forts ? humains ou non humains ? Classez-les dans un tableau construit sur ce modèle.

tintement – grincement – hurlement – fracas – gronde-ment – mugissement – froissement – clameur – souffle – plainte – soupir – gargouillis – râle – claquement – sifflement.

	son humain	son non humain
son fort		
son faible		

❸ À quels noms de l'exercice 2 pouvez-vous associer les adjectifs suivants ?

strident – perçant – long – lugubre – plaintif – assourdis-sant – sourd – vif – sec – faible – menaçant – déchirant.

❹ À l'aide d'un dictionnaire analogique, cherchez le plus de mots possible permettant d'évoquer l'obscurité.

Nigel Terry et **Cherie Lunghi** dans *Excalibur*, film de John Boorman (1981)

Lire une image

La mise en scène des personnages

1. Qui sont les trois personnages présents (hormis le visage dessiné) ? Qu'est-ce qui caractérise chacun d'eux ? Pour répondre, analysez sa place dans l'image, sa posture, son costume, les couleurs de celui-ci et l'utilisation faite de la lumière.

2. Quelles qualités ou attitudes semblent-ils incarner ?

Les relations entre les personnages

3. **a.** Quel événement de la vie d'Arthur est ici représenté ? De quel personnage la présence est-elle surprenante ? Quel effet produit-elle ?

   b. À quel autre personnage semble-t-il s'opposer ? Pourquoi ?

4. Qui est représenté sur la tenture à l'arrière-plan ? Quel effet produit la superposition des deux visages ? Quel sens lui donnez-vous ?

5. Que pouvez-vous en conclure sur les diverses influences qui s'exercent sur le roi au début de son règne ?

Conversation amoureuse

Yvain, lors d'un combat, a blessé à mort Esclados le Roux dont l'épouse, Laudine, est d'une grande beauté. Il tombe amoureux de celle-ci et la demoiselle de compagnie l'introduit dans les appartements de la dame.

Une scène d'amour courtois, miniature du *Roman du Saint-Graal,* de Robert de Boron, 1300-1315 (Londres, British Library).

Ce disant, elle le tira par le bras :

« Venez là, chevalier, fit-elle, et n'ayez pas peur de ma
5 dame, elle ne vous mordra pas. Demandez-lui plutôt de conclure la paix avec vous ; et je joindrai mes prières aux vôtres pour qu'elle vous par-
10 donne la mort d'Esclados le Roux, qui était son époux. »

Monseigneur Yvain joignit aussitôt les mains et se mit à genoux en disant, comme doit le faire un ami véritable :

« Dame, non, je ne vous demanderai pas d'avoir merci de[1] moi, mais je vous remercierai de tout ce que vous voudrez me faire subir, car rien ne
15 m'en pourrait déplaire.

— Non, seigneur ? Et si je vous fais mettre à mort ?

— Dame, grand merci à vous, c'est tout ce que vous m'entendrez dire.

— Je n'ai encore jamais rien entendu de pareil, fait-elle : vous acceptez de vous mettre entièrement en mon pouvoir, sans même que j'aie à vous y
20 contraindre ?

— Dame, aucune force n'égale celle qui, sans mentir, me commande de suivre en tout votre volonté. De tout ce qu'il vous plaira de commander, il n'est rien que je craigne de faire, et si je pouvais réparer la mort dont je me suis rendu coupable envers vous, je le ferais sans discuter.

25 — Comment ? fait-elle. Dites-moi donc. — et vous serez quitte —. si vous avez commis une faute quand vous avez tué mon époux.

— Dame, fait-il, pardonnez-moi ; si votre époux m'a attaqué, quel tort ai-je eu de me défendre ? Un homme qui veut en tuer un autre ou s'en emparer, si on le tue en se défendant, dites-moi, en est-on pour autant coupable ?

30 — Non point, à y bien réfléchir, et je crois que je ne gagnerais rien à vous faire mettre à mort. Mais je voudrais bien savoir d'où provient cette force qui vous commande de consentir sans réserve à mes volontés. Je vous tiens quitte de tous les torts dont vous vous êtes rendu coupable. Mais asseyez-vous et racontez-moi comment vous êtes devenu aussi soumis.— Dame, dit-il,
35 cette force provient de mon cœur qui vous est attaché. C'est mon cœur qui

1. Avoir merci (de) : avoir pitié (de), accorder son pardon (à) qqn.

m'a mis en cette disposition.

– Et qui a ainsi disposé le cœur, cher ami ?

– Dame, mes yeux.

– Et les yeux ?

40 – La grande beauté que j'ai vue en vous.

– Et la beauté, quel tort y a-t-elle eu ?

– Dame, celui de me faire aimer.

– Aimer ? Et qui ?

– Vous, dame très chère.

45 – Moi ?

– Oui vraiment.

– Oui ? De quelle façon ?

– De telle façon qu'il ne peut être de plus grand amour, de telle façon que mon cœur ne peut s'éloigner de vous et qu'il ne vous quitte jamais, de telle
50 façon que je ne puis avoir d'autre pensée, de telle façon que je me donne entièrement à vous, de telle façon que, si tel est votre plaisir, je veux à l'instant vivre ou mourir pour vous.

– Et oseriez-vous entreprendre de défendre pour moi ma fontaine ?

– Oui, dame, contre n'importe qui sans exception.

55 – Alors, sachez-le, notre paix est faite. »

Ainsi fut promptement conclue la paix entre eux. La dame, qui avait auparavant tenu l'assemblée de ses barons, déclara :

« Nous allons nous rendre dans la salle où sont les seigneurs qui m'ont donné leur avis et leur approbation, et qui m'ont invitée à prendre un mari,
60 à cause de la nécessité qu'ils y voient. La même nécessité m'incite à y consentir. Ici même, je me donne à vous, car je ne dois pas refuser de prendre pour époux un homme qui est un chevalier valeureux et un fils de roi. »

Chrétien de Troyes, *Yvain, le Chevalier au lion*, trad. Michel Rousse
© Garnier Flammarion, « Étonnants classiques », 1990.

Lecture

➡ Comprendre

1. Quel est le but d'Yvain dans cet entretien ?

2. Quel rôle joue ici la demoiselle de compagnie ?

3. Par quel argument Yvain justifie-t-il la mort d'Esclados le Roux ?

4. Quel est ensuite le sujet du dialogue ?

5. Quelle décision Laudine prend-elle à l'issue de cet entretien ? À votre avis, pourquoi ?

➡ Analyser

6. En quoi les premières répliques d'Yvain sont-elles surprenantes ? Quel est l'effet recherché ?

7. Dans ce <u>dialogue</u> (➡ p. 314), qui pose les questions ?

8. Cherchez les moments où la conversation change de sujet : qui mène le dialogue ?

9. Relisez les lignes 48 à 52 : comment Yvain met-il en avant le caractère absolu de son amour ?

➡ Interpréter

10. Relevez dans les lignes 16 à 24 le champ lexical de la soumission et du commandement.

11. Dans quelle attitude Yvain se présente-t-il devant Laudine ?

12. Quel engagement prend-il comme preuve de son amour ? Cherchez la réponse dans la fin du texte.

13. D'après ce texte, quelles sont les qualités d'un « parfait amant selon le modèle courtois » ?

La mort d'Arthur

Pendant des années, les chevaliers de la Table ronde accomplissent bien des exploits. Ils ramènent la paix dans le royaume. Mais cette harmonie vole bientôt en éclats : par jalousie, la fée Morgane révèle les amours de Lancelot et de la reine Guenièvre, et Arthur chasse son meilleur chevalier. Il doit aussi affronter son propre fils bâtard, Mordred, conçu grâce aux sortilèges maléfiques de Morgane, et qui réclame le trône par les armes. Arthur sort de cet affrontement vainqueur, mais mortellement bléssé.

Le roi se met en selle et chevauche en direction de la mer qu'il atteint à midi ; il met alors pied à terre sur le rivage, détache la ceinture qui portait son épée et la tire du fourreau. Après l'avoir contemplée un moment, il s'écrie tout en pleurs : « Ah ! Escalibur, bonne et magnifique épée, la
5 meilleure qui soit au monde, l'épée aux étranges Attaches exceptée, voici que tu vas perdre ton seigneur et ton maître ! Où trouveras-tu jamais un homme qui sache te manier aussi bien que moi ? Que Dieu m'aide ! cela est impossible, à moins que tu n'arrives entre les mains de Lancelot. Ah ! Lancelot, vous l'homme le plus valeureux et le meilleur chevalier que j'aie jamais
10 vu et le plus courtois aussi, que n'a-t-il plu à Jésus-Christ qu'elle soit maintenant entre vos mains et que je le sache ! Mon âme – que Dieu m'aide ! – en serait à tout jamais apaisée. »

Le roi appela alors Girflet[1] : « Girflet, dit-il, montez sur ce tertre[2] où vous trouverez un lac et jetez-y mon épée : je ne veux pas qu'elle reste dans ce
15 royaume ni que les héritiers indignes qui vont demeurer sur cette terre en prennent possession.

– Sire, répond Girflet, j'exécuterai volontiers votre ordre, mais je préférerais, si vous le vouliez bien, que vous me la donniez.

– Non, Girflet, dit le roi, avec vous elle ne serait pas entre de bonnes
20 mains. » Girflet monta alors sur le tertre ; arrivé au lac, il tira l'épée du fourreau et se mit à la regarder ; elle lui parut si bonne, si précieuse et si belle qu'il lui sembla que ce serait bien dommage de la jeter dans le lac, comme l'ordonnait le roi, puisqu'elle serait perdue ; il vaut mieux qu'il y jette la sienne et dise au roi qu'il lui a obéi. Il se défait alors de son épée, la jette dans le lac
25 et cache l'autre dans l'herbe ; il retourne ensuite auprès du roi et lui déclare : « Sire, j'ai exécuté votre ordre, j'ai jeté l'épée dans le lac.

– Et qu'as-tu vu, demande le roi ?

– Sire, je n'ai rien vu de spécial.

– Ah ! dit le roi, tu me mets inutilement au supplice ! Retourne vite et
30 jette-la, car tu ne l'as pas encore fait. » […]

Mais la même scène se reproduit encore deux fois.

Lorsqu'il voit qu'il lui faut s'exécuter, Girflet revient là où se trouvait l'épée ; il la prend, se met à la regarder et à se lamenter sur elle en disant tout en pleurs : « Ah ! épée, vous la meilleure et la plus belle de toutes, quel malheur que vous ne tombiez pas entre les mains de quelque valeureux

1. Girflet, ou Jauffré : l'un des premiers chevaliers de la Table Ronde, il est l'écuyer du roi Arthur.

2. Tertre : petite colline, monticule.

chevalier ! » Il la jette alors aussi loin qu'il peut, au plus profond du lac ; dès qu'elle approcha de l'eau, il vit sortir du lac une main qui apparaissait jusqu'au coude, mais il ne vit rien du corps auquel appartenait cette main ; la main prit l'épée par la poignée et se mit à la brandir trois fois vers le ciel.

40   Quand Girflet eut distinctement vu ce prodige, la main replongea dans l'eau avec l'épée ; il resta longtemps sur place pour voir si elle réapparaîtrait, mais quand il vit qu'il perdait son temps, il s'éloigna du lac et retourna auprès du roi ; il lui dit qu'il avait exécuté ses ordres et lui fit le récit de ce qu'il avait vu. « Par Dieu, dit le roi, c'est bien ce que je pensais : ma fin est toute proche.

45 [...] Partez rapidement d'ici, il n'est pas question que vous restiez ; je vous le demande au nom de la confiance et de l'amour qui ont existé entre nous. »

    Quand Girflet entend le roi le prier avec tant de douceur, il répond : « Sire, puisque vous le souhaitez, je vous obéirai, mais avec une infinie tristesse, car j'aurais aimé, si cela vous avait convenu, vivre ou mourir avec vous. Mais,

50 au nom de Dieu, dites-moi au moins, s'il vous plaît, si vous pensez que je vous reverrai un jour.

    – Non, assurément, dit le roi, vous pouvez en être certain.

    – Et où pensez-vous aller, cher sire ?

    – Je ne saurais vous répondre, dit le roi, car je ne le dois ni ne le puis. »

55 Lorsque Girflet voit qu'il n'en obtiendra pas davantage, il se met en selle et quitte le roi ; dès son départ, une pluie extraordinairement violente se mit à

tomber sans interruption jusqu'à ce qu'il atteigne un tertre à une demi-lieue de l'endroit où il avait laissé le roi ; une fois le tertre atteint, il s'arrêta sous un arbre pour attendre la fin de la pluie ; quand elle eut cessé, il regarda en direction de
60 l'endroit où il avait laissé le roi et vit alors sur la mer une barque remplie de dames ; quand elles atteignirent le rivage, celle qui les conduisait, tenant par la main Morgain[3], la sœur du roi, se mit à appeler le roi pour qu'il entre dans la barque ; dès qu'il vit sa sœur Morgain, le roi, qui était assis par terre, se redressa et entra dans la barque, non sans avoir tiré son cheval après lui et pris ses armes.

65 Lorsqu'il eut vu depuis le tertre comment le roi était entré dans la barque avec les dames, Girflet rebroussa chemin de toute la vitesse de son cheval ; revenu au rivage, il voit le roi Arthur au milieu des dames et reconnaît bien Morgain la fée pour l'avoir vue plusieurs fois ; la barque s'était éloignée du rivage en presque aussi peu de temps qu'il en faut pour tirer deux traits
70 d'arbalète.

La Mort d'Arthur, anonyme, trad. et présent. E. Baumgartner et M.-Th. de Medeiros © Honoré Champion.

3. **Morgain :** la fée Morgane.

Lecture

→ Comprendre

1. Que demande Arthur à Girflet, avant de mourir ? À votre avis, pourquoi ?

2. Pourquoi Girflet n'obéit-il pas ?

3. Pourquoi ne parvient-il pas à tromper Arthur ?

4. Quels sont les deux événements merveilleux qui se produisent dans ce texte ?

→ Analyser

5. Combien de fois Arthur doit-il demander la même chose à Girflet ? Dans quelle sorte de récit trouve-t-on de telles répétitions ?

6. Quelle est l'atmosphère de ce texte ?

7. Quels sont les différents éléments (décor, conditions climatiques) qui contribuent à créer cette atmosphère ?

→ Interpréter

8. Où Arthur a-t-il choisi de mourir ? Que symbolise ce lieu ?

9. Wace, chroniqueur du XIIe siècle, fait s'achever l'histoire d'Arthur par ces mots : « Les Bretons attendent son retour. » À votre avis, qu'est devenu Arthur ?

Vocabulaire

10. Qu'est-ce qu'un *supplice* (l. 29) ? Donnez deux synonymes de ce mot.

11. Qu'est-ce qu'un *prodige* (l. 40) ? Donnez un adjectif de la même famille et employez-le dans une phrase de votre invention qui mettra son sens en valeur.

Expression écrite

Sujet

Les précisions sur le cadre de l'action (lieu et moment) sont pour beaucoup dans l'atmosphère d'un texte. Ici, la pluie fait naître une certaine mélancolie ; au début de *Perceval* (p. 108) la description de la nature renaissante crée une atmosphère joyeuse et joue un rôle symbolique. Vous allez rédiger la description d'un cadre visant à créer une impression mystérieuse.

Conseils

1. a. Choisissez un lieu évocateur : forêt – marécage – lande – haute montagne – rive d'un lac. Au brouillon, faites la liste des détails caractéristiques de ce lieu.

b. À quel moment du jour ou de la nuit allez-vous décrire cet endroit ? Quels animaux, quels bruits, quels éléments pourrez-vous alors évoquer ? Complétez votre liste au brouillon.

2. Associez certains des groupes nominaux suivants aux verbes proposés pour former des phrases qui évoqueront ce décor.

● **Groupes nominaux :** *des nappes de brouillard – d'épais nuages – une brume légère – des lambeaux de brume – une bruine froide – les nuées vaporeuses.*

● **Verbes :** *s'accrocher – danser – effacer – se déchirer – descendre – dévorer – faire disparaître – flotter – obstruer – se prendre à – scintiller – miroiter.*

3. Ordonnez votre description. Reprenez votre liste d'éléments à décrire : supprimez ce qui apparaît, finalement, sans intérêt ; classez les éléments que vous avez développés du plus général au plus précis.

4. Rédigez en insérant dans votre texte les phrases préparées en 2.

La littérature courtoise

➤ Une littérature de cour

● Le roman de chevalerie est **une littérature de cour** – d'où le nom de littérature courtoise : destinée aux seigneurs et aux grandes dames, elle met en scène un univers raffiné où les femmes tiennent une place importante. **L'amour, idéalisé, devient un motif central du roman.** Le chevalier voue à sa dame un amour passionné et dévoué, une **véritable adoration dans laquelle il va puiser la force de réaliser ses exploits,** notamment pour son service.

● Le **merveilleux hérité des traditions celtiques,** source d'inspiration des jongleurs, **se mêle au merveilleux chrétien** : les fées et leurs enchantements côtoient les évêques et les objets chrétiens, comme le Graal, apportant au récit une atmosphère à la fois poétique et mystérieuse, propre à séduire ce public exigeant.

➤ Des récits symboliques

● **Ces récits sont remplis de symboles.** Le héros se trouve confronté à toutes sortes de phénomènes diaboliques (le philtre) ou de divins prodiges (l'apparition du Graal). Il doit comprendre ces signes et faire son chemin entre le Bien et le Mal.

● **Son parcours est presque toujours le même : à l'origine, il y a une faute** (Tristan et Iseult boivent le philtre, Perceval transgresse l'interdit posé par sa mère) qui rappelle celle d'Adam et Ève et qui va entraîner la **nécessité de se racheter.**

● Ce parcours passe par **des lieux eux-aussi symboliques** : la mer, univers mal connu au Moyen Âge, représente l'Au-delà ; les îles ou les barques un monde à part, propice à la magie ; la forêt est le lieu de toutes les rencontres, celui de l'aventure et de l'initiation ; quand elle devient aride et désertique, c'est un lieu de pénitence.

● **La femme y joue un rôle essentiel,** tantôt figure de la tentation (Iseut), tantôt intermédiaire qui permet au chevalier de se dépasser lui-même (Laudine), souvent ambivalente (Guenièvre).

➤ La quête du chevalier

● **Le parcours du chevalier est donc un parcours initiatique :** les épreuves que vit le héros lui permettent de sortir de l'enfance, de **mériter sa place, son titre, mais aussi son Salut et l'amour de sa dame.**

● Toujours en quête de progrès, le chevalier est toujours en quête d'aventures. Car ce qu'il recherche, ce n'est pas seulement la prouesse et l'excellence. C'est aussi un idéal spirituel, **une perfection morale symbolisée par le Graal.** C'est pourquoi sa quête ne peut avoir de fin.

Lancelot à la chapelle du Graal, enluminure d'un manuscrit milanais, vers 1380-1385 (Paris, BNF).

Le jardin médiéval : un espace symbolique

1

Le cloître de Santa Maria de Ripoll, monastère roman du XIIe siècle (Catalogne).

2

Dieu planta un jardin en Éden, du côté de l'Orient, et il y mit l'homme qu'il avait formé. L'Éternel Dieu fit pousser du sol des arbres de toute espèce, agréables à voir et bons à manger, et l'arbre de la vie au milieu du jardin, et l'arbre de la connaissance du bien et du mal. Un fleuve sortait d'Éden pour arroser le jardin, et de là il se divisait en quatre bras. [...] L'Éternel Dieu prit l'homme, et le plaça dans le jardin d' Éden pour le cultiver et pour le garder.

(*Genèse*, II, 8-15, trad. Louis Segond).

Questions

Observez bien les deux documents présentés sur cette page.

1. Recherchez ce qu'est un *cloître*. À qui ce lieu est-il destiné ?

2. a. Décrivez le jardin du cloître : qu'y a-t-il en son centre ? Quelles formes géométriques y voyez-vous ? Qu'est-ce qui caractérise les végétaux présents ?

b. Que symbolisent ces éléments ?

Pour répondre, aidez-vous du document **2**.

Retenons

Le jardin religieux

● Le cloître est constitué d'un jardin qui est **une représentation terrestre du jardin d'Éden. Tout y est symbolique :** la fontaine centrale évoque l'arbre de vie et les quatre allées les quatre fleuves du paradis. Ces allées dessinent aussi **la croix du Christ.** Les végétaux à feuillage persistant évoquent la vie éternelle.

● Le cloître est **un lieu de progression** dans tous les sens du terme : tout en **méditant** sur la parole divine, le moine chemine autour de ce jardin qui lui rappelle son but et son espérance. Le jardin matériel n'est pas le but réel – le vrai Paradis ne peut être atteint que dans l'au-delà – mais son esthétique établit **une correspondance entre le monde matériel et le monde spirituel.**

3 **Le merveilleux jardin du *Roman de la Rose*,** manuscrit français du XVᵉ siècle (Londres, British Library).

Questions

1. Quels éléments symboliques du jardin retrouvez-vous ici ?

2. Qui sont les personnages ? Que font-ils ? Lequel est représenté deux fois ? Pourquoi ?

3. Comment accède-t-on à ce jardin ?

4. Quelles sont les couleurs utilisées ? Quels sens sont évoqués ?

5. Quelle impression générale se dégage de ce jardin ?

Retenons

Le jardin d'agrément, un paradis retrouvé

● À partir du XVᵉ siècle, le jardin devient, pour les laïcs, **un lieu d'agrément.** Il ne s'agit plus de représenter le Paradis mais de créer sur terre un lieu où règnent l'harmonie et le plaisir. Ce lieu clos devient **un espace privilégié** que l'on appelle *locus amoenus* : lieu de plaisir, propice à l'amour et au bonheur.

● Ce paradis est accessible, mais seulement au prix d'un **cheminement,** d'une **éducation.** C'est ce que montrent les œuvres picturales ou littéraires (comme *Le Roman de la Rose*) qui mettent en scène un jardin : pour jouir des plaisirs du jardin, **il faut avoir été initié** aux règles de la vie en société, de l'amour, aux arts et aux sciences...

● Au fil des siècles, le jardin privé gagnera en importance, et deviendra le lieu de grandes fêtes qui mettent en scène le pouvoir (voir chapitre 8).

Vocabulaire

L'univers du chevalier

1 Associez chacun des adjectifs suivants à son synonyme.

- arrogant – circonspect – dissimulé – envieux – fier – ignoble – impulsif – raffiné – orgueilleux.
- courtois – fourbe – hautain – impétueux – jaloux – méprisant – présomptueux –prudent – vil.

2 Associez chacun des mots suivants à son antonyme.

- assurance – attrayant – couard – courtois – droit – franc – humble – indulgent – loyal – modeste – noble.
- arrogant – dissimulé – fourbe – grossier – hardi – repoussant – retors – sévère – suffisant – timide – vil.

3 Donnez les noms correspondants aux adjectifs suivants.

courtois – vil – gracieux – arrogant – méprisant – humble – fier – orgueilleux – envieux – couard – fourbe – hautain – juste – ardent – digne – tenace – impulsif – vaniteux – brave – hardi.

4 Donnez le plus de synonymes possible à chacun des noms suivants :

courage – force – habileté – orgueil.

5 D'après vous, un chevalier doit-il posséder les qualités suivantes ? Discutez vos réponses à l'oral.

fierté – circonspection – grâce – humilité – délicatesse – sensibilité – intelligence – générosité – indulgence – ténacité – modération – ruse – courtoisie.

6 Identifiez sur la miniature ci-dessous les différents éléments qui correspondent à ces termes :

destrier – écu – épée – étriers – haubert – heaume – lance.

Chevalier en armure, miniature du *Livre des Eschets moralisés en français* de Jehan Freron, XVe siècle (Rouen, Bibliothèque municipale).

7 Parmi les noms suivants, lesquels désignent un cheval de combat, lesquels un cheval doux destiné aux dames ?

coursier – destrier – palefroi.

8 Après l'avoir photocopiée, complétez cette grille de mots croisés.

Horizontalement

2. orgueilleux, arrogant
3. cheval de dame
6. qui a toutes les qualités d'un jeune noble bien éduqué.
7. traître, trompeur.
11. jaloux.
12. se dit d'un chevalier traître.
13. cheval de combat.

Verticalement

1. attaquer
4. faire chevalier
5. indigne, qui manque de noblesse.
8. honteux, avilissant.
9. lâche.
10. couvrir de honte.

Enchaîner les actions dans un récit

Grammaire

Choisir les mots de liaison

1 Recopiez le texte suivant en remplaçant les points de suspension par le mot de liaison qui convient : *alors – car – et – lorsque – mais – où – quand.*

... le chevalier ôta son heaume d'or et l'on vit qu'il était tout jeune. Merlin le désarma ... le conduisit au siège périlleux, ... il s'assit sans hésiter. ... les barons virent cela, ils lui montrèrent un grand respect, ... il était sûrement l'envoyé de Dieu. ... quelle fut la joie de Lancelot, ... il reconnut que ce damoisel n'était autre que son fils Galaad ! (D'après Jacques Boulenger, *Merlin l'Enchanteu*r).

2 Recopiez le texte suivant en remplaçant les points de suspension par un des sujets suivants : *celui-ci – chacun – ils – l'autre – l'un – qui - tous deux.*

Yvain marcha sur le chevalier noir, l'arme au poing, mais ... ne recula pas. ... se défièrent d'un geste et s'élancèrent ... contre ... . avait une lance longue et solide mais ... échangèrent de tels coups que bientôt il n'en resta rien. Alors ... mirent pied à terre et dégaînèrent leur épée. Le chevalier noir en asséna un coup violent à Yvain, ... chancela.

3 À partir de la planche de BD ci-dessous, rédigez un petit paragraphe dans lequel vous emploierez les mots suivants : *alors – aussitôt – avant que – ce dernier – celui-ci – lorsque – mais – puis.*

Utiliser des verbes expressifs

4 **a.** Transformez les phrases suivantes en mettant l'attribut ou le COD en position détachée, de manière à supprimer *être* ou *avoir.*
Exemple : *Il entra dans le palais, il était vêtu d'un manteau d'hermine.* → *Vêtu d'un manteau d'hermine, il entra dans le palais.*

1. Il galopait, il avait les cheveux au vent. – **2.** Il restait immobile, il avait le regard fier. – **3.** Elle était jeune et vive, elle lui plut immédiatement. – **4.** Elle était effrayée, elle recula.

b. Sur le même modèle, complétez les phrases suivantes.

1. Superbe dans son armure d'argent, ... – **2.** L'air farouche, ... – **3.** Les yeux humides, ... – **4.** Pâle et tremblante, ...

Détacher les adjectifs

5 La virgule sépare les adjectifs détachés. Placez-la correctement dans les phrases suivantes :

1. Perceval se mit en route impatient et joyeux.

2. Son épée trop longue le gênait dans ses mouvements.

3. Excalibur était dans sa main étincelante.

4. Plein de tristesse et de douceur le roi reprocha son mensonge à Girflet.

5. Sous le dais se tenait belle et majestueuse la dame du château.

Orthographe

Employer les temps du récit → p. 354

6 Conjuguez les verbes entre parenthèses au passé simple ou à l'imparfait.

Le sixième jour, [le roi] (*partir*) et il (*chevaucher*) tant qu'il (*parvenir*) en Carmélide. Léodagan (*venir*) à sa rencontre et les quatre rois (*faire*) ensemble leur entrée à Carohaise, dont les rues (*être*) toutes pavoisées. Puis ils (*aller*) dans la salle du palais où Guenièvre les (*attendre*). Le jour venu, toute la cour (*se réunir*) dans la grande salle. Le soleil (*rayonner*) à travers les verrières quand Guenièvre (*faire*) son entrée, conduite par les rois Ban et Bohor. Et le conte dit qu'elle (*être*) la plus belle et la mieux aimée qui (*être*) jamais.

D'après Jacques Boulenger, *Merlin l'Enchanteur*
© Terre de Brume, 2006.

Matthieu Bonhomme, Gwen de Bonneval, *Messire Guillaume*, « Les Contrées Lointaines » © Dupuis.

Écriture

Faire le récit d'une épreuve

**Lancelot franchit
le Pont de l'Épée**,
manuscrit français
du xve siècle
(Paris, Bibliothèque
de l'Arsenal).

Sujet

Un noble chevalier va subir
une difficile épreuve.
Racontez en deux pages environ.

A   Chercher des idées

1. Qui est votre chevalier ? Est-il associé à une couleur, comme le Blanc chevalier, ou à un animal, comme le chevalier au Lion ? Que symbolise cet élément ?

2. Que veut-il mériter par cette épreuve : son adoubement ? un siège à la Table ronde ? un fief ? l'amour d'une dame ?

3. Quelle sorte d'épreuve doit-il affronter ?
 Voici quelques exemples tirés de romans du Moyen Âge : *entrer dans un tombeau – passer une nuit dans un lit maléfique – embrasser une créature monstrueuse – traverser une forêt enchantée – franchir un passage dangereux – attraper un animal fabuleux.*
Évitez un nouveau récit de combat.

4. Quel est le cadre de ces épreuves ?
Choisissez soigneusement le lieu et les conditions climatiques de manière à créer une impression précise : *beau temps pour ménager un effet de contraste, tempête, brouillard, pluie...*

5. Le chevalier dispose-t-il d'un objet magique ? Si oui, lequel ? Quelles propriétés a-t-il ?

B   Organiser son récit

6. Vous respecterez le plan suivant :

Paragraphe 1 : Présentez le cadre du récit. Soignez les détails qui contribueront à l'atmosphère du récit. Vous commencerez par ces mots : « C'était en..., alors que les bois... »

Paragraphe 2 : Introduisez votre personnage. Faites son portrait physique et moral. Expliquez à quelle épreuve il doit se soumettre et dans quel but. Vous commencerez par ces mots : « Dans ce ..., lentement, ... s'avance. »

Paragraphe 3 : Décrivez le lieu de l'épreuve en mettant en avant son caractère épouvantable (voir p. 114). Vous commencerez par ces mots : « Parvenu à... il met pied à terre. Il voit... »

Paragraphe 4 : Racontez l'épreuve elle-même. Insérez dans le récit des événements quelques phrases qui décriront les émotions du chevalier et expliqueront ce qui le pousse à triompher.

C   Pour réussir

7. Choisissez chaque détail de votre récit pour rendre celui-ci plus impressionnant.

8. Remplacez les verbes banals par des synonymes plus forts.

9. Dans le portrait, remplacez *être* et *avoir* par des verbes d'action (voir p.115).

10. Dans le dernier paragraphe, soignez l'emploi des mots de liaison.

Des livres

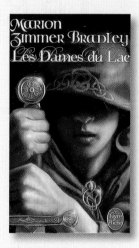

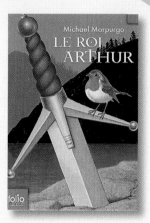

✤ **La Légende du roi Arthur et des Chevaliers de la Table ronde,** adapté par Jacques Boulenger, Terre de Brume, 2006.

Toute l'histoire d'Arthur et de ses chevaliers dans une adaptation fidèle et de grande qualité.

✤ **L'Enchanteur, de René Barjavel,** Le Livre de Poche, 1987.

Une belle version de la vie de Merlin, aux frontières du rêve, de la légende et de l'histoire.

✤ **Les Dames du lac, de Marion Zimmer-Bradley,** Le Livre de Poche, 2007-2009 (4 vol.)

Une relecture très personnelle de la légende arthurienne, centrée sur les personnages féminins, plus spécifiquement les fées.

✤ **Le Roi Arthur, adapté par Michaël Morpurgo,** Gallimard-Jeunesse, Folio Junior.

Un récit à la première personne qui retrace l'histoire d'Arthur et de ses principaux chevaliers, y compris Tristan et Iseut.

Des films

✤ **Excalibur, de John Boorman,** 1981, avec Nigel Terry dans le rôle du roi Arthur.

Une adaptation magistrale, violente et lyrique, de la célèbre légende.

✤ **Monty Python : Sacré Graal ! de Terry Gilliam et Terry Jones,** 1975.

Une version parodique, absurde à souhait, de la quête du Saint-Graal.

✤ **La Guerre des étoiles, de George Lucas,** 1977.

Cette trilogie reprend les codes de la chevalerie en les transposant dans un univers de science-fiction.

5

Le *Roman de Renart*

▶ **Étudier un roman satirique du Moyen Âge**

Repères Renart et son temps 132

Textes et images

1. « La première aventure de Renart » 134

Étude de l'image : Miniature du *Décaméron* de Boccace, XIVe siècle.. 137

2. « Renart et Tiécelin » 138

3. « Renart et Hersent » 142

4. « Ysengrin se fait moine. » 144

5. « La pêche à la queue » 147

6. « Renart jongleur » 149

7. « Le jugement de Renart » 152

Synthèse Une œuvre populaire du Moyen Âge 155

Langue et Expression
- Vocabulaire : Rire, ruse et flatterie 156
- Grammaire pour écrire : Introduire le dialogue dans un récit 157
- Écriture : Rédiger la suite d'une aventure de Renart 158

À lire & à voir 159

Le roi Noble et sa cour, enluminure du *Roman de Renart,* XIVᵉ siècle (Paris, BNF).

Lire une image

1. Qui sont les personnages représentés sur cette image ?
2. Lisez la légende : lequel des personnages est le roi Noble ? À quoi le reconnaissez-vous ?
3. Quand cette œuvre a-t-elle été réalisée ? Quelle est la technique utilisée ?
4. D'après cette illustration, à quel type de récit pouvez-vous vous attendre ?

Miniature du *Livre du régime des Princes*, xvᵉ siècle (Paris, BNF).

Un âge d'or médiéval

- **La fin du XIIᵉ siècle est une période faste du Moyen Âge** : si les famines sévissent encore, les **progrès de l'agriculture** les font reculer ; par ailleurs, les différents royaumes chrétiens s'étant alliés pour les croisades, une **paix relative** règne sur l'Europe.

- **Le commerce se développe,** favorisant l'apparition, dans les villes (ou bourgs), d'une catégorie de population aisée, que l'on appelle **les bourgeois** ; ceux-ci peuvent s'offrir le luxe d'étudier et de s'intéresser aux arts.

- Les **villes** deviennent de véritables **foyers de production et de création**. On construit des **cathédrales** et les monastères ouvrent des écoles. Les grands seigneurs eux-mêmes prennent plaisir à s'entourer d'habiles jongleurs qui célèbrent les valeurs chevaleresques et l'amour courtois.

Questions

❶ Qui appelle-t-on les *bourgeois* ? Quel est le radical de ce mot ?

❷ Citez un auteur qui chante l'amour courtois et les valeurs chevaleresques.

Un roman ?

- C'est dans ce contexte que naît le *Roman de Renart*. Au Moyen Âge, le mot *roman* signifie tout simplement : écrit en **langue romane**, c'est-à-dire dans la **langue du peuple**.

- Il ne s'agit pas d'une histoire homogène, comme nos romans actuels, mais d'**un ensemble de récits très divers, généralement en vers, composés entre 1170 et 1250**, qui ont pour point commun de conter les aventures d'un certain Renart.

Question

❸ Comment les œuvres littéraires étaient-elles diffusées au Moyen Âge ?

Assis à son pupitre, l'un des auteurs du *Roman de Renart*, miniature du XIVᵉ siècle (Paris, BNF).

Un goupil nommé Renart

● Au Moyen Âge, *renard* se dit *goupil*. Inspiré par les fables d'Ésope, les bestiaires, et par des contes populaires, **Pierre de Saint-Cloud** – poète dont on ne connaît que le nom – est le premier à rassembler en un récit original **les aventures d'un goupil rusé et sans scrupules nommé Renart.** Le succès est tel que jongleurs et clercs s'en emparent à leur tour.

● Certains ont recopié scrupuleusement le manuscrit dont ils disposaient, mais beaucoup en ont profité pour ajouter un épisode de leur invention ; les uns s'amusent avec un héros qu'ils montrent sous un jour sympathique, les autres s'indignent de ses vilains tours. On dispose ainsi de nombreuses versions du *Roman de Renart.* Mais ce qui ne change jamais, c'est la **verve insolente** de ce personnage menteur, voleur, beau parleur, devenu si célèbre que son nom s'est imposé dans le langage courant pour désigner l'animal.

Détail de La Dame à la licorne, tapisserie, fin XVᵉ – début XVIᵉ siècle (Paris, musée national du Moyen Âge).

Questions

④ Quel est le radical du mot *bestiaire* ? Déduisez-en le sujet de ces ouvrages.

⑤ Quels traits du renard des fables retrouvez-vous chez Renart ?

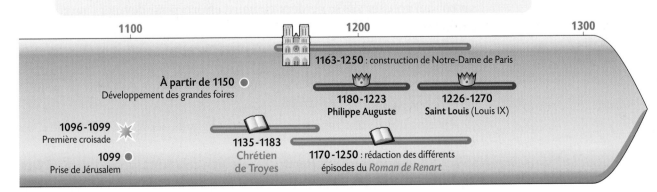

1100   1200   1300

1163-1250 : construction de Notre-Dame de Paris

À partir de 1150
Développement des grandes foires

1180-1223
Philippe Auguste

1226-1270
Saint Louis (Louis IX)

1096-1099
Première croisade

1099
Prise de Jérusalem

1135-1183
Chrétien de Troyes

1170-1250 : rédaction des différents épisodes du *Roman de Renart*

La première aventure de Renart

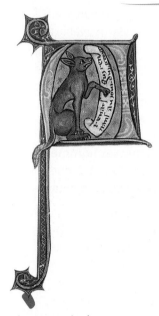

Lettre ornée du roman
de **Renart le Nouvel,**
de Jacquemart Gielée,
XIIIᵉ siècle (Paris, BNF).

Renart, un matin, entra chez son oncle, les yeux troubles, la pelisse[1] hérissée. « Qu'est-ce, beau neveu ? Tu parais en mauvais point, » dit le maître du logis ; « serais-tu malade ?

– Oui ; je ne me sens pas bien.

5 – Tu n'as pas déjeuné ?

– Non, et même je n'en ai pas envie.

– Allons donc ! Çà, dame Hersent, levez-vous tout de suite, préparez à ce cher neveu une brochette de rognons et de rate[2] ; il ne la refusera pas. »

Hersent quitte le lit et se dispose à obéir. Mais Renart attendait mieux 10 de son oncle ; il voyait trois beaux bacons[3] suspendus au faîte[4] de la salle, et c'est leur fumée qui l'avait attiré.

« Voilà, » dit-il, « des bacons bien aventurés[5] ! Savez-vous, bel oncle, que si l'un de vos voisins (n'importe lequel, ils se valent tous) les apercevait, il en voudrait sa part ? À votre place, je ne perdrais pas un moment pour les 15 détacher, et je dirais bien haut qu'on me les a volés.

– Bah ! fit Ysengrin, je n'en suis pas inquiet ; et tel peut les voir qui n'en saura jamais le goût.

– Comment ! Si l'on vous en demandait ?

– Il n'y a demande qui tienne ; je n'en donnerais pas à mon neveu, à mon 20 frère, à qui que ce soit au monde. »

Renart n'insista pas ; il mangea ses rognons et prit congé. Mais, le sur-lendemain, il revint à la nuit fermée[6] devant la maison d'Ysengrin. Tout le monde y dormait. Il monte sur le faîte, creuse et ménage une ouverture, passe, arrive aux bacons, les emporte, revient chez lui, les coupe en mor-25 ceaux et les cache dans la paille de son lit.

Cependant le jour arrive ; Ysengrin ouvre les yeux : Qu'est cela ? le toit ouvert, les bacons, ses chers bacons enlevés ! « Au secours ! au voleur ! Her-sent ! Hersent ! Nous sommes perdus ! » Hersent, réveillée en sursaut, se lève échevelée : « Qu'y a-t-il ? Oh ! quelle aventure ! Nous, dépouillés par 30 les voleurs ! À qui nous plaindre ! » Ils crient à qui mieux mieux mais ils ne savent qui accuser ; ils se perdent en vains efforts pour deviner l'auteur d'un pareil attentat[7].

Renart cependant arrive : il avait bien mangé, il avait le visage reposé, satisfait.

35 « Eh ! bel oncle, qu'avez-vous ? Vous me paraissez en mauvais point ; seriez-vous malade ?

– Je n'en aurais que trop sujet ; nos trois beaux bacons, tu sais ? on me les a pris !

– Ah ! » répond en riant Renart, « c'est bien cela ! Oui, voilà comme il faut 40 dire : on vous les a pris. Bien, très bien ! mais, oncle, ce n'est pas tout, il faut

1. Une pelisse est un vêtement en peau doublé de fourrure. Ici, le mot désigne la fourrure de l'animal.

2. Rognons et rates sont des abats, c'est-à-dire des morceaux considérés comme de basse qualité.

3. Bacons : jambons fumés.

4. Faîte : haut du toit.

5. Aventurés : dangereusement exposés.

6. Fermée : tombée.

7. Attentat : crime.

le crier dans la rue, que vos voisins n'en puissent douter.

— Eh ! je te dis la vérité ; on m'a volé mes bacons, mes beaux bacons.

— Allons ! reprend Renart, ce n'est pas à moi qu'il faut dire cela : tel se plaint, je le sais, qui n'a pas le moindre mal. Vos bacons, vous les avez mis à
45 l'abri des allants et venants ; vous avez bien fait, je vous approuve fort.

— Comment ! mauvais plaisant, tu ne veux pas m'entendre ? Je te dis qu'on m'a volé mes bacons.

— Dites, dites toujours.

— Cela n'est pas bien, fait alors dame Hersent, de ne pas nous croire. Si
50 nous les avions, ce serait pour nous un plaisir de les partager, vous le savez bien.

— Je sais que vous connaissez les bons tours. Pourtant ici tout n'est pas profit : voilà votre maison trouée ; il le fallait, j'en suis d'accord, mais cela

Renart emporte les jambons chez lui, attendu avec impatience par sa femme Ermeline et par ses enfants ; illustration de Benjamin Rabier, 1909 (Paris, BNF).

demandera de grandes réparations. C'est par là que les voleurs sont entrés, 55 n'est-ce pas ? c'est par là qu'ils se sont enfuis ?

– Oui, c'est la vérité.

– Vous ne sauriez dire autre chose.

– Malheur en tout cas, dit Ysengrin, roulant des yeux, à qui m'a pris mes bacons, si je viens à le découvrir !

60 Renart ne répondit plus ; il fit une belle moue, et s'éloigna en ricanant sous cape. Telle fut la première aventure, l'enfance de Renart. Plus tard il fit mieux, pour le malheur de tous, et surtout de son cher compère Ysengrin.

Roman de Renart, branche XXIV, vers 232 à 333 (traduction de Paulin, 1861.)

Lecture

➡ Comprendre

1. Qui sont les différents personnages de ce texte ?

2. Comment ces animaux sont-ils personnifiés ?

3. À quelle difficulté Renart est-il confronté au début du texte ?

4. Quelle ruse invente-t-il pour voler les bacons d'Ysengrin sans être soupçonné ?

➡ Analyser

5. Dans les lignes 26 à 32, comment l'auteur montre-t-il le désespoir d'Ysengrin et Hersent ?

6. a. Comment Renart réagit-il face à ce désespoir ?

b. Pourquoi cette réaction est-elle comique ? Que sait le lecteur ?

7. Quelle phrase prononcée par Ysengrin au début du récit Renart répète-t-il dans la deuxième moitié du texte ? Dans quel but ?

➡ Interpréter

8. Dans ce passage, éprouve-t-on de la compassion pour la victime ? Pourquoi ?

9. Quelle image a-t-on finalement de Renart ? Quels sont ses qualités et ses défauts ? Est-il sympathique ? Pourquoi ?

10. Quelles caractéristiques traditionnelles du renard retrouve-t-on chez ce personnage ?

Vocabulaire

11. Analysez la formation du mot *déjeuné* (l. 5).

12. Cherchez des synonymes d'*échevelée* (l. 29).

13. a. Voici une série de mots appartenant au champ lexical du vol : classez-les selon qu'ils désignent l'action de voler, le vol lui-même ou le voleur.

dépouiller – dérober – détrousser – escroc – larcin – larron – maraudeur – rapine – subtiliser.

b. Choisissez un mot dans chacune de ces trois catégories et utilisez-le dans une phrase de votre invention.

14. Voici trois expressions tirées du texte : « rouler des yeux » ; « faire la moue », « rire sous cape ».

a. Expliquez leur sens.

b. Que vous apprennent-elles sur l'attitude de Renart ?

Expression écrite

Sujet

Imaginez qu'un peu plus tard Renart découvre à son tour qu'il a été volé par plus malin que lui. Racontez sa réaction en insistant de manière comique sur la surprise et le désespoir du personnage, comme le fait l'auteur dans les lignes 26 à 32 du texte : décrivez son allure, faites-le s'exclamer, décrivez ses gestes de désespoir.

❚ Conseils

• Réemployez le vocabulaire de la leçon, en particulier une partie des phrases que vous aurez rédigées dans l'exercice qui suit.

• Soignez la ponctuation.

❚ Exercices de préparation

❶ Cherchez dans la liste B les adjectifs qui peuvent qualifier les différents éléments du corps cités en A, et associez-les en faisant les accords nécessaires. Plusieurs réponses sont parfois possibles.

• **Liste A :** les yeux – la langue – le regard – les babines – le museau – le poil – les oreilles – l'air.

• **Liste B :** bas – dressé – écumant de rage – flamboyant – fou – frémissant – hagard – hérissé – luisant de colère – pendant – plissé – retroussé – trouble.

❷ Utilisez chacune des expressions ainsi formées dans une phrase qui parlera de Renart ; vous les placerez en apposition au sujet.

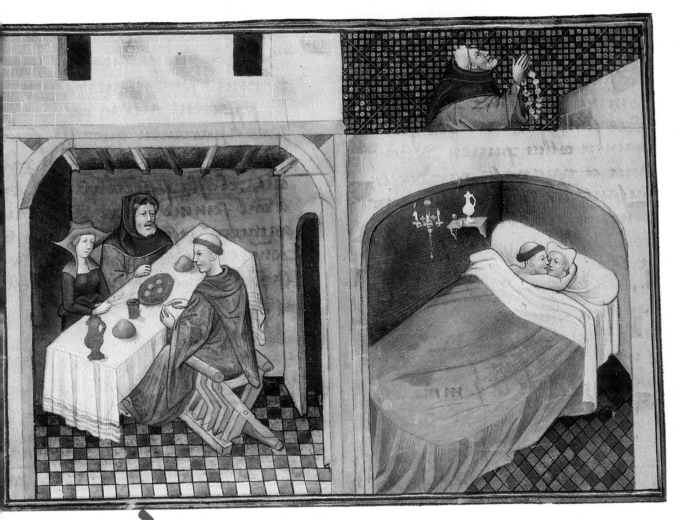

Miniature du *Décaméron* de Boccace (1313-1375),
manuscrit français du XVᵉ siècle (Paris, BNF).

Lire une image

Une image réaliste

1. Qui sont les différents personnages ? Comment les identifiez-vous ?
2. À quelle classe sociale l'homme et la femme représentés à gauche appartiennent-ils ?

Une image satirique

3. Pourquoi cette image est-elle divisée en deux parties ?
4. Quelle histoire pouvez-vous imaginer à partir de ces deux scènes ?
5. Quelle vision avons-nous finalement du moine ?

Renart et Tiécelin

« Comment Renart dut jurer serment à Tiécelin », enluminure du *Roman de Renart*, XIVᵉ siècle (Paris, BNF).

Maître Tiécelin le corbeau, qui n'avait rien avalé de la journée, n'avait guère la tête, lui, à se reposer. La nécessité l'avait chassé du bois et il se dirigeait à tire-d'aile vers un enclos, mais en prenant garde de ne pas se faire voir, impatient de livrer combat. Il y voit un bon millier de fromages
5 qu'on avait mis à affiner¹ au soleil. Celle qui devait les surveiller était rentrée chez elle. Tiécelin comprend que c'est le moment d'en profiter : il fonce et en saisit un. La vieille se précipite au milieu de la cour pour le récupérer et, visant l'oiseau, elle lui lance force cailloux en criant : « Maudit garçon, tu ne l'emporteras pas ! » Et le corbeau, voyant qu'elle perd la tête : « Si on en parle,
10 la vieille, vous pourrez toujours dire que c'est moi le voleur ; peu importe que je sois dans mon bon droit ou non. L'occasion fait le larron. Mauvaise garde nourrit le loup. Surveillez mieux le reste. […] »

Il s'en retourne donc et vient se poser tout droit sur l'arbre au pied duquel se trouvait Renart. Il était dit qu'ils devaient se rencontrer ce jour-là, Renart
15 en bas, l'autre en haut. Mais il y avait une différence entre eux, c'est que l'un est en train de manger pendant que l'autre bâille de faim. Tiécelin entame son fromage – qui était encore mou – à grands coups de bec et il en mange du plus crémeux et du plus moelleux n'en déplaise à celle qui avait essayé de s'opposer au vol. Il y va de bon cœur, sans s'apercevoir qu'une miette tombe
20 par terre juste sous les yeux de Renart, qui, comprenant aussitôt de quoi il retourne, hoche la tête et se met debout pour mieux se rendre compte. C'est Tiécelin, son vieux compère, qui est là-haut, un bon fromage entre les pieds. Il l'interpelle familièrement : « Par les saints du ciel, qui va là ? Est-ce vous, mon cher ami ? Paix à l'âme de votre père, maître Rohart, qui était un si bon
25 chanteur ! Je l'ai souvent entendu se vanter d'être le meilleur de France. Et

1. Affiner : amener à maturité.

vous aussi, dans votre jeunesse, vous pratiquiez cet art avec assiduité. Savez-vous encore la musique ? Chantez-moi donc une chanson à danser. »

À ces paroles enjôleuses, Tiécelin ouvre le bec et pousse un braillement. « C'est bien, dit Renart, vous avez fait des progrès. Mais si vous le vouliez, 30 vous pourriez monter d'un ton. »

Et l'autre se remet à brailler, s'en faisant un plaisir. « Dieu, dit Renart, comme votre voix devient claire et pure ! Si vous ne mangiez plus de noix, vous n'auriez pas votre pareil au monde. Chantez donc une troisième fois ! » Et le corbeau de se remettre à donner de la voix de plus belle, sans se rendre 35 compte que, pendant qu'il s'évertue, sa patte se desserre et laisse tomber le fromage juste sous le nez de Renart. Mais, bien que le goupil[2] brûle d'envie de le manger, il est assez malin pour s'abstenir d'y toucher, car il voulait bien mettre aussi la main, si c'était possible, sur Tiécelin. Il se lève donc, comme pour s'éloigner du fromage qu'il a sous le nez en ramenant à lui son pied – celui 40 qui a été blessé par le piège –, de manière que Tiécelin le voie bien : « Mon Dieu, dit-il, comme vous m'avez donné peu de joie en cette vie ! Que faire, sainte Marie ? Ce fromage sent si fort ! Sa puanteur va m'achever. Car, ce qui m'inquiète, c'est que le fromage est mauvais pour les blessures, et il ne me dit vraiment rien, puisque la Faculté[3] me l'interdit. Ah ! Tiécelin, descendez pour 45 me délivrer de ce mal. Je n'aurais pas recours à vous si la malchance n'avait voulu que je me casse la jambe l'autre jour dans un piège. Je n'ai pas pu éviter ce malheur et me voilà condamné au repos et à me mettre des emplâtres et des onguents[4] jusqu'à ce que je sois de nouveau sur pied. » Ses larmes et son ton suppliant inspirent confiance au corbeau qui descend du haut de l'arbre 50 où il était perché, ce qui va causer sa perte si maître Renart peut l'attraper. Cependant, il n'ose pas trop s'approcher et Renart, comprenant qu'il a peur, s'efforce de le rassurer : « Par Dieu, venez donc ! Quel mal peut vous faire un estropié ? » Et il se tourne de son côté. Le sot, trop confiant, ne comprit pas ce qui lui arrivait quand Renard bondit. Le goupil espérait bien le prendre mais il 55 a mal calculé son coup. Seules quatre plumes lui restent entre les crocs. Mais il s'en est fallu de peu que Tiécelin ne se voie bien plus mal récompensé. Malgré son affolement il se met hors de portée d'un saut et s'examine sous toutes les coutures : « Eh bien ! je n'ai guère fait attention à moi aujourd'hui. Je ne croyais pas qu'il aurait pensé à mal. Ce cochon de rouquin[5], ce bancal, il m'a arraché 60 quatre belles plumes de l'aile droite et de la queue. Qu'il aille au diable ! Il n'y a pas là à dire : c'est un menteur, un hypocrite, je l'ai appris à mes dépens ! » Devant la fureur de Tiécelin, Renart veut se justifier, mais le corbeau, qui n'a plus aucune envie de discuter, le plante là en lui disant de garder le fromage : « Vous n'aurez rien de plus de moi. J'étais bien bête de vous faire confiance 65 parce que je vous voyais boiter. » Renart le laisse grogner sans lui répondre et se console avec le fromage. Il ne se plaint que du peu[6] car il n'en fait qu'une bouchée. Mais à la fin de ce repas, il se dit qu'il ne se souvient pas avoir mangé, depuis sa naissance, d'aussi bon fromage. Et comme sa blessure ne s'en porte pas plus mal, il s'en va sans rien ajouter.

70 Ainsi finit cette affaire et il reprend la route.

Roman de Renart, branche II, vers 843-1026, trad. Jean Subrenat et Micheline de Combarieu © Larousse 2003, coll. « Petits classiques ».

2. Goupil (n. m.) : nom médiéval du renard.

3. Faculté : la faculté de médecine, c'est-à-dire les médecins.

4. Emplâtres et onguents : pommades.

5. Rouquin : roux (péjoratif).

6. Du peu de fromage.

LE CORBEAU, HONTEUX ET CONFUS,
JURA, MAIS UN PEU TARD,
QU'ON NE L'Y PRENDRAIT PLUS.

Illustration de Félix Lorioux (1872-1964) pour *Le Corbeau et le Renard*, fable de La Fontaine.

Lecture

→ Comprendre

1. Quel célèbre récit cette histoire vous rappelle-t-elle ?

2. Quelles sont les principales différences entre les deux textes ?

→ Analyser

3. Quelles sont les deux grandes parties de ce texte ?

4. Qui tire la morale de la première partie ? Reformulez cette morale.

5. Comment la deuxième partie du texte illustre-t-elle cette morale ? Aux dépens de qui ?

6. Que pensez-vous de cette moralité ? Comparez-la avec la morale de La Fontaine : « Tout flatteur/Vit aux dépens de celui qui l'écoute ».

→ Interpréter

7. Quels sont, d'après Tiécelin, les défauts de Renart ?

8. Relevez dans le texte une phrase qui prouve que Renart juge vite et bien de chaque situation, et une autre qui montre qu'il est capable, pour parvenir à ses fins, de patience et de calcul.

9. Complétez, grâce à ce texte, l'image que vous vous faites de Renart.

Vocabulaire

10. a. Qu'est-ce que des paroles *enjôleuses* (l. 28) ?

b. Cherchez un verbe de la même famille et employez-le dans une phrase.

c. Dans la liste suivante, quel est l'intrus :

flatteur – mielleux – joueur – enjôleur ?

11. a. Renart cause bien des *désagréments* : cherchez le sens de *désagréments*.

b. Sur quel radical ce mot est-il construit ?

c. Associez chacune des expressions suivantes au sens qui lui corespondant.

Les expressions	Leur sens
bon gré mal gré •	• être reconnaissant à qqn de qqch
à votre gré •	
contre son gré •	• contre sa volonté
au gré de •	• accepter avec plaisir
de gré ou de force •	• comme vous voudrez
agréer •	• au fil de
agréable •	• avec résignation, même si cela ne plaît pas vraiment
savoir gré à qqn de qqch. •	• qu'on le veuille ou non
	• qui fait plaisir et mérite donc d'être agréé

12. « La nécessité l'avait chassé du bois » (l. 2) : quel est ici le sens du mot *nécessité* ?

13. « L'occasion fait le larron. » (l. 11)

a. Qu'est-ce qu'un *larron* ?

b. Expliquez le sens du proverbe.

c. Cherchez un autre proverbe avec le mot *larron* et donnez son sens.

14. a. Quel est le sens de *s'évertue* (l. 35) ?

b. Réemployez ce verbe dans une phrase où il sera suivi d'un complément d'objet.

Expression écrite

Sujet

L'aventure de Renart et Chanteclerc (ci-contre) est très proche de celle que vous venez de lire. Photocopiez le texte et remplacez les deux résumés en italique par des dialogues entre les personnages. Dans sa dernière réplique, le coq tirera la morale de sa mésaventure.

Renart et Chanteclerc

Renart aperçoit le coq Chanteclerc qui dort…

Il s'avance tout doucement, pas à pas, tapi au sol. Si Chanteclerc lui laisse le temps de le saisir entre ses dents, il aura sujet de le regretter. Aussitôt qu'il est bien en vue du coq, il va pour lui planter les crocs dans le corps, mais dans son impatience, il manque son coup, et Chanteclerc l'esquive, d'un saut de
5 côté. Reconnaissant Renart, il marque un temps d'arrêt sur le fumier, tandis que le goupil, constatant son échec, se retrouve tout penaud et se demande comment parvenir à tromper Chanteclerc, car, s'il ne le mange pas, il aura perdu son temps.

Renart interpelle Chantecler et entreprend de le flatter : il lui jure qu'il a une merveilleuse voix, mais qu'il ne chante jamais aussi bien que les yeux fermés. D'abord méfiant, le coq finit par se laisser convaincre de chanter les yeux fermés.

À cette vue, Renart ne peut plus se tenir. Bondissant de dessous un chou
10 rouge, il l'attrape par le cou et s'enfuit tout joyeux d'avoir fait main basse sur une proie. […] C'est alors que la brave fermière ouvre la porte de l'enclos car c'était le soir et elle voulait faire rentrer ses poules à l'abri. Elle appelle Pinte, Bise et Roussette, mais aucune ne répond : « Que peuvent-elles bien faire ? » se demande-t-elle. Elle appelle alors son coq de toute sa voix avant d'aperce-
15 voir Renart qui l'emmène ; aussitôt elle se précipite pour le sauver. Mais le goupil prend le galop. Comprenant qu'elle ne parviendra pas à le reprendre, elle se décide à appeler à l'aide : « Haro, haro ! » s'écrie-t-elle à tue-tête. […] Les paysans se précipitent en criant : « Allez, là, allez. » […] À force de courir, les paysans arrivent en vue de Renart. « Il est là », crient-ils. Mais Chanteclerc
20 n'est pas tiré d'affaire pour autant, s'il ne trouve pas moyen de s'échapper.

Chanteclerc a alors une idée : il convainc Renart d'insulter et de narguer les paysans qui le pourchassent. Ce faisant, Renart desserre les mâchoires et Chanteclerc en profite pour se sauver.

Illustration d'**André Collot** pour le *Roman de Renart* (1944).

Roman de Renart, branche II, vers 1-468, trad. Jean Subrenat et Micheline de Combarieu, © Larousse 2003, coll. « Petits classiques ».

Détail du livre d'*Heures de Marguerite d'Orléans*, Rennes, vers 1426 (Paris, BNF).

Renart et Hersent

Après son forfait, à la recherche d'un endroit où se cacher, Renart s'engouffre dans un terrier. Il se retrouve « en plein dans la demeure de maître Ysengrin son ennemi. » Il est d'abord très effrayé mais Hersent, la louve, qui vient de mettre au monde quatre louveteaux, le rassure.

L'auteur à son pupitre, miniature du roman de *Renard le Nouvel,* de Jacquemart Gielée, fin du XIIIe siècle (Paris, BNF).

Qu'êtes-vous en train d'espionner, Renart ? » dit-elle avec un sourire engageant. Tout penaud, l'autre était sûr à l'avance de voir les choses tourner à son désavantage. La peur lui ferme la bouche car Ysengrin le déteste. Hersent se met debout, en redressant la tête et l'interpelle de nou-
5 veau, lui faisant signe de son doigt mince : « Renart, [...] vous n'avez jamais été attentionné à mon égard et vous n'êtes même pas venu me voir. Qu'est-ce donc qu'un compère qui ne rend pas visite à sa commère ? » Et lui, sous le coup de la peur, ne peut que lui répondre : « Dame, j'en prends Dieu à témoin : si je ne suis pas venu à l'occasion de votre maternité, ce n'est pas
10 méchanceté ni malveillance de ma part. Au contraire, j'aurais eu plaisir à vous voir, mais Maître Ysengrin espionne toutes mes allées et venues. [...] J'éprouve, prétend-il, de l'amour pour vous [...]. Mais, dites-moi, à quoi rimerait-il que je vous adresse une requête malhonnête ? Certes, je m'en garderais bien : ce sont là coupables propos. » La colère que lui inspire cette nouvelle
15 fait suer Hersent à grosses gouttes : « Comment, Renart, voilà ce qu'on dit ? C'est bien à tort qu'on me soupçonne ! C'est en croyant venger son honneur qu'on fait son malheur. Je n'ai pas honte de le dire, je n'ai jamais pensé à mal ; mais puisque mon mari s'en est plaint, je veux que désormais vous m'aimiez. Revenez souvent me voir, vous serez mon ami de cœur. Prenez-moi dans
20 vos bras, embrassez-moi. Profitez-en, il n'y a personne ici pour nous accuser. » Renart s'approche pour l'embrasser sans dissimuler sa joie et Hersent, qui se plaisait à ce jeu, lève la cuisse. Puis Renart songe au retour, car il craint plus que tout d'être surpris par Ysengrin. Pourtant, avant de partir, il va pisser sur les louveteaux un à un. Il prend tout, mange tout, jette dehors tout ce
25 qu'il trouve, la viande salée aussi bien que la fraîche. Il sort les petits de leurs lits, les insulte et les bat comme s'il était en droit de le faire ; profitant de ce qu'il est tranquille, – puisqu'il n'a personne à craindre que dame Hersent, qui est son amie et ne le dénoncera pas –, il les traite de sales bâtards et part, les laissant en larmes. La louve s'empresse d'aller les cajoler.

30   « Soyez gentils, mes petits, les supplie-t-elle ; et ne faites pas la bêtise de mettre votre père au courant : il n'a pas besoin de savoir que vous avez vu Renart ici.

    – Comment diable ? Nous devrions taire que vous avez reçu Renart le rouquin, notre ennemi mortel, et que vous avez trompé notre père qui
35 avait confiance en vous ? Bien au contraire, s'il plaît à Dieu, une telle honte et tous les mauvais traitements que nous avons subis ne resteront pas sans vengeance. »

Quand Renart les entend grogner ainsi et se fâcher contre leur mère, il se dépêche de se remettre en route, museau à ras de terre, par peur d'être vu, 40 et de reprendre la poursuite de ses affaires.

Roman de Renart, branche II, vers 1027 à 1155, trad. Jean Subrenat et Micheline de Combarieu, © Larousse 2003, coll. « Petits classiques ».

Lecture

➡ Comprendre

1. Où cette scène se passe-t-elle ?

2. Quel sentiment Renart éprouve-t-il d'abord face à Hersent ? Pourquoi ?

3. Qu'est-ce qui fait changer l'attitude de Renart ?

4. Comment Renart s'y prend-il pour séduire Hersent ?

5. Pourquoi fait-il cela ?

➡ Analyser

6. Dans les lignes 1 à 5, relevez deux compléments circonstanciels (→ p. 292) qui soulignent l'apparence séduisante d'Hersent.

7. En quoi la situation est-elle comique ?

8. Quelle image de la femme ce texte nous donne-t-il ?

9. Relisez les lignes 21 à 29 :

a. Quel est le niveau de langue employé ?

b. Relevez un exemple d'accumulation (→ p. 366).

c. Qu'est-ce qui, dans la manière de raconter, dédramatise la violence de Renart et nous empêche de nous apitoyer sur le sort des louveteaux ?

➡ Interpréter

10. « vous serez mon ami de cœur », dit Hersent à Renart (l. 19). Dans quelle sorte de littérature trouve-t-on ce type de déclaration ?

11. Le couple formé par Renart et Hersent vous paraît-il correspondre à cet idéal ? Justifiez votre réponse.

Vocabulaire

12. a. Voici plusieurs synonymes d'*engageant* (l. 2) : sur quel verbe chacun d'eux est-il formé ?

séduisant – attrayant – avenant – aimable.

b. Quel est le sens du verbe *engager* quand il est transitif indirect ? Aidez-vous des abréviations du dictionnaire pour répondre, puis employez ce verbe dans une phrase.

13. Associez les mots de la liste **A**, tirés du texte, à leur synonyme que vous choisirez dans la liste **B** :

- **Liste A :** *penaud – engageant – attentionné – requête – dissimuler.*

- **Liste B :** *cacher – confus – demande – prévenant – attrayant.*

14. « vous n'avez jamais été attentionné à mon égard. » (l. 5-6) Recopiez cette phrase en remplaçant « à mon égard » par une expression de même sens.

15. a. Que signifie l'expression être « plein d'égards » pour une personne ?

b. Remplacez « plein d'égards » par un adjectif de même sens.

Les messagers de Renart emportent sa lettre d'amour à la louve, miniature du *Roman de Renart*, XIIIᵉ siècle (Paris, BNF).

Ysengrin se fait moine

Grâce à une nouvelle ruse, Renart a réussi à dérober des anguilles à des marchands. Hermeline, sa femme, et ses deux fils, Percehaie et Malebranche, s'occupent de les faire rôtir sur la braise.

Renart et Ysengrin en costumes de moines, miniature du *Roman de Renart,* 1289 (Paris, BNF).

Pendant qu'ils s'occupaient de faire griller les anguilles, se présente Monseigneur Ysengrin qui avait erré un peu partout, depuis le matin, sans rien pouvoir attraper nulle part. Depuis combien de temps n'avait-il rien eu à se mettre sous la dent ! Il finit par traverser un terrain qui venait d'être
5 défriché, tout droit en direction du château de Renart. C'est alors qu'il voit une fumée sortir de la cuisine où était allumé le feu sur lequel les fils de Renart tournaient les brochettes pour les faire cuire. Le loup, sentant cette odeur inhabituelle, se met à renifler et à se pourlécher[1]. Il serait volontiers allé les aider si on avait voulu lui ouvrir la porte. Il s'approche d'une fenêtre
10 pour voir ce qui se passe à l'intérieur […]. Puis il court de côté et d'autre, regarde à droite, à gauche, sans trouver moyen de se faire ouvrir, lui qui n'a rien à donner, rien à promettre. Il se décide finalement à prier son compère de bien vouloir lui donner, au nom de Dieu, un peu, ou beaucoup, de ce qu'il est en train de manger. Il l'interpelle donc par une ouverture :
15 « Seigneur, mon compagnon, ouvrez-moi la porte, je vous apporte de bonnes nouvelles ; vous verrez, vous aurez sujet de vous en réjouir. »

Renart le reconnaît à sa voix, mais il fait la sourde oreille. Et Ysengrin, à l'extérieur, que la faim et les anguilles font saliver d'envie, s'étonne et répète : « Ouvrez, cher seigneur ! »
20 Renart l'interroge en riant : « Qui est là ?

– C'est moi, répond Ysengrin.

– Qui moi ?

– Votre compère.

– Nous avions peur que ce soit un voleur.
25 – Non, c'est moi, dit Ysengrin, ouvrez.

– Attendez au moins, répond Renart, que les moines qui viennent de se mettre à table aient fini de manger.

– Comment cela ? Il y a des moines ici ?

– Pas exactement, rétorque[2] Renart, Que Dieu me protège du mensonge !
30 ce sont des chanoines de l'ordre de Tiron[3] et je suis entré dans leur communauté.

– Nom de Dieu ! dit le loup, me dites-vous la vérité ?

– Mais oui, pour l'amour de Dieu.

[…]
35 – De quoi se nourrissent donc vos moines ?

– Pourquoi le taire ? Ils mangent des fromages frais et des poissons à grosses têtes. Saint Benoît[4] nous commande de ne pas nous restreindre davantage.

– Première nouvelle ! J'ignorais tout cela. Mais accordez-moi l'hospitalité car je ne saurais où aller aujourd'hui.

1. Se pourlécher : se lécher les babines.

2. Rétorquer : répliquer vivement.

3 et 4. Ici, les chanoines sont des religieux vivant en communauté. L'ordre de Tiron est une communauté de moines cisterciens, ordre en plein expansion au XIIe siècle, dont la règle a été fondée par saint Benoît.

40 – L'hospitalité ? Il n'en est pas question. Nul, s'il n'est moine ou ermite[5], ne peut loger ici. Allez-vous-en ; je vous ai assez vu ! »

Pour appâter Ysengrin, Renart lui donne toutefois un morceau d'anguille.

« Comment vous remercier, seigneur Renart ? Mais donnez-m'en encore un morceau, mon cher compère, un seul, pour m'inciter à entrer dans votre ordre.

45 – Par vos bottes, reprend Renart, non sans arrière-pensées, « si vous vouliez être moine, je ferais de vous mon supérieur, car je sais bien que tous vous éliraient prieur ou abbé[6] avant la Pentecôte.

– Vous vous moquez de moi ?

– Non, cher seigneur, par ma tête, j'ose vous le dire ; par saint Félix, vous 50 feriez le plus beau moine du couvent.

– Aurai-je assez de poisson pour être débarrassé de ce mal qui m'a mis dans un tel état de faiblesse ?

– Autant que vous pourrez en manger. Ha ! Faites-vous seulement tonsurer[7] et raser la barbe. »

55 Ysengrin commence à grogner quand il entend parler d'être tondu.

« Ne m'en demandez pas plus, compère, et faites vite.

– Tout de suite ; vous allez avoir une belle et large tonsure, dès que l'eau sera chaude. »

La bonne farce que je vais vous raconter ! Renart laisse l'eau sur le feu jusqu'à 60 ce qu'elle soit bouillante, puis il revient à la porte et fait passer à Ysengrin la tête par un guichet[8]. Le loup tend le cou et Renart – la sale bête ! – qui n'en revient pas de sa sottise, lui jette à la volée l'eau bouillante sur la nuque. Ysengrin secoue la tête en grimaçant : triste mine que la sienne ! Il recule en criant : « Je suis mort, Renart ! Puisse-t-il vous en arriver autant aujourd'hui ! 65 Vous m'avez fait une tonsure trop large. »

5. Ermite : religieux qui vit seul dans un lieu isolé.

6. Le prieur est le chef d'une communauté religieuse. L'abbé est le chef de l'abbaye, qui regroupe les moines.

7. Tonsurer : raser le centre du crâne, selon l'usage des moines.

8. Guichet : ici, petite ouverture dans une porte.

Mais Renart lui tire une langue d'un demi-pied hors de la gueule.

« Vous n'êtes pas seul à l'avoir, seigneur. Tout le couvent la porte ainsi.

– Je suis sûr que tu mens.

– Non, seigneur, ne vous en déplaise. D'ailleurs votre première nuit doit être
70 une nuit d'épreuves. Ainsi l'exige la Sainte Règle[9].

– C'est très volontiers que je me conformerai en tout à l'usage. Vous auriez
tort d'en douter. »

Renart reçoit sa promesse de ne lui faire aucun mal et de lui obéir en tout.

Roman de Renart, branche III, vers 177 à 376, trad. Jean Subrenat
et Micheline de Combarieu, D. R.

9. La Sainte règle : la règle de saint Benoît, qui organise la vie des moines.

Lecture

➡ Comprendre

1. a. Quelle est la situation d'Ysengrin au début du texte ?

b. D'une manière générale, à quel problème les personnages du *Roman de Renart* sont-ils régulièrement confrontés ?

2. Pour qui Renart se fait-il passer, dans ce texte ?

3. À quelle cérémonie particulière Ysengrin doit-il se soumettre (l. 53 à 65) ? Quel est le but de cette cérémonie ?

4. Quelles souffrances Renart inflige-t-il à Ysengrin à cette occasion ?

➡ Analyser

5. Dans le premier paragraphe, relevez toutes les formes de négation (➡ p. 300) : que révèlent-elles de la situation d'Ysengrin ?

6. Relisez les lignes 35 à 54 : pourquoi Ysengrin décide-t-il de se faire moine ? Donnez deux raisons.

7. a. Quelle raison Renart invoque-t-il pour refuser l'hospitalité à Ysengrin ?

b. Que pensez-vous de l'attitude du soi-disant moine ?

➡ Interpréter

Une satire est un texte qui se moque d'une catégorie de personnes. Par exemple, dans plusieurs de ses pièces, Molière a fait la satire des médecins.

8. De quels personnages ce texte fait-il la satire ?

9. Quels défauts de ces personnages sont ici critiqués ?

Vocabulaire

10. Classez les expressions suivantes selon qu'elles désignent une terre cultivée ou une terre au repos :

terrain défriché – terre inculte – champ – jachère – labour – friche – verger.

11. Relevez dans le texte tous les termes qui désignent des religieux.

12. Quel mot du texte désigne le lieu où vivent les religieux ?

13. a. Qu'appelle-t-on une *communauté* (l. 30-31) ?

b. Trouvez dans le texte (l. 26 à 33) un synonyme de *communauté religieuse.*

Expression écrite

▌ Sujet

Vous allez écrire un texte à l'imitation de celui-ci, en remplaçant la satire des moines par la satire des chevaliers et le récit de la tonsure par une parodie de l'adoubement.

▌ Conseils

● Voici quelques questions à vous poser pour trouver des idées :

1. Quels sont les devoirs d'un chevalier ?

2. Qu'est-ce qu'Ysengrin peut demander à des chevaliers ?

3. Quelle réponse de Renart montrera que les soi-disant chevaliers ne respectent guère leurs devoirs ?

4. Pourquoi Ysengrin veut-il devenir chevalier ?

5. Comment la cérémonie de l'hommage se déroule-t-elle ?

6. Comment Renart va-t-il se servir de cette cérémonie pour faire du mal à Ysengrin ?

● Pour rédiger, suivez le modèle du texte, en faisant notamment alterner récit et dialogue.

La pêche à la queue

Ce texte est la suite de l'extrait précédent : conformément à sa promesse, Ysengrin va subir l'épreuve de sa première nuit dans les ordres…

La pêche d'Ysengrin, illustration de Benjamin Rabier (1864-1939) pour *Le Roman du Renard*, Tallandier, 1909.

1. **Vivier :** bassin qui sert à conserver les poissons vivants.
2. **Profusion :** grande abondance.
3. **Nous :** désigne les moines.
4. **Vavasseur :** petit seigneur.

Sans plus discuter, ils se rendent rapidement, Renart en tête, Ysengrin sur ses pas, jusqu'à un vivier[1] proche.

On était un peu avant Noël, au moment où on sale le jambon. Le ciel était limpide et scintillant d'étoiles et le vivier dans lequel Ysengrin était supposé
5 pêcher était si bien gelé qu'on aurait pu danser dessus. Il y avait seulement un trou, fait dans la glace par les paysans qui y menaient chaque soir leur bétail boire et se dégourdir les pattes. Ils avaient laissé là un seau. Renart y arrive à bride abattue et se tourne vers son compère.

« Approchez, seigneur, c'est là qu'il y a profusion[2] de poissons et voici
10 l'outil avec lequel nous[3] pêchons anguilles, barbeaux et autres bons et beaux poissons.

– Prenez-le d'un côté, frère Renart, demande Ysengrin, et attachez-le moi solidement à la queue. »

Renart s'en saisit et le lui noue à la queue de son mieux. « Maintenant,
15 frère, conseille-t-il, il faut rester sans bouger pour attirer les poissons. »

Il s'installe alors au pied d'un buisson, le museau entre les pattes, pour voir ce que l'autre va faire.

Ysengrin est assis sur la glace, tandis que le seau, plongé dans l'eau, se remplit de glaçons de belle façon puis l'eau commence à geler autour, et la
20 queue elle-même, qui trempe dans l'eau, est prise par la glace, si bien que lorsqu'Ysengrin entreprend de se relever en tirant le seau à lui, tous ses efforts restent vains ; très inquiet, il appelle Renart car on ne va pas tarder à le voir : déjà le jour se lève. Renart dresse la tête, ouvre les yeux et jette un regard autour de lui.

25 « Tenez-vous-en là, frère, dit-il, et allons-nous-en, mon très cher ami. Nous avons pris assez de poissons.

– Il y en a trop, Renart ; j'en ai pris je ne sais combien. »

Et Renart de lui dire tout net en riant : qui trop embrasse mal étreint ». C'est la fin de la nuit, l'aube apparaît, le soleil matinal se lève, les chemins
30 sont couverts de neige et Monseigneur Constant des Granges, un riche vavasseur[4], qui demeurait au bord de l'étang, est déjà levé, frais et dispos ainsi que toute sa maisonnée. Il prend un cor de chasse, ameute ses chiens et fait seller son cheval. Ses hommes, de leur côté, crient et mènent force tapage. Renart, à ce bruit, prend la fuite et se réfugie dans sa tanière. Ysen-
35 grin, lui, se trouve toujours en fâcheuse position, tirant désespérément sur sa queue au risque de s'arracher la peau. Elle est le prix à payer s'il veut s'échapper de là. Tandis qu'il se démène, arrive au trot un valet qui tient deux lévriers en laisse. Apercevant le loup bloqué par la glace et le crâne tondu, il se hâte vers lui et, s'étant assuré de ce qu'il a vu, se met à crier :
40 « Au loup, au loup, à l'aide, à l'aide ! » À ses cris, les chasseurs franchissent

la clôture entourant la maison avec tous leurs chiens. Ysengrin est d'autant moins à la fête que Maître Constant qui arrivait derrière eux au triple galop de son cheval s'écrie, en mettant pied à terre : « Lâchez les chiens, allez, lâchez-les. » Les valets détachent les bêtes qui se jettent sur le loup dont le
45 poil se hérisse, tandis que le chasseur excite encore la meute. Ysengrin se défend de son mieux à coups de crocs : que pourrait-il faire d'autre ? Certes, il préférerait être ailleurs. Constant, l'épée tirée, s'approche pour être sûr de ne pas manquer son coup. Il est descendu de cheval et s'avance de façon à attaquer le loup par-derrière. Il va pour le frapper mais manque son coup qui
50 glisse de travers et le voilà tombé à la renverse, le crâne en sang. Il se relève non sans mal et, furieux, retourne à l'attaque. Ce fut un combat farouche que celui-là. Alors qu'il vise la tête, le coup dévie : l'épée descend jusqu'à la queue qu'elle coupe net, au ras du derrière. Ysengrin en profite pour sauter de côté et pour s'éloigner, mordant l'un après l'autre les chiens qui lui collent
55 aux fesses. Mais il se désespère d'avoir dû laisser sa queue en gage : pour un peu il en mourrait de douleur. Cependant, il n'y a plus rien à faire. Il fuit donc jusqu'au sommet d'une colline, se défendant bien contre les chiens qui le mordent sans cesse. En haut du tertre, ses poursuivants, épuisés, renoncent. Il reprend sans tarder la fuite à toute vitesse jusqu'au bois, en surveillant les
60 alentours. Arrivé là, il jure bien de se venger de Renart et de ne plus jamais être son ami.

Roman de Renart, Branche III, vers 377-510, trad. Jean Subrenat et Micheline de Combarieu © Larousse 2003, coll. « Petits classiques ».

Lecture

➡ Comprendre

1. À quel moment la scène se passe-t-elle ?

2. En quoi consiste « l'épreuve » que doit subir Ysengrin ? Expliquez aussi précisément que possible la situation du loup.

3. Pourquoi Renart s'enfuit-il au lever du jour ?

4. Pourquoi le loup ne peut-il pas s'enfuir ?

5. Comment parvient-il finalement à se libérer ?

➡ Analyser

Relisez les lignes 47 à 55 :

6. Comment Maître Constant attaque-t-il le loup ? Répondez en citant le texte.

7. « Ce fut un combat farouche que celui-là. » (l. 51-52) Quel est le ton du narrateur dans cette phrase ? Justifiez votre réponse.

8. Quels sont tous les détails qui ridiculisent le vavasseur ?

➡ Interpréter

9. De quelles personnes ce texte fait-il la satire ?

10. De quel défaut le loup fait-il preuve dans ce texte ? De quelles qualités ? Pour répondre à cette dernière question, observez en particulier son comportement face aux chiens (l. 45 à 58).

11. De quels défauts Renart fait-il preuve ? Quelle image vous faites-vous de lui après cette nouvelle aventure ?

Vocabulaire

12. a. Qu'est-ce qu'une *meute* (l. 45) ?

b. Trouvez dans le dernier paragraphe un verbe de la même famille et déduisez son sens.

13. Voici dans la liste **A** d'autres termes désignant des groupes. À quelle catégorie de la liste **B** peut-on associer chacun d'eux ?

- **Liste A :** *troupeau – nuée – bande – banc – troupe – essaim – peloton – couvée – cortège – assemblée – horde.*

- **Liste B :** *abeilles – coureurs – hommes politiques – loups – manifestants – moucherons – moutons – oiseaux – poissons – voyous – soldats.*

Renart jongleur

Le roi, las des méfaits de Renart, a ordonné sa mise à mort immédiate si celui-ci venait à être capturé. Renart cherche donc un moyen de passer inaperçu quand un accident providentiel le fait tomber dans une cuve de teinture jaune : le voilà méconnaissable.

Musicien et jongleur, miniature du Xᵉ-XIᵉ siècle (Paris, BNF).

À l'écart du chemin, près d'une haie, il voit Ysengrin, à son grand déplaisir, qui attendait une aubaine car il avait une faim énorme. Le loup était très grand et très fort. « Hélas ! dit Renart, je suis perdu : Ysengrin est fort et gras, alors que je suis amaigri, épuisé par la faim, dont j'ai connu tous les
5 tourments. Je ne crois pas qu'il devine qui je suis, mais, lorsque j'ouvrirai la bouche, je peux être sûr qu'il me reconnaîtra entre tous. Je vais aller le trouver – advienne que pourra ! – pour avoir des nouvelles de la cour. » Alors lui vient l'idée de changer de langage. Regardant de ce côté, Ysengrin voit venir Renart à sa rencontre. Il lève la patte et se signe¹, plus de cent fois, je
10 crois, avant que l'autre l'ait rejoint. Il a tellement peur que pour un peu il s'enfuirait. Après cela, il s'arrête : jamais il n'a vu semblable bête, elle doit venir d'un pays étranger. Voici Renart qui le salue :

« Goodbye, dit-il, cher seigneur. Moi pas savoir parler ton langue.

– Que Dieu te garde, très cher ami ! D'où êtes-vous ? de quel pays ? Vous
15 n'êtes pas originaire de France ni d'aucun pays que nous connaissons.

– Niet, mon seigneur, mais de Bertagne². Moi foutre avoir perdu tout ce que j'avoir gagné et moi foutre cherche ma compagnon, moi foutre pas avoir trouvé quelqu'un pour renseigner moi. Tout le France et tout le Angleterre j'avoir parcouru pour mon compagnon trouver. Moi avoir demeuré tant
20 dans ce pays que moi connaître tout le France. Maintenant moi vouloir retourner, moi plus savoir où le chercher, mais moi avant tourner à Paris pour moi finir apprendre tout le français.

– Est-ce que vous avez un métier ?

– Ya, ya, moi être foutre très bon jongleur. Mais moi hier foutre avoir été
25 volé, battu et mon vielle³ foutre avoir été pris à moi. Si moi foutre avoir un vielle, moi foutre dire bon rotruenge⁴ et un beau lai⁵ et un beau chant pour toi qui sembler une homme de bien. Foutre moi pas avoir mangé pendant deux jours entiers et maintenant je mangera volontiers.

– Comment t'appelles-tu ? dit Ysengrin.
30 – Ma nom foutre être Galopin. Et vous, comment, seigneur, homme de bien ?

– Frère, on m'appelle Ysengrin.

– Et foutre être né dans cette pays ?

– Oui, j'y ai vécu longtemps.
35 – Moi foutre servir très volontiers ma répertoire⁶ à tout le monde. Moi foutre savoir bon lai breton de Merlin et de Noton⁷, du roi Arthur, et de Tristan, du chèvrefeuille⁸, de saint Brandan⁹…

– Et tu connais le lai de dame Iseult ?

1. Se signer : faire le signe de la croix pour obtenir la protection divine.

2. Bertagne : Bretagne, c'est-à-dire la Grande-Bretagne actuelle.

3. Vielle : instrument à corde et à archet, ancêtre du violon et du violoncelle.

4. Rotruenge : poésie à refrain chantée par les troubadours.

5. Lai : conte merveilleux en vers.

6. Répertoire (n. m.) : ensemble des pièces que peut jouer ou chanter un artiste.

7. Noton : un des noms du diable.

8. Dans le *Lai du chèvrefeuille*, Marie de France rapporte la légende de Tristan et Iseult (fin du XIIᵉ siècle).

9. *Merlin, Arthur, Tristan, Iseult, saint Brandan :* héros légendaires célébrés dans la littérature de la fin du XIIᵉ siècle.

– Ya, ya, by god, moi les savoir, absolument tous. »

40 Ysengrin dit : « Tu me sembles très doué et très savant. Mais par la foi que tu dois au roi Arthur, n'aurais-tu pas vu – Dieu te garde ! – un méchant rouquin de sale race, un lèche-bottes, un traître au cœur de pierre, un trompeur et un roublard de première ? Ah ! Dieu, si je le tenais entre mes mains ! Avant-hier, il échappa au roi jouant d'astuce et de boniments[10], alors qu'on 45 l'avait pris pour avoir outragé la reine et pour mille autres méfaits qu'il n'est jamais las de commettre. Il m'a tant fait de mal que je ne lui souhaite que du malheur. Ah ! si je pouvais le tenir entre mes mains, il mourrait sur-le-champ ! j'ai, pour le faire, la permission, l'ordre du roi. » Renart gardait la tête baissée :

50 « Par ma foi, dit-il, seigneur Ysengrin, cette mauvaise canaille être complètement fou. Comment foutre sa nom être pelé ? dites-nous.

– Comment il a nom[11] ?

– On le pèle donc Anon ? »

À ces mots, Ysengrin éclate de rire, mis en joie par le nom d'Anon. Il ne 55 donnerait pas cette plaisanterie pour tout l'or du monde.

« Vous voulez connaître son nom ?

– Oui, comment foutre être pelé ?

– Ce misérable s'appelle Renart. Il nous berne tous, nous roule tous dans la farine. Ah ! Dieu, si je pouvais le tenir entre mes mains ! La terre serait 60 débarrassée de lui, il n'y occuperait plus qu'une toute petite place !

– Lui être foutrement fichu si toi l'avoir trouvé. Par la foi que vous devez au saint martyr, à saint Thomas de Cantorbire, pour tout l'or que Dieu avoir, moi foutre pas vouloir lui ressembler.

– Vous avez raison, dit Ysengrin, car ni Apollon[12] ni tout l'or du monde 65 ne pourraient dans ce cas vous protéger de la guerre. Mais parle-moi plutôt, mon cher ami, de ce métier que tu exerces. Saurais-tu t'en tirer à la cour mieux qu'aucun autre jongleur et échapper aux critiques des gens de ce pays ?

– Par monseigneur saint Jérusalem, moi foutre pas avoir trouvé mon
70 maître.

– Alors, viens avec moi : je te présenterai au roi et à sa majesté la reine, une très élégante jeune personne. Comme je te vois beau et séduisant, je te présenterai aux courtisans. Si tu acceptes de venir à la cour, je me charge de t'y faire engager.

75 – Foutre grand merci, dit Galopin. Moi savoir de foutus bons tours, moi savoir aussi foutues bonnes blagues, avec ça, moi être le coqueluche[13] à la cour. Si moi pouvoir avoir un vielle moi dire foutue bonne ritournelle et chanter foutu couplet de chanson pour toi qui sembler foutu homme de bien. »

80 Ysengrin reprend : « Sais-tu ce que tu vas faire ? Viens donc. Je sais qu'il y a une vielle chez un paysan, car toute la nuit tous ses voisins se réunissent chez lui. Il s'en sert pour amuser ses enfants, il ne se passe pas de nuit sans que je l'entende. Par la foi que je dois à saint Pierre, la vielle est en parfait état. Si tu viens avec moi à la cour, tu l'auras, quoi qu'il puisse arriver ! »

Ysengrin conduit Renart chez le paysan. Les deux compères s'introduisent chez lui. Mais le goupil s'empare de la vielle et s'enfuit en enfermant son compagnon dans la maison : Ysengrin se fait rosser par le paysan et son chien.

Roman de Renart, Branche I b, vers 2325-2478, trad. Jean Dufournet et Andrée Mélines © Garnier-Flammarion, coll. « Étonnants classiques ».

13. Être la coqueluche : avoir un grand succès, être une idole.

Lecture

→ Comprendre

1. Pour qui Renart se fait-il passer cette fois ? Dans quel but ?

2. Quelle est la première réaction d'Ysengrin en le voyant ? Pourquoi ?

3. Quelles intentions Ysengrin exprime-t-il vis-à-vis de Renart ?

4. En quoi la situation est-elle comique ?

→ Analyser

5. a. Qu'est-ce qui fait rire, dans la manière dont parle Renart ?

b. Qu'est-ce qui justifie cette manière de parler ?

6. a. Quel juron Renart répète-t-il sans cesse ?

b. Pourquoi Ysengrin ne réagit-il pas à ce juron ?

7. Relevez, dans les lignes 50 à 55, un exemple de calembour.

8. « Moi foutre pas vouloir lui ressembler », dit Renart (l. 63).

a. Pourquoi Renart ne veut-il pas « ressembler » au personnage décrit par Ysengrin (l. 58-60) ?

b. Comment Ysengrin interprète-t-il cette déclaration de Renart ?

→ Interpréter

9. a. Le langage employé par Renart vous semble-t-il en accord avec le personnage qu'il incarne ?

b. Quel est l'effet produit ?

10. Au Moyen Âge, la couleur jaune est associée à la malignité et à la trahison. Que pensez-vous du fait que Renart se retrouve précisément de cette couleur ?

Vocabulaire

11. a. D'après ce texte, qu'est-ce qu'un *jongleur* ?

b. Cherchez d'autres termes pouvant désigner le même métier.

12. a. Qui sont les *courtisans* (l. 73) ?

b. Dans les lignes qui suivent, trouvez un mot de la même famille.

Expression écrite

Sujet

Écrivez la suite de ce texte, qui correspond au résumé en italique et en bleu. Efforcez-vous de réemployer les procédés comiques mis en évidence lors de son étude.

Le jugement de Renart

Renart est allé trop loin : il est jugé par le roi Noble et condamné à mort.

Entre-temps, les ennemis de Renart lui ont mis la corde au cou. « Occupez-vous de le pendre, dit le roi, car je ne peux attendre aussi longtemps. » L'exécution aurait bel et bien eu lieu, si le roi n'avait regardé en bas dans la plaine où il vit venir une imposante troupe à cheval, avec bon nombre de
5 femmes éplorées. C'était l'épouse de Renart qui traversait tout un essart[1], en éperonnant sa monture. Elle filait comme le vent et sa douleur fendait l'âme. Ses trois fils ne traînaient pas en route malgré leurs démonstrations de douleur : ils se tiraient et s'arrachaient les cheveux, ils déchiraient leurs vêtements. L'on aurait pu entendre leurs cris et leur vacarme à une lieue[2]
10 de là. Ils ne venaient pas en bon ordre, mais chevauchaient à bride abattue, menant avec eux un cheval lourdement chargé de richesses pour racheter Renart.

Avant que le goupil reçoive l'absolution, ils fendent la foule et, sur leur lancée, ils se jettent aux pieds du roi. La dame a pris tant d'avance qu'elle s'y
15 élance la première : « Sire, pitié pour mon époux au nom de Dieu, le père créateur ! Je te donnerai toutes ces richesses si tu acceptes de lui faire grâce. » Noble le Roi examine le trésor d'argent et d'or qu'on étale devant lui. Il est fort cupide ; aussi répondit-il :

« Dame, je vous avoue franchement que Renart n'a pas mes faveurs. Il a
20 fait tant de mal à mes vassaux qu'il est impossible de tout vous raconter. C'est pourquoi je dois les venger. Puisqu'il refuse de se corriger, il a bien mérité la corde. Mes barons me réclament tous de pendre ce brigand. En vérité, si je suis loyal envers eux, on le livrera bientôt au supplice.

– Sire, au nom de Dieu en qui tu crois, pardonne-lui pour cette fois !
25 – Pour l'amour de Dieu, répond le roi et par égard pour vous, je lui pardonne, pour cette fois-ci. Mais il va vous être rendu à une seule condition : à la première incartade[3], il sera pendu.

– Sire, dit-elle, j'y consens. Je ne viendrai plus jamais vous implorer à son sujet. »

Renart est donc libéré. Mais il recommence aussitôt ses forfaits. À nouveau pourchassé, il se réfugie dans un arbre.

30 [Le roi] donne l'ordre d'apporter deux cognées[4]. L'on commence à abattre le chêne. Quelle peur a Renart quand il s'en aperçoit ! Il voit les barons, en rangs serrés, brûlant de se venger. Il ne sait comment il pourra s'en sortir. Il commence à descendre un peu, une grosse pierre à la main. Il voit Ysengrin s'approcher de lui. Mais écoutez bien ce qu'il a l'audace de faire ! De sa pierre,
35 il frappe le roi près de l'oreille, si bien que, même pour cent marcs[5] d'or, le souverain n'aurait pas pu s'empêcher de tomber. Tous les barons se précipi-

1. Essart (n. m.) : terre défrichée en vue de la culture.

2. Lieue : distance environ égale à 4 km.

3. Incartade : léger écart de conduite.

4. Cognées : haches.

5. Marc : ancienne unité de poids, qui représente environ 250 grammes.

tent vers lui et le soutiennent entre leurs bras. Pendant qu'ils s'occupent de soutenir leur suzerain, Renart saute à terre et s'enfuit. Quand ils le voient, tous le couvrent de huées unanimes pour proclamer que jamais plus ils ne
40 le poursuivront car ce n'est pas une créature normale mais bel et bien un rejeton du diable !

C'en est maintenant fini de la poursuite. Renart s'enfuit vers un enclos, les barons emportent leur maître directement dans le palais royal.

Pendant huit jours, le roi se fait saigner, dorloter, divertir, si bien qu'il
45 recouvre la santé. Voilà donc comment Renart se tire d'affaire : que chacun soit désormais sur ses gardes !

Roman de Renart, branche I, vers 1210 à 1288 et branche Ia, vers 2035-2204, trad. Jean Dufournet et Andrée Mélines © Garnier-Flammarion, coll. « Étonnants classiques ».

Le procès de Renart mis en scène par Freddy Viau (adaptation de Claude Bouvet), avec Charles Lelaure (Renart) et Laetitia Richard (Pinte la Poule), Paris, Théâtre Michel, 21 octobre 2009.

Renart comparaît devant le roi,
illustration de **Félix Lorioux**
pour *Le Roman du Renart*, 1925.

Lecture

➡ Comprendre

1. Qui sauve Renart de la mort (l. 1 à 28) ? Comment ?

2. Cet épisode modifie-t-il l'attitude de Renart ?

3. Pourquoi ses ennemis abandonnent-ils la poursuite ?

4. Que devient Renart à la fin de ces aventures ?

➡ Analyser

5. Relisez les lignes 13 à 29 :

a. Quelles raisons le roi met-il en avant pour accorder son pardon à Renart ?

b. Quelle autre raison le narrateur donne-t-il ?

6. De quelle autre manière le roi est-il ridiculisé dans ce texte ?

7. Quelle image avons-nous ici de la figure royale ?

➡ Interpréter

8. Quelle image a-t-on finalement de Renart ? Pour répondre, appuyez-vous sur des mots précis de la fin du texte.

9. Relevez, dans les deux derniers paragraphes, une phrase par laquelle le narrateur s'adresse directement à son public.

10. L'histoire vous paraît-elle finie ? Justifiez votre réponse.

Vocabulaire

11. a. Analysez la formation du mot *éplorées* (l. 5) et donnez son sens.

b. Trouvez (l. 25 à 29) un verbe de la même famille et réemployez-le dans une phrase de votre invention.

12. Rappelez le sens du mot *absolution* (l. 13) et donnez des verbes de la même famille que vous réemploierez dans des phrases.

13. Rappelez le sens du mot *égards* et, à l'aide du contexte, expliquez l'expression : « par égard pour vous » (l. 25).

14. Recopiez les expressions suivantes en remplaçant le mot *faveur* par le synonyme qui convient :

affection – amour – grâce – plaisir.

1. avoir la **faveur** de quelqu'un – **2.** demander une **faveur** – **3.** accorder ses **faveurs** à quelqu'un – **4.** me ferez-vous la **faveur** de…

Expression écrite et orale

Vous allez organiser en classe le procès de Renart. Le débat oral sera préparé à l'écrit.

Sujet 1

Renart est jugé. Vous êtes son avocat. Que direz-vous pour sa défense ?

Conseils

● Pour trouver des idées, vous pouvez utiliser les notes que vous avez prises sur ce personnage au fil du chapitre, et ce que vous savez des autres personnages.

● Organisez ensuite vos idées : commencez par rappeler de quoi Renart est accusé. Puis excusez ses fautes une par une, de façon ordonnée. Vous pouvez faire valoir les qualités de Renart, lui trouver des excuses ou rejeter la faute sur d'autres personnages.

● Terminez par une ou deux phrases dans lesquelles vous direz ce qu'il faut faire de Renart.

Sujet 2

Renart est jugé. Vous défendez ses ennemis. Que direz-vous pour le faire condamner ?

Conseils

● Vous allez devoir rappeler les différents crimes de Renart – vous pouvez même en inventer. Afin d'émouvoir votre auditoire, évoquez ces crimes de manière aussi saisissante que possible, en utilisant des phrases exclamatives et des hyperboles pour en souligner l'horreur ; décrivez l'état de ses victimes. Mettez en avant les défauts de Renart.

● Terminez par une ou deux phrases dans lesquelles vous proposerez un châtiment.

Une œuvre populaire du Moyen Âge

➤ **Un récit animalier mais réaliste**

● Loin des champs de bataille et des héros chevaleresques de la littérature courtoise, le *Roman de Renart* nous montre la **réalité médiévale** : une société essentiellement rurale, composée de paysans, de moines, de petits seigneurs, de marchands, de jongleurs, confrontés à des difficultés banales comme le manque d'argent, de nourriture, la maladie, la violence ou l'injustice.

● Les personnages sont **des animaux personnifiés** dont le caractère est inspiré par la longue tradition des fables et des bestiaires. Rusé et sans scrupules, Renart tire parti de la bêtise des autres, notamment de son rival Ysengrin, se joue de leur cupidité, de leur égoïsme, de leur hypocrisie : ses aventures sont ainsi l'occasion de **dénoncer les vices des hommes**.

● Mais contrairement aux auteurs des fables, ceux du *Roman de Renart* n'en tirent **aucune morale**. Il s'agit non pas de moraliser, mais de **rire de la vie, de ses malheurs, de la nature humaine**.

➤ **Un roman comique**

● Le *Roman de Renart* est donc **une œuvre résolument comique** qui fait tour à tour la **satire** des religieux, des femmes, des seigneurs, des vilains… Quand des allusions sont faites aux valeurs courtoises – l'héroïsme chevaleresque, la *fin'amor* (amour idéalisé) –, c'est sur le mode de la **parodie**.

● Mais le comique naît surtout de l'audace de Renart et de ses insolences : Le *Roman de Renart,* c'est la **revanche malicieuse** d'un personnage pauvre et sans cesse menacé **sur les riches et les puissants**.

● Ainsi, l'œuvre se caractérise par une **liberté de ton** qui n'épargne personne, pas même la figure du roi. Les auteurs accumulent avec un plaisir manifeste jurons, grossièretés, jeux de mots, charabia, exploitant pour nous faire rire **toutes les ressources de la langue**, comme le feront après eux **Rabelais et Molière**.

Renard assiégé par le roi Noble, miniature du *Roman de Renart*, XIIIᵉ siècle, Paris, BNF.

Rire, ruse et flatterie

1 **Associez chacun des mots de la liste A à son synonyme, choisi dans la liste B.**

● **Liste A :** enjôleur – flatteur – ingénieux – jugement – naïf – railleur – tromper.

● **Liste B :** crédule – discernement – duper – astucieux – mielleux – moqueur – séduisant.

2 **Complétez les phrases avec l'un des mots suivants :**

enjôleur – discernement – narguer – parodie – risée – satire.

1. Le *Roman de Renart* fait la ... des moines.
2. La relation entre Renart et Hersent est une ... de l'amour courtois.
3. À cause de Renart, Ysengrin devient la ... du pays.
4. Renart adresse au corbeau Tiécelin des paroles ... .
5. Quand il s'est emparé du fromage, il ne manque pas de le ... .
6. Tiécelin admet qu'il a manqué de ... .

3 **À partir des mots suivants, formez des mots de sens contraire en ajoutant un préfixe.**

crédule – réfléchi – habile – avisé – intelligent – respectueux – content.

4 **Donnez le nom qui correspond à chacun des adjectifs suivants.**

fin – ingénieux – idiot – flatteur – vif – naïf – trompeur – railleur – lent – lourd – adroit.

5 **Que veut-on dire quand on dit d'une personne qu'elle est... :**

un ours – un âne – un requin – un mouton – un rat – une autruche ?

6 **Complétez les expressions avec le mot qui convient.**

un agneau – une mule – un bœuf – une carpe – un chien – un coq – un lapin – une pie – un pinson – un poisson dans l'eau – une puce – un singe – un tigre – une tigresse.

1. doux comme ... – **2.** fort comme ... – **3.** gai comme ... – **4.** bavard comme ... – **5.** fidèle comme ... – **6.** peureux comme ... – **7.** féroce comme ... – **8.** fier comme ... – **9.** malin comme ... – **10.** têtu comme ... – **11.** heureux comme ... – **12.** excité comme ... – **13.** jalouse comme ... – **14.** muet comme ...

7 **Pour chacun des mots suivants, proposez un mot de la même famille.**

serf – cour – s'évertuer – jeûne – agrément – confus.

8 **Pour chacun des mots suivants, proposez un synonyme.**

dérober – dissimuler – requête – engageant – penaud – prévenant.

9 **Avec chacun des verbes suivants, faites une phrase qui mettra son sens en valeur.**

jeûner – dérober – dissimuler – s'évertuer – rudoyer – défricher – engager qqn à.

10 **Complétez cette grille de mots croisés après l'avoir photocopiée.**

PHOTOCOPIE AUTORISÉE

Horizontalement

2. plaisirs, avantages.
4. demande solennelle.
5. honteux, confus.
6. séduisant, attirant.
9. cultivé, éduqué, raffiné.
10. manteau de fourrure.
12. marque distinctive des moines.
13. L'occasion fait le...
15. voler.
16. paysan qui n'est pas de condition libre.

Verticalement

1. attentionné.
3. champ cultivé planté d'arbres fruitiers.
7. miséreux.
8. se priver de nourriture.
11. attention, considération.
14. lieu où vivent les moines.

Grammaire pour écrire

Introduire le dialogue dans un récit

Orthographe

Ponctuer le dialogue → p. 334

1 Recopiez ce texte en rétablissant la ponctuation des dialogues et en faisant les retours à la ligne.

Voici que survient une mésange, sur la branche d'un chêne creux où elle avait caché ses œufs. Renart la voit et la salue : Ma commère, soyez la bienvenue. Descendez donc m'embrasser ! Renart, dit-elle, taisez-vous. Vous seriez réellement mon compère si vous n'étiez pas une telle canaille. Mais vous avez dupé tant d'oiseaux, tant de biches, qu'on ne sait plus à quoi s'en tenir avec vous. […] Dame, répond le goupil, […] Messire Noble, le lion, a maintenant proclamé partout la paix et, s'il plaît à Dieu, ce sera pour longtemps. Il l'a fait jurer à travers son royaume et il a fait promettre à ses vassaux de le respecter et de le maintenir. […] La mésange répond alors : Renart, vous êtes en train de me tromper.

Roman de Renart, trad. J. Dufournet et A. Mélines
© Garnier-Flammarion, coll. « Étonnants classiques ».

Grammaire

Choisir les verbes de parole → p. 314

2 a. À l'oral, précisez le sens exact des verbes de parole suivants. Notez ceux que vous ne connaissez pas.

asséner – avouer – bégayer – couper – hoqueter – insinuer – jurer – marmonner – murmurer – pleurnicher – prétendre – protester – répliquer – rétorquer – ronchonner – siffler – supplier – susurrer – vociférer.

b. Dans le dialogue suivant, remplacez le verbe *dire* par un des verbes ci-dessus.

« Le voleur ne s'en tirera pas comme ça, dit Joelle.
– Dis donc, Léon, dit Sarah, on t'a vu tourner autour des sacs, tout à l'heure.
– Ce n'est pas moi, dit Léon.
– Puisqu'on te dit qu'on t'a vu ! dit Sarah.
– Ce... ce... ce... ce n'est pas moi ! dit Léon les larmes aux yeux.
– Arrêtez, laissez-le tranquille, dit une petite voix.
– Fiche-nous la paix, Arthur, dit Joelle.
– Arrêtez, dit Arthur.
– Qu'est-ce que tu veux ? dit Joelle.
– C'est moi qui ai pris ta photo » dit Arthur d'un seul élan.

Rédiger et enrichir un dialogue

3 Récrivez ce texte en imaginant et en rédigeant les dialogues qui ne sont qu'évoqués dans l'extrait.

Athos, mousquetaire du roi, cherche la maison du bourreau, que tout le monde redoute…

Il était dix heures à peu près. À dix heures du soir, on le sait, en province les rues sont peu fréquentées. Athos cependant cherchait visiblement quelqu'un à qui il pût adresser une question. Enfin il rencontra un passant attardé, s'approcha de lui, lui dit quelques paroles ; l'homme auquel il s'adressait recula avec terreur, cependant il répondit aux paroles du mousquetaire par une indication. Athos offrit à cet homme une demi-pistole pour l'accompagner, mais l'homme refusa.

Alexandre Dumas, *Les Trois Mousquetaires*.

4 Pour enrichir le dialogue, il est souvent nécessaire de préciser le ton ou l'attitude de celui qui parle. Rédigez un dialogue entre deux collégiens nouvellement arrivés dans l'établissement, pendant la récréation. Vous insérerez dans le dialogue au moins six des indications suivantes :

à voix basse – en se dandinant d'un pied sur l'autre – en rougissant – avec un large sourire – en riant – avec douceur – d'une voix hésitante – lui jetant un coup d'œil plein de curiosité – jouant nerveusement avec son mouchoir – souriant à son tour.

Pour réussir, classez d'abord ces indications selon qu'elles révèlent de l'assurance ou un manque de confiance. Variez les verbes introducteurs du dialogue.

Conjugaison

Utiliser les temps du récit → p. 344 et 354

5 Recopiez le texte suivant en mettant les verbes entre parenthèses au temps du passé qui convient.

La journée (*s'annoncer*) lumineuse. Jamais encore Renard ne (*sentir*) plus vivement, plus délicieusement aussi, la pente heureuse de son destin. Le goupil (*se trouver*) dans les prés, d'ordinaire secs et sonnant sous la patte ; mais ce matin les mottes (*trembler*). Il (*avancer*) encore, glissant le nez contre les luzules et les prêles². Une fauvette des roseaux (*s'envoler*) devant lui, (*tournoyer*), (*se reposer*) derrière. Et aussitôt, tout à la fois, il (*voir*) l'eau briller sous les herbes, s'étaler un peu au-delà et miroiter à toute vue, il (*entendre*), mêlé à l'ample voix du vent, le branle frais et glissant du courant. Il (*venir*) de tant pleuvoir sur les collines et les champs d'amont que la rivière (*déborder*). [Renart] (*sautiller*) de motte en motte et (*gagner*) le bord du courant.

D'après Maurice Genevoix, *Le Roman de Renart* © Plon.

2. Luzules et prêles : plantes qui poussent dans les endroits humides.

Écriture

Rédiger la suite d'une aventure de Renart

Renart le goupil soignant Noble le Lion, illustration d'André Collot pour *Le Roman de Renart*, 1944.

Sujet

Écrivez la suite du texte proposé ci-dessous, en le poursuivant jusqu'à la fin de l'aventure. Vous ferez alterner récit et dialogue.

Malade, le roi Noble fait appeler à son chevet Renart qui se vante de pouvoir le guérir « avant trois jours ».

« Sire Noble, il faut me prêter une grande attention : voulez-vous guérir de ce mal oui ou non ?
– Oui, répond Noble, c'est mon plus cher désir.
– Alors, faites-moi fermer ces portes et apporter tout ce que je vous demanderai. J'extirperai cette maladie de votre corps et je chasserai la fièvre quarte qui vous empuantit l'haleine.
– Très volontiers, répond Noble : tu auras tout ce qui t'est nécessaire.
– Sire, dit l'autre, prenez bonne note de ceci : tout d'abord, il me faut la peau du loup, y compris celle de sa hure[1]. Tous vos parents pourront voir comme je m'y entends en astronomie, car je vous aurais sauvé. »
Ces propos remplissent d'épouvante Ysengrin qui crie merci[2] à Dieu : il n'y a pas d'autre loup que lui dans la salle. Voici venu pour Renart le jour de la vengeance.

Roman de Renart, trad. Jean Dufournet et Andrée Mélines
© Garnier-Flammarion, coll. « Étonnants classiques ».

1. hure (n. f.) : tête, museau – **2. Crier merci** : implorer la grâce.

A Organiser son travail

1. Cherchez vos idées et notez-les au brouillon : Renart doit guérir Noble. Quelle ruse inventera-t-il pour y parvenir ? Quel vol ou quel autre méfait commettra-t-il ? Que devient Ysengrin ? Est-il attrapé et pelé ou parvient-il à se sauver ? Comment ? Comment Noble réagit-il lorsqu'il est guéri ?

2. Faites la liste de toutes les informations qu'il faudra donner au lecteur pour qu'il comprenne ce qui se passe, et ordonnez ces informations. Repérez les endroits où vous insérerez les dialogues.

3. Enfin, rédigez en suivant le plan que vous aurez ainsi établi.

B Introduire les dialogues

4. Dans les phrases suivantes, remplacez le verbe *dire* par un des verbes proposés : *demander – répondre – ordonner – (l') interpeller – s'écrier – hurler – chuchoter – grogner – gémir – supplier – susurrer.*

1. Renart dit : « Que voulez-vous ?
– Je viens de la part de Noble, dit Grimbert. »
2. Ysengrin dit : « Renart, ouvrez-moi ! Je passais justement par là. »
3. « Approchez donc, dit Hersent. Vous m'avez tellement manqué ! »
4. « Ne lui faites pas de mal ! » dit Dame Hermeline.
5. « Vous n'allez pas laisser faire une chose pareille ! » dit Ysengrin.
6. « Renart, avancez, dit le roi. »
7. « Au secours ! dit Ysengrin. À l'aide ! »
8. « Ne faites plus de bruit, dit Ysengrin, nous allons entrer par ici. »
9. « Mes bacons ! dit Ysengrin. Mes pauvres bacons ! »
10. « Je me vengerai, dit Renart entre ses dents. »

Des livres

À lire & à voir

❖ **Les Animaux célèbres, de Michel Pastoureau,** Arléa Poche, 2008.

Un spécialiste du Moyen Âge et de son symbolisme présente des animaux célèbres, du cheval de Troie jusqu'à Milou...

❖ **Le Roman de Renart, de Jean-Marc Mathis et Thierry Martin,** Delcourt, 2007-2009.

Pour retrouver les aventures et les mauvais tours du goupil en trois volumes de bandes dessinées : *Les Jambons d'Ysengrin*, *Le Puits*, *Le Jugement de Renart*.

❖ **Fantastique maître Renard, de Roald Dahl,** trad. de l'anglais par Marie Saint-Dizier et Raymond Farré, Gallimard, Folio Cadet, 2010.

Une réécriture contemporaine par un des maîtres du roman comique.

Des films

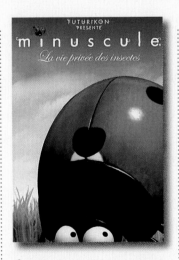 

❖ **Le Roman de Renart, film d'animation d'Irène et Wladyslaw Starewicz,** 1930 (en DVD depuis 2000).

Renart est toujours prêt aux plus grandes facéties, même lors qu'il se retrouve devant la cour de Noble le Lion. À tel point que celui-ci n'hésite pas à le jeter en prison. Mais Goupil, lors d'une audience, lui fait miroiter l'existence d'un fabuleux trésor...

❖ **Minuscule, de Thomas Szabo,** 2006.

Une série de courts-métrages d'animation sur « la vie privée des insectes »..., où l'on retrouve l'esprit farcesque et amoral du *Roman de Renart*.

❖ **Le Petit Chaperon rouge campagnard,** réalisé par **Tex Avery,** 1949.

Une variation sur le thème du Petit Chaperon rouge, réalisée par un maître américain du film d'animation, dont l'humour s'inscrit dans la tradition du bestiaire satirique et parodique.

6 Gargantua, de Rabelais

▶ Découvrir l'idéal humaniste

Repères L'humanisme et la Renaissance 162

Textes et images

Lecture suivie : *Gargantua*, **de François Rabelais :**

1. « La naissance de Gargantua » 164

2. « L'éducation de Gargantua » 165

3. « Un voisin belliqueux : Picrochole » 168

4. « Frère Jean des Entommeures » 170

5. « La fin des guerres picrocholines » 172

Étude de l'image *Johannes Neudörfer et son fils,*
tableau de Nicolas Neufchatel, 1561 174

Synthèse L'humanisme de Rabelais 175

Histoire des arts Léonard de Vinci et l'humanisme 176

Langue et Expression

• Vocabulaire : La vie matérielle 178

• Grammaire pour écrire : Faire le récit d'habitudes 179

• Écriture : Décrire une journée heureuse 180

À lire & à voir 181

Le peuple de Paris est émerveillé par Gargantua,
gravure coloriée d'après **Gustave Doré**, 1873 (coll. part).

Lire une image

1. **a.** Quel personnage occupe la plus grande partie de l'image ?
   b. Qu'est-ce qui vous frappe dans ce personnage ?
2. Quelle est l'attitude de la foule vis-à-vis de lui ? Justifiez votre réponse.
3. Observez les costumes : à quelle époque situez-vous cette scène ?

L'humanisme et la Renaissance

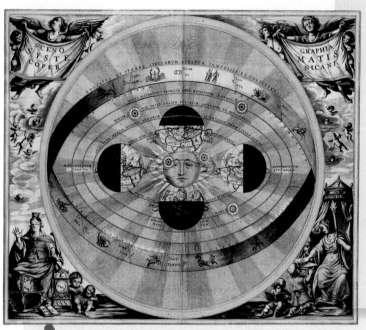

Le système du monde selon Copernic,
planche d'atlas, 1661 (Paris, BNF).

De grands bouleversements

● La fin du Moyen Âge est marquée par de grands bouleversements. D'une part, **Christophe Colomb découvre l'Amérique**, d'autre part, **Copernic** démontre que **c'est la Terre qui tourne autour du Soleil,** et non l'inverse, et que celle-ci n'est pas le centre de l'Univers. Tout cela bouscule fortement l'idée que l'homme occidental se fait du monde. Les certitudes s'effondrent.

● Par ailleurs, **l'invention de l'imprimerie par Gutenberg** permet une meilleure diffusion des livres. Les hommes se mettent à **lire eux-mêmes** la Bible et découvrent que l'interprétation qu'en donne l'Église est parfois très éloignée des textes.

Question

❶ Citez trois grandes découvertes qui marquent la fin du Moyen Âge.

Le rayonnement de l'Italie

● Au XVe siècle, **l'Italie,** au cœur des routes du **commerce de la soie et des épices,** est devenue très riche. Divisée en nombreux États, elle voit ses princes rivaliser entre eux par le faste de leur cour : de nombreux **mécènes** favorisent le développement des arts.

● Par ailleurs, les croisades ont permis de **redécouvrir les auteurs grecs anciens,** dont les Arabes avaient conservé les textes. À Florence, Sienne, Venise, des académies dispensent leur enseignement.

● À la faveur des **guerres d'Italie,** les Français vont découvrir ce faste et ce raffinement. **François Ier** s'efforcera de diffuser autour de lui cette culture, protégeant de nombreux artistes, dont le fameux **Léonard de Vinci,** ramené avec lui d'Italie. C'est à sa demande que Guillaume Budé créera les **premières bibliothèques.**

François Ier et sa cour après les guerres d'Italie, miniature, vers 1530 ((Paris, BNF).

Question

❷ Qu'appelle-t-on un *mécène* ? D'où vient ce mot ?

Rabelais et l'humanisme

● Ce mouvement intellectuel important, d'échelle européenne, qui se passionne pour les arts, les sciences, la philosophie et prend ses sources dans l'Antiquité, prendra le nom d'**humanisme**. Il s'agit en effet de développer une éducation « humaine », fondée non pas seulement sur l'étude de la religion, mais sur celle des langues, des sciences, sur l'observation de la nature, sur **la croyance qu'un homme bien éduqué sera meilleur**.

● **Rabelais** (vers 1483-1553) est le type même de l'**humaniste** : il a étudié la théologie, le grec et le latin, la littérature et la philosophie antiques, la médecine et le droit. D'abord moine, il semble mal fait pour la vie recluse : il quitte le couvent, reprend des études et devient médecin ; il fréquente les grands intellectuels de son temps.

● Rabelais s'attache à la cour de **François Ier** où il joue à la fois le rôle de médecin et de secrétaire. Ses diverses missions l'amènent à voyager, achevant ainsi la formation d'un esprit avide de connaissances et de liberté. Ses romans *Pantagruel* (1532) et *Gargantua* (1534) racontent la vie de géants nourris de culture antique.

Un modèle d'éducation humaniste : miniature de l'*Institution du Prince*, de Guillaume Budé, 1547 (Paris, BNF).

Questions

❸ Qu'est-ce que l'*humanisme* ?
❹ En quoi Rabelais est-il un *humaniste* ?

| 1400 | 1450 | 1500 | 1550 | 1600 |

1492 Début des guerres d'Italie

1515-1547 François Ier

1434 Début du Quattrocento, **Renaissance italienne**

1454 Invention de l'imprimerie

1492 Découverte de l'Amérique

1534 *Gargantua*, de Rabelais

Renaissance française

1543 : Copernic publie son système

La naissance de Gargantua

Grandgousier était bon raillard[1] en son temps, aimant à boire net autant que n'importe quel homme qui pour lors fût au monde, et mangeait volontiers salé[2]. À cette fin[3], il avait ordinairement bonne munition de jambons de Mayence et de Bayonne, force[4] langues de bœuf fumées, abondance
5 d'andouilles quand c'était la saison et de bœuf salé à la moutarde, grand renfort de boutargues[5], provision de saucisses de Bigorre, de Longuaulnay, de la Brenne et de Rouargue.

En son âge adulte, il épousa Gargamelle, fille du roi des Papillons, belle fille et de bonne trogne, et ils se frottaient joyeusement le lard, tellement qu'elle
10 devint grosse[6] d'un fils et le porta jusqu'au onzième mois. [...]

Enfin, un jour que Grandgousier et Gargamelle festoient dans les champs, Gargamelle ressent les premières douleurs de l'enfantement.

1. **Raillard :** homme qui aime rire.

2. .La nourriture salée donne soif.

3. **À cette fin :** dans ce but.

4. **Force (adv.) :** beaucoup (de).

5. **Boutargue** ou poutargue : préparation à base d'œufs de poissons.

6. **Grosse :** enceinte.

Peu de temps après, elle commença à soupirer, à se lamenter et à crier. [...] La matrice se relâcha, l'enfant en sortit d'un saut, et entra dans la veine cave ; puis montant à travers le diaphragme jusqu'au-dessus des épaules (où ladite veine se par-
15 tage en deux), il prit son chemin à gauche et sortit par l'oreille de ce côté.

Dès qu'il fut né, il ne cria pas comme les autres enfants : « Mies ! Mies ! Mies ! », mais il s'écriait à haute voix : « À boire ! À boire ! À boire ! », comme s'il invitait tout le monde à boire, si bien qu'il fut entendu de tout le pays de Busse et de Bibarois.

RABELAIS, *Gargantua* (1534), trad. Françoise Joukovsky
© Flammarion 1995.

Gargamelle, mère de Gargantua,
par André Derain (1880-1954),
gravure sur bois, av. 1943 (Paris, musée d'Art moderne).

Lecture

➡ Comprendre

1. Qui sont les personnages principaux ? Quelles sont leurs habitudes ? Comment imaginez-vous leur caractère ? Appuyez-vous sur le texte pour répondre.

2. Quels sont les détails extraordinaires qui accompagnent la naissance de Gargantua ?

➡ Analyser

3. Analysez les noms des personnages : comment sont-ils formés ? Que vous évoquent-ils ?

4. Sachant que le verbe *boire* vient du latin *bibere*, dites quels noms propres (➡ p. 270) du dernier paragraphe sont formés sur ce verbe.

5. Quels sont les premiers mots prononcés par Gargantua ? En quoi ressemble-t-il à ses parents ?

6. Quelle figure de style (➡ p. 366) est employée dans la deuxième phrase ? Que met-elle en avant ?

➡ Interpréter

7. Quelles qualités sont ici associées à la boisson et à la nourriture ?

8. Quels héros grecs ont connu eux aussi une naissance merveilleuse ?

L'éducation de Gargantua

Grandgousier confie l'éducation de son fils à deux précepteurs.

François Rabelais
(vers 1483-1553)
Pour en savoir plus sur
l'auteur de *Gargantua*,
voir p. 163.

1. **Alléguer :** prétexter.

2. **Paillarder :** se vautrer.

3. **Archidiacre :** membre
du clergé inférieur.

4. **Bréviaire :** livre de prières.

5. **Heures :** ici, prières.

6. **Huppe :** oiseau qui porte
sur la tête une aigrette
comparée ici à un capuchon.

7. **Ermite :** religieux qui vit
isolé.

8. Il s'agit de Térence,
auteur comique latin.

9. **Rassoté :** idiot.

10. En grec, *Ponocrates*
signifie « bourreau
de travail ».

11. **Révérer :** adorer.

Il employait donc son temps en telle façon qu'ordinairement il s'éveillait entre huit et neuf heures, qu'il fût jour ou non. Ainsi l'avaient ordonné ses [précepteurs], alléguant[1] ce que dit la Bible : « Il est vain de vouloir vous lever avant le jour. »

Puis il gambadait, sautait, paillardait[2] dans son lit quelque temps pour mieux réjouir son esprit ; et il s'habillait selon la saison, mais volontiers il portait une grande et longue robe de gros lainage fourré de renard. Après, il se peignait du peigne d'Almain, c'est-à-dire des quatre doigts et du pouce, car ses précepteurs disaient que se peigner autrement, se laver et se nettoyer était perdre son temps en ce monde.

Puis il fientait, pissait, se raclait la gorge, rotait, pétait, bâillait, crachait, toussait, sanglotait, éternuait, morvait comme un archidiacre[3] et déjeunait pour lutter contre l'humidité et le mauvais air : belles tripes frites, belles grillades, beaux jambons, belles côtelettes de mouton et force tranches de pain dans du bouillon. [...]

Après avoir déjeuné bien convenablement, il allait à l'église, et on lui portait dans un grand panier un gros bréviaire[4] emmitouflé, pesant tant en graisse qu'en fermoirs et parchemins, onze quintaux et six livres, à peu de chose près. Là, il entendait vingt-six ou trente messes. À ce moment-là, venait son diseur d'heures[5] en titre, encapuchonné comme une huppe[6], et qui avait très bien parfumé son haleine avec le sirop de la vigne. En sa compagnie, Gargantua marmonnait toutes ces kyrielles, et les épluchait si soigneusement qu'il n'en tombait pas un grain en terre.

Au sortir de l'église, on lui amenait sur une charrette à bœufs un tas de chapelets fabriqués à Saint-Claude, et dont chaque grain était aussi gros que la coiffe d'un bonnet ; et en se promenant par les cloîtres, galeries ou jardin, il en disait plus que seize ermites[7].

Puis il étudiait pendant quelque méchante demi-heure, les yeux posés sur son livre mais, comme dit le poète comique[8], son âme était en la cuisine.

Mais Grandgousier s'aperçoit bientôt que « vraiment, il étudiait très bien et y passait tout son temps, mais qu'en rien il ne progressait, et qui pis est, qu'il devenait fou, niais, tout rêveur et rassoté[9]. » Il fait donc appel à un nouveau précepteur, Ponocrates[10].

Gargantua se réveillait donc vers quatre heures du matin. Pendant qu'on le frictionnait, il lui était lu quelque page de la divine Écriture à voix haute et claire et avec une prononciation correspondant à la matière ; et cet office revenait à un jeune page, natif de Basché, nommé Anagnostes. Selon le propos et le sujet de cette lecture, souvent il se mettait à révérer[11], adorer, prier et supplier le bon Dieu, dont cette lecture montrait la majesté et les jugements merveilleux.

Puis il allait au lieu secret éliminer le résidu des digestions naturelles. Là son précepteur lui répétait ce qui avait été lu, en lui expliquant les points les plus obscurs et difficiles.

40 En revenant, ils considéraient l'état du ciel : s'il était tel qu'ils l'avaient noté le soir précédent, et en quels signes du zodiaque entraient le soleil et la lune pour cette journée.

Cela fait, il était habillé, peigné, coiffé, accoutré[12] et parfumé, et pendant ce temps on lui répétait les leçons de la veille. Lui-même les disait par cœur 45 et y appliquait des cas pratiques et concernant l'existence des hommes. Ils en parlaient quelquefois pendant deux ou trois heures ; mais ordinairement, ils s'arrêtaient lorsqu'il était complètement s'habillé.

Ensuite pendant trois bonnes heures on lui faisait la lecture.

Cela fait, ils sortaient, en discutant toujours de la lecture, et ils se ren-50 daient au Grand Braque ou dans les prés. Ils jouaient à la balle, à la paume, ou à la balle à trois, exerçant galamment leurs corps comme ils avaient auparavant exercé leurs esprits.

Tous leurs jeux n'étaient qu'en liberté, car ils laissaient la partie quand il leur plaisait, et ils cessaient ordinairement lorsqu'ils suaient par tout le corps 55 ou lorsqu'ils étaient fatigués. Alors ils se faisaient très bien essuyer et frotter, ils changeaient de chemise et, en se promenant doucement, ils allaient voir si le déjeuner était prêt. En attendant, ils récitaient à voix claire et éloquente quelques formules retenues de la leçon.

Cependant, Monsieur l'Appétit venait, et au bon moment ils s'asseyaient 60 à table. [...] Et ils rendaient grâce à Dieu dans de beaux cantiques à la louange de la générosité et de la bonté divines. Ce fait on apportait des cartes, non pour jouer, mais pour apprendre mille petites gentillesses et inventions nou-velles, qui toutes relevaient de l'arithmétique. [...] Et non seulement [Gargan-tua] prit goût à cette science, mais aussi aux autres sciences mathématiques, 65 comme la géométrie, l'astronomie et la musique.

RABELAIS, *Gargantua* (1534), trad. Françoise Joukovsky © Flammarion 1995.

12. **Accoutré** : habillé.

Gargantua enfant avec l'un de ses précepteurs, par Gustave Doré, gravure sur bois, 1854 (coll. part.)

Lecture

➡ Comparer les deux éducations de Gargantua

1. Relevez dans le texte les indications de temps : quel temps est consacré à l'étude avec chacun des précepteurs ?

2. Quelles matières Gargantua étudie-t-il avec Ponocrates ?

3. Quel professeur fait uniquement appel au par cœur ? Lequel fait appel à l'attention ? à la réflexion ? à l'observation ? Justifiez toutes vos réponses par des citations du texte.

4. Quelle est, dans chaque cas, la place accordée au corps ?

5. Laquelle de ces deux éducations vous paraît la plus exigeante ? la plus ennuyeuse ? la plus enrichissante ?

6. Cherchez dans les « Repères » (p. 162-163) ce qu'on appelle l'*humanisme* : laquelle de ces deux éducations correspond à cet idéal ? Pourquoi ?

➡ La langue de Rabelais

7. Relisez les trois premiers paragraphes de ce texte : comment Rabelais s'y prend-il pour faire rire ?

8. a. Les détails triviaux sont-ils seulement là pour nous faire rire (l. 11-12) ? De quoi font-ils la critique ?

b. Le ton est-il toujours le même dans les lignes 37 à 39 ? Justifiez votre réponse.

9. Lignes 16 à 27, que nous rappellent les chiffres à propos de Gargantua ? Que nous donnent-ils à penser de son éducation ?

La nouvelle éducation de Gargantua, par Gustave Doré, gravure sur bois, 1854 (Berlin, coll. Archives d'art et d'histoire).

Vocabulaire

10. « il est vain de vouloir vous lever avant le jour. » Recopiez cette phrase en remplaçant *vain* par un synonyme.

11. Dans les lignes 1 à 4, quel nom désigne les professeurs de Gargantua ?

12. Cherchez la définition de *kyrielle* (l. 22) et réemployez ce mot dans une phrase de votre invention, avec un sens plus moderne et plus général.

13. Le mot *cloître* (l. 26) vient du latin *claustrum* qui signifie « lieu clos ». Qu'est-ce qu'un *cloître* ? Quel rapport pouvez-vous établir entre le sens de ce mot et son étymologie ?

14. *Office* (l. 32) vient du latin *officium* qui signifie « travail, réalisation d'une tâche ». Quel est ici le sens de ce mot ? Que remarquez-vous ?

Expression écrite

Sujet

À votre tour, décrivez les premières heures de la journée d'un personnage extravagant : un grand sportif, un maniaque du rangement, un inquiet, un agité perpétuel, un personnage obsédé par l'idée de devenir acteur...

▌Conseils

● Vous commencerez par cette phrase, que vous compléterez par une accumulation de verbes : « Dès le saut du lit, il ... »

● Vous poursuivrez en reprenant la phrase suivante, que vous compléterez : « Il [verbe à l'imparfait] ordinairement ..., force ..., abondance de ..., grand renfort de ... »

● Votre texte fera entre dix et quinze lignes.

Un voisin belliqueux : Picrochole

Grandgousier a pour voisin un certain Picrochole[1] qui a pris prétexte d'une que-
relle entre ses fouaciers (vendeurs de brioches) et des bergers de Grandgousier pour
déclarer la guerre à ce dernier. Le voilà qui ravage ses terres. Grandgousier, quoiqu'il
répugne à faire la guerre, est obligé d'envoyer ses armées, commandées par Gargan-
tua, défendre la population. Pendant ce temps, Picrochole reçoit ses conseillers.

Les fouaces dérobées, comparurent devant Picrochole le duc de Menuail,
le comte Spadassin et le capitaine Merdaille, et ils lui dirent :

« Sire, aujourd'hui nous faisons de vous le prince le plus heureux, le plus
chevalereux[2] qui fut jamais depuis la mort d'Alexandre de Macédoine.

5   – Couvrez-vous, couvrez-vous, dit Picrochole.

– Grand merci, dirent-ils, Sire, nous sommes prêts à faire notre devoir.
Voici notre plan :

« Vous laisserez ici quelque capitaine en garnison avec une petite troupe
de gens pour garder la place, qui nous semble assez forte, tant par sa situa-
10 tion naturelle que grâce aux remparts faits selon vos plans. Votre armée,
vous la partagerez en deux, comme vous l'entendez bien. Une partie ira se
précipiter sur ce Grandgousier et sur ses gens. Dès le premier abord, elle en
aura facilement raison. Là, vous récupérerez de l'argent à tas, car le vilain[3]
en a : nous disons vilain, parce qu'un noble prince n'a jamais le sou. Thésau-
15 riser[4] est bon acte de vilain.

« L'autre partie cependant se dirigera vers l'Aunis, la Saintonge, l'Angou-
mois et la Gascogne et aussi vers le Périgord, le Médoc et les Landes. Sans
rencontrer nulle résistance, ils prendront villes, châteaux et forteresses. À
Bayonne, à Saint-Jean-de-Luz et à Fontarabie, vous saisirez tous les navires
20 et, en longeant la côte vers la Galice et le Portugal, vous pillerez toutes les
contrées maritimes jusqu'à Lisbonne où vous trouverez en renfort tout
l'équipage nécessaire à un conquérant. [...] Et vous attaquerez les royaumes
de Tunis, de Bizerte, d'Alger, de Bône, de Cyrène, hardiment toute la Barbarie[5]. [...]

25   – Mais, dit [Picrochole], que fait pendant ce temps la moitié de notre
armée qui déconfit[6] ce vilain ivrogne de Grandgousier ?

– [...] Ils ont pris pour vous la Bretagne, la Normandie, les Flandres, le
Hainaut, le Brabant, l'Artois, la Hollande, la Zélande. Ils ont passé le Rhin
par-dessus le ventre des Suisses et des Lansquenets[7]. Une partie d'entre eux
30 a dompté le Luxembourg, la Lorraine, la Champagne et la Savoie jusqu'à
Lyon. Là, ils ont retrouvé vos garnisons, qui revenaient des conquêtes
navales en Méditerranée [...]. De là, naviguant sur la Baltique et près des
Sarmates, ils ont vaincu et dominé la Prusse, la Pologne, la Lituanie, la
Russie, la Valachie, la Transylvanie, la Hongrie, la Bulgarie, la Turquie et ils
35 sont à Constantinople.

1. Le nom *Picrochole*, forgé
à partir de deux mots grecs,
signifie « bilieux, colérique ».
2. Chevaleureux : forme
ancienne de *chevaleresque*.
3. Vilain : à prendre ici au
sens péjoratif de « paysan ».
4. Thésauriser :
économiser, amasser.
5. Barbarie : nom donné,
du Moyen Âge jusqu'au XIXe
siècle, aux pays d'Afrique
du Nord.
6. Déconfire : battre,
défaire.
7. Lansquenet : soldat
allemand engagé comme
mercenaire dans l'armée
française.

[…] Echéphoron[8] dit :

« Et si vous n'en reveniez jamais, car le voyage est long et périlleux, n'est-ce pas mieux que dès maintenant nous nous reposions, sans nous mettre dans ces périls ?

40 — Oh ! dit Spadassin, par dieu, voici un bon rêveur ! Mais allons nous cacher au coin de la cheminée, et passons avec les dames notre vie et notre temps à enfiler des perles. […]

— Sus ! sus ! dit Picrochole, qu'on se mette en route et qui m'aime me suive ! »

RABELAIS, *Gargantua* (1534), trad. Françoise Joukovsky
© Flammarion 1995.

Lecture

➜ Comprendre

1. Relevez dans le texte les noms de lieu et reconstituez le parcours de chaque armée : que veulent conquérir Picrochole et ses conseillers ?

2. À quels détails voit-on que les conseillers flattent Picrochole ?

3. Quel portrait font-ils de Grandgousier ? À votre avis, pourquoi ?

➜ Analyser

4. Analysez la <u>construction des phrases</u> (➜ p. 282) dans les lignes 16 à 35 : quel est l'effet produit ?

5. a. Quels sont les temps verbaux employés l. 8 à 24, puis l. 27 à 35.

b. Que révèle cette évolution ?

6. Analysez les noms des conseillers : que révèlent-ils de leur caractère ?

➜ Interpréter

7. Quels défauts caractérisent Picrochole ?

8. En quoi Grandgousier et Picrochole s'opposent-ils ?

Vocabulaire

9. Relevez dans le texte tous les termes qui appartiennent au champ lexical de la guerre et vérifiez-en le sens si nécessaire.

10. Relevez, dans la réplique d'Echéphoron (l. 37 à 39), un synonyme du mot *danger* et un mot de la même famille que ce synonyme.

Picrochole vu par Albert Dubout (1905-1976), estampe, 1935 (coll. Jean Dubout).

Frère Jean des Entommeures

Les troupes de Picrochole attaquent l'abbaye de Seuilly[1], où vit frère Jean des Entommeures, un moine vigoureux. Voyant les soldats « vendanger toute la vigne », il va dans le chœur alerter les autres moines…

Et voyant qu'ils chantaient :

« Ini – nim – pe – ne – ne – ne – ne – ne – ne – tum – ne – num – num – ini – i – mi – i – mi – co – o – ne – no – o – o – ne – no – ne – no – no – no – rum – ne – num – num…

5 – C'est bien chanté, dit-il, vertu Dieu, que ne chantez-vous : *Adieu paniers, vendanges sont faites* ? Je me donne au diable s'ils ne sont pas dans notre clos à couper si bien ceps et raisins que, par le corps Dieu, il n'y aura rien à grappiller pendant quatre ans. Ventre saint Jacques, que boirons-nous pendant ce temps-là, nous autres pauvres diables ? Seigneur Dieu, donnez-nous notre 10 vin quotidien[2] ! »

Alors le prieur claustral[3] dit :

« Que fait cet ivrogne ici ? Qu'on me le mène au cachot. Troubler ainsi le service divin !

– Oui, mais le service du vin, dit le moine, faisons en sorte qu'il ne soit 15 pas troublé […]. Messieurs, écoutez, vous autres qui aimez le vin. Par le corps Dieu, suivez-moi ! […] »

Ce disant, il mit bas son grand habit et se saisit du bâton de la croix, qui était en cœur de cormier[4], long comme une lance, remplissant bien la main et quelque peu semé de fleurs de lys, presque toutes effacées. Il sortit de 20 la sorte, dans son beau sarrau[5], avec son bâton de croix, mit son froc[6] en écharpe et frappa brutalement sur les ennemis qui vendangeaient à travers le clos […]. Aux uns, il écrabouillait la cervelle, à d'autres, il brisait bras et jambes, à d'autres, il démettait les vertèbres du cou, à d'autres, il disloquait les reins, effondrait le nez, pochait les yeux, fendait les mâchoires, enfonçait 25 les dents dans la gueule, défonçait les omoplates, meurtrissait les jambes, déboitait les fémurs, débezillait[7] les membres. […] Et si quelqu'un se trouvait suffisamment épris de témérité pour vouloir lui résister en face, c'est alors qu'il montrait la force de ses muscles, car il lui transperçait la poitrine à travers le médiastin[8] et le cœur. À d'autres, qu'il frappait au défaut des côtes, il 30 retournait l'estomac et ils en mouraient sur-le-champ. À d'autres, il crevait si violemment le nombril, qu'il leur en faisait sortir les tripes. À d'autres, il perçait le boyau du cul à travers les couilles. Croyez bien que c'était le plus horrible spectacle qu'on ait jamais vu.

RABELAIS, *Gargantua*, ed. Guy Demerson, trad. P. Aubrée, M. Clostre, M.-F. Dubouchet et alii © éditions du Seuil, 1973.

---

1. L'abbaye de Seuilly, où Rabelais étudia, est toute proche de son lieu natal, la Devinière, en Touraine.

2. Parodie de la prière principale des chrétiens, le « Pater Noster » (Notre Père), qui dit : « Donnez-nous aujourd'hui notre pain quotidien ».

3 Claustral : du cloître.

4. Cormier (n. m.) : arbre à fruits comestibles.

5. Sarrau : blouse de travail, ample et courte.

6. Froc : habit de moine.

7. Débeziller : réduire en miettes (terme populaire régional).

8. Médiastin : intérieur de la cage thoracique.

Frère Jean en pleine action, par Albert Robida, aquarelle (1848-1926).

Lecture

→ Comprendre

1. Qu'est-ce qui met frère Jean en colère ?

2. Avec quelles armes se bat-il ?

3. En quoi le choix de ces armes est-il comique ?

4. Quel effet le récit de ce combat vous fait-il ? Pourquoi ?

→ Analyser

5. Relevez, dans le dialogue, les différents éléments comiques : jurons, charabia, jeu de mots, parodie.

6. Lignes 22 à 32 :

a. Relevez tous les termes évoquant une partie du corps : quels éléments de l'anatomie sont passés en revue ?

b. Parmi ces termes, lesquels appartiennent au domaine médical ? Lesquels à un niveau de langue familier ?

c. Quel est l'effet produit par ce mélange ?

7. Toujours dans le dernier paragraphe :

a. Comment les différentes propositions (→ p. 282) de la phrase (l. 22 à 26) s'enchaînent-elles ?

b. Quel est l'effet produit sur le rythme du récit ?

→ Interpréter

8. a. Quelle sorte de récit guerrier recourt d'ordinaire à ce luxe de détails et à ce rythme ?

b. Ici, en quoi le ton est-il différent ?

9. En quoi frère Jean se distingue-t-il des autres moines ?

10. Quelle critique est ainsi adressée aux moines ?

11. Quels sont les points communs entre frère Jean et Grandgousier (voir p. 164) ?

Vocabulaire

12. Dans les lignes 5 à 10, relevez tous les termes qui ont trait à la vigne et au vin et cherchez la définition des mots que vous ne connaissez pas.

13. Cherchez, dans les lignes 17 à 22, un nom désignant un vêtement de travail et un autre désignant l'habit des moines.

Expression écrite

L'énumération, chez Rabelais et bien d'autres écrivains, permet d'exprimer l'abondance et l'excès. À votre tour, construisez différentes énumérations.

Activité 1

Imitez cette phrase pour peindre les différentes actions d'un sportif lors de l'entraînement. Vous utiliserez 9 verbes et 3 adjectifs détachés.

« Les vents courent, volent, s'abattent, finissent, recommencent, planent, sifflent, mugissent, rient, frénétiques, lascifs, effrénés. » (Victor Hugo)

Activité 2

En imitant les dernières phrases du texte de Rabelais (lignes 22 à 33), racontez, de façon parodique, un combat entre deux chevaliers : utilisez les accumulations et mêlez des termes familiers au vocabulaire de la chevalerie.

La fin des guerres picrocholines

Gargantua se rend au gué de Vède où se trouve la première armée de Picrochole, conformément aux plans de celui-ci (voir p. 168).

Aiguière (vase à eau), **dite de Charles Quint,** pièce d'orfèvrerie en argent doré et émaillé, 1558-1559 (Paris, musée du Louvre).

G argantua monta sur sa grande jument, accompagné comme nous l'avons dit. Et trouvant en son chemin un arbre haut et grand (on l'appelait généralement l'Arbre de saint Martin, parce qu'il provenait d'un bâton que saint Martin avait planté jadis et qui avait crû[1] ainsi), il dit : « Voici ce
5 qu'il me fallait : cet arbre me servira de bâton et de lance. »

Il l'arracha facilement de terre, en ôta les rameaux, et l'arrangea pour son plaisir. Cependant sa jument pissa pour se relâcher le ventre, mais ce fut en telle abondance qu'elle en fit sept lieues de déluge. Tout le pissat se déversa au gué de Vède, et l'enfla tellement au fil de l'eau que toute cette troupe des
10 ennemis fut noyée horriblement, excepté certains qui avaient pris le chemin vers les coteaux à gauche.

Grâce à la puissance de Gargantua, la guerre est bientôt gagnée. Toucquedillon, le ministre de Picrochole, est fait prisonnier.

Toucquedillon fut présenté à Grandgousier, qui l'interrogea sur l'entreprise et la situation de Picrochole en lui demandant ce que celui-ci cherchait par cette mobilisation bruyante. Toucquedillon répondit que son but et son
15 dessein étaient de conquérir tout le pays, s'il le pouvait, à cause de l'injure faite à ses fouaciers.

« C'est une trop grosse entreprise, dit Grandgousier : qui trop embrasse peu étreint. Le temps n'est plus d'ainsi conquérir les royaumes, au grand dommage de son prochain, de son frère chrétien. Cette imitation des
20 anciens, Hercule, Alexandre, Annibal, Scipion, César[2] et autres de ce genre est contraire à la foi de l'Évangile, qui nous commande de garder, sauver, régir et administrer chacun son pays et ses terres, non pas d'envahir hostilement celles des autres. [...]

« Allez-vous-en, au nom de Dieu, suivez le bon chemin : Remontrez[3]
25 à votre roi les erreurs que vous remarquerez, et ne le conseillez jamais en fonction de votre profit particulier, car avec le bien commun, on perd aussi son propre bien. Quant à votre rançon, je vous la donne entièrement, et veux que vous soient rendus armes et cheval. C'est ainsi qu'il faut agir entre voisins et anciens amis, vu que ce différend[4] qui nous oppose n'est pas à
30 proprement parler une guerre. »

Enfin, Gargantua rejoint son père avec la troupe des vainqueurs et tout se termine par un festin.

1. Crû : du verbe *croître*, « grandir ».

2. Conquérants de l'Antiquité.

3. Remontrer : faire remarquer

4. Différend : dispute, querelle.

Quand [Grandgousier] les vit arriver, le bonhomme fut si joyeux qu'il ne serait pas possible de le décrire. Alors il leur fit un festin, le plus magnifique, le plus abondant et le plus délicieux qui fut depuis le temps du roi Assuérus[5]. À la fin du repas, il distribua à chacun toute la garniture de son buffet, qui pesait dix-huit cent mille quatorze besants[6] d'or en grands vases à l'antique, grands pots, grands bassins, grandes tasses, coupes, petits pots, candélabres, coupelles, surtouts[7] de table, cache-pots, drageoirs[8] et autre vaisselle de ce genre, toute d'or massif, sans compter les pierres précieuses, l'émail et le décor ciselé, qui selon l'estimation de tous dépassait en prix celui de la matière. De plus, il leur fit compter de ses coffres à chacun douze cents mille écus sonnants. En outre, à chacun d'eux il donna à perpétuité (sauf s'ils mouraient sans héritiers) ses châteaux et ses terres voisines, selon ce qui leur était le plus commode.

RABELAIS, *Gargantua*, trad. Françoise Joukovsky © Flammarion 1995.

5. Assuérus : nom biblique du roi de Perse.

6. besant : monnaie byzantine d'or et d'argent, répandue au temps des croisades.

7. surtout : pièce décorative de vaisselle ou d'orfèvrerie qu'on place au milieu de la table.

8. drageoir : coupe dans laquelle on met les dragées ou les sucreries.

Lecture

→ Comprendre

1. Comment l'armée de Picrochole est-elle vaincue ? Sur quel ton l'auteur raconte-t-il sa défaite ?

2. Comment Grandgousier se comporte-t-il envers son prisonnier ?

3. a. Quels conseils lui donne-t-il ?

b. À votre avis, ces conseils s'adressent-ils seulement à Toucquedillon ?

4. Comment Grandgousier récompense-t-il ses hommes ?

→ Analyser

5. De quelles nouvelles qualités Grandgousier fait-il preuve dans cet extrait ?

6. Quels détails montrent le raffinement de sa cour ?

7. Relevez, dans les lignes 31 à 43, une série de superlatifs. (→ p. 304)

8. Par quels autres procédés l'auteur souligne-t-il l'abondance qui règne à la cour de Grandgousier ?

→ Interpréter

9. Les philosophes grecs recommandaient une vie fondée sur la modération et le plaisir. La manière de vivre de Grandgousier est-elle conforme à ce modèle ? En quoi ?

10. Lignes 18 à 23 : quelle limite Grandgousier met-il à l'imitation des anciens ? Au nom de quoi ?

11. Dans les lignes 17 à 24, relevez toutes les expressions qui renvoient à la foi chrétienne.

12. Quels sont les deux modèles de sagesse qui se mêlent chez Rabelais ?

Vocabulaire

13. Qu'est-ce qu'un *gué* (l. 9) ?

14. Donnez un synonyme des mots *dessein* et *injure* (l. 15).

15. Analysez la formation du mot *hostilement* et précisez sa classe grammaticale.

16. Rappelez le sens du mot *abondance* (l. 8) et réemployez-le dans une phrase de votre invention.

17. Qu'est-ce qu'un *candélabre* (l. 37) ? Cherchez un mot de la même famille dans lequel *can-* est devenu *chan-*.

Expression écrite

Activité

Imitez cette phrase pour décrire un paysage après la dissipation du brouillard : de la même manière, vous construirez une énumération de sujets inversés.

« Avec l'ascension du soleil émergeaient du sein de la fraîche exhalaison de la rosée, les avenues, les bosquets de bois, les maisons de briques rouges, les chaumières crépies, les tours du Moyen Âge balafrées et percées. » (d'après Chateaubriand)

Nicolas Neufchatel (vers 1527-vers 1590), *Johannes Neudörfer et son fils,* huile sur toile, 101 x 91 cm, 1561 (Nuremberg, Musée national allemand).

Lire une image

Nicolas Neufchâtel (1527-vers 1590) est un portraitiste flamand de religion protestante. On retrouve dans son style l'austérité du protestantisme. Son portrait de Jean Neudörfer, mathématicien et calligraphe, qui traite du thème de la **connaissance,** mais aussi de sa **transmission,** illustre bien la pensée humaniste.

Les personnages et leur relation

1. **a.** Qui sont les personnages représentés ? Aidez-vous de la légende pour répondre.
   b. Qu'est-ce qui différencie ces deux personnages ?
2. Décrivez leur expression, leurs gestes : que fait chacun d'eux ?
3. Quels éléments du tableau évoquent la connaissance ?

Une scène riche de symboles

4. Qu'est-ce qui vous frappe, dans ce tableau ?
5. Quels éléments sont mis en valeur ? Comment ?
6. À votre avis, pourquoi ces choix du peintre ?
7. Quelles valeurs ce tableau vous semble-t-il célébrer ?

L'humanisme de Rabelais

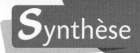

➤ Des géants humanistes

● *Gargantua* nous raconte l'enfance d'un jeune géant et son entrée dans l'âge adulte. Ce parcours est marqué par le passage d'une éducation moyenâgeuse à une éducation humaniste : celle-ci se caractérise par la richesse et la variété des domaines étudiés, propres à satisfaire **l'appétit de connaissances** du géant, par une **célébration du corps** autant que de l'esprit, mais aussi par **une perpétuelle invitation à réfléchir par soi-même et à faire preuve d'esprit critique.**

● Grandgousier lui-même apparaît comme le modèle du souverain éclairé par la **raison** autant que par la **foi**, et cherchant la **mesure** en toutes choses. Il entretient avec son fils des relations fondées sur l'amour et le souci de l'épanouissement individuel, attitude très moderne qui affirme l'**importance de l'individu**, alors que le héros médiéval n'est souvent que le représentant d'un groupe social ou humain.

Pour toutes ces raisons, les géants de Rabelais peuvent être qualifiés d'humanistes.

➤ La vie selon Rabelais

● L'œuvre de Rabelais délivre donc un **modèle de sagesse**, mais ce modèle ne concerne pas uniquement l'esprit. Si les personnages de *Gargantua* jouissent des plaisirs de la culture, ils n'en dédaignent pas pour autant les autres plaisirs : **pleins d'appétits, ces géants ont besoin de nourrir aussi bien leur esprit par l'étude que leur corps par des nourritures terrestres.**

● L'œuvre de Rabelais est une **perpétuelle invitation à jouir de la vie**. L'auteur résumera ainsi sa propre sagesse : « Vivre en paix, joie, santé, et faisant toujours bonne chère » *(Le Quart-Livre).*

➤ L'art de Rabelais

● Chantre de la liberté (dont on doit user, contrairement à Picrochole, avec discernement) et de la joie de vivre, **Rabelais place son œuvre sous le signe de la bonne humeur.** Décidé à nous faire rire, il emprunte à la **farce** bien des situations, donne dans la parodie, **joue avec la langue** et ses sonorités, accumulant jurons, calembours, grossièretés, mots inventés, imaginant les situations les plus improbables, burlesques ou merveilleuses.

● Un vent de **liberté** souffle sur le roman, liberté d'invention, liberté de langage, liberté sans cesse célébrée par les personnages. Cette liberté, Rabelais nous invite à nous en emparer par le développement d'une **réflexion personnelle** mais aussi d'une **attitude confiante et joyeuse**, telle que ses géants l'incarnent.

Le petit déjeuner dans l'estomac de Gargantua, par Albert Dubout, estampe, 1935 (coll. Jean Dubout).

Léonard de Vinci et l'humanisme

1

Léonard de Vinci, *L'Annonciation* (1472-1475), tempera et huile sur bois, 98 x 217 cm (Florence, musée des Offices).

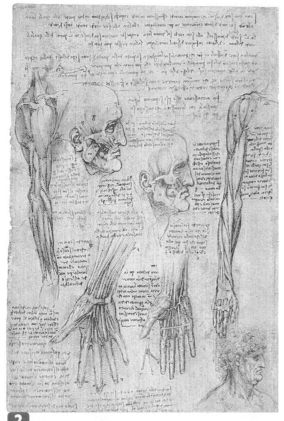

2

Léonard de Vinci, anatomie de la main, du bras et des muscles du visage, dessin d'un carnet à la plume et encre brune, lavis (château de Windsor, bibliothèque royale).

Retenons

Un esprit curieux de tout

● Léonard de Vinci (1452-1519) est **un artiste italien de la Renaissance** qui s'est attaché à la cour de François Ier. S'il est d'abord connu comme peintre et dessinateur, il est aussi sculpteur, ingénieur, architecte, musicien, anatomiste...

● En tant qu'**ingénieur**, Léonard de Vinci conçoit toutes sortes de machines très en avance sur son temps, de l'hélicoptère au sous-marin. En tant que **scientifique**, il fait progresser l'anatomie, le génie civil et l'optique. En tant qu'**artiste**, il nous a laissé des chefs d'œuvre mondialement connus comme *La Joconde*.

● Son œuvre témoigne d'**un esprit curieux de tout,** avide de connaissances et d'expérimentation. En cela, Léonard de Vinci est **un humaniste** : comme Rabelais et d'autres intellectuels de la Renaissance, il pense que l'homme possède la faculté de **comprendre le monde par la pensée** et peut développer des moyens techniques pour le maîtriser.

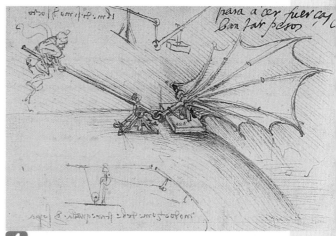

3

La Nativité, **de Melchior Broederlam,** détrempe sur bois, 38 x 27 cm, 1400 (Anvers, musée Mayer van der Bergh).

4

Léonard de Vinci, étude d'aile pour une machine volante, dessin au crayon et à l'encre, 1485-1488 (Paris, bibliothèque de l'Institut).

*Q*uestions

1. D'après les documents 1, 2 et 4, quels sont les domaines des sciences et des arts auxquels Léonard de Vinci s'est intéressé ?

2. Quelle est la nature du document 2 ? À votre avis, à quoi ce travail pouvait-il servir ?

3. Dans le tableau *L'Annonciation* (document 1), retrouvez les éléments qui montrent que Léonard maîtrise la botanique, l'ornithologie, l'architecture, la sculpture.

4. Comparez l'*Annonciation* et la *Nativité* présentées sur ces deux pages (documents 1 et 3) : quelles remarques pouvez-vous faire sur la taille des personnages, leurs proportions, la perspective ?

Retenons

La Renaissance : une nouvelle perspective

● **Au Moyen Âge, Dieu est la référence ultime.** Dans la peinture médiévale, il n'y a ni perspective ni souci des proportions : la représentation des êtres et des choses est guidée par le souci de montrer leur importance symbolique.

● Avec la **Renaissance**, le recours à **la perspective** permet un plus grand réalisme : les proportions obéissent aux lois de l'optique. Cette vision du monde correspond à **un point de vue humain** : la perspective, en plaçant l'œil de celui qui regarde au centre du tableau, met **l'homme au centre de l'univers**. Par ailleurs, la peinture ne s'intéresse plus seulement au domaine religieux mais aussi à l'homme, à sa vie quotidienne et sociale.

● Ainsi, **avec la Renaissance, l'homme devient un objet d'intérêt et une référence,** le point de repère à partir duquel on va penser le monde.

Vocabulaire

La vie matérielle

1 Classez les mots suivants selon qu'ils expriment la pauvreté ou la richesse.

aisé – cossu – dénué – fortuné – humble – indigent – misérable – modeste – opulent – prospère.

2 Classez les mots suivants selon qu'ils ont une connotation péjorative, valorisante ou neutre.

accoutrement – habits – haillons – hardes – guenilles – parure – tenue – toilette – vêtements.

3 Classez ces noms de demeures de la plus pauvre à la plus riche.

chaumière – hôtel particulier — masure – taudis – palais.

4 Dans les phrases suivantes, remplacez le mot surligné par un synonyme choisi dans la liste proposée.

florissante – fournie – gaspillée – humble – luxueuse – misérables – sobre.

1. Il nous a servi une nourriture **frugale**.
2. La table était bien **garnie**.
3. Bienvenue dans ma **modeste** demeure.
4. Louis XIV menait à Versailles une vie **fastueuse**.
5. Son entreprise est très **prospère**.
6. Il y a encore en France des familles **indigentes**.
7. Sa fortune fut rapidement **dilapidée**.

5 Même consigne avec :

abondance – aiguière – étoffes – fiole – mets – sofa – tentures – vasque.

1. Yvain se pencha au-dessus du **bassin** de la fontaine.
2. Une servante apporta une **carafe** d'argent pour lui laver les mains.
3. Brangien enferma le philtre dans un petit **flacon**.
4. On lui servit toutes sortes de **plats** raffinés.
5. Les sièges étaient couverts de **tissus** précieux.
6. Lanval écarta les **rideaux**.
7. Une belle dame était étendue sur un **divan**.
8. La table était couverte d'une grande **quantité** de nourriture.

6 Associez chaque objet aux différentes matières dont il peut être fait.

● **Les objets :** aiguière – assiette – buste – chandelier – coffret – couverts – écuelle – carafe – jatte – vasque.

● **Les matières :** argent – bronze – bois – cristal – ivoire – marbre – pierre – porcelaine – terre – vermeil.

7 Classez ces mots dans chacune des trois catégories (a, b, ou c) qui convient :

bahut – bergère – buffet – chauffeuse – coiffeuse –

commode – console – desserte – guéridon – méridienne – pupitre – rocking-chair – secrétaire – transat.

a. Meubles de rangements
b. Tables
c. Sièges

8 **a.** Associez chacun de ces groupes nominaux à un qualificatif possible.

Une pièce ●	● cannée
Un sol ●	● capitonné
Un plafond ●	● lambrissée
Un mur ●	● marqueté
Une colonne ●	● parqueté
Un meuble ●	● tapissé
Un fauteuil ●	● torsadée
Une chaise ●	● voûté

b. Retrouvez le radical sur lequel est formé chacun des adjectifs de la colonne de droite.

9 Voici le nom de différentes étoffes :

velours – satin – coton – soie – toile.

a. À l'oral, précisez leurs caractéristiques. Voici des mots qui pourront vous y aider :

lourd – léger – lisse – rugueux – doux – rêche – moiré.

b. Avec chacun de ces noms, formez un adjectif de la même famille et employez-le dans une phrase de votre invention.

10 Voici un certain nombre de matières précieuses. Précisez la couleur et l'origine (minérale, végétale ou animale) de chacune d'elles :

ivoire – nacre – ébène – acajou – vermeil – jade – améthyste – émeraude – rubis – saphir – topaze.

11 Complétez le texte avec les mots suivants :

citerne – couloir – jarres – piliers – soupiraux – souterraine – tenture – voûte.

Nous nous engageâmes dans un étroit ... qui s'ouvrait devant nous. Il aboutissait, tout près de là, à une salle ... légèrement en contre-haut dont la ..., soutenue par des ... , recevait la lumière par des ... qui devaient s'ouvrir au flanc de la colline. Nous en eûmes vite fait le tour. Elle contenait plusieurs grandes ..., des sacs de farine et de grain, des provisions de toutes sortes, et une ... avait été ménagée en son milieu. Au fond de la pièce se dressait un lit, recouvert par une ... de soie qui tombait jusqu'à terre.

Les Mille et Une Nuits, trad. René Khawam, © Payot, coll. « Phoebus Libretto ».

Faire le récit d'habitudes

Grammaire

Exprimer des actions successives

1 Pour alléger la phrase, remplacez la proposition subordonnée de temps par un participe passé avec son sujet.
*Exemple : **Lorsque nous eûmes terminé le repas, nous passâmes au salon pour jouer aux cartes.** → **Le repas terminé, nous passâmes au salon pour jouer aux cartes.***

1. Une fois que le rideau fut tombé, les comédiens coururent dans les coulisses.
2. Dès que les brumes matinales se seront dissipées, nous embarquerons.
3. Lorsque le signal d'alarme fut donné, les pompiers s'avancèrent par petits groupes.
4. Quand ils découvrirent la vérité, ils décidèrent de publier un article dans le journal local.

Mettre en valeur les circonstances de l'action

2 Pour permettre au lecteur d'imaginer une série d'habitudes, il convient de préciser les circonstances de chaque action. Imitez cette phrase pour peindre les habitudes d'un collégien qui finit sa journée. Vous la construirez sur ce modèle : 2 compléments circonstanciels de temps, le sujet, 2 compléments circonstanciels de lieu, 4 propositions indépendantes.

« Chaque jour, après le déjeuner, la vieille Mélanie, dans sa chambre, sous les combles, chaussait ses souliers plats qui reluisaient, nouait devant sa glace les brides de son bonnet blanc à bavolet de dentelle, croisait sur sa poitrine son petit châle noir et l'y fixait par une épingle. » (ANATOLE FRANCE)

Utiliser les compléments circonstanciels de temps pour organiser son récit

3 Dans le texte suivant, relevez les compléments circonstanciels de temps.

À mesure que j'avançais, j'avais dans la peau des tressaillements, et quand je fus devant le mur, aux auvents[1] clos, de ma vaste demeure, je sentis qu'il me faudrait attendre quelques minutes avant d'ouvrir la porte et d'entrer dedans. Alors, je m'assis sur un banc, sous les fenêtres de mon salon. [...] J'avais dans les oreilles quelques ronflements ; mais cela m'arrive souvent. Il me semble parfois que j'entends passer des trains, que j'entends sonner des cloches, que j'entends marcher une foule. Puis bientôt, ces ronflements devinrent plus distincts, plus précis, plus reconnaissables. Oh ! je doutai, pendant un temps assez long encore, de la sûreté de mon oreille. J'attendis longtemps, ne pouvant me décider à rien, l'esprit lucide, mais follement anxieux. Puis soudain, honteux de ma lâcheté, je saisis mon trousseau de clefs, je choisis celle qu'il me fallait, je l'enfonçai dans la serrure.

GUY DE MAUPASSANT, *Qui sait ?*

1. auvent : petit toit en saillie qui abrite de la pluie.

4 a. Classez ces expressions selon qu'elles indiquent un moment précis, une fréquence ou une durée :

lundi – chaque lundi – ce soir-là – le soir – longtemps – souvent – hier – toute la nuit – toutes les nuits – jour après jour – à chaque fois que – au moment où – un moment – à mesure que.

b. Faites une phrase avec chacune des expressions soulignées.

5 Complétez le texte avec les indices de temps suivants :

alors – bientôt – ensuite – pendant quelque temps – puis – soudain.

Le fleuve était parfaitement tranquille, mais je me sentis ému par le silence extraordinaire qui m'entourait ; ..., à ma droite, contre moi, une grenouille coassa. Je tressaillis : elle se tut ; je me mis à chantonner, le son de ma voix m'était pénible ; ..., je m'étendis au fond du bateau et je regardai le ciel. ..., je demeurai tranquille, mais ... les légers mouvements de la barque m'inquiétèrent. ... je crus qu'un être ou qu'une force invisible l'attirait doucement au fond de l'eau et la soulevait ... pour la laisser retomber.

GUY DE MAUPASSANT, *Sur l'eau.*

Conjugaison

Raconter au présent

6 a. Mettez les verbes entre parenthèses au présent.
b. Recopiez le texte en remplaçant *je* par *ils*.

Je (*descendre*) dans la ville. Je ne (*s'arrêter*) pas sur la place, parce que ma mère (*pouvoir*) me voir. J'(*entrer*) dans une cour. De là, je (*voir*) la rue, et je (*pouvoir*) dévorer des yeux les devantures. Je (*rester*) caché un moment ; puis, quand je (*se sentir*) libre, je (*sortir*) de la cour du Cheval-Blanc et je (*se mettre*) à regarder les boutiques (D'après VALLÈS).

Écriture

Décrire une journée heureuse

Frederick Spencer Gore,
Vue d'une fenêtre,
huile sur toile, 51 x 40 cm,
début xxᵉ siècle
(Grande-Bretagne, musée d'Art
de Southampton).

Sujet

Vous allez vous projeter dans l'avenir pour imaginer votre vie future – dans une vingtaine d'années –, et raconter ce que serait pour vous une bonne journée, du lever au coucher.

Attention : nous formons l'hypothèse que votre vie sera ordinaire : vous n'êtes pas millionnaire, vous n'êtes pas une célébrité. Vous vivez la vie de tout le monde. À vous d'imaginer les détails de cette vie heureuse.

A — Pour réussir : les questions à vous poser

Vous devez imaginer les conditions de vie qui vous satisferaient. Voici quelques questions que vous pouvez vous poser :

1. Dans quel pays vivez-vous ?

2. Vivez-vous en ville ou à la campagne ?

3. Avez-vous une famille ? Comment est-elle composée ?

4. Avez-vous de très nombreux amis ou un petit nombre d'intimes privilégiés ?

5. Préférez-vous sortir souvent ou rester avec ceux que vous aimez ?

6. Quels sont vos loisirs ? À quoi occupez-vous vos moments libres ?

7. Le contact avec les autres/les animaux/la nature/l'art est-il important pour vous ?

8. Le travail occupe-t-il une place importante dans votre vie ?

9. Pouvez-vous imaginer quel sera votre métier ? Celui de votre conjoint(e) ?

10. Quelles personnes partageront cette journée idéale que vous avez à raconter ? Votre famille ? Des amis ? Des collègues ? Des personnes avec lesquelles vous partagez des engagements associatifs ou des projets ?

11. Quel sera le cadre de cette journée ?

B — Organisez votre travail

12. Vous devez raconter toute une journée, en suivant l'ordre chronologique. Avant de commencer à rédiger, recopiez, puis complétez le tableau suivant :

	matin	déjeuner	après-midi	soirée
● Où ? Quels détails allez-vous donner pour souligner le caractère agréable du cadre ?				
● Avec qui ?				
● Quelle activité ?				
● Quels détails vont mettre en valeur les plaisirs de ce moment ?				

Partie III. La Renaissance et l'humanisme

À lire & à voir

Des livres

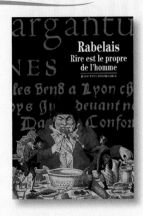

❖ **Rabelais : *rire est le propre de l'homme*, d'Yves Pouilloux,** Gallimard, col. « Découvertes », 1993.

Pour tout savoir de cet auteur insatiable, qui, au cœur du XVIe siècle, met fin au Moyen Âge et inaugure la modernité.

❖ **Servais des collines : *un aventurier de la Renaissance*, d'Anne Percin,** Oscar Jeunesse, 2007.

Les aventures d'un jeune garçon dans le Paris du XVIe siècle, où son père, un imprimeur lyonnais, l'envoie pour étudier.

❖ ***La Renaissance*, de François Pernot,** Fleurus, 2007.

Un livre accompagné d'un DVD pour explorer cette période particulièrement riche.

❖ ***Sur les traces des... peintres de la Renaissance*, de Patrick Jusseaux,** Gallimard Jeunesse, 2008.

Découvrez l'art de la Renaissance à travers le récit romancé de la vie de sept peintres.

Des films

❖ ***Les Aventures du baron de Münchhausen*, de Terry Gilliam,** 1989.

Un conte philosophique où se mêlent, comme chez Rabelais, goût de la démesure et imagination débridée.

❖ ***1492 : Christophe Colomb*, film de Ridley Scott,** 1992.

Ridley Scott, en rendant hommage à l'esprit d'initiative du grand navigateur, montre comment la découverte du Nouveau Monde inaugure une ère nouvelle.

❖ ***Le Retour de Martin Guerre*, film de Daniel Vigne,** 1982, avec Nathalie Baye et Gérard Depardieu.

De retour parmi les siens après une absence de plusieurs années, Martin Guerre est bientôt soupçonné d'imposture...Tiré d'une histoire vraie, ce récit situé dans la France du XVIe siècle propose une belle réflexion sur l'identité.

7 Farces et fabliaux

▶ **Étudier les codes de la farce, du Moyen Âge à nos jours**

Repères Du théâtre religieux à la farce 184

Textes et images

1. « Brunain, la vache au prêtre », fabliau de Jean Bodel 186
2. « Bêê ! », *La Farce de Maître Pathelin*, anonyme 188

Lecture d' œuvre intégrale : ***La Farce du cuvier*, anonyme**

3. « La complainte de Jacquinot », scène 1 190
4. « Des corvées encore et toujours », scène 2 191
Étude de l'image : *Le Combat de Carnaval et de Carême*, Bruegel l'Ancien 193
5. « Un sauvetage bien négocié », scènes 3 et 4 194

6. Texte intégral : *Le Gora*, saynète de Georges Courteline 197

Synthèse Farce et fabliau : deux genres comiques populaires 201

Langue et Expression
- Vocabulaire : La vie quotidienne au Moyen Âge 202
- Grammaire pour écrire : Écrire un dialogue de théâtre 203
- Écriture : Écrire une farce à l'imitation du *Cuvier* 204

À lire & à voir 205

David Vinckboons (1576-v. 1630), *Kermesse* (détail),
huile sur toile (Brunswick, Allemagne, musée Herzog Anton Ulrich).

Lire une image

1. Décrivez l'image : qu'est-ce qui en occupe le centre ? Qui sont les différents personnages représentés ?
2. Où se situe la scène ? À quelle époque ?
3. Quel bâtiment identifiez-vous à l'arrière-plan ?

Une représentation du « Martyre de sainte Apolline », miniature de Jean Fouquet pour les *Heures* d'Étienne Chevalier, 1445 (Chantilly, musée Condé).

Le théâtre médiéval

● Au Moyen Âge, **le théâtre a d'abord pour but d'illustrer la Bible** : des passages célèbres sont joués dans les églises, pendant les offices, par des clercs et des fidèles.

● Mais ces petites scènes deviennent peu à peu **de véritables spectacles** avec décors et figurants, qui se déploient sur le **parvis** des églises et les places publiques. Dès lors, un **théâtre populaire** aux sujets plus légers peut se développer.

Questions

1 Voici quelques titres de pièces médiévales : d'où sont tirés les sujets de ces pièces ? *Le Jeu d'Adam.* — *Le Mystère de la Passion.*

2 Décrivez l'image ci-contre : qu'est-ce qui caractérise les décors ? Où sont les acteurs, le public ?

Les fabliaux

● Entre le XIIe et le XIVe siècle, le développement des villes et de la bourgeoisie favorise l'**apparition d'une littérature populaire**, essentiellement **comique**. De foire en foire, les jongleurs colportent des **fabliaux, récits courts** (en latin, *fabula* signifie « histoire »), généralement en octosyllabes, dont les personnages, réduits à quelques traits caractéristiques (le moine cupide, le marchand malhonnête...) font rire par leurs défauts et leur malice.

● Le succès de ces récits doit beaucoup au talent des jongleurs qui, pour en accentuer le comique, n'hésitent pas à **imiter** les personnages, **mimer** leurs expressions, **interpeller** l'assemblée.

Questions

3 Qu'est-ce qu'un *fabliau* ?

3 Qu'est-ce qui, dans la manière de raconter, rapproche le fabliau du théâtre ?

Un spectacle de mimes et de jongleurs, miniature extraite d'un manuscrit latin de Térence, XVe siècle (Paris, BNF).

La farce

● Aussi étrange que cela puisse paraître, **la farce est née du théâtre religieux** : pour maintenir l'intérêt du public, on « farcissait » – d'où leur nom – ces pièces sérieuses d'**intermèdes comiques inspirés par les fabliaux**. Certains auteurs, comme Jean Bodel (XIIᵉ siècle) ou Rutebeuf (XIIIᵉ siècle), s'illustreront d'ailleurs dans les deux genres.

● Ces histoires truculentes connaissent un succès immédiat et, **au XVᵉ siècle, la farce est devenue un genre théâtral à part entière**, avec des chefs-d'œuvre comme *La Farce de Maître Pathelin* (voir p. 188) ou *La Farce du cuvier* (p. 190). C'est d'ailleurs le seul genre médiéval qui perdurera bien au-delà du Moyen Âge, illustré au XVIIᵉ siècle par **Molière** (voir p. 210 et suivantes) et jusqu'au XXᵉ siècle, avec **Courteline** (voir p. 197).

Lucifer, miniature du *Mystère de la Passion*, d'Arnoul Gréban, 1458 (Paris, BNF).

Questions

5 D'où la farce tire-t-elle son nom ?

6 Quel auteur du XVIIᵉ siècle a écrit des farces ? Citez le titre de l'une d'elles.

Chérubin, miniature du *Mystère de la Passion*, d'Arnoul Gréban, 1458 (Paris, BNF).

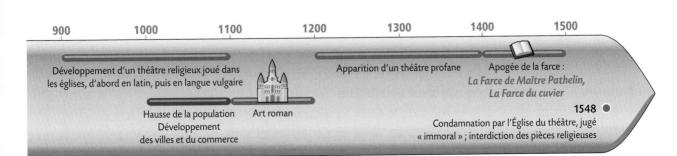

| 900 | 1000 | 1100 | 1200 | 1300 | 1400 | 1500 |

Développement d'un théâtre religieux joué dans les églises, d'abord en latin, puis en langue vulgaire

Apparition d'un théâtre profane

Apogée de la farce : *La Farce de Maître Pathelin*, *La Farce du cuvier*

Hausse de la population Développement des villes et du commerce

Art roman

1548
Condamnation par l'Église du théâtre, jugé « immoral » ; interdiction des pièces religieuses

Brunain, la vache au prêtre

Jean Bodel
(1165-1210)

Ce jongleur d'Arras a pratiqué tous les genres littéraires, de la poésie au fabliau, du théâtre religieux, comme le *Jeu de saint Nicolas*, à la farce.

**Le « congé »
de Jean Bodel à la
confrérie des jongleurs
d'Arras,** enluminure d'un
recueil de poésies, vers
1280-1290 (Paris, BNF).

Paysanne trayant une vache, gravure sur bois,
école allemande, xvᵉ siècle (coll.part.)

C'est d'un vilain et de sa femme que je veux vous narrer l'histoire. Pour la fête de Notre-Dame, ils allaient prier à l'église. Avant de commencer l'office, le curé vint faire prône[1] ; il dit qu'il était profitable de donner pour l'amour de Dieu et que Dieu au double rendait à qui le faisait de bon
5 cœur. « Entends-tu ce que dit le prêtre ? fait à sa femme le vilain. Qui pour Dieu donne de bon cœur recevra de Dieu deux fois plus. Nous ne pourrions mieux employer notre vache, si bon te semble, que de la donner au curé. Elle a d'ailleurs si peu de lait.

– Oui, sire, je veux bien qu'il l'ait, dit-elle, de cette façon. »

10 Ils regagnent donc leur maison, et sans en dire davantage. Le vilain va dans son étable ; prenant la vache par la corde, il la présente à son curé. Le

1. **Prône** (n. m.) : sermon.

prêtre était fin et madré[2] : « Beau sire, dit l'autre, mains jointes, pour Dieu je vous donne Blérain. » Il lui a mis la corde au poing, et jure qu'elle n'est plus sienne. « Ami, tu viens d'agir en sage, répond le curé dom[3] Constant
15 qui toujours est d'humeur à prendre, si tous mes paroissiens étaient aussi avisés que tu l'es, j'aurais du bétail à plenté[4]. » Le vilain prend congé du prêtre qui commande, sans plus tarder, qu'on fasse, pour l'accoutumer, lier la bête du vilain avec Brunain, sa propre vache. Le curé les mène en son clos, les laisse attachées l'une à l'autre. La vache du prêtre se baisse, car elle
20 voulait pâturer. Mais Blérain ne veut l'endurer et tire la corde si fort qu'elle entraîne l'autre dehors et la mène tant par maisons, par chènevières[5] et par prés qu'elle revient enfin chez elle, avec la vache du curé. Le vilain regarde, la voit ; il en a grande joie au cœur. « Ah ! dit-il alors, chère sœur, il est vrai que Dieu donne au double. Blérain revient avec une autre : c'est une belle
25 vache brune. Nous en avons donc deux pour une. Notre étable sera petite ! »

Ce fabliau veut nous montrer que fol est celui qui ne se résigne. Le bien est à qui Dieu le donne et non à celui qui l'enfouit. Nul ne doublera son avoir sans grande chance, pour le moins. C'est par chance que le vilain eut deux vaches, et le prêtre aucune. Tel croit avancer qui recule.

JEAN BODEL, *Fabliaux*, traduction de Gilbert Rouger © Folio Gallimard 1978.

2. Madré (adj.) : rusé.

3. Dom (du latin *dominus*, « seigneur ») : sire.

4. À plenté : à foison, en grande quantité.

5. Chènevière (n. f.) : champ planté de chanvre.

Lecture

→ Comprendre

1. Pourquoi le vilain donne-t-il sa vache au prêtre ?

2. Ce don est-il très généreux ? Justifiez votre réponse par une citation du texte.

3. Pourquoi le prêtre dit-il « qu'il était profitable de donner pour l'amour de Dieu et que Dieu au double rendait à qui le faisait de bon cœur » (l. 3-5) ? Justifiez votre réponse.

4. Qu'est-ce qui fait échouer les plans du prêtre ?

→ Analyser

5. Quels sont les adjectifs (→ p. 302) qui qualifient le prêtre, ligne 12 ?

6. Quels sont les défauts du vilain ?

7. Dans ce texte, lequel des deux personnages tire avantage de la situation ? En quoi est-ce étonnant ?

→ Interpréter

8. Quelle est la fonction du dernier paragraphe du texte ?

9. a. Quelle conclusion le vilain tire-t-il de cette aventure ? Et l'auteur ?

b. Ce retournement de situation vous semble-t-il justifié ? Pourquoi ?

10. D'après ce texte, quelle image se fait-on du vilain ? Et du prêtre ? Justifiez vos réponses.

Vocabulaire

11. Qu'appelle-t-on un *vilain* au Moyen Âge (l. 1) ?

12. Donnez un synonyme des verbes *narrer* (l. 1), *lier* (l. 17) et *pâturer* (l. 20) ainsi qu'un mot de la même famille pour chacun d'eux.

13. a. À l'aide du contexte, expliquez ce qu'est un *clos* (l. 19).

b. Sur quel verbe ce mot est-il formé ?

14. Quelle est la classe grammaticale du mot *avoir* (l. 27) ? Quel est alors son sens ?

15. En ancien français, le -*l* final se transforme progressivement en -*u* : *mol* va devenir *mou*, alors que le féminin *molle* se maintient. Les mots en -*el* donnent les mots en -*eau*.

a. Trouvez dans le dernier paragraphe du texte un mot qui, en français moderne, prend un -*u* au lieu d'un -*l* final.

b. À l'aide de cette règle, dites à quels mots du français actuel ces mots d'ancien français ont donné naissance : *chastel* – *oisel* – *col* – *agnel* – *mantel* – *chevel* – *ruissel*.

c. Pour chacun des mots précédents, trouvez un mot de la même famille dans lequel on retrouve, même en français moderne, le -*l* qui a disparu au Moyen Âge.

« Bêê ! »

Un berger accusé de vol demande à un avocat, maître Pathelin, de le défendre. Celui-ci lui conseille de faire l'idiot et de répondre « bêê » à tout ce qu'on lui dira. La ruse est efficace, le berger gagne son procès. L'avocat vient donc lui réclamer son salaire.

PATHELIN – Dis, l'Agnelet.

LE BERGER. – Béé !

PATHELIN. – Viens ici, viens. Ton affaire est-elle bien réglée ?

LE BERGER. – Béé !

5 PATHELIN. – La partie adverse s'est retirée[1]. Ne dis plus « béé ! », ce n'est plus la peine. Ne l'ai-je pas bien embobiné[2] ? Ne t'ai-je pas conseillé comme il le fallait ?

LE BERGER. – Béé !

PATHELIN. – Eh, diable ! On ne t'entendra pas : parle sans crainte ! N'aie pas peur !

10 LE BERGER. – Béé !

PATHELIN. – Il est temps que je parte. Paie-moi.

LE BERGER. – Béé !

PATHELIN. – À vrai dire, tu as très bien joué ton rôle, tu t'es montré à la hauteur. Ce qui lui a donné le change, c'est que tu t'es retenu de rire.

15 LE BERGER. – Béé !

PATHELIN. – Quoi « Béé » ? Tu n'as plus besoin de le dire. Paie-moi généreusement.

LE BERGER. – Béé !

PATHELIN. – Quoi « Béé » ? Parle correctement ! Paie-moi, et je m'en irai.

20 LE BERGER. – Béé !

PATHELIN. – Tu sais quoi ? Je suis en train de te dire – et je t'en prie, cesse de bêler après moi – de songer à me payer. J'en ai assez de tes bêlements ! Paie-moi en vitesse !

LE BERGER. – Béé !

25 PATHELIN. – Te moques-tu de moi ? Ne feras-tu rien d'autre ? Je te jure que tu vas me payer, tu entends, à moins que tu ne t'envoles ! Allons ! Mon argent !

LE BERGER. – Béé !

PATHELIN. – Tu plaisantes ! Comment ça ? N'obtiendrai-je rien d'autre ?

LE BERGER. – Béé !

30 PATHELIN. – Tu fais le malin ! Et à qui donc penses-tu faire avaler tes salades ? Sais-tu ce qu'il en est ? Désormais, ne me rebats plus les oreilles avec ton « béé » et paie-moi !

LE BERGER. – Béé !

PATHELIN. – Ne serai-je pas payé d'une autre monnaie ? De qui crois-tu te 35 jouer ? Moi qui devais être si content de toi ! Eh bien fais en sorte que je le sois !

LE BERGER. – Béé !

PATHELIN. – Me fais-tu manger de l'oie[3] ? *À part.* Sacrebleu ! N'ai-je tant vécu que pour qu'un berger, un mouton en habit, un ignoble rustre se paie ma tête ?

LE BERGER. – Béé !

Une cour de justice, miniature d'un manuscrit flamand, 1479 (Londres, British Library).

1. La partie adverse s'est retirée : l'accusateur a retiré sa plainte.

2. Embobiner qqn : le duper par des paroles séduisantes et malhonnêtes (familier).

3. Faire manger de l'oie à qqn : se moquer de lui (expression populaire du Moyen Âge).

40 PATHELIN. – N'entendrai-je rien d'autre ? Si tu fais cela pour t'amuser, dis-le, et ne me force pas à discuter davantage ! Viens donc souper chez moi !

LE BERGER. – Bêê !

PATHELIN. – Par saint Jean, tu as raison, les oisons mènent paître les oies. *À part.* Moi qui me prenais pour le maître de tous les trompeurs d'ici et d'ailleurs, des 45 escrocs, des faiseurs de belles promesses à tenir au jour du Jugement dernier, et voilà qu'un berger des champs me surpasse ! *Au berger.* Par saint Jacques, si je trouvais un sergent, je te ferais arrêter !

LE BERGER. – Bêê !

PATHELIN. – Ah oui ! Bêê ? Que je sois pendu si je ne vais pas appeler un bon 50 sergent ! Malheur à lui s'il ne te met pas en prison !

LE BERGER, *en s'enfuyant.* – S'il me trouve, je lui pardonne !

La Farce de Maître Pathelin, anonyme, XVᵉ siècle, adaptation en français moderne par Fanny Marin © Hachette, « Bibliocollège », 2000.

Le procès de Thibaut l'Agnelet, illustration de *La Farce de Maître Pathelin,* gravure sur bois, 1464 (Chantilly, musée Condé).

Lecture

➡ Comprendre

1. En vous aidant du chapeau d'introduction, présentez les deux personnages : lequel vous paraît d'abord être le plus puissant ? Le plus instruit ? Le plus rusé ? Pourquoi ?

2. Que veut Pathelin ? Justifiez votre réponse par une citation précise du texte.

3. a. Pourquoi le berger continue-t-il de bêler ? Qui lui a donné cette idée ?

b. Quel est l'effet de ces bêlement répétés sur le lecteur ?

4. Qui est la dernière victime de la ruse de Pathelin ?

➡ Analyser

5. Montrez qu'au début de la scène Pathelin est très satisfait de lui.

6. Pourquoi Pathelin croit-il que le berger continue de bêler (l. 3 à 9) ?

7. Comment le ton de Pathelin évolue-t-il ? Pour répondre, appuyez-vous sur la <u>ponctuation</u> et le <u>niveau de langue</u> (➡ p. 314) du personnage.

8. Quel est l'effet produit par cette évolution ?

➡ Interpréter

9. Relevez la réplique dans laquelle Pathelin tire lui-même la morale de cette histoire.

10. En quoi consiste, dans cette farce, le renversement de situation ?

11. Comment l'image que nous avions des personnages est-elle modifiée à la fin ?

12. Auquel des deux personnages va votre sympathie ? Pourquoi ?

Vocabulaire

13. En vous aidant des mots en italique, retrouvez les sentiments ou attitudes qui correspondent à chacune de ces définitions.

● **Définitions :** attitude d'une personne qui est *satisfaite* d'elle-même – attitude d'une personne qui donne le sentiment de *s'abaisser* en parlant à une autre – état d'une personne qui *ne comprend pas* ce qui se passe – attitude d'une personne qui a du mal à *croire* à ce qui se passe – sentiment de celui qui se sent rabaissé *plus bas que terre.*

● **Sentiments et attitudes :** condescendance – humiliation – incompréhension – incrédulité – suffisance.

14. Complétez les phrases suivantes avec des adjectifs de la famille des noms ci-dessus.

1. Pathelin s'adresse au berger sur un ton ... .

2. Quand il vante l'efficacité de sa ruse, Pathelin se montre ... .

3. Pathelin se sent profondément ... d'avoir été berné par un simple berger.

La complainte de Jacquinot

Un foulon, vitrail de l'église Notre-Dame de Semur-en-Auxois (détail), Bourgogne, XVᵉ siècle.

Chez Jacquinot, une salle commune. Le milieu ou l'une des extrémités du rideau de fond sert de porte ou de sortie sur la rue. Sur un trépied, un cuvier¹ de grande dimension. Autour du cuvier, deux tabourets. Sur une petite table, une écritoire avec des feuillets de papier.

JACQUINOT *commence.* – Le grand diable m'inspira bien quand je me mis en ménage ! Ce n'est que tempête et orage ; et je n'ai que souci et peine. Toujours ma femme se démène, comme un danseur ; et puis sa mère veut toujours avoir son mot sur la matière. Je n'ai plus repos ni loisir ; je suis
5 frappé et torturé de gros cailloux jetés sur ma cervelle. L'une crie, l'autre grommelle² ; l'une maudit, l'autre tempête. Jour de travail ou jour de fête, je n'ai pas d'autre passe-temps. Je suis au rang des mécontents, car je ne fais mon profit de rien. (*Haussant le ton.*) Mais, par le sang qui coule en moi, je serai maître en ma maison, si je m'y mets !...

La Farce du Cuvier (scène 1), in : *La Farce du Cuvier et autres farces du Moyen Âge*,
trad. André Tissier © Garnier Flammarion « Étonnants classiques », 2006.

1. Cuvier (n. m.) : grand baquet.

2. Grommeler : marmonner entre ses dents.

Lecture

→ Comprendre

1. À qui les paroles de Jacquinot s'adressent-elles ?

2. Quels sentiments Jacquinot exprime-t-il ?

3. Quelles sont les causes de ce sentiment ?

4. Quelles intentions Jacquinot affirme-t-il à la fin de la scène ? À quoi pouvons-nous nous attendre pour la suite ?

→ Analyser

5. Peut-on parler, dans cette scène, de dialogue théâtral ? Justifiez votre réponse.

6. Relevez une didascalie : que précise-t-elle ?

→ Interpréter

7. Quelles informations cette scène vous donne-t-elle sur les personnages de la pièce et leurs relations ?

8. Pourquoi parle-t-on, pour la première scène d'une pièce, de scène d'exposition ?

Des corvées encore et toujours

LA FEMME *de Jacquinot entre, suivie de près par sa mère.* – Diable ! que de paroles ! Taisez-vous ! ce sera plus sage.

LA MÈRE, *à sa fille.* – Qu'y a-t-il ?

LA FEMME. – Quoi ? et que sais-je ? Il y a toujours tant à faire ! et il ne pense
5 pas au nécessaire indispensable à la maison.

LA MÈRE, *à son gendre.* – Oui, il n'y a pas là raison ni matière à discuter. […] Il faut agir au gré de sa femme ; oui, vraiment, quand elle vous le commande.

JACQUINOT, *comme à lui-même.* – Ah ! Saint Jean ! Elle me commande bien trop d'affaires en vérité.

10 LA MÈRE. – Eh bien pour mieux vous en souvenir, il vous faudra prendre un rôlet[1] et inscrire sur un feuillet tout ce qu'elle vous commandera.

JACQUINOT. – Qu'à cela ne tienne ! cela sera. Je vais commencer à écrire. (*Il va à la table, s'assied, prend un rouleau de papier et une plume d'oie.*)

LA FEMME. – Écrivez donc, pour qu'on puisse lire. Mettez que vous m'obéi-
15 rez, que jamais vous ne refuserez de faire tout ce que moi, je voudrai.

JACQUINOT, *prêt à jeter sa plume.* – Ah ! corbleu, je n'en ferai rien, sauf si c'est chose raisonnable.

LA FEMME. – Mettez donc là, pour abréger et éviter de me fatiguer, qu'il faudra toujours vous lever le premier pour faire la besogne.

20 JACQUINOT. – Par Notre-Dame de Boulogne, à cet article je m'oppose. Lever le premier ! et pour quelle chose ?

[…]

LA MÈRE. – Écrivez !

LA FEMME. – Mettez, Jacquinot.

25 JACQUINOT. – J'en suis encore au premier mot ! Vous me pressez de façon sans pareille.

LA MÈRE. – La nuit, si l'enfant se réveille, il vous faudra, comme on le fait un peu partout, prendre la peine de vous lever pour le bercer, le promener dans la chambre, le porter, l'apprêter, fût-il minuit !

30 JACQUINOT. – Alors, plus de plaisir au lit ! apparemment c'est ce qui m'attend.

LA FEMME. – Écrivez !

JACQUINOT. – En conscience, ma page est remplie jusqu'en bas. Que voulez-vous donc que j'écrive ?

LA FEMME, *menaçante.* – Mettez ! ou vous serez frotté[2].

35 JACQUINOT. – Ce sera pour l'autre côté. (*Et il se retourne le feuillet.*)

LA MÈRE. – Ensuite Jacquinot, il vous faut pétrir, cuire le pain, lessiver…

LA FEMME. – Tamiser, laver, décrasser…

LA MÈRE. – Aller, venir, trotter, courir, et vous démener comme un diable.

LA FEMME. – Faire le pain, chauffer le four…

40 LA MÈRE. – Mener la mouture[3] au moulin…

LA FEMME. – Faire le lit de bon matin, sous peine d'être bien battu.

Détail d'une enluminure du ***Roman de Lancelot du Lac,*** de Gautier **Map**, 1344 (Paris, BNF).

1. Rôlet : liste de choses à faire ou texte que l'on doit dire (rôle).
2. Frotté : battu.
3. Mouture : farine.

LA MÈRE. – Et puis mettre le pot au feu et tenir la cuisine nette.

JACQUINOT, *n'écrivant plus assez vite*. – Si je dois mettre tout cela, il faut le dire mot à mot.

45 LA MÈRE. – Bon ! écrivez donc, Jacquinot : pétrir…

LA FEMME. – Cuire le pain…

JACQUINOT, *vérifiant ce qu'il a déjà écrit*. – Lessiver.

LA FEMME. – Tamiser…

LA MÈRE. – Laver…

50 LA FEMME. – Décrasser…

JACQUINOT, *feignant de ne plus suivre*. – Laver quoi ?

LA MÈRE. – Les pots et les plats.

[…]

JACQUINOT. – Bien. Laver…

4. Prenez garde *qu'il ne soit perdu.*

55 LA FEMME. – Les langes merdeux de notre enfant à la rivière.

JACQUINOT. – À Dieu ne plaise ! La matière et les mots ne sont pas honnêtes.

LA FEMME. – Écrivez donc ! Allez, sotte bête ! Avez-vous honte de cela ?

JACQUINOT. – Corbleu ! moi, je n'en ferai rien. Mensonge, si vous le croyez : je ne l'écrirai pas, je le jure. […]

60 LA FEMME. – Ce sera écrit, puisqu'il me plaît. Dépêchez-vous, et puis signez.

JACQUINOT. – Le voilà signé. Tenez ! (*il pose le rôlet sur la table ; puis il s'adresse aux deux femmes.*) Prenez garde ne soit perdu[4]. Car, en devrais-je être pendu, dès cet instant je me propose de ne jamais faire autre chose que ce qui est dans mon rôlet.

65 LA MÈRE, *à son gendre en s'en allant*. – Observez-le bien, tel qu'il est.

LA FEMME, *à sa mère* – Allez ! je vous recommande à Dieu.

La Farce du Cuvier (scène 2), in : *La Farce du Cuvier et autres farces du Moyen Âge,*
trad. André Tissier © Garnier Flammarion « Étonnants classiques », 2006.

Lecture

➡ Comprendre

1. Qui sont les nouveaux personnages présents ?

2. Que veulent les deux femmes ?

3. Pourquoi Jacquinot obéit-il ?

4. Quelle attitude adopte-t-il tout en obéissant ? Dans quel but ?

➡ Analyser

5. Montrez, en vous appuyant sur la ponctuation et le type de phrases (➡ p. 280 et 314) employés, que la femme interrompt Jacquinot. En quoi est-ce comique ?

6. Au début de la scène, laquelle des deux femmes parle le plus ? Que pouvez-vous en conclure sur la place qu'elle occupe dans la famille ?

7. Comment l'auteur joue-t-il sur la langue pour renforcer le caractère comique du texte ? Pour répondre, recherchez, l. 23 à 59 :

a. une phrase répétée comme un refrain – b. des accumulations – c. des jurons – d. des mots familiers – e. des menaces.

➡ Interpréter

8. Résumez en quelques mots le caractère de chacune des femmes.

9. En quoi les personnages et la situation de cette scène sont-ils comiques ?

10. De qui cette scène fait-elle la satire ?

Expression écrite

Sujet

Ajoutez quelques répliques au dialogue entre la femme et son mari en réutilisant les procédés comiques rencontrés. N'oubliez pas les didascalies.

Le Combat de Carnaval et de Carême, de Pieter Bruegel l'Ancien,
huile sur bois, 118 x 164,5 cm, 1559 (Vienne, Kunsthistorisches Museum).

Lire une image

Un tableau réaliste

1. Quels détails du tableau vous permettent de situer l'époque à laquelle se déroule cette scène ?

2. Quelles catégories sociales et professions reconnaissez-vous ? Quels indices vous l'ont permis ?

3. Lisez le titre du tableau :

a. Qu'est-ce que le carême ? Qu'est-ce que le carnaval ?

b. Quelle scène est représentée ici ?

c. Quels carnavals célèbres connaissez-vous à notre époque ?

Un tableau allégorique

4. Décrivez aussi précisément que possible les deux chars au premier plan : qu'est-ce qui les oppose ?

5. D'après votre observation, lequel vous paraît être Carnaval, lequel Carême ? Pourquoi ?

6. Quelle impression générale se dégage de ce tableau ?

Texte **5**

Un sauvetage bien négocié

LA FEMME, *en parlant à Jacquinot et en se dirigeant vers le cuvier.* – Allons ! tenez là, sacrebleu ! Faites un effort, suez un peu pour bien tendre notre lessive : c'est un des points de notre affaire.

JACQUINOT. – Je ne sais ce que vous voulez faire. (*En aparté.*) Mais qu'est-ce
5 qu'elle me commande ?

LA FEMME. – Quelle bonne gifle tu vas recevoir ? Je parle de laver le linge, farfadet[1] !

1. Farfadet (n. m.) : lutin ; ici : plaisantin (péjoratif).

JACQUINOT. – Cela n'est pas dans mon rôlet. (*Il reprend son feuillet et fait mine de chercher.*)

10 LA FEMME. – Si, il y est, vraiment !

JACQUINOT. – Non, saint Jean, il n'y est pas !

LA FEMME. – Il n'y est pas ? Si, il y est, s'il te plaît (*et elle le gifle*). Le voilà, il t'en cuira de le nier !

JACQUINOT. – Holà, holà ! je le veux bien ; vous avez raison, vous avez dit vrai.
15 Une autre fois, j'y penserai.

Jacquinot et sa femme prennent position autour du cuvier, l'un en face de l'autre, debout sur un tabouret. La femme tire du cuvier un petit drap d'enfant.

LA FEMME. – Tenez ce bout-là ; tirez fort !

JACQUINOT. – Palsambleu que ce linge est sale ! Il sent bien la chiasse du lit.

20 LA FEMME. – Plutôt un étron dans votre bouche ! Allons ! faites comme moi sagement.

JACQUINOT. – La merde y est, je vous le jure. Que voilà un piteux ménage !

LA FEMME. – Je vous jetterai tout au visage. Ne croyez pas que je plaisante.

JACQUINOT. – Par le diable, vous n'en ferez rien.

25 LA FEMME, *lui jetant le linge au visage.* – Eh bien ! sentez donc, maître sot.

La Femme du XXᵉ siècle, jour de lessive, photographie humoristique publiée en 1901.

JACQUINOT. – Bonne Vierge ! c'est le diable que voilà. Vous m'avez souillé mes habits.

LA FEMME. – Faut-il chercher tant d'alibis quand il convient de travailler. (*Elle tire du cuvier un drap et lui en tend une des extrémités.*) Tenez bien le linge vers
30 vous ! (*Jacquinot tire sec, ce qui déséquilibre la femme en lui faisant lâcher prise.*) Que la gale puisse te ravager le corps ! (*Elle tombe dans la cuve.*) Mon Dieu ! souvenez-vous de moi ! Ayez pitié de ma pauvre âme ! (*À Jacquinot, empêtrée qu'elle est dans le cuvier avec ses vêtements pleins d'eau.*) Aidez-moi à sortir de là, ou je mourrai en grande honte. Jacquinot, secourez votre femme ; tirez-la
35 hors de ce baquet.

JACQUINOT. – Cela n'est pas dans mon rôlet. [...]

LA FEMME. – Mon bon mari, sauvez-moi la vie ! Je suis déjà tout évanouie. Donnez la main, un tantinet[2].

JACQUINOT. – Cela n'est pas dans mon rôlet. Qui prétend le contraire descen-
40 dra en enfer.

LA FEMME. – Hélas ! si l'on ne s'occupe de moi, la mort viendra m'enlever.

JACQUINOT *lit son rôlet*. – « Pétrir, cuire le pain, lessiver ». « Tamiser, laver, décrasser ».

LA FEMME. – Le sang m'est déjà tout tourné. Je suis sur le point de mourir.

45 JACQUINOT. – « Baiser, accoler ; frotter sans mollir ».

LA FEMME. – Pensez vite à me secourir.

JACQUINOT. – « Allez, venir, trotter, courir ».

LA FEMME. – Jamais je ne dépasserai ce jour.

JACQUINOT. – « Faire le pain, chauffer le four ».

50 LA FEMME. – Çà, la main ! je touche à ma fin.

Sur ces entrefaites arrive la mère qui s'efforce de tirer sa fille hors du cuvier.

LA MÈRE. – Méchant, puant ! la laisserez-vous mourir là ?

JACQUINOT. – S'il ne tient qu'a moi, elle y restera, je ne veux plus être son valet.

LA FEMME. – Aidez-moi.

55 JACQUINOT. – Pas dans le rôlet. Impossible de l'y trouver.

LA MÈRE. – Va, Jacquinot, sans plus tarder, aide-moi à lever ta femme.

JACQUINOT. – Je ne le ferai pas, sur mon âme, avant qu'il ne me soit promis que désormais je serai mis en mesure d'être le maître.

LA FEMME. – Si hors d'ici vous voulez me mettre, je vous le promets de bon
60 cœur.

JACQUINOT. – Et vous le ferez ?

LA FEMME. – Je m'occuperai du ménage, sans jamais rien vous demander, sans jamais rien vous commander, sauf s'il y a nécessité.

JACQUINOT. – Eh bien ! donc, il faut la lever. Mais, par tous les saints de la messe,
65 je veux que vous teniez promesse, tout à fait comme vous l'avez dit.

LA FEMME. – Jamais je n'y mettrai contredit[3] ; mon ami, je vous le promets. (*Et Jacquinot tire sa femme du cuvier.*)

JACQUINOT. – Je serai donc le maître désormais, puisque ma femme enfin l'accorde.

70 LA MÈRE. – Si en ménage il y a discorde, personne n'en peut tirer profit.

JACQUINOT. – Aussi je veux certifier qu'il est honteux pour une femme de faire de son maître un valet, si sot et mal appris qu'il soit.

2. Un tantinet : un petit peu.
3. Jamais je ne m'y opposerai.

LA FEMME. – Et c'est pourquoi bien mal m'en prit, comme on vient de le voir ici. Mais désormais, diligente, j'assurerai tout le ménage. C'est moi qui serai la servante, comme c'est de droit mon devoir.

75

JACQUINOT. – Je serai heureux si le marché tient, car je vivrai sans nul besoin.

LA FEMME. – C'est sûr, je vous tiendrai parole. Je vous le promets, c'est raison. Vous serez maître en la maison maintenant, c'est bien réfléchi.

JACQUINOT. – Pour cela donc je veillerai à ne plus être cruel avec vous.

Adresse au public

80 JACQUINOT. – Retenez donc, à mots couverts que par indicible[4] folie j'avais le sens[5] tout à l'envers. Mais ceux qui de moi ont médit, sont maintenant de mon avis, quand ils voient que ma femme à ma cause se rallie, elle qui avait voulu, folle imagination, m'imposer sa domination. Adieu ! telle est ma conclusion.

La Farce du Cuvier (scènes 3 et 4), in : *La Farce du Cuvier et autres farces du Moyen Âge,*
trad. André Tissier © Garnier Flammarion « Étonnants classiques », 2006.

4. Indicible : qui ne peut être dit.

5. Sens : ici, raison, capacité de jugement.

Lecture

➡ Comprendre

1. a. Comment les relations entre Jacquinot et sa femme évoluent-elles dans les lignes 1 à 13 ?

b. Qu'est-ce qui fait brutalement changer l'attitude de la femme dans les lignes qui suivent ?

2. Que répond Jacquinot à chaque fois que sa femme lui demande son aide ? Pourquoi ?

3. a. Comment Jacquinot atteint-il son but ?

b. Quelle qualité a-t-il utilisée pour cela ? Comparez aux moyens utilisés par la femme pour dominer Jacquinot.

➡ Analyser

4. En quoi la situation du couple, au début de la pièce, pouvait-elle choquer le public du Moyen Âge ?

5. Pourquoi peut-on dire que, dans les deux dernières scènes, la situation de l'homme et de la femme s'inverse ?

6. En quoi, à la fin de la pièce, la situation du couple est-elle plus conforme aux attentes du public ?

➡ Interpréter

7. a. En quoi Jacquinot a-t-il lui-même fait preuve de folie ?

b. Dans sa dernière réplique, comment explique-t-il ce moment de folie ?

8. À qui la dernière réplique de Jacquinot s'adresse-t-elle ? Dans quel but ?

Vocabulaire

9. a. Quel est le sens du mot *discorde* (l. 70) ?

b. Proposez un synonyme de ce mot.

10. Trouvez un verbe de la famille du synonyme proposé en **9b**, et employez-le dans une phrase de votre invention.

11. a. « Il faut agir au gré de votre femme » : que signifie *au gré de* ?

b. À l'aide du dictionnaire, employez dans une phrase de votre invention une autre expression avec le mot *gré*.

12. a. Que signifie *diligente* (l. 74) ? Quel est le nom correspondant ?

b. Donnez un synonyme de ce mot.

Le Gora ŒUVRE INTÉGRALE

Gustave, dit Trognon ; Bobéchotte[1].

Georges Courteline
(1858-1929)

Georges Moinaux,
dit Courteline, est célèbre
pour ses vaudevilles,
pièces légères héritées
de la farce et de
la comédie de caractère.
Le Gora, publié en 1920,
en est une illustration.

BOBÉCHOTTE. – Trognon, je vais bien t'épater. Oui, je vais t'en boucher une surface[2]. Sais-tu qui est-ce qui m'a fait un cadeau ? La concierge.

GUSTAVE. – Peste ! tu as de belles relations ! Tu ne m'avais jamais dit ça !

BOBÉCHOTTE. – Ne chine[3] pas la concierge, Trognon ; c'est une femme tout
5 ce qu'il y a de bath[4] ; à preuve qu'elle m'a donné… – devine quoi ? – un gora !

GUSTAVE. – La concierge t'a donné un gora ?

BOBÉCHOTTE. – Oui, mon vieux.

GUSTAVE. – Et qu'est-ce que c'est que ça, un gora ?

BOBÉCHOTTE. – Tu ne sais pas ce que c'est qu'un gora ?

10 GUSTAVE. – Ma foi, non.

BOBÉCHOTTE, *égayée*. – Mon pauvre Trognon, je te savais un peu poire, mais à ce point-là, je n'aurais pas cru. Alors, non, tu ne sais pas qu'un gora, c'est un chat ?

GUSTAVE. – Ah !… Un angora, tu veux dire.

15 BOBÉCHOTTE. – Comment ?

GUSTAVE. – Tu dis : un gora.

BOBÉCHOTTE. – Naturellement, je dis : un gora.

GUSTAVE. – Eh bien, on ne dit pas : un gora.

BOBÉCHOTTE. – On ne dit pas : un gora ?

20 GUSTAVE. – Non.

BOBÉCHOTTE. – Qu'est-ce qu'on dit, alors ?

GUSTAVE. – On dit : un angora.

BOBÉCHOTTE. – Depuis quand ?

GUSTAVE. – Depuis toujours.

25 BOBÉCHOTTE. – Tu crois ?

GUSTAVE. – J'en suis même certain.

BOBÉCHOTTE. – J'avoue que tu m'étonnes un peu. La concierge dit : un gora, et si elle dit : un gora, c'est qu'on doit dire : un gora. Tu n'as pas besoin de rigoler ; je la connais mieux que toi, peut-être, et c'est encore pas toi, avec tes
30 airs malins, qui lui feras le poil[5] pour l'instruction.

GUSTAVE. – Elle est si instruite que ça ?

BOBÉCHOTTE, *avec une grande simplicité*.– Tout ce qui se passe dans la maison, c'est par elle que je l'ai appris.

GUSTAVE. – C'est une raison, je le reconnais, mais ça ne change rien à l'af-
35 faire, et pour ce qui est de dire : un angora, sois sûre qu'on dit : un angora.

BOBÉCHOTTE. –Je dirai ce que tu voudras, Trognon ; ça m'est bien égal, après tout, et si nous n'avons jamais d'autre motif de discussion…

GUSTAVE. – C'est évident.

BOBÉCHOTTE. – N'est-ce pas ?

40 GUSTAVE. – Sans doute.

BOBÉCHOTTE. – Le tout, c'est qu'il soit joli, hein ?

1. Bobéchotte : surnom de la compagne de Gustave.

2. T'en boucher une surface : t'étonner (familier).

3. Ne chine pas : ne te moque pas de (argot.)

4. Bath : épatante, super (argot.)

5. Faire le poil à qqn : avoir l'avantage sur lui.

GUSTAVE. – Qui ?

BOBÉCHOTTE. – Le petit nangora que m'a donné la concierge, et, à cet égard-là, il n'y a pas mieux. Un vrai amour de petit nangora, figure-toi ; pas plus
45 gros que mon poing, avec des souliers blancs, des yeux comme des cerises à l'eau-de-vie, et un bout de queue pointu, pointu, comme l'éteignoir[6] de ma grand'mère… Mon Dieu, quel beau petit nangora !

GUSTAVE. – Je vois, au portrait que tu m'en traces, qu'il doit être, en effet, très bien. Une simple observation, mon loup ; on ne dit pas : un petit nangora.

50 BOBÉCHOTTE. – Tiens ? Pourquoi donc ?

GUSTAVE. – Parce que c'est du français de cuisine.

BOBÉCHOTTE. – Eh ben, elle est bonne, celle-là ! je dis comme tu m'as dit de dire.

GUSTAVE. – Oh ! mais pas du tout ; je proteste. Je t'ai dit de dire : un angora,
55 mais pas : un petit nangora. (*Muet étonnement de Bobéchotte*) C'est que, dans le premier cas, l'*a* du mot angora est précédé de la lettre *n*, tandis que c'est la lettre *t* qui précède, avec le mot *petit*.

BOBÉCHOTTE. – Ah ?

GUSTAVE. – Oui.

60 BOBÉCHOTTE, *haussant les épaules*. – En voilà des histoires ! Qu'est-ce que je dois dire, avec tout ça ?

GUSTAVE. – Tu dois dire : un petit angora.

BOBÉCHOTTE. – C'est bien sûr, au moins ?

GUSTAVE. – N'en doute pas.

65 BOBÉCHOTTE. – Il n'y a pas d'erreur ?

GUSTAVE. – Sois tranquille.

BOBÉCHOTTE. – Je tiens à être fixée, tu comprends.

GUSTAVE. – Tu l'es comme avec une vis.

BOBÉCHOTTE. – N'en parlons plus. Maintenant, je voudrais ton avis. J'ai envie
70 de l'appeler Zigoto.

GUSTAVE. – Excellente idée !

BOBÉCHOTTE. – Il me semble.

GUSTAVE. – Je trouve ça épatant !

BOBÉCHOTTE. – N'est-ce pas ?

75 GUSTAVE. – C'est simple.

BOBÉCHOTTE. – Gai.

GUSTAVE. – Sans prétention.

BOBÉCHOTTE. – C'est facile à se rappeler.

GUSTAVE. – Ça fait rire le monde.

80 BOBÉCHOTTE. – Et ça dit bien ce que ça veut dire. Oui, je crois que pour un tangora, le nom n'est pas mal trouvé. (*Elle rit*).

GUSTAVE. – Pour un quoi ?

BOBÉCHOTTE. – Pour un tangora.

GUSTAVE. – Ce n'est pas pour te dire des choses désagréables, mais ma pauvre
85 cocotte en sucre, j'ai de la peine à me faire comprendre. Fais donc attention, sapristoche ! On ne dit pas : un tangora.

BOBÉCHOTTE. – Ça va durer longtemps, cette plaisanterie-là ?

GUSTAVE, *interloqué*. – Permets…

6. Éteignoir : ustensile creux en forme de cône qu'on pose sur une chandelle pour l'éteindre.

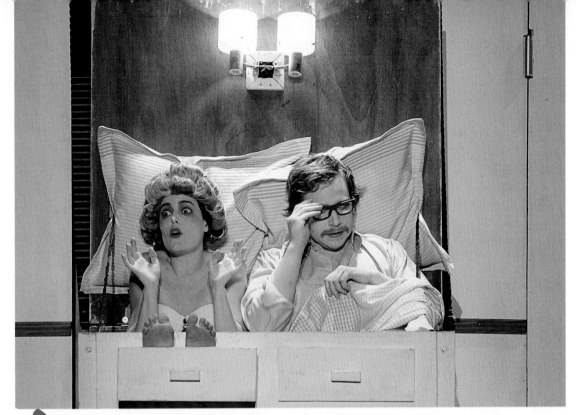

**Bobéchotte (Marjorie de Larquier) et Gustave (Jonathan Frajenberg),
photo du spectacle *Les Courtes Lignes de monsieur Courteline*,** mise en scène Sébastien Rajon, compagnie Acte 6 (Paris, théâtre de l'Athénée, 16 janvier 2008).

BOBÉCHOTTE. – Je n'aime pas beaucoup qu'on s'offre ma physionomie[7], et si
90 tu es venu dans le but de te payer mon 24-30[8], il vaudrait mieux le dire tout de suite.

GUSTAVE. – Tu t'emballes ! tu as bien tort ! Je dis : « On dit un angora, un petit angora ou un gros angora » ; il n'y a pas de quoi fouetter un chien, et tu ne vas pas te fâcher pour une question de liaison.

95 BOBÉCHOTTE. – Liaison !… Une liaison comme la nôtre vaut mieux que bien des ménages, d'abord ; et puis, si ça ne te suffit pas, épouse-moi ; est-ce que je t'en empêche ? Malappris ! Grossier personnage !

GUSTAVE. – Moi ?

BOBÉCHOTTE. – D'ailleurs, tout ça, c'est de ma faute et je n'ai que ce que je
100 mérite. Si, au lieu de me conduire gentiment avec toi, je m'étais payé ton 24-30 comme les neuf dixièmes des grenouilles[9] que tu as gratifiées de tes faveurs, tu te garderais bien de te payer le mien aujourd'hui. C'est toujours le même raisonnement : « Je ne te crains pas ! Je t'enquiquine ! » Quelle dégoûtation, bon Dieu ! Heureusement, il est encore temps.

105 GUSTAVE, *inquiet*. – Hein ? Comment ? Qu'est-ce que tu dis ? Il est encore temps !… Temps de quoi ?

BOBÉCHOTTE. – Je me comprends ; c'est le principal. Vois-tu, c'est toujours imprudent de jouer au plus fin avec une femme. De plus malins que toi y ont trouvé leur maître. Parfaitement ! À bon entendeur… Je t'en flanquerai,
110 moi, du zangora !

GEORGES COURTELINE, *Le Gora*, 1920.

7. Qu'on s'offre ma physionomie : qu'on se paie ma tête.

8. Te payer mon 24-30 : te payer ma tête.

9. Grenouille : terme familier pour désigner les femmes faciles avec lesquelles Gustave a eu une liaison.

Chats angoras, carte postale illustrée par Louis Wain, vers 1905.

Lecture

→ Comprendre

1. Qui sont les deux personnages de la pièce ? Quels sont leurs liens ?

2. Pourquoi Bobéchotte est-elle si joyeuse au début de la pièce ?

3. a. Quelles fautes de langage successives Bobéchotte commet-elle ?

b. Comment Gustave réagit-il à chaque fois ?

4. a. Quel sens Gustave donne-t-il au mot *liaison* (l. 94) ?

b. Comment Bobéchotte comprend-elle ce mot ?

c. Quelle est la conséquence de ce quiproquo ?

→ Analyser

5. Relevez les surnoms que se donnent les personnages : quelle impression donnent-ils ?

6. a. Quel est le niveau de langue utilisé par Bobéchotte ? Justifiez votre réponse par quelques exemples relevés dans le texte.

b. Comparez avec le niveau de langue de Gustave.

7. Quel jugement Bobéchotte porte-t-elle sur la concierge dans les lignes 27 à 33 ? Pourquoi ce jugement peut-il faire rire ?

8. Relisez la réplique qui va des lignes 54 à 57 et expliquez le « muet étonnement de Bobéchotte ».

9. Quelle image avez-vous finalement de Bobéchotte ?

→ Interpréter

10. Au début de la pièce, qui, dans le couple, vous paraît dominer l'autre ? Et à la fin ? Justifiez vos réponses.

11. Le couple formé par Bobéchotte et Gustave vous paraît-il bien assorti ? Justifiez votre réponse.

12. Comment évolue le ton de la discussion au fil de la pièce ? Pourquoi ?

Vocabulaire

13. Cherchez dans le dictionnaire les différents sens du mot *ménage* et inventez une phrase pour illustrer chacun de ces sens.

14. Qu'appelle-t-on une *faveur* (l. 102) ?

15. Donnez le sens des expressions suivantes :

1. demander une faveur – **2.** faites-moi la faveur de … – **3.** accorder ses faveurs à quelqu'un – **4.** avoir la faveur de quelqu'un.

Farce et fabliau : deux genres comiques populaires

➤ Deux genres voisins

● Farces et fabliaux puisent aux mêmes sources et ont les mêmes caractéristiques : **les personnages sont peu nombreux et l'intrigue est simple.** Celle-ci repose toujours sur le même type de situation : le ressort de l'intrigue est un **conflit** au cours duquel les personnages déploient toutes les ressources de la **ruse.** Souvent, un **renversement de situation** se produit à la fin : le trompeur devient le trompé, et cette aventure débouche sur une **morale** qui est livrée directement au public.

● Cet affrontement entre les personnages permet de déployer bien des ressources comiques : **comique verbal**, fait de répétitions, d'accumulations, de grossièretés, **comique de gestes** (coups, chute dans le cuvier) et de **caractère** (le prêtre peu scrupuleux, l'avocat cupide, la mégère).

➤ Un rire libérateur

● Farces et fabliaux permettent de **traiter des difficultés de la vie quotidienne sur le mode comique.** Le thème de l'**argent** y occupe une place importante, reflet d'une société où la misère est encore importante. Les problèmes de couples et les **relations homme-femme** sont aussi une source inépuisable de comique. Ces spectacles fournissent enfin l'occasion de **régler ses comptes avec l'autorité** – on peut, par le biais de la farce ou du fabliau, se moquer des seigneurs ou des prêtres – ou avec certains corps de métier jugés peu scrupuleux : la **satire** y occupe une bonne place.

● **Dans une société très inégalitaire, le spectateur de la farce ou du fabliau prend sur les puissants une revanche imaginaire** : il rit de voir un personnage berné, s'identifie au trompeur dont il savoure la victoire et jouit de la punition finale des méchants.

➤ L'héritage de la farce

● Jouant sur des ressorts universels et des situations très simples, la farce est le seul genre médiéval qui survit au Moyen Âge lui-même. **Au XVIIᵉ siècle, Molière** lui donnera sa plus brillante expression avec des pièces étoffées comme *Le Médecin malgré lui* ou *Les Fourberies de Scapin.*

● **Au XIXᵉ et au XXᵉ siècle,** les auteurs de **vaudeville,** comme **Feydeau et Courteline,** s'inspirent de la farce par leur goût du quiproquo et des jeux de mots, et de la comédie de mœurs pour les rebondissements de l'intrigue. **La morale disparaît au profit d'un seul but avoué : distraire, en toute légèreté.**

Vocabulaire

La vie quotidienne au Moyen Âge

1 Le temps au Moyen Âge

Au Moyen Âge, la mesure du temps est encore très approximative. Le jour, entre le lever et le coucher du soleil, est divisé en douze « heures » qui n'ont donc pas la même durée selon les saisons. L'église sonne les principales heures, qui correspondent aux grandes prières des chrétiens.

Faites correspondre chacune de ces prières à son heure approximative, sachant que *prime*, **qui coïncide avec la** *première* **heure du jour, a lieu vers six heures du matin :**

*complies – vêpres – matines – none – * **prime** *– tierce.*

Aidez-vous du dictionnaire

1. entre minuit et le lever du jour
2. vers six heures du matin : *prime*
3. vers neuf heures du matin
4. dans l'après-midi, vers quinze heures
5. en fin d'après-midi
6. le soir, avant le coucher du soleil

2 Chacun des mots suivants (liste A) évoque la vie des paysans : retrouvez sa définition dans la liste B.

● **Liste A :** corvée – défricher – dîme – gabelle – jachère – ost – serf – taille – vilain.

● **Liste B : 1.** paysan libre – **2.** paysan ayant un statut d'esclave – **3.** terre laissée en repos – **4.** arracher la végétation d'une terre pour la cultiver – **5.** impôt payé sur le sel – **6.** impôt correspondant à une partie des récoltes – **7.** travail gratuit que les serfs devaient à leur seigneur – **8.** service militaire dû au seigneur par ses vassaux ou par toute personne demandant sa protection – **9.** impôt payé au seigneur par les serfs et les roturiers.

3 Qui fait quoi ? Faites correspondre chacune de ces personnes ou groupes de personnes à sa description.

● **Les personnes :** bourgeois – corporation – écuyer – ermite – jongleur – moine – page – pape – vilain.

● **Descriptions et définitions : 1.** habitant d'une ville jouissant de certains privilèges – **2.** artiste allant de ville en ville produire ses poèmes et ses chansons – **3.** paysan libre – **4.** religieux vivant dans une communauté – **5.** jeune garçon noble attaché au service d'un seigneur ou d'une dame pour y apprendre la vie à la cour – **6.** chef de l'Église catholique – **7.** ensemble de personnes exerçant un même métier – **8.** religieux vivant dans un isolement et un dénuement extrêmes – **9.** apprenti chevalier.

4 Qui porte quoi ? Photocopiez ces images et placez-y les légendes.

Aumônière – bonnet – braies – chaperon – chausses – guimpe – hennin – mantelet – pourpoint – surcot.

5 Parmi les mots suivants, lesquels sont, pour la société médiévale, des anachronismes ?

lame d'acier – plat d'étain – écuelle de faïence – assiette de porcelaine – cuiller – fourchette – couteau – gobelet – timbale – pendule – montre – chaumière – hôtel.

6 Quels lieux sont désignés par les mots suivants ?

beffroi – cathédrale – château – échoppe – halle – monastère – parvis.

1. lieu fortifié où vit le seigneur, destiné à la protection de la population – **2.** lieu retiré où vivent les membres d'une communauté religieuse – **3.** lieu de prière et de rassemblement des chrétiens, qui est le siège d'un évêché – **4.** marché couvert – **5.** tour d'une ville servant à faire le guet et à donner l'alerte – **6.** petite boutique – **7.** place située devant un édifice religieux, où se déroulaient les grands événements.

7 Complétez les phrases suivantes par un des mots proposés :

aumônière – bourg – braies – dîme – échoppe – farce – foire – gabelle – jongleur – moine – parvis – pourpoint – prime – vilain.

Gauthier se leva vers ..., enfila ses ... et se rendit sans plus tarder au ... où se tenait la grande ... annuelle. Fils d'un simple ... à qui il ne restait pas grand-chose quand il avait payé la ... et la ..., il n'espérait guère faire d'achats – d'ailleurs son ... était vide – mais il aimait voir les ... colorées, les belles dames revêtues de leurs plus riches atours et les bourgeois en ... de velours, les tours et les récits si drôles des ... . Une foule était assemblée sur le ... de la cathédrale où l'on jouait une ... . Le personnage principal était un gros ... reconnaissable à sa robe de bure et à sa tonsure.

Écrire un dialogue de théâtre

Grammaire

Utiliser correctement répliques et didascalies

1 Un dialogue théâtral répond à des règles précises de présentation qui mettent en évidence les différentes informations : noms des personnages, didascalies, paroles des personnages. Recopiez l'extrait suivant en en rétablissant la présentation.

Monsieur Jourdain. Laquais ! holà, mes deux laquais ! Premier laquais. Que voulez-vous, monsieur ? Monsieur Jourdain. Rien. C'est pour voir si vous m'entendez bien. (Aux deux Maîtres.) Que dites-vous de mes livrées ? Maître à danser. Elles sont magnifiques. Monsieur Jourdain. (Il entrouvre sa robe et fait voir un haut-de-chausses étroit de velours rouge et une camisole de velours vert, dont il est vêtu.) Voici encore un petit déshabillé pour faire le matin mes exercices. Maître de musique. Il est galant. Monsieur Jourdain. Laquais ! Premier laquais. Monsieur. Monsieur Jourdain. L'autre laquais ! Second laquais. Monsieur. Monsieur Jourdain. Tenez ma robe. Me trouvez-vous bien comme cela ? Maître à danser. Fort bien. On ne peut pas mieux. Monsieur Jourdain. Voyons un peu notre affaire.

MOLIÈRE, *Le Bourgeois gentilhomme* (1670).

2 Recopiez le texte ci-dessous en remplaçant les pointillés par les didascalies qui conviennent.

Follavoine, un riche industriel, reçoit Chouilloux pour un important dîner d'affaires. Mais la réception ne se passe pas comme il l'escomptait : constipé, Toto, le fils de Follavoine et de Julie, doit prendre une purge. Devant le refus obstiné de l'enfant, Julie décide de le rassurer en faisant d'abord absorber ce traitement à un adulte. Chouilloux est la victime désignée…

FOLLAVOINE, CHOUILLOUX, JULIE, TOTO.
JULIE, … . – Tenez, cher monsieur Chouilloux ! …
CHOUILLOUX. – Ah ! Pouah !
JULIE, … . – Soyez gentil, buvez un peu pour faire plaisir à Toto ! …
CHOUILLOUX, … . – Ah ! Pfutt ! … ! Mais non, madame ! Mais non, je vous remercie !
FOLLAVOINE. – Ah ! Çà ! Tu perds la tête !
JULIE … . – Oh ! La moindre des choses, voyons ! La moitié du verre suffira. …
CHOUILLOUX. – Mais non, madame ! Je vous en prie ! … . Je suis désolé ! …

GEORGES FEYDEAU, *On purge bébé*, scène 7 (1910).

Didascalies à replacer :

1. *accompagnée de Toto, avançant sur Chouilloux, le verre tendu.*
2. *Même jeu avec le verre, contre lequel Chouilloux s'efforce de se défendre.*
3. *à Chouilloux.*
4. *Son verre à la main.*
5. *Elle lui porte à nouveau le verre aux lèvres.*
6. *Elle lui porte le verre aux lèvres juste au moment où il dit : « … D'un mal élevé ! Oh ! » de sorte qu'en aspirant le « oh ! » il boit malgré lui une gorgée.*
7. *reculant vers la droite à mesure que Julie avance sur lui.*
8. *Crachant.*

Rendre le dialogue plus expressif

3 a. Quels sont les différents types de phrases employés dans l'extrait ci-dessous ?
b. Quels sentiments ces phrases traduisent-elles ?
c. Relevez les interjections : qu'apportent-elles au texte ?

OCTAVE. – Conseille-moi, du moins, et me dis ce que je dois faire dans ces cruelles conjonctures[1].
SILVESTRE. – Ma foi, je m'y trouve autant embarrassé que vous, et j'aurais bon besoin que l'on me conseillât moi-même. […]
OCTAVE. – Ô Ciel ! par où sortir de l'embarras où je me trouve ?
SILVESTRE. – C'est à quoi vous deviez songer avant que de vous y jeter.
OCTAVE. – Ah ! tu me fais mourir par tes leçons hors de saison[2].
SILVESTRE. – Vous me faites bien plus mourir par vos actions étourdies.
OCTAVE. – Que dois-je faire ? Quelle résolution prendre ? À quel remède recourir ?

MOLIÈRE, *Les Fourberies de Scapin* (1671).

1. Conjonctures : circonstances – **2. Hors de saison :** déplacées, inopportunes.

4 Transformez et enrichissez le dialogue ci-dessous en variant les types de phrases et en ajoutant des interjections.

ORGONTE. – Mon argent a disparu. C'est terrible. Je me demande où il peut bien être. Il est peut-être ici. Il peut être là. Je me demande quoi faire. Je suis désespéré. Mais voilà quelqu'un. Je veux que vous approchiez et que vous me disiez où vous avez mis mon argent.
CRÉCELLE. – Je ne sais pas de quoi vous parlez.
ORGONTE. – Tu es un menteur. C'est toi qui l'as pris.
CRÉCELLE. – Monsieur est fou.

Écrire une farce à l'imitation du *Cuvier*

Sujet

Dans la scène que vous allez écrire, c'est la femme qui se plaint de son mari : celui-ci lui impose une contrainte, soutenu par un ami qui partage ses vues sur la place des femmes. La situation va tourner à l'avantage de la femme qui prendra sa revanche. Racontez sous la forme d'une petite pièce à trois personnages : la femme, le mari, son ami. Vous suivrez le canevas de la *Farce du Cuvier*.

Scène de la vie conjugale,
enluminure d'un manuscrit du XVe
siècle (Paris, BNF).

A   Chercher des idées

1. Quelle contrainte le mari veut-il imposer à sa femme ?

2. Comment sa femme s'oppose-t-elle à lui ?

3. Par quels arguments l'ami soutient-il le mari ?

4. Pourquoi la femme se soumet-elle ?

5. Comment va-t-elle tirer parti de la situation pour la retourner à son avantage ?

6. Qu'obtient-elle à la fin ?

7. Quelle morale tire-t-elle de cette aventure ?

Notez toutes vos idées au brouillon.

B   Rédiger

Pour l'exposition

8. Vous allez devoir rédiger un monologue : comment allez-vous le rendre vivant ?
Soignez en particulier la ponctuation.

9. Quelles informations ce monologue doit-il apporter au spectateur ?

10. Quels sentiments la femme exprime-t-elle ? Comment ces sentiments transparaissent-ils dans le texte ?

Pour l'action

11. Comment l'attitude tyrannique du mari se manifeste-t-elle dans ses paroles ? Et dans ses gestes ? Comment sa femme réagit-elle ?

12. Cherchez à quels endroits du dialogue vous allez pouvoir insérer les procédés comiques suivants : comique de caractère (suffisance, soumission, peur, insolence...), comique de gestes (pensez aux didascalies), réparties comiques (commentaires de la femme, de l'ami, formules du mari...), comique de langage (répétitions, accumulations, jeux de mots, familiarités...).

Pour le dénouement

13. Un retournement se produit dans la situation : quelles informations relatives à cette situation nouvelle peuvent trouver place dans le dialogue ? Où devrez-vous recourir aux didascalies ?

14. Insérez une morale dans la dernière réplique.

Des livres

À lire & à voir

❖ *Fabliaux du Moyen Âge*, éd. Brigitte Wagneur, trad. Jean-Claude Aubailly, Hachette, coll. « Bibliocollège », 2005.

Pour découvrir d'autres récits comiques du Moyen Âge : « La couverture partagée », « Estula », « Le paysan devenu médecin », « La vieille qui graissa la main d'un chevalier »…

❖ *Farces et fabliaux du Moyen Âge*, adapt. théâtre Robert Boudet, trad. Christian Poslaniec, L'École des Loisirs, 1986.

Ces textes, inspirés de fabliaux mais adaptés au théâtre, vous permettront de mettre en scène vous-même ces histoires drolatiques.

❖ Georges Feydeau, *Par la fenêtre et autres pièces*, éd. Cécile Pellissier, coll. « Petits Classiques Larousse », 2006.

Une série de courtes pièces pour découvrir l'univers féroce et drôle de Georges Feydeau.

❖ *La Farce du cuvier et autres farces du Moyen Âge*, trad. André Tissier, dossier Magali Wiéner, Garnier Flammarion, coll. « Étonnants classiques », 2006.

Outre *La Farce du cuvier*, retrouvez deux autres farces bien représentatives du genre : *Jenin, fils de rien*, et *Le Bateleur*.

Des films

❖ *Les Temps modernes*, de et avec Charlie Chaplin, 1936

Le dernier film muet de Charlie Chaplin, dans lequel les gags hérités de la farce sont mis au service d'une satire impitoyable de la société industrielle.

❖ *La Mégère apprivoisée*, de Franco Zeffirelli, 1967

Une adaptation enjouée et brillante de la première comédie de Shakespeare, rythmée par les scènes de ménage mémorables de Katharina et Petruchio.

❖ *La Zizanie*, Claude Zidi, 1978.

Les ressorts de la farce appliqués au cinéma et servis par l'inégalable Louis de Funès.

Chapitre 7 ● Farces et fabliaux   **205**

8 Scapin et autres valets

▶ **Entrer dans l'univers de la comédie classique**

Repères Aller au théâtre au XVIIe siècle 208

Textes et images

Lecture suivie : *Les Fourberies de Scapin*, de Molière

1. « Fâcheuses nouvelles pour un cœur amoureux ! »
(Acte I, scène 1) 210
2. « Une arrivée propice » (Acte I, scène 2) 212
3. « Que diable allait-il faire dans cette galère ? » (Acte II, scène 7) 214
4. « Des coups de bâton bien comptés » (Acte III, scène 2) 217
5. « Moi, l'épouser ! », *L'École des mères*, Marivaux 220
6. « Une carrière bien mouvementée », *Le Barbier de Séville*,
Beaumarchais 222
Étude de l'image *Scène de comédie*, tableau d'Honoré Daumier 224

Synthèse Le valet de comédie 225

Histoire des arts Art et pouvoir au XVIIe siècle 226

Langue et Expression
- Vocabulaire : La langue de Molière 228
- Grammaire pour écrire : Rédiger un dialogue théâtral 229
- Écriture : Ajouter une scène aux *Fourberies de Scapin* 230

À lire & à voir 231

***Les Comédiens italiens*, d'Antoine Watteau** (1684-1721),
huile sur toile, 63,8 cm x 76,2 cm (Washington, National Gallery of Art).

Lire une image

1. À quoi voit-on que les personnages se trouvent sur une scène de théâtre ?
2. Quels sont les autres éléments qui évoquent le théâtre ?
3. Quels personnages reconnaissez-vous ?

Les salles de spectacle

● Au XVIIᵉ siècle, les lieux où l'on donne des représentations théâtrales évoluent beaucoup. On quitte progressivement les tréteaux de foire, à l'extérieur, pour jouer dans des **théâtres à la française**, jeux de paume aménagés ou salles construites sur ce modèle, rectangulaires, longues et étroites. Puis apparaissent les **théâtres à l'italienne**, en forme de fer à cheval, conçus pour accueillir le maximum de spectateurs dans un minimum d'espace.

● La scène est assez petite, **éclairée par la lumière solaire** (on jouait l'après-midi), puis par des **lustres à chandelles** que l'on doit moucher au cours du spectacle, d'où la pause entre les actes.

Une salle « à la française », tableau de Jean-Baptiste Coulom d'après le *Roman comique* de Paul Scarron (1610-1660), huile sur toile, XVIIIᵉ siècle (Le Mans, musée de Tessé).

Questions

❶ Quelle est la différence entre les salles à l'italienne et celles à la française ?

❷ Que signifie *moucher* une chandelle ?

Louis XIII, Anne d'Autriche et Richelieu assistent à l'inauguration du Palais-Cardinal, le 14 janvier 1641, huile sur toile d'après Abraham Bosse (Paris, musée des Arts décoratifs).

Les spectateurs

● Les spectateurs se répartissent dans la salle en fonction de leur rang social. Sur le côté se trouvent les loges et les galeries où s'affiche le public aisé. Les nobles ont des places et des fauteuils **sur la scène même** et peuvent être vus, à l'instar des comédiens. Au parterre, **la masse des spectateurs reste debout**. Ce n'est qu'en 1782 qu'y apparaissent des sièges. L'assistance est agitée : allées et venues, conversations, bruits divers perturbent la représentation.

● Sous l'impulsion de Richelieu puis de Louis XIV, qui le considèrent comme un très utile instrument de pouvoir, le théâtre devient le divertissement le plus important. Le public noble afflue : la sortie au théâtre est une **cérémonie**, un **rite social**, comme ceux de la cour.

Question

❸ Comment les spectateurs se répartissaient-ils dans la salle ?

Les professionnels du théâtre

● Jusqu'au XVIIᵉ siècle, **l'Église condamne le théâtre** : les comédiens étaient **excommuniés** (exclus de la communauté chrétienne). Organisés en troupes, ils menaient une **vie ambulante** sur les routes de province.

● Mais peu à peu, le métier de comédien est reconnu et des troupes s'installent dans des **salles permanentes** à Paris. L'Illustre-Théâtre, troupe de Molière, quitte la vie itinérante pour s'installer à Paris en 1658 sous la protection de Monsieur, frère du roi. Louis XIV, grand amateur de théâtre, fonde en 1680 la **Comédie-Française**, qui regroupe toutes les troupes parisiennes.

● Il n'existait pas de metteur en scène : **l'auteur ou l'acteur assurait la direction des comédiens**. Ainsi, Molière dirigeait sa troupe et tenait un rôle dans ses pièces. Au XVIIIᵉ siècle, Beaumarchais sera le premier metteur en scène à se revendiquer comme tel.

Arrivée des comédiens au Mans, **tableau de Jean-Baptiste Coulom** d'après le *Roman comique* de Paul Scarron (1610-1660), huile sur toile, XVIIIᵉ siècle (Le Mans, musée de Tessé).

Questions

4 Comment les comédiens étaient-ils perçus par l'Église ? À votre avis, pourquoi ?

5 Entre le début et la fin de sa carrière, quelles évolutions de sa profession Molière a-t-il connues ?

1600   1650   1700

1617-1643
Louis XIII

1648-1653
Fronde : la noblesse se rebelle contre Louis XIV et Mazarin

1661-1715
Règne personnel de **Louis XIV**

1622
Naissance de Jean-Baptiste Poquelin, dit Molière

1671
Les Fourberies de Scapin

1680 : fondation de la Comédie-Française

1673 : mort de Molière

Texte 1

« Fâcheuses nouvelles pour un cœur amoureux ! »

LECTURE SUIVIE

Molière
(1622-1673)

De son véritable nom Jean-Baptiste Poquelin, il renonce au métier d'avocat auquel le destinait son père pour se consacrer au théâtre. À la fois auteur, acteur et directeur de troupe, il meurt pour ainsi dire sur scène en interprétant *Le Malade imaginaire*.

OCTAVE, SILVESTRE.

OCTAVE. – Ah ! fâcheuses nouvelles pour un cœur amoureux ! Dures extrémités[1] où je me vois réduit ! Tu viens, Silvestre, d'apprendre au port que mon père revient ?

SILVESTRE. – Oui.

5 OCTAVE. – Qu'il arrive ce matin même ?

SILVESTRE. – Ce matin même.

OCTAVE. – Et qu'il revient dans la résolution[2] de me marier ?

SILVESTRE. – Oui.

OCTAVE. – Avec une fille du seigneur Géronte ?

10 SILVESTRE. – Du seigneur Géronte.

OCTAVE. – Et que cette fille est mandée de Tarente ici pour cela ?

SILVESTRE. – Oui.

OCTAVE. – Et tu tiens ces nouvelles de mon oncle ?

SILVESTRE. – De votre oncle.

15 OCTAVE. – À qui mon père les a mandées par une lettre ?

SILVESTRE. – Par une lettre.

OCTAVE. – Et cet oncle, dis-tu, sait toutes nos affaires ?

SILVESTRE. – Toutes nos affaires.

OCTAVE. – Ah ! parle, si tu veux, et ne te fais point, de la sorte, arracher les 20 mots de la bouche.

SILVESTRE. – Qu'ai-je à parler davantage ? Vous n'oubliez aucune circonstance, et vous dites les choses tout justement comme elles sont.

OCTAVE. – Conseille-moi, du moins, et me dis ce que je dois faire dans ces cruelles conjonctures[3].

25 SILVESTRE. – Ma foi, je m'y trouve autant embarrassé que vous ; et j'aurais bon besoin que l'on me conseillât moi-même.

OCTAVE. – Je suis assassiné par ce maudit retour.

SILVESTRE. – Je ne le suis pas moins.

OCTAVE. – Lorsque mon père apprendra les choses, je vais voir fondre sur 30 moi un orage soudain d'impétueuses réprimandes[4].

SILVESTRE. – Les réprimandes ne sont rien ; et plût au ciel que j'en fusse quitte à ce prix ! mais j'ai bien la mine, pour moi, de payer plus cher vos folies, et je vois se former, de loin, un nuage de coups de bâton qui crèvera sur mes épaules.

35 OCTAVE. – Ô ciel ! par où sortir de l'embarras où je me trouve ?

SILVESTRE. – C'est à quoi vous deviez songer avant que de vous y jeter.

OCTAVE. – Ah ! tu me fais mourir par tes leçons hors de saison.

SILVESTRE. – Vous me faites bien plus mourir par vos actions étourdies.

OCTAVE. – Que dois-faire ? Quelle résolution prendre ? À quel remède recourir ?

MOLIÈRE, *Les Fourberies de Scapin*, Acte I, scène 1.

1. Dures extrémités : situation extrêmement difficile.

2. Dans la résolution (de) : avec la volonté (de).

3. Conjonctures : circonstances.

4. Réprimandes : reproches formulés avec autorité.

Décor de Robert Hirsch pour _Les Fourberies de Scapin_, gouache, 1956 (Paris, bibliothèque de la Comédie-Française).

Lecture

➜ Comprendre

1. Quels personnages sont présents sur scène ? De quels autres personnages parlent-ils ?

2. Quelles sont les fâcheuses nouvelles qu'évoque Octave ?

3. a. Lignes 29 à 34. Que redoute Octave ? Savons-nous pourquoi ?

b. Silvestre redoute-il la même chose ?

c. Quelle métaphore emploient-ils chacun à leur tour ?

➜ Analyser

4. Dans ce dialogue théâtral (➜ p. 334), lequel des deux personnages donne des informations sur la situation ? Quel est le rôle du second ?

5. Observez les pronoms personnels (➜ p. 278) : qu'est-ce qui nous permet de comprendre qu'Octave est le maître de Silvestre ?

6. a. Dans les lignes 31 à 39, relevez les deux groupes nominaux (➜ p. 276) par lesquels Silvestre désigne les actes d'Octave : quel déterminant (➜ p. 302) emploie-t-il ?

b. Quelle est son intention ?

➜ Interpréter

7. a. Quelle réaction Octave espère-t-il de la part de Silvestre (l. 19 à 28) ?

b. Est-il satisfait ? Pourquoi ?

8. Expliquez l'expression « tes leçons hors de saison » (l. 37).

9. D'après vos réponses aux questions précédentes, faites le portrait de Silvestre.

10. Dans quel état d'esprit Octave se trouve-t-il à la fin de la scène ?

11. a. En quoi cette scène est-elle une scène d' « exposition » ?

b. À quoi pouvons-nous nous attendre pour la suite de la pièce ?

Vocabulaire

12. a. Dans quel sens le verbe _mander_ est-il employé à la ligne 11 ? Et à la ligne 15 ?

b. Quels verbes de la même famille connaissez-vous ? Donnez leur sens.

13. a. « Par où sortir de l'embarras où je me trouve ? » (l. 35). Que veut dire _embarras_ ?

b. Relevez une phrase dans laquelle est employé le verbe correspondant.

14. Qu'est-ce qu'une _résolution_ (l. 39) ? Donnez un verbe de la même famille.

Expression écrite

▮ Sujet

« Tu viens, Silvestre, d'apprendre au port que mon père revient ?
– Oui. »

Que nous apprend ce passage ? L'information se trouve-t-elle dans la question ou dans la réponse ?

Réécrivez les lignes 1 à 18 de façon que les informations viennent des réponses de Silvestre et non des questions d'Octave.

Exemple : « Qu'as-tu appris au port, Silvestre ?

– J'ai appris que votre père revenait. »

Une arrivée propice

SCAPIN, OCTAVE, SILVESTRE.

SCAPIN. – Qu'est-ce, seigneur Octave ? Qu'avez-vous ? Qu'y a-t-il ? Quel désordre est-ce là ? Je vous vois tout troublé.

OCTAVE. – Ah ! mon pauvre Scapin, je suis perdu ; je suis désespéré ; je suis le plus infortuné de tous les hommes.

5 SCAPIN. – Comment ?

OCTAVE. – N'as-tu rien appris de ce qui me regarde ?

SCAPIN. – Non.

OCTAVE. – Mon père arrive avec le seigneur Géronte, et ils me veulent marier.

10 SCAPIN.– Eh bien ! qu'y a-t-il là de si funeste[1] ?

OCTAVE. – Hélas ! tu ne sais pas la cause de mon inquiétude ?

SCAPIN. – Non ; mais il ne tiendra qu'à vous que je la sache bientôt, et je suis homme consolatif[2], homme à m'intéresser aux affaires des jeunes gens.

OCTAVE. – Ah ! Scapin, si tu pouvais trouver quelque invention, forger 15 quelque machine[3], pour me tirer de la peine où je suis, je croirais t'être redevable de plus que de la vie.

SCAPIN. – À vous dire la vérité, il y a peu de choses qui me soient impossibles, quand je m'en veux mêler. J'ai sans doute reçu du ciel un génie assez beau pour toutes les fabriques de ces gentillesses d'esprit[4], de ces galanteries[5] 20 ingénieuses, à qui le vulgaire ignorant donne le nom de fourberies ; et je puis dire, sans vanité, qu'on n'a guère vu d'homme qui fût plus habile ouvrier de ressorts[6] et d'intrigues, qui ait acquis plus de gloire que moi dans ce noble métier. Mais, ma foi, le mérite est trop maltraité aujourd'hui ; et j'ai renoncé à toutes choses depuis certain chagrin d'une affaire qui m'arriva.

25 OCTAVE. – Comment ! quelle affaire, Scapin ?

SCAPIN. – Une aventure où je me brouillai avec la justice.

OCTAVE. – La justice ?

SCAPIN. – Oui, nous eûmes un petit démêlé[7] ensemble.

SILVESTRE. – Toi et la justice ?

30 SCAPIN. – Oui. Elle en usa fort mal avec moi ; et je me dépitai de telle sorte contre l'ingratitude du siècle, que je résolus de ne plus rien faire. Baste ! Ne laissez pas de[8] me conter votre aventure.

Géronte et Argante, partis en voyage, ont laissé leurs fils, Octave et Léandre, sous la garde de leurs valets respectifs, Silvestre et Scapin. Les deux jeunes gens ont rencontré des jeunes filles, Zerbinette et Hyacinte, dont ils sont tombés amoureux. Octave, pour pouvoir fréquenter Hyacinte, l'a épousée sans attendre le consentement de son père.

SCAPIN. – Est-ce là tout ? Vous voilà bien embarrassés tous deux par une bagatelle ! c'est bien là de quoi se tant alarmer ! N'as-tu point de honte, toi[9], 35 de demeurer court[10] à si peu de chose ? Que diable ! te voilà grand et gros comme père et mère, et tu ne saurais trouver dans ta tête, forger dans ton esprit quelque ruse galante, quelque honnête petit stratagème, pour ajuster

1. Funeste : terrible, catastrophique.

2. Consolatif : capable de consoler.

3. Forger quelque machine : inventer, imaginer un stratagème.

4. Gentillesse d'esprit : ruse astucieuse.

5. Galanterie : intrigue (amoureuse).

6. Ressort : machination.

7. Démêlé : conflit.

8. Ne laissez pas de : ne cessez pas de.

9. Scapin s'adresse à Silvestre.

10. Demeurer court : ne pas savoir quoi faire.

11. **Butor :** personnage grossier et lourdaud.

12. **Jouer par-dessous la jambe :** berner facilement.

vos affaires ! Fi ! peste soit du butor[11] ! Je voudrais bien que l'on m'eût donné autrefois nos vieillards à duper ; je les aurais joués tous deux par-dessous la
40 jambe[12] : et je n'étais pas plus grand que cela, que je me signalais déjà par cent tours d'adresse jolis.

MOLIÈRE, *Les Fourberies de Scapin*, Acte I, scène 2.

Lecture

→ Comprendre

1. a. Quel nouveau personnage entre en scène ?
b. De quels autres personnages faisons-nous la connaissance ?
c. Quels sont les différents liens qui les unissent ?
2. Qu'apprenons-nous de plus sur la situation d'Octave ?
3. Scapin se montre-t-il intéressé par ses problèmes ?
4. S'engage-t-il à lui venir en aide ?

→ Analyser

5. Relevez les expressions employées par Scapin pour désigner la fourberie : sont-elles mélioratives ou péjoratives ?
6. a. L. 33 à 41 : quels reproches Scapin fait-il à Silvestre ? Quel **type de phrases** (→ p. 280) emploie-t-il ?
b. Expliquez l'emploi de *vos* dans « vos affaires » (l. 38).

→ Interpréter

7. Quelle est la réaction de Scapin une fois informé de la situation ? Quelles expressions emploie-t-il pour la désigner ?
8. Comparez la réaction de Scapin à celle de Silvestre dans la scène 1 : qu'apprenons-nous ainsi des deux valets ?
9. Dans la dernière réplique de Scapin, relevez une phrase montrant le plaisir qu'il prend à faire des fourberies.
10. Lignes 30 à 32 : Scapin se plaint de la justice : qu'est-ce que cela nous révèle du personnage ?
11. À la fin de la scène, pouvons-nous nous attendre à ce que Scapin arrange, par la suite, la situation d'Octave ? Justifiez votre réponse.

Daniel Auteuil (Scapin) dans la mise en scène de Jean-Pierre Vincent, Festival d'Avignon, 7 juillet 1990.

c. En vous aidant d'un dictionnaire, complétez les phrases suivantes avec les noms que vous avez formés :
1. Son discours est d'un ennui mortel, il ne fait que débiter des ... !
2. Elle est jeune, dans toute la ... de sa beauté.
3. Cet enfant a l'esprit vif, il répond toujours avec ... .
4. Dès que je suis en ..., j'ai le vertige.
5. L' ... me ronge : cela fait des heures que j'attends des nouvelles.
6. Le silence et la ... de ce paysage apaisent l'âme.

Vocabulaire

12. a. Cherchez dans le dictionnaire les différents sens de *fortune*.
b. Auquel de ces sens correspond l'adjectif *infortuné* (l. 4) ? Que signifie le préfixe *-in* ?
13. a. Qu'est-ce que l'*ingratitude* ? Comment ce mot est-il formé ?
b. À l'aide du même suffixe, formez les noms qui correspondent aux adjectifs suivants : *plat – inquiet – haut – seul – plein – prompt*.

Expression écrite

Sujet

Octave, rassuré, raconte à Hyacinthe la conversation qu'il vient d'avoir avec Scapin : imaginez le portrait enthousiaste qu'il fait du valet et de ses talents.

Conseils

● Employez un vocabulaire valorisant, ainsi que le vocabulaire de la fourberie.
● Vous utiliserez la phrase exclamative.

« Que diable allait-il faire dans cette galère ? »

LECTURE SUIVIE

Arnaud Denis (Scapin) et Jean-Pierre Leroux (Géronte) dans une mise en scène d'Arnaud Denis, Paris, Théâtre du Lucernaire, 23 mai 2006.

> *Zerbinette, la jeune fille qu'aime Léandre, a été enlevée par des Égyptiens[1] qui lui demandent une rançon à apporter dans les deux heures. Scapin s'est engagé à soutirer l'argent à Géronte, le père de Léandre.*

GÉRONTE, SCAPIN

SCAPIN. – Ô Ciel ! Ô disgrâce[2] imprévue ! Ô misérable père ! Pauvre Géronte, que feras-tu ?

GÉRONTE. – Que dit-il là de moi, avec ce visage affligé ?

SCAPIN. – N'y a-t-il personne qui puisse me dire où est le seigneur Géronte ?

5 GÉRONTE. – Qu'y a-t-il, Scapin ?

SCAPIN. – Où pourrai-je le rencontrer, pour lui dire cette infortune ?

GÉRONTE. – Qu'est-ce que c'est donc ?

SCAPIN. – En vain je cours de tous côtés pour le pouvoir trouver.

GÉRONTE. – Me voici.

10 SCAPIN. – Il faut qu'il soit caché en quelque endroit qu'on ne puisse point deviner.

GÉRONTE. – Holà ! es-tu aveugle, que tu ne me vois pas ?

SCAPIN. – Ah ! Monsieur, il n'y a pas moyen de vous rencontrer.

1. Dans la comédie, *égyptien* a souvent le sens de *bohémien*.

2. Disgrâce : malheur.

GÉRONTE. — Il y a une heure que je suis devant toi. Qu'est-ce que c'est donc
qu'il y a ?

SCAPIN. — Monsieur…

GÉRONTE. — Quoi ?

SCAPIN. — Monsieur, votre fils…

GÉRONTE. — Hé bien ! mon fils…

20 SCAPIN. — Est tombé dans une disgrâce la plus étrange du monde.

GÉRONTE. — Et quelle ?

SCAPIN. — Je l'ai trouvé tantôt tout triste, de je ne sais quoi que vous lui avez
dit, où vous m'avez mêlé assez mal à propos[3] ; et, cherchant à divertir cette
tristesse, nous nous sommes allés promener sur le port. Là, entre autres plu-
25 sieurs choses, nous avons arrêté nos yeux sur une galère turque assez bien
équipée. Un jeune Turc de bonne mine nous a invités d'y entrer, et nous a
présenté la main. Nous y avons passé ; il nous a fait mille civilités, nous a
donné la collation[4], où nous avons mangé des fruits les plus excellents qui
se puissent voir, et bu du vin que nous avons trouvé le meilleur du monde.

30 GÉRONTE. — Qu'y a-t-il de si affligeant en tout cela ?

SCAPIN. — Attendez, Monsieur, nous y voici. Pendant que nous mangions, il
a fait mettre la galère en mer, et, se voyant éloigné du port, il m'a fait mettre
dans un esquif[5], et m'envoie vous dire que si vous ne lui envoyez par moi
tout à l'heure[6] cinq cents écus, il va vous emmener votre fils en Alger.

35 GÉRONTE. — Comment, diantre ! cinq cents écus ?

SCAPIN. — Oui, Monsieur ; et de plus, il ne m'a donné pour cela que deux
heures.

GÉRONTE. — Ah ! le pendard de Turc, m'assassiner de la façon !

SCAPIN. — C'est à vous, Monsieur, d'aviser[7] promptement aux moyens de
40 sauver des fers[8] un fils que vous aimez avec tant de tendresse.

GÉRONTE. — Que diable allait-il faire dans cette galère ?

SCAPIN. — Il ne songeait pas à ce qui est arrivé.

GÉRONTE. — Va-t'en, Scapin, va-t'en vite dire à ce Turc que je vais envoyer la
justice après lui.

45 SCAPIN. — La justice en pleine mer ! Vous moquez-vous des gens ?

GÉRONTE. — Que diable allait-il faire dans cette galère ?

SCAPIN. — Une méchante destinée conduit quelquefois les personnes.

GÉRONTE. — Il faut, Scapin, il faut que tu fasses ici l'action d'un serviteur
fidèle.

50 SCAPIN. — Quoi, Monsieur ?

GÉRONTE. — Que tu ailles dire à ce Turc qu'il me renvoie mon fils, et que
tu te mettes à sa place jusqu'à ce que j'aie amassé la somme qu'il demande.

SCAPIN. — Eh ! Monsieur, songez-vous à ce que vous dites ? et vous figurez-
vous que ce Turc ait si peu de sens, que d'aller recevoir un misérable comme
55 moi à la place de votre fils ?

GÉRONTE. — Que diable allait-il faire dans cette galère ?

SCAPIN. — Il ne devinait pas ce malheur. Songez, Monsieur, qu'il ne m'a
donné que deux heures.

GÉRONTE. — Tu dis qu'il demande…

60 SCAPIN. — Cinq cents écus.

3. Géronte avait laissé
entendre à Léandre que
Scapin l'avait trahi.

4. **Collation** : repas léger,
goûter.

5. **Esquif** : petite embarcation
légère.

6. **Tout à l'heure** :
immédiatement.

7. **Aviser à** : réfléchir,
songer à.

8. **Sauver des fers** : sauver
de la captivité, de l'esclavage.

**Le Zani, ou Scapin,
personnage de la
Commedia dell' Arte,**
gravure de Jacques
Callot, 1619.

GÉRONTE. — Cinq cents écus ! N'a-t-il point de conscience ?

SCAPIN. — Vraiment oui, de la conscience à un Turc.

GÉRONTE. — Sait-il bien ce que c'est que cinq cents écus ?

SCAPIN. — Oui, Monsieur, il sait que c'est mille cinq cents livres.

65 GÉRONTE. — Croit-il, le traître, que mille cinq cents livres se trouvent dans le pas d'un cheval ?

SCAPIN. — Ce sont des gens qui n'entendent point de raison.

GÉRONTE. — Mais que diable allait-il faire à cette galère ? […]

MOLIÈRE, *Les Fourberies de Scapin*, Acte II, scène 7.

Lecture

➡ Comprendre

1. Lignes 1 à 11 : les deux personnages se parlent-ils ? Comment l'expliquez-vous ?

2. a. Pourquoi Scapin a-t-il besoin d'argent ?
b. Quel mensonge invente-t-il pour en soutirer à Géronte ?

3. a. Quelles solutions Géronte propose-t-il pour ne pas payer la rançon ?
b. Scapin accepte-il les solutions suggérées par son maître ? Pourquoi ?

➡ Analyser

4. a. « Il y a une heure que je suis devant toi. » (l. 14) : quelle figure de style (➡ p. 366) est employée ici ?
b. Scapin répond-il immédiatement aux questions de Géronte ? Pourquoi ?

5. a. Quel portrait Scapin fait-il du Turc ? En quoi se montre-t-il habile ?
b. Dans les lignes 31 à 34, que suggère la répétition de l'expression « fait mettre » ?

6. « il va vous emmener votre fils en Alger » (l. 34) : qu'est-ce qui, dans la construction de cette phrase, montre que Scapin cherche à impliquer Géronte ?

7. a. À quel mode (➡ p. 350) *songez* est-il conjugué (l. 57) ? Dans quel but Scapin presse-t-il ainsi Géronte ?
b. Relevez les autres expressions qui mettent l'accent sur l'urgence de la situation.

➡ Interpréter

8. a. Quelle est la réaction de Géronte quand il apprend que son fils a été enlevé ?
b. « Ah le pendard de Turc ! m'assassiner de la façon ! » (l. 38). En quoi cette réplique de Géronte est-elle choquante ?

9. « un fils que vous aimez avec tant de tendresse » (l. 40) : pourquoi peut-on dire que Scapin est ironique ?

10. a. Quelle phrase Géronte répète-t-il ? Quel est l'effet produit ?
b. Qu'est-ce que cela nous révèle du personnage ? Nous paraît-il sympathique ?

Vocabulaire

11. Donnez des synonymes de *misérable* : à la ligne 1, et à la ligne 54.

12. a. Que signifie *affliger* ? Sous quelles formes ce verbe est-il employé dans le texte ?
b. Quel est le nom qui lui correspond ?

13. a. Quel est le sens du verbe *divertir* (l. 23) ?
b. Trouvez deux noms de la même famille, et employez-les dans les phrases suivantes :
1. Scapin fait … dès qu'Argante veut quereller Silvestre. – **2.** Quel agréable … que la comédie !

Expression orale

Sujet

Vous allez jouer cette scène en proposant deux interprétations possibles pour le personnage de Géronte : un Géronte vieux et pleurnichard, puis un Géronte nerveux et irascible.

Conseils

● Imaginez les déplacements des personnages dans la première partie de la scène : Scapin faisant semblant de ne pas voir Géronte, et Géronte cherchant à se faire voir de Scapin.

● Décrivez les mimiques et les gestes de Scapin lorsqu'il se lamente, en accord avec le ton qu'il doit adopter.

● Choisissez le ton qu'adopte Scapin dans la suite de la scène : lorsqu'il raconte la rencontre avec le Turc (fausse désolation, délectation ?), lorsqu'il rejette les propositions de Géronte et le presse (agacement, colère, patience, impatience ?).

● Décrivez les mimiques et les gestes de Géronte pour chacune des deux interprétations.

Des coups de bâtons bien comptés

LECTURE SUIVIE

Illustration de la scène du sac par Janet-Lange, gravure, XIXᵉ siècle.

1. **Spadassin :** soldat, tueur à gages.

2. **Abantage :** avantage (imitation de l'accent gascon : les *b* et les *v* sont intervertis).

3. **Branler :** bouger, remuer.

4. **Cadédis :** juron gascon signifiant « tête (cap) de Dieu ».

5. **Vaille :** baille (*bailler* signifie *donner*).

GÉRONTE, SCAPIN.

À cause de Géronte, Scapin a dû avouer à Léandre quelques mauvais tours qu'il lui avait joués. Décidé à se venger, Scapin invente un frère à Hyacinte et fait croire à Géronte que celui-ci, accompagné d'hommes armés, le cherche pour le tuer. Il convainc le vieillard de se cacher dans un grand sac.

SCAPIN. – Cachez-vous. Voici un spadassin[1] qui vous cherche. (*En contre-faisant sa voix.*) « Quoi ? Jé n'aurai pas l'abantage[2] dé tuer cé Géronte, et quelqu'un par charité né m'enseignera pas où il est ? » (*À Géronte avec sa voix ordinaire.*) Ne branlez[3] pas. (*Reprenant son ton contrefait.*) « Cadédis[4], jé lé
5 trouberai, sé cachât-il au centre dé la terre. » (*À Géronte avec son ton naturel.*) Ne vous montrez pas. (*Tout le langage gascon est supposé de celui qu'il contre-fait, et le reste de lui.*) « Oh, l'homme au sac ! » – Monsieur. – « Jé té vaille[5] un louis, et m'enseigne où put être Géronte. » Vous cherchez le seigneur

Géronte ? « Oui, mordi ! Jé lé cherche. » Et pour quelle affaire, Monsieur ? «
10 Pour quelle affaire ? » Oui. « Jé beux, cadédis, lé faire mourir sous les coups
de vaton. » Oh ! Monsieur, les coups de bâton ne se donnent point à des gens
comme lui, et ce n'est pas un homme à être traité de la sorte. « Qui, cé fat[6]
dé Geronte, cé maraut, cé velître ? » Le seigneur Géronte, Monsieur, n'est ni
fat, ni maraud[7] ni belître[8], et vous devriez, s'il vous plaît, parler d'autre façon.
15 « Comment, tu mé traites, à moi, avec cette hautur ? » Je défends, comme
je dois, un homme d'honneur qu'on offense. « Est-ce que tu es des amis dé
cé Geronte ? » Oui, Monsieur, j'en suis. « Ah ! cadédis, tu es de ses amis, à la
vonne hure. » (*Il donne plusieurs coups de bâton sur le sac.*) « Tiens. Boilà cé que
jé té vaille pour lui. » Ah, ah, ah ! ah, Monsieur ! Ah, ah, Monsieur ! Tout
20 beau. Ah, doucement, ah, ah, ah ! « Va, porte-lui cela de ma part. Adiusias. »
Ah ! diable soit le Gascon. Ah ! (*En se plaignant et remuant le dos, comme s'il
avait reçu les coups de bâton.*)

Géronte, *mettant la tête hors du sac.* — Ah ! Scapin, je n'en puis plus !

Scapin. — Ah ! Monsieur, je suis tout moulu[9], et les épaules me font un mal
25 épouvantable.

Géronte. — Comment ? c'est sur les miennes qu'il a frappé.

Scapin. — Nenni, Monsieur, c'était sur mon dos qu'il frappait.

Géronte. — Que veux-tu dire ? J'ai bien senti les coups, et les sens bien encore.

Scapin. — Non, vous dis-je, ce n'est que le bout du bâton qui a été jusque sur
30 vos épaules.

Géronte. — Tu devais donc te retirer un peu plus loin pour m'épargner…
[…]

*La même scène recommence : Géronte se remet dans le sac, est frappé par Scapin
imitant cette fois l'accent suisse ou allemand, et ressort du sac encore plus moulu.*

Scapin, *lui remettant la tête dans le sac.* — Prenez garde, voici une demi-douzaine de soldats tout ensemble. (*Il contrefait plusieurs personnes ensemble.*)
35 « Allons, tâchons à trouver ce Géronte, cherchons partout. N'épargnons
point nos pas. Courons toute la ville. N'oublions aucun lieu. Visitons tout.
Furetons de tous les côtés. Par où irons-nous ? Tournons par là. Non, par
ici. À gauche. À droite. Nenni. Si fait. » Cachez-vous bien. « Ah ! camarades,
voici son valet. Allons, coquin, il faut que tu nous enseignes où est ton
40 maître. » Hé ! Messieurs, ne me maltraitez point. « Allons, dis-nous où il est.
Parle. Hâte-toi. Expédions. Dépêche vite. Tôt. » Hé ! Messieurs, doucement.
(*Géronte met doucement la tête hors du sac et aperçoit la fourberie de Scapin.*) « Si tu
ne nous fais trouver ton maître tout à l'heure[10], nous allons faire pleuvoir sur
toi une ondée de coups de bâton. » J'aime mieux souffrir toute chose que de
45 découvrir mon maître. « Nous allons t'assommer. » Faites tout ce qu'il vous
plaira. « Tu as envie d'être battu. » Je ne trahirai point mon maître. « Ah ! tu
en veux tâter ? Voilà… » Oh !

Comme il est près de frapper, Géronte sort du sac, et Scapin s'enfuit.

Géronte. — Ah, infâme ! Ah, traître ! ah, scélérat ! C'est ainsi que tu m'as-
50 sassines.

MOLIÈRE, *Les Fourberies de Scapin*, Acte III, scène 2.

6. Fat : sot, prétentieux.

7. Maraud : coquin, drôle.

8. Vélître, bélître :
bon à rien (très péjoratif).

9. Moulu : fourbu, éreinté.

10. Tout à l'heure : sur-le-
champ, immédiatement.

La scène du sac dans le film de Roger Coggio, *Les Fourberies de Scapin,* 1980.

Lecture

→ Comprendre

1. Que signifie « contrefaisant sa voix » (l. 1-2) ?

2. Quels personnages Scapin imite-t-il ? Quels indices permettent d'isoler leurs paroles ?

3. a. Pourquoi Géronte n'« en peut-il plus » (l. 23) ?

b. Scapin est-il vraiment « moulu » ?

4. « Tu devais donc te retirer un peu plus loin pour m'épargner » (l. 31). Expliquez cette réplique de Géronte.

→ Analyser

5. a. Quel <u>type</u> et quelle <u>forme de phrase</u> (→ p. 280) Scapin emploie-t-il le plus lorsqu'il s'adresse directement à Géronte ?

b. Relevez les injures qu'il lui adresse à travers ses personnages. En quoi peut-on dire que Scapin insulte doublement Géronte ?

c. Montrez que les rôles du maître et du valet sont inversés.

6. Comment Scapin s'y prend-il pour faire croire à la présence de plusieurs personnes (l.35 à 47) ? À quoi reconnaît-on des soldats ?

7. En quoi cette scène est-elle une scène de farce ?

→ Interpréter

8. a. « Je défends, comme je dois, un homme d'honneur qu'on offense. » (l. 15-16). Expliquez l'ironie de cette réplique de Scapin.

b. Relevez les autres expressions flatteuses qu'il emploie à propos de Géronte. Pourquoi sont-elles particulièrement amusantes ?

9. Cette scène était-elle nécessaire à l'intrigue ? Justifiez votre réponse. Qu'apporte-t-elle ?

10. Quel nouveau trait de caractère de Scapin apparaît à l'issue de cette scène ? Paraît-il toujours aussi sympathique ? Justifiez votre réponse.

Vocabulaire

11. a. Que signifie *défendre* (l. 15) ? Quel autre sens connaissez-vous ?

b. Duquel de ces deux sens *offenser* est-il l'antonyme ? Donnez sa définition.

12. a. « Furetons de tous les côtés. » (l. 37) Que signifie *fureter* ? À partir du nom de quel animal ce verbe est-il construit ?

b. Construisez les verbes qui correspondent aux noms d'animaux suivants :

lézard – canard – fouine – mouton – fourmi – cafard – papillon – singe.

c. En vous aidant d'un dictionnaire, employez-les dans des phrases de votre invention.

13. a. Que signifie l'expression « avoir plus d'un tour dans son sac » ? En quoi peut-on dire que cette scène l'illustre particulièrement ?

b. Trouvez d'autres expressions employant le nom *sac* dans un sens figuré, et donnez leur sens.

Expression orale

Sujet

Dans cette scène, l'habile Scapin se laisse bien facilement surprendre par Géronte. À votre avis, pourquoi ?

Différentes interprétations sont possibles :

a. se laissant emporter par son désir de vengeance, Scapin va trop loin ;

b. il n'aurait pas été admissible à cette époque qu'un valet puisse battre son maître en toute impunité ;

c. Scapin voulait que Géronte sache d'où viennent les coups de bâton.

Et vous, qu'en pensez-vous ? Défendez votre point de vue en vous appuyant sur l'image que vous avez du personnage de Scapin.

« Moi, l'épouser ! »

Au XVIIIᵉ siècle, à l'aube de la Révolution, la comédie se renouvelle avec Marivaux et Beaumarchais (voir p. 222). On y retrouve le traditionnel chassé-croisé amoureux sous le regard complice des valets, mais autour d'une véritable interrogation sur la place de l'homme – et de la femme – dans la société.

Angélique est au désespoir : Madame Argante, sa mère, vient de lui annoncer qu'elle a décidé de la marier à Monsieur Damis, un homme fortuné mais âgé. Lisette, servante d'Angélique, sait que celle-ci aime Éraste.

Marivaux
(1688-1763)

Il est l'auteur de nombreuses pièces de théâtre dont *La Double Inconstance* (1723), *Le Jeu de l'amour et du hasard* (1730), mais aussi d'articles satiriques et de deux romans inachevés : *La Vie de Marianne* (1731-1741) et *Le Paysan parvenu* (1735). Ses comédies se caractérisent par une analyse subtile du sentiment amoureux, qui permet la découverte de soi.

Lisette. – Qu'avez-vous dit à votre mère ?

Angélique. – Eh ! tout ce qu'elle a voulu.

Lisette. – Vous épouserez donc Monsieur Damis ?

Angélique. – Moi, l'épouser ! Je t'assure que non ; c'est bien assez qu'il
5 m'épouse.

Lisette. – Oui, mais vous n'en serez pas moins sa femme.

Angélique. – Eh bien, ma mère n'a qu'à l'aimer pour nous deux ; car pour moi je n'aimerai jamais qu'Éraste.

Lisette. – Il le mérite bien.

10 Angélique. – Oh ! pour cela, oui. C'est lui qui est aimable, qui est complaisant[1], et non pas ce Monsieur Damis que ma mère a été prendre je ne sais où, qui ferait bien mieux d'être mon grand-père que mon mari [...].

Lisette. – On dit qu'il est au désespoir, Éraste.

Angélique. – Eh ! comment veut-il que je fasse ? Hélas ! je sais bien qu'il sera
15 inconsolable : n'est-on pas bien à plaindre, quand on s'aime tant, de n'être pas ensemble ? Ma mère dit qu'on est obligé d'aimer son mari ; eh bien ! qu'on me donne Éraste ; je l'aimerai tant qu'on voudra, puisque je l'aime avant que d'y être obligée, je n'aurai garde d'y manquer quand il le faudra, cela me sera bien commode.

20 Lisette. – Mais avec ces sentiments-là, que ne refusez-vous courageusement Damis ? Il est encore temps ; vous êtes d'une vivacité étonnante avec moi, et vous tremblez devant votre mère. Il faudrait lui dire ce soir : cet homme-là est trop vieux pour moi ; je ne l'aime point, je le hais, je le haïrai, et je ne saurais l'épouser[2].

25 Angélique. – Tu as raison : mais quand ma mère me parle, je n'ai plus d'esprit ; cependant je sens que j'en ai assurément ; et j'en aurais bien davantage, si elle avait voulu. [...] Elle ne m'a laissé voir personne, et avant que je connusse Éraste, le cœur me battait quand j'étais regardée par un jeune homme. Voilà pourtant ce qui m'est arrivé.

30 Lisette. – Votre naïveté me fait rire.

Angélique. – Mais est-ce que je n'ai pas raison ? Serais-je de même si j'avais joui d'une liberté honnête[3] ? [...] Aussi, quand je serai ma maîtresse ! laisse-moi faire, va… je veux savoir tout ce que les autres savent.

1. Complaisant : aimable, prévenant.

2. Je ne saurais l'épouser : Il m'est impossible de l'épouser.

3. Honnête : conforme aux usages, aux convenances.

LISETTE. – Je m'en fie bien à vous. [...] Mais parlons d'autre chose. Vous aimez
35 Éraste ?

ANGÉLIQUE. – Vraiment oui, je l'aime, pourvu qu'il n'y ait point de mal à avouer cela ; car je suis si ignorante ! Je ne sais point ce qui est permis ou non, au moins.

LISETTE – C'est un aveu sans conséquence avec moi.

40 ANGÉLIQUE. – Oh ! sur ce pied-là[4] je l'aime beaucoup, et je ne puis me résoudre à le perdre.

LISETTE. – Prenez donc une bonne résolution de n'être pas à un autre.

MARIVAUX, *L'École des mères*, 1732, scène 6.

4. Sur ce pied-là : dans ces conditions.

***L'Amante inquiète*, d'Antoine Watteau,**
huile sur toile, 1720 (Chantilly, musée Condé).

Lecture

➡ La mère et la fille

1. a. Pourquoi Angélique ne veut-elle pas épouser Monsieur Damis ?
b. L'a-t-elle dit à sa mère ? Pourquoi ?

2. D'après les propos d'Angélique, quelle conception Madame Argante a-t-elle du mariage ? Semble-t-elle se préoccuper du bonheur de sa fille ? Justifiez votre réponse.

3. « Moi, l'épouser ! Je t'assure que non ; c'est bien assez qu'il m'épouse. » (l. 4-5) : comment Angélique se représente-t-elle le mariage ? Répondez en vous aidant de la suite du texte.

4. Lignes 25 à 38 : que comprenons-nous de l'éducation que Madame Argante a donnée à sa fille ?

5. Que veut dire Angélique lorsqu'elle s'exclame : « Aussi, quand je serai ma maîtresse ! » (l. 32) ?

➡ La suivante et la maîtresse

6. Qu'est-ce qui, dans la conversation des deux femmes, montre que Lisette est la suivante d'Angélique ?

7. Laquelle mène la conversation ? Justifiez votre réponse.

8. Angélique se confie-t-elle facilement à Lisette ? Pourquoi ?

9. Lignes 20 à 24 : que reproche Lisette à Angélique ?

10. Cherchez la définition du verbe *émancipe*r : en quoi Lisette pousse-t-elle Angélique à s'émanciper ?

➡ De Scapin à Lisette

11. Quels points communs la situation de Léandre (p. 210) et celle d'Angélique présentent-elles ?

12. a. Quelles sont les raisons qui poussent Scapin à aider Léandre ?
b. Est-ce pour les mêmes raisons que Lisette aide Angélique ? Justifiez votre réponse.

13. En quoi le personnage de valet représenté par Lisette est-il différent de celui représenté par Scapin ?

Une carrière bien mouvementée

Beaumarchais (1732-1799)

Les deux comédies les plus célèbres de Beaumarchais, *Le Barbier de Séville* (1775), et *Le Mariage de Figaro* (1784), doivent leur succès à leur gaieté, à leur caractère endiablé, et surtout à la franchise de la satire sociale et politique, incarnée par le personnage de Figaro.

Aux premières lueurs du jour, dans une rue de Séville, le comte Almaviva, déguisé en étudiant, fait les cent pas sous la fenêtre de la belle Rosine, une noble orpheline, jalousement surveillée par le docteur Bartholo, son vieux tuteur, qui espère l'épouser. Un homme portant une guitare compose gaiement des couplets en se félicitant de ses trouvailles. Le comte reconnaît Figaro, son ancien valet, qui lui raconte son parcours : d'abord garçon apothicaire[1] à Madrid, il se tourne vers les lettres...

Le Comte. — Est-ce que tu fais aussi des vers ? Je t'ai vu là griffonnant sur ton genou, et chantant dès le matin.

Figaro. — Voilà précisément la cause de mon malheur, Excellence. Quand on a rapporté au ministre[2] que je faisais, je puis dire assez joliment, des bou-
5 quets à Chloris[3], que j'envoyais des énigmes aux journaux, qu'il courait des madrigaux[4] de ma façon ; en un mot, quand il a su que j'étais imprimé tout vif, il a pris la chose au tragique, et m'a fait ôter mon emploi, sous prétexte que l'amour des Lettres est incompatible avec l'esprit des affaires.

Le Comte. — Puissamment raisonné ! et tu ne lui fis pas représenter[5]...

10 Figaro. — Je me crus trop heureux d'en être oublié ; persuadé qu'un Grand[6] nous fait assez de bien quand il ne nous fait pas de mal.

Le Comte. — Tu ne dis pas tout. Je me souviens qu'à mon service tu étais un assez mauvais sujet.

Figaro. — Eh ! mon Dieu, Monseigneur, c'est qu'on veut que le pauvre soit
15 sans défaut.

Le Comte. — Paresseux, dérangé[7]...

Figaro. — Aux vertus qu'on exige dans un domestique, Votre Excellence connaît-elle beaucoup de maîtres qui fussent dignes d'être valets ?

Le Comte, *riant*. — Pas mal. Et tu t'es retiré en cette ville ? [...]

20 Figaro. — Voyant à Madrid que la république des Lettres était celle des loups, toujours armés les uns contre les autres, et que, livrés au mépris où ce risible acharnement les conduit, tous les insectes, les moustiques, les cousins, les critiques, les maringouins[8], les envieux, les feuillistes[9], les libraires, les censeurs[10], et tout ce qui s'attache à la peau des malheureux gens de lettres,
25 achevait de déchiqueter et sucer le peu de substance qui leur restait ; fatigué d'écrire, ennuyé de moi, dégoûté des autres, abîmé de dettes et léger d'argent ; à la fin, convaincu que l'utile revenu du rasoir est préférable aux vains honneurs de la plume, j'ai quitté Madrid, et, mon bagage en sautoir[11],

1. Garçon apothicaire : employé d'un pharmacien.

2. Ministre : personne qui est chargée d'une fonction. Il s'agit de l'homme qui, sur la recommandation du comte, avait procuré à Figaro son emploi de garçon apothicaire.

3. Des bouquets à Chloris : des poèmes en l'honneur d'une femme, appelée Chloris par convention.

4. Madrigal : court poème galant.

5. Représenter : présenter une objection, discuter.

6. Un Grand : un noble, un homme de pouvoir.

7. Dérangé : dissipé, dont la vie n'est pas rangée.

8. Maringouin : espèce de moustique. Allusion à Marin, censeur qui s'était opposé à Beaumarchais.

9. Feuilliste : journaliste.

10. Censeur : Personne qui contrôle, critique les opinions et les actions des autres.

11. En sautoir : autour du cou.

parcourant philosophiquement les deux Castilles, la Manche, l'Estrama-
30 dure, la Sierra-Morena, l'Andalousie[12] ; accueilli dans une ville, emprisonné dans l'autre, et partout supérieur aux événements ; loué par ceux-ci, blâmé par ceux-là ; aidant au bon temps, supportant le mauvais ; me moquant des sots, bravant les méchants ; riant de ma misère et faisant la barbe à tout le monde ; vous me voyez enfin établi dans Séville et prêt à servir de nouveau
35 Votre Excellence en tout ce qu'il lui plaira de m'ordonner.

LE COMTE. — Qui t'a donné une philosophie aussi gaie ?

FIGARO. — L'habitude du malheur. Je me presse de rire de tout, de peur d'être obligé d'en pleurer.

BEAUMARCHAIS, *Le Barbier de Séville*, 1775, Acte I, scène 2.

12. Les deux Castilles, Manche, Estramadure, Sierra-Morena, Andalousie : provinces espagnoles.

Emmanuel Vottero (le Comte), Xavier Berlioz (Figaro) et Élisa Sergent (Rosine), dans la mise en scène de **Sébastien Azzopardi**, Paris, Théatre du Lucernaire, 26 janvier 2005.

Lecture

➡ Une carrière tumultueuse

1. Pourquoi Figaro a-t-il perdu son emploi de garçon apothicaire ?

2. a. Quel type de textes écrivait-il ?
b. A-t-il fait carrière dans les lettres ? Pourquoi ?

3. Lignes 20 à 25. De qui Figaro fait-il la critique ? Expliquez la métaphore qu'il emploie.

4. a. Quelle profession a-t-il finalement choisi d'exercer ? Pourquoi ?
b. Que propose-t-il au comte ?

➡ Le maître et le valet

5. a. Comment le comte s'adresse-t-il à Figaro ? Et Figaro au comte ? Relevez les termes par lesquels il le désigne.
b. Que pouvons-nous en déduire sur leur relation ?

6. a. « un Grand nous fait assez de bien quand il ne nous fait pas de mal. » (l. 10-11) Expliquez cette réplique de Figaro.

b. Comment évoque-t-il la façon dont les nobles traitent leurs domestiques ?

7. a. Relevez les propos du comte dans lesquels il sous-entend que Figaro n'était pas un valet zélé.
b. Comment Figaro s'en défend-il ? Que dénonce-t-il par là ?

8. Cherchez la définition du mot *philosophie*. Quelle est la philosophie de Figaro ?

9. Faites le portrait de Figaro : donne-t-il l'impression d'être un valet ? Justifiez votre réponse.

➡ De Scapin à Figaro

10. a. Quelles raisons poussent Figaro à proposer au comte de l'aider dans son intrigue amoureuse ?
b. En quoi Figaro est-il plus libre que Scapin ?

11. En quoi peut-on dire que le personnage de Figaro préfigure la Révolution française ?

Scène de comédie, dit aussi ***Un Scapin,*** **tableau d'Honoré Daumier,** huile sur bois, vers 1860, 32,5 cm x 24,5 cm (Paris, musée d'Orsay).

Lire une image

Graveur, caricaturiste, peintre et sculpteur français, **Honoré Daumier** (1808-1879) est surtout connu pour ses nombreuses **caricatures** d'hommes politiques et ses **satires** du comportement de ses contemporains.

Une scène de théâtre

1. D'après le titre de l'œuvre, identifiez le personnage de gauche et celui de droite. Quels détails vous permettent de le faire ?

2. Observez la lumière : d'où semble-t-elle venir ? En quoi cela permet de comprendre qu'il s'agit d'une représentation théâtrale (tenez compte de l'époque) ?

Des personnages opposés

3. La lumière n'agit pas de même sur les deux personnages : lequel est mis en valeur ?

4. **a.** Observez la position des personnages : lequel semble prendre plus de place ?
   b. Que regardent-ils ?

5. Trouvez des adjectifs pour qualifier chacun des deux personnages (expression et attitude).

6. Quelles sont les couleurs dominantes de ce tableau ? Quelle atmosphère s'en dégage ?

7. En quoi peut-on dire que Daumier propose une vision sombre de la pièce de Molière ?

Le valet de comédie

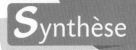

➤ *Les Fourberies de Scapin*

Avec Les *Fourberies de Scapin,* Molière invente la **comédie d'intrigue** : histoire complexe, aux nombreux rebondissements qui créent du suspense. Mais, avant de rencontrer l'immense succès qu'elle connaît aujourd'hui, la pièce a beaucoup surpris le public de son époque par le **mélange des différents genres** qui s'y rencontrent :

● c'est à la **comédie latine** que Molière a emprunté certaines péripéties : le mariage en l'absence du père, les enlèvements ;

● de la farce **médiévale** (voir synthèse p. 201), il retient les effets de comique gestuel : les bastonnades, les quiproquos, les insultes ;

● enfin, la **commedia dell' arte** lui a légué sa galerie de personnages : Scapin (*Scapino* signifie « celui qui s'échappe ») et Silvestre (le valet froussard), le vieillard avare, les jeunes amoureux, mais aussi les effets de pantomime de certaines scènes : ainsi, Scapin se lamentant devant Géronte qu'il feint de ne pas voir (Acte II, scène 7).

➤ Le personnage du valet

● Placés dans l'intimité d'une maison, les valets sont des **témoins de chaque instant, auxquels leurs maîtres se confient.** Dans la comédie en particulier, le valet est l'auxiliaire de son maître qui ne parvient pas à se sortir seul de la situation difficile dans laquelle il se trouve.

● Toujours du côté de la jeunesse et de l'amour contre l'autorité des vieillards, le valet **fait rire par son langage, son jeu outranciers.**

● Mais au fil du temps, le personnage du valet prend de l'épaisseur. Ainsi, par certains aspects de son caractère, Scapin est plus complexe que ses prédécesseurs, plus lucide et plus libre. En effet, avec Molière, il ne s'agit plus seulement de faire rire, mais d'utiliser le **regard et la parole moqueurs du valet** pour **critiquer certaines attitudes ou travers de la société** : l'autorité abusive, l'avarice, le mariage décidé par les parents, le statut du maître, et même la justice. Avec Scapin, le valet devient même le personnage principal, qui **mène l'intrigue** et peut **agir pour son propre compte,** parfois de manière **subversive**. Ce rôle fait de lui un **complice du public.**

● Cependant, il faut attendre le XVIIIᵉ siècle pour que le valet cesse d'être soumis à son maître. Véritable acteur de l'**émancipation** des jeunes chez Marivaux, il devient avec Beaumarchais, à l'aube de la Révolution, un **homme libre et indépendant.**

Farceurs dansant, de Peter Jansz Quast (1605-1647), huile sur bois (Paris, Comédie-Française).

Art et pouvoir au XVIIe siècle

1 Le château de Versailles et le bassin d'Apollon.

2 Israël Silvestre, représentation des *Plaisirs de l'Île enchantée* dans le parc de Versailles, M^{les} Du Parc, De Brie et Molière montés sur des monstres marins, devant l'île d'Alcine (Paris, BNF).

Questions

1. Quel château Louis XIV a-t-il fait construire ?

2. Documents 1 et 4 : quelle impression le château et le jardin produisent-ils ? Pourquoi ? Pour répondre, analysez les lignes tracées, les effets de symétrie, de rythme.

3. a. Observez la fontaine (document 1) : quel dieu est représenté ? Quelle était sa fonction ?
b. À quoi le reconnaît-on ?

4. Observez le document 2 : que représente-t-il ? Qu'est-ce qui caractérise les décors ? Quel est l'effet produit ?

Retenons

Un roi mécène

● Quand Louis XIV prend le pouvoir, en 1661, après une période de troubles, il veut consolider le pouvoir royal. À **Versailles**, il fait édifier par **Le Vau** un somptueux château et aménager par **Le Nôtre** des jardins sans pareils, où il rassemble la cour.

● Les vastes salles où l'or abonde, l'ordre des jardins à la française, le luxe des bassins et des fontaines font voir la **puissance du roi** et suggèrent **un monde maîtrisé**.

● Dans tous les domaines, le roi impose son **goût de l'ordre et de la clarté** : des académies sont créées pour **imposer aux artistes ces règles correspondant à l'idéal monarchique, et distribuer des pensions** : c'est l'apogée de l'art classique. **Louis XIV entretient ainsi de nombreux artistes,** des écrivains comme **Molière,** des peintres, des sculpteurs, qui travaillent à sa gloire.

et du spectacle vivant

3 **Benoît Magimel dans *Le roi danse*,** film de Gérard Corbiau (2000).

Questions

1. Quel emblème Louis XIV a-t-il choisi ? Pourquoi ? Pour répondre, aidez-vous du texte de l'encadré.

2. Qu'est-ce que cela révèle de l'idée qu'il se fait de son rôle ? de son rapport aux autres nobles ?

3. Observez attentivement la photographie (document 3) et le tableau d'Allegrain (document 4) : où est le roi ? Comment le reconnaissez-vous ?

4. Quel rôle le château et les jardins de Versailles jouent-ils dans l'image du roi ?

Dans ses mémoires, Louis XIV justifie le choix de l'emblème du soleil « par la qualité d'unique, par l'éclat qui l'environne, par la lumière qu'il communique aux autres astres qui lui composent comme une espèce de cour, [...] par le bien qu'il fait en tous lieux, produisant sans cesse de tous côtés la vie, la joie et l'action. »

4 ***Promenade de Louis XIV en vue du Parterre du Nord dans les jardins de Versailles***, vers 1688 (détail), tableau d'Étienne Allegrain (Châteaux de Versailles et de Trianon).

Retenons

La mise en scène du Roi-Soleil

● Louis XIV s'identifie à Apollon, dieu grec conducteur du soleil et protecteur des arts : il se pense comme **le centre de la monarchie mais aussi comme celui qui procure joie, plaisirs et beauté.**

● Versailles devient très vite le cadre de fêtes somptueuses qui sont pour le souverain l'occasion de **montrer au monde sa puissance et son éclat.**

● Cette protection accordée aux artistes n'est donc pas désintéressée : elle permet à Louis XIV de se mettre en scène, de donner l'image d'un roi éclairé, cultivé, fastueux, à la splendeur inégalée : elle participe pleinement à l'instauration de **la monarchie absolue.**

Vocabulaire

La langue de Molière

❶ Associez chaque terme de la liste A à son synonyme, choisi dans la liste B.

● **Liste A :** dessein – mander – trépas – contrefaire – hasardeux – bailler – conjoncture – quérir.

● **Liste B :** faire savoir – projet – chercher – circonstance – mort – imiter – risqué – donner.

❷ a. « A-t-on jamais *ouï* parler d'une action pareille à celle-là ? », s'exclame Argante à propos du mariage d'Octave. Récrivez cette phrase en remplaçant *ouï* par un synonyme.
b. Donnez un nom de la même famille qu'*ouïr* et employez-le dans une phrase de votre invention.
c. Expliquez la formation d'*inouï* et déduisez son sens.

❸ Complétez le texte avec les mots suivants :

forger – réprimandes – affaires – embarras – consentir – conjoncture – fourberie – machine.

Octave est dans un profond ... : il redoute les ... de son père et ne sait comment le convaincre de ... à son mariage avec Hyacinte. Heureusement, Scapin, qui a plus d'une ... dans son sac, ne trouve pas la ... si cruelle et va ... quelque ... pour ajuster les ... d'Octave.

❹ Associez chaque terme à son antonyme.

témérité	●	● reconnaissance
démêlé	●	● féliciter
bonheur	●	● prudence
misérable	●	● infortune
réprimander	●	● entente
ingratitude	●	● heureux

❺ a. « Laisse-moi un peu quereller en repos. », dit Argante à Scapin. Que veut dire *quereller* ?
b. Donnez un nom et un adjectif de la même famille que vous emploierez chacun dans une phrase de votre invention.

❻ On jure et on s'insulte beaucoup dans *Les Fourberies de Scapin* : « Peste soit du *butor* ! » ; « Ah le *pendard* de Turc ! » ; « Tu ne dis mot, *coquin*, tu ne dis mot ! » ; « Le seigneur Géronte n'est ni *fat*, ni *maraud*, ni *bélître*. » ; « Ah ! *Infâme* ! Ah ! *Traître* ! Ah ! *Scélérat* ! »
a. Cherchez la définition des mots en italique.
b. À votre tour, employez-les dans un court texte de votre invention (5 lignes).

❼ Voici des citations d'autres pièces de Molière : donnez la définition des mots surlignés.

1. Ah ! que j'ai de dépit que la loi n'autorise
À changer de mari comme on fait de chemise ! (*Sganarelle, ou Le Cocu imaginaire*).
2. Vous savez mieux que moi, quels que soient nos efforts,
Que l'argent est la clef de tous les grands ressorts,
Et que ce doux métal qui frappe tant de têtes,
En amour comme en guerre avance les conquêtes. (*L'École des femmes*).
3. Allez, vous êtes un impertinent, mon ami, un homme bannissable de la république des lettres. (*Le Mariage forcé*)
4. Allons donc, messieurs, mettez bas toute rancune, et faisons ici votre accommodement. (*L'Amour médecin*).
5. Monsieur, vous voyez comme j'ai été faussement accusé : vous êtes homme qui savez les maximes du point d'honneur, je vous demande raison de l'affront qui m'a été fait. (*George Dandin*).
6. On est contraint parfois de souffrir leurs mauvaises qualités à cause des bonnes. (*Le Malade imaginaire*).

❽ La langue de Molière est aussi celle de Corneille et Racine, Beaumarchais et Marivaux.
a. Donnez le sens des mots suivants :

talent – accablé – extrémité – disgrâce – fâcheux – imposteur.

b. Complétez les citations par l'un de ces mots et expliquez ce qu'elles signifient, en précisant le sens de *calomnie, soin, importune, fières*. Aidez-vous des rimes aussi souvent que possible.

1. La calomnie, monsieur ! Vous ne savez guère ce que vous dédaignez ; j'ai vu les plus honnêtes gens près d'en être ... . (BEAUMARCHAIS, *Le Barbier de Séville*.)
2. Qu'en l'attente de ce qu'on aime une heure est ... à passer ! (CORNEILLE, *La Suivante*)
3. Les visages souvent sont de doux ...
Que de défauts d'esprit se couvrent de leurs grâces
Et que de beaux semblants cachent des âmes basses !
(CORNEILLE, *Le Menteur*)
4. Je saurai m'affranchir, dans ces ... ,
Du secours dangereux que vous me présentez. (RACINE, *Iphigénie*)
5. Qui ne craint point la mort ne craint point les menaces.
J'ai le cœur au-dessus des plus fières ... . (CORNEILLE, *Le Cid*)
6. Mon Dieu, que les hommes ont de ... pour ne rien valoir ! (MARIVAUX, *La Vie de Marianne*)

Rédiger un dialogue théâtral

Grammaire

Mettre en forme un dialogue théâtral

1 Transformez le texte ci-dessous en dialogue de théâtre. Vous respecterez la présentation du texte théâtral et insérerez au moins cinq didascalies.

Un paysan bat sa femme : celle-ci est décidée à se venger. Aussi, lorsqu'elle rencontre des soldats du roi qui cherchent un médecin pour guérir la princesse, elle n'hésite pas à leur faire croire que son mari est un grand médecin mais qu'il ne l'avoue que si on le bat. Les soldats, après avoir bien battu le faux médecin, le présentent au roi et lui expliquent la situation.

« Quel drôle de médecin c'est là ! Jamais je n'ai entendu parler d'un tel homme.

Puisqu'il en est ainsi, battons-le bien, dit un sergent. Je suis prêt : il suffit de m'en donner l'ordre et je lui réglerai son compte ! »

Le roi fit approcher le paysan et lui dit :

« Maître, prêtez-moi attention. Je vais faire venir ma fille qui a grand besoin d'être soignée. » Le paysan lui demanda grâce.

« Sire, au nom de Dieu qui ne mentit jamais, et puisse-t-il me secourir, je vous certifie que je n'ai aucune connaissance en médecine. Jamais je n'en ai appris le moindre mot. »

Le roi s'écria :

« Vous me dites des sornettes. Battez-le-moi. »

Ses gens s'approchèrent et administrèrent une raclée au paysan avec grand plaisir. Quand celui-ci sentit les coups pleuvoir, il se tint pour fou.

« Grâce, leur cria-t-il, je vais la guérir sur-le-champ. »

Fabliaux du Moyen Âge, trad. Jean-Claude Aubailly, © Hachette, col. « Bibliocollège ».

Donner de la vivacité au dialogue en supprimant les mots inutiles

2 La virgule peut marquer la place d'un verbe sous-entendu ; transformez les phrases selon le modèle suivant :

J'ai toujours raison et il a toujours tort. → *J'ai toujours raison, lui toujours tort.*

1. Sidonie aime lire et Jean aime se promener.
2. Je n'ai pas compris les explications du professeur et toi non plus tu n'as pas compris.
3. Lise préférerait partir demain et Christophe préférerait partir dans deux jours.
4. Mange ta soupe avant de manger ton dessert.
5. Parfois, il faut penser aux autres et ne pas penser à soi.

S'exclamer et ordonner en variant les constructions

3 Transformez les phrases en exprimant l'ordre à l'aide du subjonctif, puis de l'impératif.

Exemple : *J'ordonne que Scapin se retire.* → *Que Scapin se retire ! – Scapin, retire-toi, je l'ordonne.*

1. Je veux que Léandre punisse Scapin.
2. Géronte doit pardonner à Scapin.
3. Il est interdit à Silvestre de parler.
4. Il faut que Zerbinette cesse de rire.

4 Transformez les phrases en employant le subjonctif, puis l'infinitif pour exprimer l'indignation.

Exemple : *Je refuse de sortir. –> Moi, que je sorte ! – Moi, sortir !*

1. Jamais je ne pardonnerai à ce sacripant.
2. Tu n'épouseras pas cette Égyptienne.
3. Il ne s'en sortira pas aussi facilement.
4. Nous refusons d'écouter ses explications.

Argumenter en utilisant les conjonctions de subordination

5 Complétez les phrases suivantes par : *parce que, pour que, bien que* ou *à cause de.*

1. Je les aimais ... on lisait toute leur âme dans leurs yeux. (DAUDET)
2. Cette fois, il eut soin de la prendre toute jeune ... elle s'habituât à demeurer chez lui. (DAUDET)
3. ... le soleil fût déjà haut, la brise du lac rafraîchissait l'air. (THEURIET)
4. Bamban s'était assis par terre ... ses jambes qui lui faisaient mal. (DAUDET)

6 Transformez les propositions ou groupes de mots soulignés en propositions subordonnées introduites par les conjonctions de subordination *comme, puisque, parce que.*

Exemple : *Scapin s'est vengé de Géronte :* <u>il est responsable de sa dispute avec Léandre.</u> → *Scapin s'est vengé de Géronte parce qu'il est responsable de sa dispute avec Léandre.*

1. <u>Vous n'êtes pas convaincu</u> : je vous fournirai des preuves.
2. <u>Votre travail est terminé</u>, vous pouvez aller jouer.
3. Un riche laboureur, <u>sentant sa mort prochaine,</u>/Fit venir ses enfants. (LA FONTAINE)
4. Hâtons-nous, <u>le temps fuit.</u> (BOILEAU)
5. Vous ne pouvez pas le tuer : <u>il est mort.</u> (HUGO)

Écriture

Ajouter une scène aux *Fourberies de Scapin*

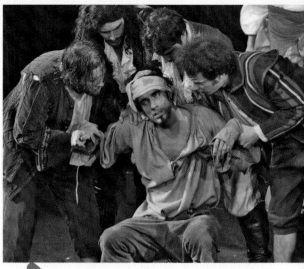

Arnaud Denis (Scapin « mourant ») dans sa mise en scène des *Fourberies*, Paris, Théâtre du Lucernaire, mai 2006.

Sujet

Voici la dernière réplique de la pièce : « Et moi, qu'on me porte au bout de la table, en attendant que je meure. » Scapin a fait semblant d'être mourant pour échapper aux menaces de Géronte, qui avait décidé de faire intervenir la justice. Géronte, cédant aux supplications de tous, a fini par accepter de lui pardonner les coups de bâton reçus, mais pour la seule raison que Scapin allait mourir. Imaginez la réaction de Géronte lorsqu'il s'aperçoit qu'il s'agissait encore d'une fourberie.

A   Trouvez des idées

1. À quel moment Géronte se rend-il compte de la supercherie ? De quelle façon ?

2. Quels sont les différents sentiments éprouvés par Géronte : mouvements d'humeur, comportement, paroles qu'il s'adresse à lui-même, qu'il adresse à Scapin ou aux autres personnages témoins… ?

3. Géronte va-t-il décider d'avoir recours à la justice, de renvoyer Scapin, de le battre, de le tuer ? Ou bien va-t-il changer de point de vue ? Dans ce cas, comment et pourquoi ?

4. Quels arguments Scapin avance-t-il pour se défendre ? Va-t-il inventer un nouveau mensonge, supplier Géronte, se défendre avec sérieux ?

5. Quels sont les autres personnages présents ? Prendront-ils la défense de Scapin ? Quels arguments vont-ils avancer ?

6. Quels jeux scéniques (déplacements, postures, gestes, mimiques) peuvent égayer la scène ? À quels moments ?

B   Rédigez le premier jet

7. Rédigez le dialogue en respectant la présentation du texte théâtral.

8. Vous devrez employer le plus possible de mots étudiés (vocabulaire du malheur, de l'insulte, etc.).

9. Insérez des didascalies pour préciser les jeux scéniques.

C   Améliorez votre travail

10. Relisez votre dialogue et supprimez les répliques sans intérêt, celles qui s'éloignent trop du sujet, celles qui n'ont pas d'effet comique…

11. Revoyez la ponctuation : faites varier la longueur des répliques et des phrases pour donner plus de rythme au dialogue.

12. Soyez attentifs aux émotions : notez en marge ce que les personnages éprouvent à chaque moment et soulignez dans le texte les expressions qui le traduisent. Corrigez et complétez si besoin.

13. Mettez en scène votre texte avec des camarades. Tenez compte des remarques des acteurs et des spectateurs pour en améliorer encore la rédaction.

Des livres

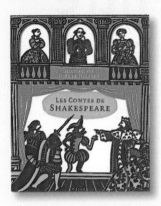

❖ **Contes de Shakespeare, de Charles et Mary Lamb,** trad. Michelle Nikly, éditions Naïve, 2005.

Les plus célèbres pièces de Shakespeare adaptées sous forme de contes. Vous y retrouverez les amants éternels Roméo et Juliette, mais aussi les joyeuses querelles entre Béatrice et Benedict, le désarroi d'un paysan se réveillant avec une tête d'âne, la belle Rosalinde, déguisée en homme, apprenant à celui qu'elle aime à lui faire la cour…

❖ **La Paix chez soi et autres pièces, de Georges Courteline,** éd. Mariel Morize-Toussaint et Gabrielle Ordas-Piwnik, coll. « Petits Classiques Larousse », 2006.

La société vue à la loupe à travers des farces grinçantes et décapantes.

❖ **Le Capitaine Fracasse, de Théophile Gautier,** notes, questionnaire et dossier d'Isabelle de Lisle, Hachette, coll. « Bibliocollège », 2005.

Les aventures du baron de Sigognac qui quitte son château en ruine pour partager la vie d'une troupe de comédiens ambulants, ses amours avec la belle Isabelle…

Des films

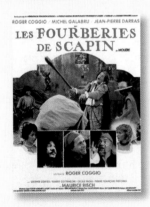

❖ **Les Fourberies de Scapin,** de Roger Coggio, 1981.

Entre le cinéma et le théâtre, une magnifique adaptation de la pièce de Molière.

❖ **Molière, Ariane Mnouchkine,** 1978.

Comment le petit Jean-Baptiste Poquelin, fils d'un père tapissier et d'une tendre mère qu'il perd trop tôt, deviendra-t-il le grand Molière ?

❖ **La Folie des grandeurs, Gérard Oury et Danièle Thompson,** 1971.

Dans cette parodie du *Ruy Blas* de Victor Hugo, Louis de Funès et Yves Montand donnent une interprétation désopilante du duo maître-valet.

❖ **Arsenic et vieilles dentelles, de Frank Capra,** 1944.

Deux exquises vieilles dames font disparaître de vieux messieurs pauvres, au grand désarroi de Mortimer, leur neveu, lorsqu'il le découvre…

9 La poésie, entre règles et liberté

▶ **Découvrir les différentes formes poétiques**

Repères L'évolution des formes poétiques 234

Textes et images

■ **Les variations du vers**

1. « Le héron », *Fables,* Jean de La Fontaine 236
2. « Perrette et le Pot au lait » *Fables*, Jean de La Fontaine 238
3. « Le pont Mirabeau », *Alcools*, Guillaume Apollinaire 240
4. « Sables mouvants », *Paroles*, Jacques Prévert 242

■ **Les formes fixes**

5. « Faites mourir mon cœur », rondeau de Guillaume de Machaut 244
6. « Rondeau », *Poésies nouvelles*, Alfred de Musset 245
7. « Fantaisie », *Odelettes*, Gérard de Nerval 246
8. « Comme on voit sur la branche... », *Sur la mort de Marie*,
   Pierre de Ronsard 248
9. « Harmonie du soir », *Les Fleurs du mal*, Charles Baudelaire 250

■ **Une poésie qui se libère des modèles**

10. « Ma bohème », *Poésies*, Arthur Rimbaud 252
11. « La vie à côté », *Le Collier de griffes,* Charles Cros 254
12. « Les vers à soie », *Les Animaux de tout le monde,* Jacques Roubaud 256
13. « Soleils couchants », *Poèmes saturniens*, Paul Verlaine 258

Étude de l'image *Les Nymphéas*, Claude Monet 259

14. « Le grand combat », *Qui je fus*, Henri Michaux 260

Synthèse

1. Les formes poétiques 262
2. Le langage de la poésie 263

Langue et Expression

• Vocabulaire : Exprimer les sentiments 264
• Grammaire pour écrire : S'initier au langage poétique 265
• Écriture : Composer un poème 266

À lire & à voir 267

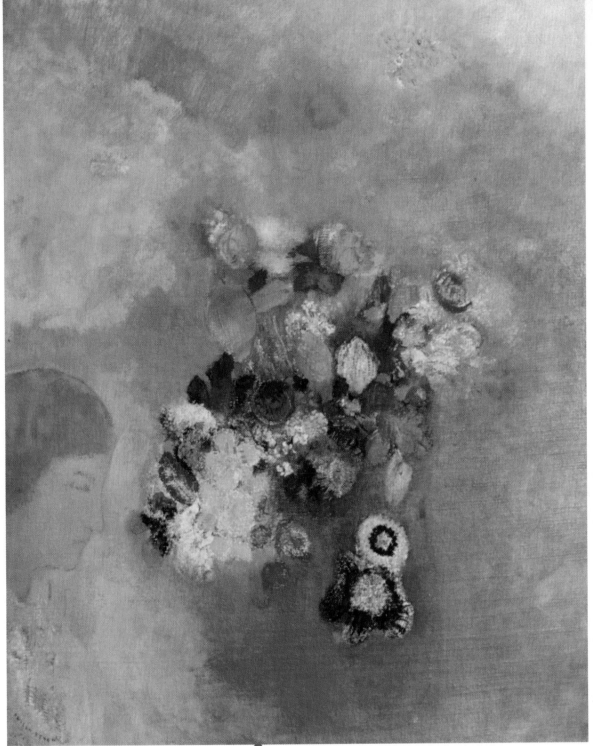

Le Rêve ou la Pensée, Odilon Redon (1840-1916),
huile sur toile, 0,73 x 0,54 m, 1908 (Winterthur, coll. Villa Flora).

Lire une image

1. Décrivez l'attitude du personnage au premier plan et mettez-la en rapport avec le titre de l'œuvre.

2. Quelles sont les couleurs employées pour peindre le personnage ? En quoi s'opposent-elles à la composition centrale ?

3. Le dessin du bouquet est-il net et précis ? Quel lien pouvez-vous établir entre le personnage et ce bouquet ?

Au Moyen Âge : la naissance de la poésie

• Le terme *poésie* vient d'un mot grec qui signifie « **faire** », « **créer** ». Le poète est donc un créateur, un inventeur de formes expressives. Au XIIᵉ siècle, les poètes sont d'ailleurs appelés **trouvères** ou **troubadours**, c'est-à-dire **ceux qui trouvent** : ils ont en effet inventé une forme poétique qui unit intimement la parole et la musique. L'agencement des **strophes**, les **rimes** et les **répétitions** permettent d'évoquer avec force les sentiments.

• À la fin du Moyen Âge, les poètes choisissent de **fixer ces formes**. À l'initiative de **Guillaume de Machaut** (v.1300-v.1377), ils attachent de plus en plus d'importance à la musicalité et se donnent pour contrainte de composer des poèmes selon des **règles précises**, qui rendent plus sensible ce qu'ils ont à dire. Ainsi naissent **rondeaux et ballades**, qui nous parlent de l'amour et de ses souffrances, de la peur de la mort, des beautés de la nature.

Chanteurs, enluminure des **rondeaux de Guillaume de Machaut**, XIVᵉ siècle (Paris, BNF).

Questions

1 Que signifie *trouvère* ?

2 Qu'entend-on par « fixer les formes poétiques » ? Connaissez-vous des formes poétiques particulières ?

1300 — 1400 — 1500 — 1600

1337-1453
Guerre de Cent ans

1515-1547
François 1ᵉʳ

1621
Naissance de La Fontaine

Vers 1300
Naissance de Machaut

1394
Naissance de Charles d'Orléans

1553
Création de La Pléiade

1634
Création de l'Académie Française

L'Inspiration du poète, de Nicolas Poussin, huile sur toile, 1624-1633 (Paris, musée du Louvre).

Questions

3 Citez deux auteurs de la Pléiade.

4 Recherchez d'où vient le mot *Pléiade*. Pourquoi les poètes de la Renaissance ont-ils adopté ce nom ?

Aux XVIᵉ et XVIIᵉ siècles : une poésie plus ambitieuse

● Au XVIᵉ siècle, **Joachim Du Bellay, Pierre de Ronsard** et d'autres créent le groupe de **la Pléiade**, qui cherche à renouveler la poésie française en **jouant davantage sur les ressources de la langue** et en s'inspirant des grandes œuvres de l'Antiquité. Ils rédigent les **premiers traités de versification**, qui fixent les règles de la poésie. Le **sonnet**, forme courte et très codée, qui vient d'Italie, illustre les recherches des poètes de cette époque.

● Au XVIIᵉ siècle se multiplient les *arts poétiques*, recueils qui fixent par écrit les règles de composition, comme celui de **Boileau**. Destinée à fixer les règles d'emploi de la langue, la création par **Richelieu** de **l'Académie française** impose certains modèles, en particulier le sonnet.

● Néanmoins, dès cette époque, certains auteurs, comme **La Fontaine**, revendiquent une **diversité** de ton et de formes qui reste pour eux un principe poétique essentiel.

Aux XIXᵉ et XXᵉ siècles : les métamorphoses de la poésie

● Les poètes des XIXᵉ et XXᵉ siècles emploient aussi bien les formes poétiques médiévales que le sonnet pour créer des œuvres qui renouvellent toutefois celles de leurs prédécesseurs. Ils se permettent en effet beaucoup **plus de liberté au niveau tant de la langue que des sujets abordés**.

● Certains le font en renouvelant les formes fixes, d'autres en refusant délibérément de s'enfermer dans des règles préétablies, mais les uns et les autres ont en commun la recherche d'**un langage plus personnel et plus vivant**.

Question

5 Recherchez dans le sommaire de ce chapitre des poètes des XIXᵉ et XXᵉ siècles.

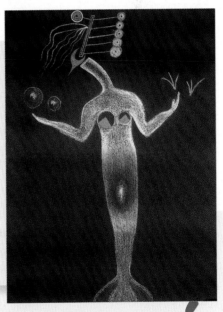

Cadavre exquis, dessin de plusieurs poètes surréalistes (Paul Eluard, Valentine Hugo, André Breton et Nusch Eluard), 1934, musée d'Art et d'Histoire moderne de Saint-Denis.

1700	1800	1900	2000

1643-1715 Louis XIV

1804-1815 Premier Empire

1851-1870 Second Empire

1870-1940 Troisième République

Naissance de Rimbaud : **1854**

1900 : naissance de Prévert

Naissance de Nerval : **1808**

1re Guerre mondiale : **1914-1918**

1932 : naissance de Roubaud

Texte **1**

Le Héron

Jean de La Fontaine
(1621-1695)

Cet écrivain vit sous le règne de Louis XIV. Très choqué par l'arrestation de son protecteur, Fouquet, ministre du roi, il se tiendra toujours à l'écart du pouvoir et cherchera la consolation dans l'art, l'amour et une vie paisible. Avec les *Fables*, il met en scène, dans des récits brefs, toutes sortes de personnages, particulièrement des animaux, dont les comportements sont le reflet des attitudes humaines.

1. Allusion à une fable d'Horace, poète de l'Antiquité, dont La Fontaine s'est inspiré pour « Le Rat des villes et le Rat des champs ».

Contrairement aux principaux auteurs de son époque, La Fontaine refuse les règles strictes et son œuvre se caractérise par une grande variété de tons et de formes. Ainsi, cette « comédie aux cent actes divers » que représentent les fables dresse un tableau riche et nuancé de la nature humaine.

Un jour, sur ses longs pieds, allait je ne sais où,
    Le Héron au long bec emmanché d'un long cou.
       Il côtoyait une rivière.
L'onde était transparente ainsi qu'aux plus beaux jours ;
5 Ma commère la carpe y faisait mille tours
       Avec le brochet son compère.
Le Héron en eût fait aisément son profit :
Tous approchaient du bord, l'oiseau n'avait qu'à prendre ;
      Mais il crut mieux faire d'attendre
10   Qu'il eût un peu plus d'appétit.
Il vivait de régime, et mangeait à ses heures.
Après quelques moments l'appétit vint : l'oiseau
      S'approchant du bord vit sur l'eau
Des Tanches qui sortaient du fond de ces demeures.
15 Le mets ne lui plut pas ; il s'attendait à mieux
      Et montrait un goût dédaigneux
      Comme le rat du bon Horace[1].
Moi, des Tanches ? dit-il, moi, Héron, que je fasse
Une si pauvre chère ? Et pour qui me prend-on ?
20 La Tanche rebutée il trouva du goujon.
Du goujon ! C'est bien là le dîner d'un Héron !
J'ouvrirais pour si peu le bec ! Aux Dieux ne plaise !
Il l'ouvrit pour bien moins : tout alla de façon
      Qu'il ne vit plus aucun poisson.
25 La faim le prit, il fut tout heureux et tout aise
      De rencontrer un limaçon.
      Ne soyons pas si difficiles :
Les plus accommodants ce sont les plus habiles :
On hasarde de perdre en voulant trop gagner.
30   Gardez-vous de rien dédaigner.
[…]

Jean de La Fontaine, *Fables*, Livre VII.

Illustration japonaise de la fable,
Tokyo, 1894 (Paris, BNF).

Lecture

→ Comprendre

1. Où et quand cette scène se passe-t-elle ? Répondez en citant des mots précis des vers 1 à 4.

2. Pourquoi le Héron refuse-t-il les carpes et les brochets ? Pourquoi refuse-t-il ensuite tanches et goujons ? Que mange-t-il finalement ?

3. a. Relevez, dans les deux premiers vers, les caractéristiques physiques du Héron.

b. Comment la hauteur démesurée de l'animal est-elle mise en évidence ? Pour répondre, soyez attentif aux répétitions, aux assonances (répétitions de voyelles) et au type de vers utilisé.

4. Quels traits du caractère de l'animal cette allure laisse-t-elle deviner ?

→ Analyser

5. Quelle impression se dégage du paysage esquissé dans les vers 1 à 8 ? Quel est le <u>vers</u> dominant dans ce passage ?

6. Comparez le rythme de ces vers avec celui des vers 18-24 : que constatez-vous ? Comment interprétez-vous ce changement de rythme ?

7. a. Dans quels vers voit-on le Héron se mettre en mouvement ?

b. Relevez deux enjambements dans ces vers : quel effet produisent-ils ?

→ Interpréter

8. Quel verbe est répété dans les vers 22 et 23 ? Indiquez le temps et le mode employés à chaque fois. Que souligne cette répétition ?

9. Comment le Héron fait-il face à la situation à la fin de la fable ? Répondez par une citation du texte : de quelle qualité fait-il preuve malgré tout ?

10. a. Quelle attitude cette fable recommande-t-elle d'adopter ?

b. De quel auteur ancien La Fontaine s'inspire-t-il ici ? Pour répondre, relevez les vers qui citent cette source.

Vocabulaire

11. Relevez tous les noms de poissons évoqués dans le texte et complétez cette liste avec des noms que vous connaissez.

12. a. Analysez la formation du mot *emmanché* (v. 2).
b. Sur le même modèle, formez des verbes à partir des radicaux suivants :
poche – boîte – serre – paquet – chaîne – fer – fourche – bras – lacet – tas.

13. a. Sur quel radical le verbe *côtoyer* (v. 3) est-il formé ?
b. À votre tour, formez des verbes à partir de ces mots :
long – bord – domination – étendue – jambe – parcours.

14. a. Qu'est-ce qu'un *mets* (v. 15) ?
b. Cherchez le sens de l'expression *faire bonne chère*.

15. Rappelez le sens du verbe *dédaigner* (v. 30) et donnez le nom correspondant.

16. Donnez deux synonymes et un antonyme de l'adjectif *accommodant* (v. 28).

Expression écrite

▌ Sujet

À votre tour, dressez en quelques lignes le tableau d'un cadre paradisiaque. Vous évoquerez rapidement la faune, la flore, ce qu'on voit, ce qu'on entend, ce qu'on sent.

▌ Conseils

Utilisez une partie du vocabulaire étudié, notamment les verbes de la question 13.

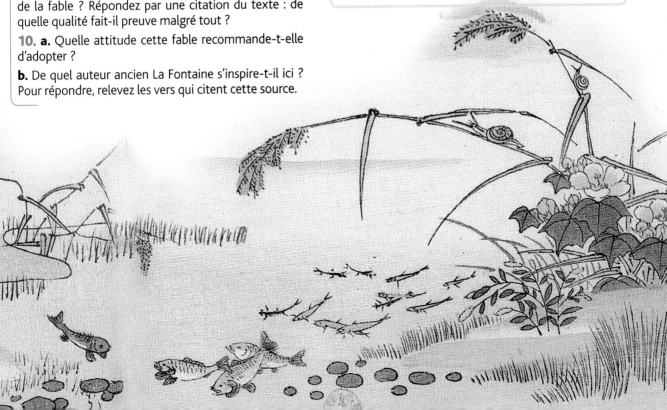

La Laitière et le Pot au lait

Perrette et le Pot au lait,
de Jean-Honoré Fragonard
(1732-1806), huile sur toile
(Paris, musée Cognac Jay).

1. Prétendait : espérait.

2. Cotillon (n. m.) **:** jupe.

3. Troussée : qui a relevé
sa jupe pour marcher plus
facilement.

4. Diligent (adj.) **:** appliqué,
consciencieux.

5. Son (n. m.) **:** résidu
de la mouture d'une céréale.

6. Le revendant :
en le revendant.

7. Dont il est : auquel il est.

8. Marri (adj.) **:** désolé.

Perrette, sur sa tête ayant un pot au lait
Bien posé sur un coussinet,
Prétendait¹ arriver sans encombre à la ville.
Légère et court vêtue, elle allait à grands pas,
5   Ayant mis ce jour-là, pour être plus agile,
Cotillon² simple et souliers plats.
Notre Laitière ainsi troussée³
Comptait déjà dans sa pensée
Tout le prix de son lait, en employait l'argent ;
10   Achetait un cent d'œufs, faisait triple couvée :
La chose allait à bien par son soin diligent⁴.
« Il m'est, disait-elle, facile
D'élever des poulets autour de ma maison :
Le Renard sera bien habile
15   S'il ne m'en laisse assez pour avoir un cochon.
Le porc à s'engraisser coûtera peu de son⁵ ;
Il était, quand je l'eus, de grosseur raisonnable ;
J'aurai, le revendant⁶, de l'argent bel et bon.
Et qui m'empêchera de mettre en notre étable,
20   Vu le prix dont il est⁷, une vache et son veau,
Que je verrai sauter au milieu du troupeau ? »
Perrette là-dessus saute aussi, transportée ;
Le lait tombe ; adieu veau, vache, cochon, couvée.
La dame de ces biens, quittant d'un œil marri⁸
25   Sa fortune ainsi répandue,
Va s'excuser à son mari,
En grand danger d'être battue.
Le récit en farce en fut fait ;
On l'appela le Pot au lait.

9. Battre la campagne : divaguer, délirer.

10. Faire des châteaux en Espagne : faire des rêves impossibles.

11. Picrochole : personnage de Gargantua qui veut conquérir le monde (voir p. 168).

12. Pyrrhus : dans l'Antiquité, roi grec qui rêvait de reconstituer par ses conquêtes l'immense empire d'Alexandre.

13. Flatteuse erreur : agréable illusion.

14. Sophi : roi de Perse.

15. Gros Jean : personnage traditionnel de la farce ; d'une manière générale, son nom désigne les sots, les naïfs dont on se moque. « Être Gros Jean comme devant » signifie « ne pas être plus avancé qu'avant ».

30

Quel esprit ne bat la campagne[9] ?
Qui ne fait châteaux en Espagne[10] ?
Picrochole[11], Pyrrhus[12], la Laitière, enfin tous,
Autant les sages que les fous.
Chacun songe en veillant ; il n'est rien de plus doux :

35 Une flatteuse erreur[13] emporte alors nos âmes ;
Tout le bien du monde est à nous,
Tous les honneurs, toutes les femmes.
Quand je suis seul, je fais au plus brave un défi ;
Je m'écarte, je vais détrôner le Sophi[14] ;

40 On m'élit Roi, mon peuple m'aime ;
Les diadèmes vont sur ma tête pleuvant :
Quelque accident fait-il que je rentre en moi-même,
Je suis gros Jean[15] comme devant.

JEAN DE LA FONTAINE, *Fables*, Livre septième, fable X.

Lecture

➜ Comprendre

1. Qui est le personnage de cette fable ? Où va-t-il ? Dans quel but ?

2. Relevez dans les vers 1 à 6 les éléments de son portrait : quelle impression donnent-ils ?

3. À quoi Perrette rêve-t-elle en chemin ? Reformulez la succession des actions qu'elle accomplit en rêve.

4. Qu'est-ce qui vient mettre fin à cette rêverie ?

5. a. En quoi cette chute rappelle-t-elle la « farce » (v. 28) ?

b. Quel personnage, évoqué à la fin de la fable, appartient également à l'univers de la farce ?

➜ Analyser

6. Dans les vers 7 à 21, analysez les temps verbaux employés : comment l'auteur s'y prend-il pour nous faire entrer dans les rêves d'avenir de Perrette ?

7. À partir du vers 12, quel autre procédé y contribue ?

8. a. Sur combien de vers les rêves de Perrette se développent-ils ?

b. Combien de vers faut-il pour détruire ces rêves ? Quel est l'effet produit ?

9. Quel type de vers (➜ p. 263) est majoritairement utilisé pour décrire les rêves de Perrette ? Et ensuite ? À votre avis, pourquoi ce changement de rythme ?

10. Que désignent les expressions « La dame de ces biens » (v. 24) et « sa fortune » (v. 25) ? Quel est ici le ton de l'auteur ?

➜ Interpréter

11. Quelle pourrait être la morale de cette fable ?

12. a. Relisez la dernière strophe : d'après La Fontaine, qui se conduit comme Perrette ? Soyez particulièrement attentifs aux pronoms employés.

b. L'auteur vous paraît-il juger sévèrement la Laitière ? Pourquoi ?

Vocabulaire

13. « adieu veau, vache, cochon, couvée » (v. 23) : ce vers est si célèbre qu'il est passé dans le langage courant : que signifie cette expression ?

14. Relevez dans la fable deux autres expressions proverbiales et expliquez leur sens.

15. Voici d'autres expressions : associez chacune d'elles à son explication.

• **Expressions imagées : 1.** monter sur ses grands chevaux – **2.** battre le fer tant qu'il est chaud – **3.** rouler dans la farine – **4.** montrer patte blanche – **5.** avoir voix au chapitre – **6.** prendre des vessies pour des lanternes – **7.** mettre la charrue devant les bœufs – **8.** apporter de l'eau au moulin de qqn – **9.** aller à vau l'eau – **10.** éclairer la lanterne de qqn.

• **Ce qu'elles signifient : a.** faire les choses au bon moment – **b.** aller trop vite en besogne – **c.** pouvoir donner son opinion dans un groupe – **d.** courir à sa perte – **e.** se mettre en colère – **f.** se tromper grossièrement – **g.** fournir à qqn des arguments pour défendre son opinion – **h.** tromper, duper – **i.** apporter à qqn des connaissances qui lui manquent – **j.** devoir faire les preuves de son identité pour pouvoir entrer dans un groupe.

Le pont Mirabeau

Apollinaire composa « Le pont Mirabeau » en 1912, à la suite de sa rupture avec le peintre Marie Laurencin dont il était très épris.

Guillaume Apollinaire
(1880-1918)

Au début du XXᵉ siècle, ce poète s'impose comme l'une des figures de l'avant-garde artistique : originale, son œuvre renouvelle les formes et les grands thèmes classiques de la poésie par une sensibilité très personnelle.
Blessé au cours de la Première Guerre mondiale, Apollinaire est mort en 1918 des suites de la grippe espagnole.

Portrait d'Apollinaire par Marie Laurencin, lithographie, début XXᵉ siècle, coll. part.

Sous le pont Mirabeau coule la Seine
Et nos amours
Faut-il qu'il m'en souvienne
La joie venait toujours après la peine

5 Vienne la nuit sonne l'heure
Les jours s'en vont je demeure

Les mains dans les mains restons face à face
Tandis que sous
Le pont de nos bras passe
10 Des éternels regards l'onde si lasse

Vienne la nuit sonne l'heure
Les jours s'en vont je demeure

L'amour s'en va comme cette eau courante
L'amour s'en va
15 Comme la vie est lente
Et comme l'Espérance est violente

Vienne la nuit sonne l'heure
Les jours s'en vont je demeure

Passent les jours et passent les semaines
20 Ni temps passé
Ni les amours reviennent
Sous le pont Mirabeau coule la Seine

Vienne la nuit sonne l'heure
Les jours s'en vont je demeure

GUILLAUME APOLLINAIRE, *Alcools*, 1913.

Ponts parisiens, photographie de Brassaï, épreuve argentique, 1931, coll. part.

Lecture

→ Comprendre

1. Quelle remarque pouvez-vous faire sur la forme de ce poème ?

2. a. Relevez dans la première strophe les marques de première personne : qui désignent-elles ?

b. Que comprenez-vous des relations entre les deux personnes ? Justifiez votre réponse en citant des mots précis du poème.

3. Où se trouve le poète ? Que regarde-t-il ?

4. Quels sont les sentiments évoqués successivement ? Remettez-les dans l'ordre :

espoir – nostalgie – résignation – lassitude liée à l'usure du temps.

→ Analyser

5. a. Relevez dans le poème le champ lexical du mouvement et celui du temps : qu'expriment-ils ?

b. Parmi les mots que vous avez relevés, lesquels sont répétés ? À votre avis, pourquoi ?

6. Relevez les mots qui évoquent l'immobilité et la stabilité : lesquels concernent le cadre de l'action, lesquels concernent le poète ?

7. Relevez dans le poème une <u>comparaison</u> et une <u>métaphore</u> (→ p. 366) : quels sont les points communs entre le paysage et la vie du poète ?

8. Quels sont les différents <u>types de vers</u> (→ p. 263) utilisés dans les quatrains ?

9. a. Observez les rimes de ces quatrains : que remarquez-vous ?

Que pouvez-vous en conclure sur les vers 2 et 3 de chaque quatrain ?

b. Quel rapport peut-on voir entre cette coupure du vers et le sujet du poème ?

10. Analysez le rythme du refrain : en quoi s'oppose-t-il au rythme des quatrains ?

→ Interpréter

11. De quoi le fleuve est-il ici le symbole ?

12. a. En quoi peut-on dire que le poète s'oppose à ce qui l'entoure ?

b. Comment parvient-il à vaincre le caractère destructeur du temps qui passe ?

13. La complainte, genre poétique né au Moyen Âge, est une chanson qui exprime une plainte. Quels éléments de ce poème le rapprochent d'une complainte ?

Vocabulaire

14. Donnez le sens de *lasse* (vers 10) et proposez un nom de la même famille.

15. Complétez les phrases suivantes avec un des mots proposés : *accablé – langueur – las – mélancolique – nostalgie – tourment.*

1. Il est ... par le poids des soucis.

2. J'ai souvent la ... des jours heureux de mon enfance.

3. Je suis ... de ce paysage mille fois contemplé.

4. C'est un caractère sombre, profondément ... .

5. L'amour l'avait rendue rêveuse, plongée dans une étrange ... .

6. L'absence lui faisait souffrir maints ... .

Expression écrite

Activité 1

Comme Apollinaire dans le refrain du poème, formulez un souhait avec le subjonctif (sans *que*) en complétant les phrases suivantes.

1. Passent ... . – **2.** Puissent ... . – **3.** Hurle ... . – **4.** Viennent ... . – **5.** Finisse ... .

Texte 4

Sables mouvants

De nombreux poèmes de Prévert ont été mis en musique par le compositeur Joseph Kosma, dont « Sables mouvants » pour le film de Marcel Carné Les Visiteurs du soir *(voir p. 91).*

Jacques Prévert
(1900-1977)

Après le succès de son premier recueil de poèmes, *Paroles*, publié en 1946, Prévert devient le poète sans doute le plus populaire de son temps. Sa poésie, qui nous plonge dans la réalité du monde moderne, exprime notre vie la plus simple, la plus immédiate. Passionné par le cinéma, il a également collaboré comme scénariste avec les plus grands metteurs en scène de son époque, dont Jean Renoir et Marcel Carné.

Démons et merveilles
Vents et marées
Au loin déjà la mer s'est retirée
Et toi
5 Comme une algue doucement caressée par le vent
Dans les sables du lit tu remues en rêvant
Démons et merveilles
Vents et marées
Au loin déjà la mer s'est retirée
10 Mais dans tes yeux entrouverts
Deux petites vagues sont restées
Démons et merveilles
Vents et marées
Deux petites vagues pour me noyer.

Jacques Prévert, *Paroles*, 1946 © éd. Gallimard.

Sables mouvants à Pisco (Pérou), photo aérienne.

Lecture

➡ Comprendre

1. Quelles remarques pouvez-vous faire sur la forme du poème (nombre de strophes, longueur des vers, rimes) ?

2. Quels vers constituent un refrain ? Quelle variante constate-t-on ?

3. À votre avis, à qui s'adresse le poète ? Où se trouve cette personne ?

4. a. À quoi cette personne est-elle comparée ?
b. Quelles autres expressions du texte développent cette comparaison ?

➡ Analyser

5. Repérez le vers le plus court et le vers le plus long, quel effet cette alternance de longueur produit-elle ?

6. Quels vers ne riment avec aucun autre ? Qu'évoquent-ils ?

7. a. En quoi les vers 5 et 6 contrastent-ils avec le reste du poème ?
b. Observez leur rythme et leurs sonorités : dites ce que cela vous suggère.

➡ Interpréter

8. a. Que signifient les expressions « promettre monts et merveilles » et « contre vents et marées » ?
b. Comment comprenez-vous la réunion de ces deux expressions dans le refrain ?

9. Vers 10 à 14. **a.** Expliquez le dernier vers : dans quoi le poète se noie-t-il ?
b. Quel adjectif est répété ? Le poète donne-t-il le sentiment d'être en danger ? Justifiez votre réponse.

10. Que sont les sables mouvants ? À votre avis, comment doit-on comprendre le titre du poème ?

Vocabulaire

11. a. Donnez le sens du mot *merveille*.
b. Dans les phrases suivantes, remplacez l'adjectif *merveilleux* par l'un des synonyme proposés :

miraculeux – magnifique – magique – admirable.

1. Aladin est devenu riche grâce à sa lampe merveilleuse.
2. Après un tel accident, il est *merveilleux* qu'elle soit encore en vie.
3. Que ces fleurs sont belles ! Ce jardin est *merveilleux* !
4. Hector est vraiment un homme *merveilleux*.

12. a. Expliquez la formation du mot *entrouvert*.
b. Trouvez trois noms et trois verbes construits avec le même préfixe et donnez leur sens.

***Marée montante, Houlgate**, Félix Vallotton,*
huile sur toile, 1913 (musée d'Art de Soleure, Suisse)

Expression écrite

Sujet

À votre tour, écrivez un poème dans lequel vous exprimerez votre affection à une personne en utilisant une métaphore filée (voir fiche de vocabulaire 49).

Conseils

● Choisissez à quoi vous avez envie de comparer cette personne. Expliquez pourquoi.

● Cherchez tous les termes que vous pourrez associer à cette comparaison. Exemple : si vous voulez comparer la personne à un lac : *rivage, miroir, barque, brume, reflets, bleu, ondes, nuages...*

● Choisissez les termes que vous voulez faire rimer, les jeux de mots, les expressions courantes que vous voulez faire entrer dans votre composition.

● Comme Prévert, jouez sur la longueur des vers et leurs sonorités de façon à mettre en valeur ceux qui évoquent la personne.

Texte 5

« Faites mourir mon cœur »

Voici un poème lyrique en forme de rondeau qui reprend le thème de la plainte amoureuse, si souvent traitée dans la littérature courtoise.

Guillaume de Machaut
(1300-1377)

Ce poète qui fut l'un des plus renommés de son temps était aussi compositeur de musique. Il reçut la protection des plus grands seigneurs de son époque à qui il destinait ses œuvres. Il fixa les formes poétiques comme les ballades, les rondeaux, les lais et les virelais.

Faites mourir mon cœur en un seul coup
Très douce Dame, en fait de guerredon[1] ;

Puisqu'en rien ne le voulez réjouir[2]
Faites mourir mon cœur en un seul coup ;

5 Cela vaut mieux que de languir[3] ainsi
Sans espérer ni joie ni guérison
Faites mourir mon cœur en un seul coup
Très douce Dame, en fait de guerredon.

GUILLAUME DE MACHAUT, *Poésies lyriques*,
volume 1 (Champion, 1909).

1. Guerredon : récompense.

2. Puisqu'en rien vous ne voulez le réjouir.

3. Languir : perdre son énergie, sa vitalité ; mourir à petit feu.

Lecture

➡ Comprendre

1. Combien de strophes ce poème comporte-t-il ? Comptez le nombre de syllabes de chaque vers et nommez le vers ici employé.

2. Quels vers sont répétés plusieurs fois et servent de refrain ?

3. À qui le poète s'adresse-t-il ? Que demande-t-il à cette personne ?

4. Dans la deuxième strophe, quelle explication donne-t-il à cette demande ?

➡ Analyser

5. Relisez le refrain : les sonorités sont-elles dures ou douces ? Justifiez votre réponse.

6. En quels termes le poète s'adresse-t-il à la femme ? En quoi ces termes s'opposent-ils à la demande qu'il formule ?

7. Relevez un complément circonstanciel de manière (➡ p. 292) répété plusieurs fois et qui s'oppose au verbe *languir*.

8. Quelle impression la répétition de ce vers crée-t-elle ?

➡ Interpréter

9. À quelle situation la mort est-elle préférable ?

10. « sans espérer ni joie ni guérison » : de quelle guérison s'agit-il ?

11. Quelle expression nous montre que le poète se sent victime d'une injustice ?

12. Que cherche le poète derrière cette supplique ?

Vocabulaire

13. Cherchez un synonyme pour remplacer les mots en italiques.

1. Je me *languis* de vous.

2. Il contemplait sa bien-aimée d'un regard *langoureux*.

3. Je mis fin à cette conversation *languissante*.

14. Remplacez le verbe *réjouir* par l'un des synonymes proposés :

féliciter, éprouver de la joie, enchanter, amuser.

1. Cette blague a *réjoui* l'assemblée.

2. Je me *réjouis* de votre succès.

3. Cette nouvelle ne me *réjouit* pas du tout.

4. Elle se *réjouit* à l'idée de votre arrivée.

Rondeau

Alfred de Musset
(1810-1857)
Cet écrivain français est l'une des grandes figures du romantisme français. Son œuvre, constituée de poèmes (*Les Nuits*, 1835-1837), de pièces de théâtre (*On ne badine pas avec l'amour*, *Lorenzaccio*, 1834), de romans (*Confession d'un enfant du siècle*, 1836), témoigne d'un mélange perpétuel de désinvolture et d'inquiétude.

Ce poème est dédié « à Madame G », probablement Carlotta Grisi, une danseuse avec laquelle le poète eut une aventure.

Fut-il jamais douceur de cœur pareille
    À voir Manon dans mes bras sommeiller ?
Son front coquet parfume l'oreiller ;
Dans son beau sein j'entends son cœur qui veille.
5 Un songe passe, et s'en vient l'égayer.

Ainsi s'endort une fleur d'églantier[1],
Dans son calice enfermant une abeille.
Moi, je la berce ; un plus charmant métier[2]
    Fut-il jamais ?

10 Mais le jour vient, et l'Aurore vermeille
Effeuille au vent son bouquet printanier.
Le peigne en main et la perle à l'oreille,
À son miroir Manon court m'oublier.
Hélas ! l'amour sans lendemain ni veille
15   Fut-il jamais ?

ALFRED DE MUSSET, *Poésies nouvelles*, 1842.

1. Cette fleur délicate, de la famille de la rose, est le symbole des amours de passage.
2. *Métier* a ici le sens médiéval de « fonction », « occupation »

Fleur d'églantier.

Lecture

→ Comprendre

1. Où et quand se passe la scène évoquée dans les strophes 1 et 2 ? Qui sont les deux personnages évoqués ? Que font-ils ? Justifiez toutes vos réponses en vous appuyant sur le texte.

2. Qu'est-ce qui vient mettre un terme à cette situation ?

3. Quelle est la nature de la relation entre les deux personnages ? Répondez en relevant une expression du texte.

→ Analyser

4. a. À quoi la jeune femme est-elle comparée ?

5. Comment cette comparaison (→ p. 366) est-elle développée au vers 7 ?

6. Quel verbe de la dernière strophe souligne la rapidité de la séparation des amants ?

7. Quel est ici le ton du poète ?

8. Montrez qu'au vers 10 l'aurore est personnifiée. (→ p. 366)

9. Quelle image le verbe *effeuiller* vous évoque-t-elle ?

10. a. Quel vers sert de refrain ?

b. Quelles remarques pouvez-vous faire sur ce vers ?

→ Interpréter

11. Quels sont les objets associés à Manon dans la dernière strophe ?

12. Quels reproches le poète adresse-t-il à la femme ?

13. Quels points communs et quelles différences pouvez-vous établir entre ce poème et le poème de Machaut, p. 244 ?

14. Quels sentiments les deux derniers vers du poème expriment-ils ?

15. Le refrain a-t-il toujours le même sens tout au long du poème ?

Fantaisie

Dans ce poème, Nerval évoque le temps passé comme un paradis perdu.

Il est un air pour qui je donnerais
Tout Rossini, tout Mozart et tout Weber,
Un air très vieux, languissant et funèbre,
Qui pour moi seul a des charmes secrets.

5 Or, chaque fois que je viens à l'entendre,
De deux cents ans mon âme rajeunit :
C'est sous Louis treize ; et je crois voir s'étendre
Un coteau vert, que le couchant jaunit,

Puis un château de brique à coins de pierre,
10 Aux vitraux teints de rougeâtres couleurs,
Ceint de grands parcs, avec une rivière
Baignant ses pieds, qui coule entre des fleurs ;

Puis une dame, à sa haute fenêtre,
Blonde aux yeux noirs, en ses habits anciens,
15 Que, dans une autre existence peut-être,
J'ai déjà vue… – et dont je me souviens !

GÉRARD DE NERVAL, *Odelettes*, 1834.

Gérard de Nerval
(1808-1855)

Orphelin de mère, Gérard Labrunie, dit de Nerval, fut élevé dans le Valois, berceau des rois de France, dont les paysages mélancoliques et les récits légendaires le marquèrent. Il mêle dans sa poésie le monde du rêve et celui du souvenir.

Béatrix de Clèves à sa fenêtre, miniature des *Chroniques des princes de Clèves* (Paris, BNF).

Lecture

➔ Comprendre

1. Une odelette est une forme destinée à être chantée. Pourquoi le poète a-t-il choisi cette forme poétique ? De quoi nous parle-t-il ?

2. Quelle sorte de strophe est employée dans ce poème ? Comptez le nombre de syllabes par vers et nommez ce vers.

3. Dans la première strophe, qu'est-ce qui caractérise cet air dont nous parle le poète ?

4. Quelles sensations le poète éprouve-t-il en l'écoutant ?

➔ Analyser

5. Relevez dans la première strophe un mot synonyme (➔ p. 364) d'*envoûtement* et qui permet d'introduire la vision qui va suivre.

6. Quel est le complément circonstanciel de temps (➔ p. 292) du verbe *rajeunit* au vers 6 ?

7. a. Relevez les différents éléments du paysage. Quel moment du jour est évoqué ?

b. Relevez les termes évoquant des couleurs.

c. Quels sont les compléments d'objet directs (➔ p. 287) du verbe *voir* (v. 7) ? Relevez les mots de liaison qui relient ces différents compléments.

8. Dans la troisième strophe, relevez les allitérations (➔ p. 263) en -l- et en -v- : quelle impression créent-elles ?

➔ Interpréter

9. a. Pourquoi l'évocation de la dame ne vient-elle qu'à la dernière strophe ?

b. Commentez le choix du mot *dame* (v.13).

c. Qu'est-ce qui la rend inaccessible ?

10. Cette dame semble-t-elle appartenir à l'époque décrite dans les strophes précédentes ?

11. Quel sentiment le poète éprouve-t-il pour les temps anciens ?

12. a. Le poète évoque-t-il une simple rêverie ou un souvenir ?

b. Comment comprenez-vous le dernier vers ?

Vocabulaire

13. *Ceint* (v. 11) : quel est l'infinitif de ce verbe ? Donnez un nom de la même famille.

14. a. Employez le mot *charme* (v. 4) dans deux phrases qui mettront en évidence ses deux sens possibles.

b. Donnez un adjectif et un verbe de la même famille.

15. Quelles couleurs désignent les nuances suivantes : *carmin, ocre, vermillon* ?

Expression écrite

▌ Sujet

Vous avez vous aussi un air que vous aimez et qui vous pousse à la rêverie.

Évoquez cette rêverie dans deux quatrains : le premier commencera par « Il est un air pour qui je donnerais... », le second par « Or, chaque fois que je viens à l'entendre... ».

Vous utiliserez des vers de dix syllabes.

« Comme on voit sur la branche »

Ronsard a souvent dédié ses poèmes à des femmes qu'il aimait et considérait comme ses Muses. À partir de 1555, il s'éprend d'une jeune paysanne, Marie, à qui il va consacrer plusieurs poèmes. Bien des années plus tard, apprenant sa mort, il lui écrira ce sonnet.

Pierre de Ronsard
(1524- 1585)

Né en Touraine, tout près de Vendôme, Ronsard reçoit une éducation humaniste au collège de Coqueret, à Paris ; il y côtoie un autre poète, Joachim Du Bellay, avec qui il créera la Pléiade. Fervent admirateur des poètes grecs de l'Antiquité, Ronsard a renouvelé la poésie en s'inspirant d'eux. Les thèmes de l'amour et de la nature sont également au cœur de son œuvre.

Comme on voit sur la branche au mois de mai la rose,
En sa belle jeunesse, en sa première fleur,
Rendre le ciel jaloux de sa vive couleur,
Quand l'Aube de ses pleurs au point du jour l'arrose ;

5 La grâce dans sa feuille, et l'amour se repose,
Embaumant les jardins et les arbres d'odeur ;
Mais battue ou de pluie, ou d'excessive ardeur[1],
Languissante elle meurt, feuille à feuille déclose[2].

Ainsi en ta première et jeune nouveauté,
10 Quand la Terre et le Ciel honoraient ta beauté,
La Parque[3] t'a tuée, et cendre tu reposes.

Pour obsèques[4] reçois mes larmes et mes pleurs,
Ce vase plein de lait, ce panier plein de fleurs,
Afin que vif et mort ton corps ne soit que roses.

PIERRE DE RONSARD, *Sur la mort de Marie*, 1578.

1. **Ardeur :** chaleur.
2. **Déclose :** ouverte.
3. **La Parque :** dans la mythologie grecque, l'une des trois déesses de la mort, qui file et coupe le fil des vies humaines.
4. **Obsèques :** enterrement.

Livre d'*Heures* d'Isabelle de Castille, détail
d'une enluminure, 1497 (Londres, British Library).

Lecture

→ Comprendre

1. a. Comptez le nombre de vers par strophe : pouvez-vous nommer chacune des strophes ?

b. Combien chaque vers comporte-t-il de syllabes ? Pouvez-vous nommer ces vers ?

c. Comment les rimes sont-elles disposées ? Comment appelle-t-on cette forme poétique ?

2. a. Dans quelle partie de ce sonnet le poète décrit-il la rose ?

b. Dans quelle partie évoque-t-il la jeune fille ? Quel pronom personnel est alors employé ?

3. Quelles sont les caractéristiques communes à la rose et à la jeune fille ?

4. Qu'arrive-t-il de commun à la rose et à la femme ? Relevez dans le deuxième quatrain et le premier tercet les vers qui expriment ce même destin.

→ Analyser

5. Relevez le mot de liaison qui permet d'établir la comparaison (→ p. 366) entre la rose et la jeune fille.

6. Quelle remarque pouvez-vous faire sur les sonorités (→ p. 263) des vers 7 et 8 ? En quoi s'opposent-elles aux sonorités des vers précédents ?

7. Le mot *pleurs* est employé deux fois dans ce poème : de quels pleurs s'agit-il au vers 4 puis au vers 12 ?

→ Interpréter

8. a. Comment l'auteur s'y prend-il pour personnifier l'aube, la terre et le ciel ?

b. Dans quelle civilisation ces éléments sont-ils assimilés à des divinités ?

9. Quel genre d'offrandes le poète présente-t-il à la défunte dans le deuxième tercet ? Sont-elles conformes aux usages de son époque ?

10. Quels sentiments le poète exprime-t-il dans ces deux tercets ?

11. Observez le mot à la rime du dernier vers. Quelle image veut-il laisser de la défunte ?

Vocabulaire

12. a. Quels sont le préfixe et le radical du verbe *embaumer* (v. 6) ? Cherchez la définition de ce verbe dans le dictionnaire.

b. Trouvez un nom de la même famille et donnez sa définition.

c. Trouvez des verbes commençant par le même préfixe et répondant aux définitions suivantes : « rendre beau » – « inspirer du courage » – « causer du dommage » – « se durcir face à la peine et la souffrance » – « mettre en pile » – « prendre en serrant le poing ».

13. Trouvez des synonymes aux expressions en italique, qui comportent toutes l'adjectif *vif.* (v. 14).

1. Emparez-vous de lui mort ou *vif.* – **2.** Il s'est blessé, sa chair est à *vif.* – **3.** Il vous le répétera *de vive voix.* – **4.** En haut de la montagne, l'air est *vif.* – **5.** Il est entré dans le *vif* du sujet. – **6.** Elle a *les nerfs à vif.*

Expression écrite

Sujet

À votre tour, personnifiez en quelques lignes ces différents éléments de la nature : le crépuscule, le vent, la neige.

Exercice de préparation

Imaginez des personnifications en employant des verbes d'action pour les sujets suivants.

1. Le petit jour ...
2. L'air frais ...
3. Le silence ...
4. Les branches du saule ...

Harmonie du soir

Charles Baudelaire, photographié par **Félix Nadar** en 1860 (Paris, BNF).

Voici venir les temps où vibrant sur sa tige
    Chaque fleur s'évapore ainsi qu'un encensoir[1] ;
Les sons et les parfums tournent dans l'air du soir ;
Valse mélancolique et langoureux vertige !

5 Chaque fleur s'évapore ainsi qu'un encensoir ;
Le violon frémit comme un cœur qu'on afflige ;
Valse mélancolique et langoureux vertige !
Le ciel est triste et beau comme un grand reposoir.

Le violon frémit comme un cœur qu'on afflige,
10 Un cœur tendre, qui hait le néant vaste et noir !
Le ciel est triste et beau comme un grand reposoir[2] ;
Le soleil s'est noyé dans son sang qui se fige.

Un cœur tendre, qui hait le néant vaste et noir,
Du passé lumineux recueille tout vestige[3] !
15 Le soleil s'est noyé dans son sang qui se fige…
Ton souvenir en moi luit comme un ostensoir[4] !

Charles Baudelaire, *Les Fleurs du mal*, 1857.

Charles Baudelaire
(1821-1867)

Ce poète majeur du XIXe siècle s'approprie les formes anciennes de la poésie, mais pour les renouveler en profondeur en abordant des thèmes qui parfois font scandale. Il lie intimement la beauté et le mal, évoque avec ardeur le sentiment de la mélancolie.

1. Encensoir (n. m.) : récipient dans lequel on brûle de l'encens durant certaines cérémonies religieuses.

2. Reposoir (n. m.) : autel servant pour certaines cérémonies.

3. Vestige (n. m.) : restes d'une chose qui a disparu.

4. Ostensoir (n. m.) : objet d'orfèvrerie, en forme de soleil, destiné à contenir l'hostie sacrée représentant le corps du Christ, pour que les fidèles l'adorent.

Paysage, **de Gustave Moreau** (1826-1898), huile sur toile, 0,250 m x 0,320 m (Paris, musée Gustave Moreau).

Lecture

→ Comprendre

1. Quelle remarque pouvez-vous faire sur la structure de ce poème ? Comment les vers sont-ils repris d'une strophe à l'autre ?

2. Quel est le moment décrit par le poète ? Justifiez votre réponse en vous appuyant notamment sur le vers 12.

3. Observons le mouvement du poème :

a. Quels sont les différents sens évoqués dans les deux premières strophes ? Quelle impression s'en dégage ?

b. Dans la troisième strophe, quel paraît être l'état d'esprit du poète ? Justifiez votre réponse par le relevé de termes précis.

c. Quelle impression la dernière strophe vous laisse-t-elle ? Pourquoi ?

4. a. Dans quel vers le poète s'exprime-t-il à la première personne ?

b. Quelle autre marque de personne trouve-t-on dans ce vers ? À votre avis, qui désigne-t-elle ?

→ Analyser

5. Dans les deux premières strophes, relevez les allitérations (→ p. 263) : quel effet produisent-elles ?

6. a. La valse est une musique au rythme régulier et tournoyant. Quels autres mots des deux premières strophes évoquent ce tournoiement ?

b. Quels autres procédés renforcent cette impression ? Analysez en particulier le rythme des vers et les rimes utilisées. (→ p. 263)

7. Dans la dernière strophe, relevez les expressions évoquant la lumière et la vie, puis relevez les termes qui évoquent la nuit et la mort.

→ Interpréter

8. a. Quels mots de la dernière strophe évoquent le passé ?

b. Pourquoi le moment décrit par le poème se prête-t-il à une telle évocation ?

9. a. En vous aidant des notes, relevez trois termes appartenant au vocabulaire religieux.

b. Quelle image a-t-on finalement de la nature environnante ? Pourquoi la nature est-elle associée aux termes religieux ?

10. a. Dans la dernière strophe, qu'est-ce qui est associé à la lumière ?

b. Comment comprenez-vous le dernier vers ?

Vocabulaire

11. Cherchez la définition de ces mots et réemployez chacun d'eux dans une phrase de votre invention :
mélancolique – frémir – affliger – langoureux.

12. Donnez un verbe de la famille de *néant* (v. 10).

13. a. Donnez un synonyme du verbe *luire* (v.16).

b. Formez un adjectif à partir de ce verbe et employez-le dans une phrase de votre invention.

14. Donnez deux synonymes de *vestige* (v. 14).

Ma bohème

Je m'en allais, les poings dans mes poches crevées[1] ;
Mon paletot[2] aussi devenait idéal[3] ;
J'allais sous le ciel, Muse ! et j'étais ton féal[4] ;
Oh ! là ! là ! que d'amours splendides j'ai rêvées !

5 Mon unique culotte avait un large trou.
Petit-Poucet rêveur, j'égrenais[5] dans ma course
Des rimes. Mon auberge était à la Grande-Ourse.
Mes étoiles au ciel avaient un doux frou-frou

Et je les écoutais, assis au bord des routes,
10 Ces bons soirs de septembre où je sentais des gouttes
De rosée à mon front, comme un vin de vigueur ;

Où, rimant au milieu des ombres fantastiques,
Comme des lyres, je tirais les élastiques
De mes souliers blessés, un pied près de mon cœur !

ARTHUR RIMBAUD, *Poésies* (1868-1870).

Arthur Rimbaud
(1854-1891)
Né à Charleville, dans les Ardennes, ce poète très précoce commence sa carrière dès l'âge de quinze ans, guidé par son professeur de rhétorique, Georges Izambard. Il entretient des relations difficiles avec sa mère et fait plusieurs fugues qui le mèneront à Paris ; il rencontrera les plus grands poètes de son époque, dont Verlaine. Il meurt à Marseille en 1891 à l'âge de 36 ans.

1. **Crevées :** trouées.
2. **Paletot :** manteau.
3. **Idéal :** tellement usé qu'il ressemble davantage à une idée de manteau qu'à un manteau réel.
4. **Féal :** ami dévoué et fidèle.
5. **Égrener :** dégarnir de ses grains, ex : égrener du blé.

***Une paire de souliers,*
de Vincent Van Gogh,**
huile sur toile, 34 x 41,5 cm, été 1887 (Baltimore, Museum of Art).

Lecture

➜ Comprendre

1. Quelle est la forme de ce poème ? À quelle personne et à quel temps est-il écrit ?

2. Cherchez dans un dictionnaire la définition du mot *bohème*.

3. Quelle image le poète donne-t-il de son aspect physique ? Relevez les termes qui justifient votre réponse. D'après ces termes, la poésie de Rimbaud traite-t-elle de sujets aussi nobles que celle de ses prédécesseurs ?

4. Dans le premier quatrain, quel verbe répété deux fois semble correspondre aux aspirations du poète ?

5. a. Relevez dans l'ensemble du poème les indications de temps et de lieu : que nous apprennent-elles sur le mode de vie du poète ?

b. Expliquez l'expression : « Mon auberge était à la Grande-Ourse ».

6. Que trouve-t-il dans cette manière de vivre ?

➜ Analyser

7. À qui le poète s'adresse-t-il dans le premier quatrain ? Quel sentiment les phrases exclamatives (➜ p. 280) expriment-elles ?

8. Dans le deuxième quatrain, à qui le poète se compare-t-il ? Quel est le complément d'objet direct de *égrener* ? Quel effet l'enjambement produit-il ?

9. Relevez dans le deuxième tercet une autre comparaison (➜ p. 366) évoquant l'activité poétique.

➜ Interpréter

10. Aux vers 7 et 8, quelle est la nature du déterminant employé devant *auberge* et *étoiles* ? Quel rapport le poète entretient-il avec la nature ?

11. Avec quel nom le mot *cœur* (v.14) rime-t-il ? Sur quel ton le poète décrit-il sa vie de bohème ?

12. Paul Verlaine désignait son ami par l'expression « l'homme aux semelles de vent ». Comment comprenez-vous cette expression ?

Vocabulaire

13. Quel est le genre du nom *amour* au vers 4 ? À quel genre employez-vous ce nom habituellement ? Cherchez dans le dictionnaire l'explication de cet emploi.

14. a. Donnez un adjectif et un verbe de la famille de *vigueur* (v. 11).

b. Complétez les phrases suivantes avec des synonymes de ce nom : *ardeur, véhémence, fougue.*

1. Il protesta avec ..., ce qui surprit son directeur.

2. L'orateur fit un discours plein de ... qui enthousiasma la foule.

3. Roland s'empara de son épée et combattit avec ... .

c. Donnez pour chacun de ces noms l'adjectif correspondant.

15. « J'éprouve une grande joie » : remplacez l'adjectif *grande* par d'autres adjectifs évoquant l'intensité.

Expression écrite

Sujet

À votre tour, évoquez un lieu qui vous enchante et fait naître en vous la sensation de joie.

▌ Exercices de préparation

❶ « Que d'amours splendides j'ai rêvées ! »

Sur le même modèle, construisez des phrases exclamatives introduites par *que*. Exemple : *Je revécus bien des moments heureux à la vue de cette maison.* → *Que de moments heureux je revécus à la vue de cette maison !*

1. J'entendais beaucoup d'oiseaux piailler dans ces branchages.

2. Je vis une quantité incroyable de criquets s'abattre sur le champ.

3. Il a gravi de nombreux sommets.

❷ Construisez maintenant des phrases exclamatives introduites par *que*, mais qui seront nominales. Exemple : *Nous avons parcouru beaucoup de chemin depuis notre dernière rencontre.* → *Que de chemin parcouru depuis notre dernière rencontre !*

1. Bien des nuages s'amoncellent à l'horizon.

2. Beaucoup d'étoiles resplendissent dans ce ciel d'été.

3. Nous éprouvâmes une grande joie lors de nos retrouvailles.

« La vie à côté »

Moi, je vis la vie à côté,
Pleurant alors que c'est la fête.
Les gens disent : Comme il est bête !
En somme, je suis mal coté.

5 J'allume du feu dans l'été,
Dans l'usine je suis poète ;
Pour les pitres je fais la quête.
Qu'importe ! J'aime la beauté.

Beauté des pays et des femmes,
10 Beauté des vers, beauté des flammes,
Beauté du bien, beauté du mal.

J'ai trop étudié les choses ;
Le temps marche d'un pas normal ;
Des roses, des roses, des roses !

CHARLES CROS, *Le Collier de griffes*, 1908.

Charles Cros
(1842-1888)
Passionné de littérature et de sciences, ce poète est aussi un inventeur. Il mène une vie de bohème et se lie avec de nombreux artistes, dont Verlaine. Mais, de son vivant, ses inventions resteront aussi ignorées que son œuvre poétique : il meurt dans la misère, laissant une grande partie de cette œuvre non publiée.

Lecture

➜ Comprendre

1. Quelle est la forme de ce poème ?

2. Dans la première strophe, quels pronoms désignent le poète ?

3. Quelles oppositions pouvez-vous relever dans les deux quatrains ? Comment pourriez-vous qualifier l'attitude du poète ? Comment est-elle perçue par les autres ?

4. Quel mot permet de relier les tercets aux quatrains ? Qu'évoque le poète dans ce premier tercet ?

➜ Analyser

5. Des vers 5 à 7, comment les propositions (➜ p. 310) de la phrase sont-elles reliées ? Y a-t-il une logique dans la succession de ces actions ? Qu'est-ce que cela nous indique sur l'attitude du poète ?

6. Avec quel mot le nom *quête* du vers 6 rime-t-il ? Quels sont les deux sens que l'on peut donner à ce mot ?

**Famille de saltimbanques,
de Pablo Picasso,** huile sur toile,
212.8 x 229,6 cm, 1905,
(Washington, National Gallery of Art).

7. a. Quelle impression la répétition du mot *beauté* produit-elle ? Quel adverbe du vers 12 reprend cette impression ?

b. Relevez tous les <u>compléments du nom</u> (➜ p. 302) *beauté* dans la troisième strophe : quels différents domaines évoquent-ils ?

8. a. Relevez les mots à la rime dans la troisième strophe : à quoi font-ils penser ?

b. Que symbolise le feu évoqué dans le deuxième quatrain ?

➜ Interpréter

9. a. Comment qualifieriez-vous le niveau de langue utilisé dans les quatrains ? Quel aspect de la vie cela permet-il d'évoquer ?

b. Quels vers montrent la banalité et la pesanteur du réel ?

10. Avec quel mot le mot *choses* (v. 12) rime-t-il ? Quelle métamorphose le poète cherche-t-il à opérer ?

11. Cherchez la définition du mot *incantation*. Que cherche le poète dans le dernier vers ?

Vocabulaire

12. Pour chacune des phrases suivantes, choisissez entre les trois sens possibles du mot *marge* :

1. espace dont on dispose entre certaines limites – **2.** bord autour d'une page – **3.** en dehors de.

a. Écrivez à deux carreaux de la marge. – **b.** Elle avait une marge de liberté très restreinte. – **c.** Ce poète est en marge de la société.

13. a. Quel adjectif de la même famille qualifie une personne qui refuse les normes de la société ou n'y est pas adapté ? Soulignez le suffixe de cet adjectif.

b. En employant le même suffixe, trouvez des adjectifs appartenant à la même famille que les noms suivants : idée, principe, loi, norme.

Les vers à soie

Les vers à soie murmurent dans le mûrier
ils ne mangent pas ces mûres blanches et molles
pleines d'un sucre qui ne fait pas d'alcool
les vers à soie qui sont patients et douillets

5 mastiquent les feuilles avec un bruit mouillé
ça les endort mais autour de leurs épaules
ils tissent un cocon rond aux deux pôles
à fil de bave, puis dorment rassurés

En le dévidant on tire un fil de soie
10 dont on fait pour une belle dame une robe
belle également qu'elle porte avec allure

Quand la dame meurt on enterre la soie
avec elle et on plante, sur sa tombe en octobre,
un mûrier où sans fin les vers à soie murmurent.

JACQUES ROUBAUD, *Les Animaux de tout le monde* © Seghers, 1990.

Jacques Roubaud
(né en 1932)

Ce poète français est aussi un mathématicien. Il part des anciennes formes poétiques pour en créer de nouvelles en inventant des contraintes toujours plus étonnantes : répétition d'une ou plusieurs lettres, renoncement à une ou plusieurs voyelles...

Lecture

➜ Comprendre

1. En observant les strophes, quelle forme poétique reconnaissez-vous ? Les vers sont-ils réguliers et les strophes clairement délimitées ?

2. Quel est le sujet des verbes dans les deux quatrains puis dans les deux tercets ?

3. Expliquez l'enchaînement des actions évoquées dans ce poème. Quelle remarque pouvez-vous faire à propos du premier et du dernier vers ? Pourquoi peut-on parler d'un cycle ?

4. Quelle remarque pouvez-vous faire sur la ponctuation ? Quelle impression cela crée-t-il ?

➜ Analyser

5. « Les vers à soie murmurent » (v. 14) : comment le poète s'y prend-il, dans les deux quatrains, pour donner à entendre le bruit de la mastication des vers ?

6. Relevez, dans les deux quatrains, tous les termes qui évoquent l'endormissement.

7. Ce thème de l'endormissement est repris dans le deuxième tercet : de quelle manière ?

➜ Interpréter

8. Qu'est-ce qu'un *linceul* ? Pourquoi peut-on dire que le cocon du départ devient linceul à la fin ? Que semblent donc tisser ces vers ?

9. Quelle expression du dernier tercet évoque l'éternité ?

10. Quel autre sonnet du chapitre évoque la mort d'une dame ? Quelle différence de ton constatez-vous entre ces deux poèmes ?

Joan Miro (1893-1983), *Danseuse II,* huile sur toile (1,155 x 0,885 m), 1925 (Lucerne, coll. A. Rosengart).

Vocabulaire

11. Cherchez dans le dictionnaire deux synonymes du verbe *murmurer.*

12. Parmi les bruits suivants, quels sont ceux qui peuvent émaner d'un individu et ceux qui ne sont produits que par un groupe ?

Chuchotement – rumeur – soupir – murmure – clameur – brouhaha – bourdonnement – tumulte – gémissement – cri – tintamarre.

13. Quelles choses produisent un son creux, argentin, sec, sourd, crépitant, aigrelet ?

Expression écrite

Sujet

Un soir d'été, vous restez quelque temps étendu dans l'herbe. Vous percevez mille petits bruits qui sont indistincts le jour. Décrivez ce moment dans un poème.

Conseils

• Employez les mots de vocabulaire étudiés ci-dessus.

• Choisissez les mots autant pour leur musicalité que pour leur sens : tentez quelques allitérations.

Soleils couchants

Sensible à la caresse et à la magie des mots, Verlaine a voulu que ses vers soient « de la musique avant toute chose ». Ce poème en est une illustration.

Paul Verlaine
(1844- 1896)
Souvent partagé entre le désir d'une vie paisible et le monde mouvementé des passions, il mena une vie tumultueuse en compagnie de son ami Rimbaud (voir p. 252). Verlaine a contribué à renouveler le genre poétique en inventant une nouvelle musicalité.

Une aube[1] affaiblie
Verse par les champs
La mélancolie
Des soleils couchants.
5 La mélancolie
Berce de doux chants
Mon cœur qui s'oublie
Aux soleils couchants.
Et d'étranges rêves
10 Comme des soleils
Couchants sur les grèves,
Fantômes vermeils[2],
Défilent sans trêves[3],
Défilent, pareils
15 À des grands soleils
Couchants sur les grèves[4].

Verlaine, *Poèmes saturniens*, 1866.

1. **Aube :** lever du jour.
2. **Vermeil :** rouge.
3. **Sans trêves :** continuellement.
4. **Grève :** rivage.

Lecture

→ Comprendre

1. Lisez ce texte à voix haute : qu'est-ce qui le rend musical ? Pour répondre, faites des remarques sur le rythme, les rimes, les répétitions.

2. Le poète évoque-t-il un moment et un paysage particuliers, ou bien une rêverie ? Justifiez votre réponse en vous appuyant sur le titre et sur les noms qui évoquent des moments ou des lieux.

3. Rappelez le sens du mot *mélancolie*. Qu'est-ce qui est à l'origine de cette mélancolie ?

→ Analyser

4. a. Quel est le complément d'objet direct (→ p. 284) du verbe *verse* dans la première phrase ? Quel est le sujet (→ p. 287) du verbe *berce* dans la deuxième phrase ?
b. Quelle remarque pouvez-vous faire sur la sonorité de ces deux verbes ?

5. Quelles assonances (→ p. 263) (répétition de sons voyelles) reviennent régulièrement dans les 8 premiers vers ? Quelle sensation évoquent-ils ?

6. À partir du vers 9, combien y a-t-il de phrases ? Relevez une comparaison. (→ p. 366)

→ Interpréter

7. a. Quels sont les vers qui évoquent l'endormissement ?
b. À quelle sorte de chant ce poème ressemble-t-il ?
8. Relevez tous les termes qui dépeignent un paysage flou, confus, sans limites.

Vocabulaire

9. a. Pour dépeindre les lumières, on emprunte souvent le vocabulaire de l'eau : trouvez-en un exemple dans le poème.
b. Voici d'autres mots appartenant au vocabulaire de l'eau ; vous les emploierez chacun dans une phrase pour dépeindre une lumière :

se répandre – baigné – inondé – ruisselant.

10. a. Pour chacun des verbes suivants, cherchez un adjectif de la même famille : *aveugler – danser – flamboyer – chatoyer – rutiler – briller – éblouir – diffuser.*
b. Employez chacun de ces adjectifs dans une phrase de votre choix, pour décrire une lumière.

Claude Monet,
Les Nymphéas :
le matin clair aux
saules (détail),
huile sur bois
(2 x 12,75 m),
1914-1918
(Paris, musée
de l'Orangerie).

Lire une image

Claude Monet (1840-1926) est l'un des chefs de file de l'**impressionnisme**, mouvement qui rassemble à partir de 1874 des peintres partageant une nouvelle conception de la nature et de l'art. À Giverny, Claude Monet fait creuser dans son jardin un bassin où il cultive des nymphéas (nénuphars). De 1899 jusqu'à la fin de sa vie, il représentera ces nymphéas à travers quelques trois cents tableaux, dont quarante panneaux décoratifs de grand format.

L'impressionnisme : une nouvelle conception du paysage

1. Que voit-on au premier plan ? Au second plan ?
2. Où l'observateur se situe-t-il par rapport au sujet représenté ?
3. Dans l'ensemble du tableau, qui est plus large, Monet poursuit cette représentation de l'eau sous les feuilles du saule. Quel effet l'absence de ciel et de ligne d'horizon produit-elle ?
4. Le peintre attache-t-il plus d'importance aux tracés du dessin ou à la couleur ?

Peindre l'instant

5. Comment le peintre s'y prend-il pour représenter l'ombre et les reflets de la lumière sur l'eau ? Observez les taches de couleur de bas en haut.
6. La forme des nymphéas, la limite entre les feuilles du saule et leur reflet sont-elles nettes et précises ? Quelle impression en résulte-t-il ?
7. À votre avis, pourquoi ces peintres ont-ils choisi de s'appeler les *impressionnistes* ?
8. Pourquoi peut-on dire que, avec la modernité, la peinture et la poésie ont évolué dans le même sens ?

Il l'emparouille te l'endosque contre terre ;
Il le rague et le roupète jusqu'à son drâle ;
Il le pratèle et le libuque et lui baruffle les ouillais ;
Il le tocarde et le marmine,
5 Le manage rape à ri et ripe à ra.
Enfin il l'écorcobalisse.
L'autre hésite, s'espudrine, se défaisse, se torse et se ruine.
C'en sera bientôt fini de lui ;
Il se reprise et s'emmargine… mais en vain
10 Le cerceau tombe qui a tant roulé.
Abrah ! Abrah ! Abrah !
Le pied a failli !
Le bras a cassé !
Le sang a coulé !
15 Fouille, fouille, fouille
Dans la marmite de son ventre est un grand secret
Mégères alentour qui pleurez dans vos mouchoirs ;
On s'étonne, on s'étonne, on s'étonne
Et vous regarde,
20 On cherche aussi, nous autres, le Grand Secret.

HENRI MICHAUX, *Qui je fus* © éd. Gallimard, 1927.

Henri Michaux
(1899-1984)
Ce poète est l'un de ceux
qui renouvellent le plus
la poésie contemporaine :
il décide d'inventer un
langage qui dit avec
humour la difficile réalité
où nous vivons.
Il cherche également
à relier la poésie et
le dessin.

Lecture

→ Comprendre

1. Que raconte ce poème ? Comment sont désignés les personnages dans les 10 premiers vers ?

2. Relevez tous les mots inventés par l'auteur. Qu'est-ce qui permet, malgré tout, de donner un sens à ce texte ?

3. De qui parle-t-on dans la suite du poème ?

4. Pourquoi avoir mis des majuscules au groupe nominal le *Grand Secret* ? À quel autre groupe nominal du texte fait-il écho ?

→ Analyser

5. a. Quelle est la nature de la plupart des mots inventés ?

b. Relevez pour certains de ces mots des **préfixes** (→ p. 362) qui sont utilisés dans notre langage.

6. a. Quelle remarque pouvez-vous faire sur la **construction** et l'**enchaînement des propositions** (→ p. 310) dans les six premiers vers ?

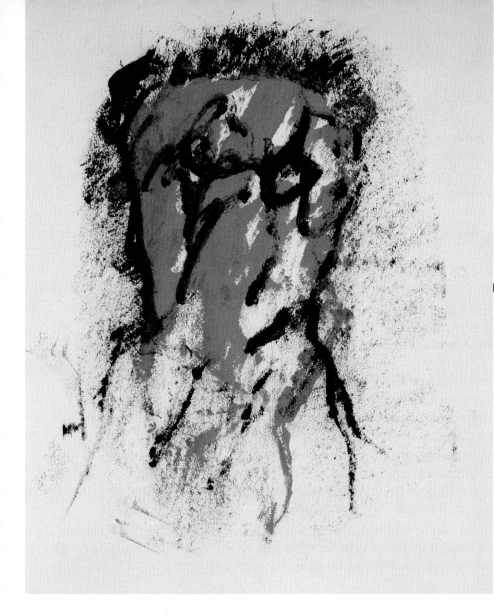

« (...) », d'Henri Michaux, acrylique sur toile, 32 x 25 cm, 1974, coll. Le Point Cardinal.

b. Quelles sont les sonorités dominantes dans ces vers ?

7. a. Quelle expression met fin à la description du combat ? Quel sens lui donnez-vous ?

b. Relevez les répétitions : quel rôle jouent-elles ?

➡ Interpréter

8. Voici l'extrait d'un combat raconté par Rabelais dans son *Gargantua* (voir p. 170) :

« Es uns écrabouillait la cervelle, ès autres rompait bras et jambes, ès autres délochait les spondyles du col, ès autres démoulait les reins,... décroulait les omoplates, sphacelait les grèves, dégondait les ischies, débezillait les faucilles. »

En quoi la langue de Michaux est-elle proche de celle de Rabelais ?

9. Relevez une métaphore qui désigne les entrailles du vaincu.

10. Expliquez le dernier vers du poème.

Expression écrite

Sujet

À votre tour, inventez un nouveau langage : décrivez, au choix, une personne qui mange avec avidité ou une personne qui fait le ménage et nettoie de fond en comble.

Conseils

• Les mots inventés seront pour la plupart des verbes insérés dans des phrases correctement construites. Vous donnerez une vraisemblance à ces verbes en employant des préfixes existants et en les conjuguant.

• Donnez une saveur aux mots inventés en travaillant les sonorités.

• Votre lecteur devra globalement comprendre à la fin du poème ce que vous avez raconté.

1. Les formes poétiques

➤ Vers des formes fixes

● Au Moyen Âge, les poèmes sont de véritables **chansons** et s'accompagnent d'une **mélodie** : les strophes correspondent à une phrase musicale et on y trouve souvent un refrain.

● Mais à la fin du Moyen Âge, **la poésie remplace la chanson et se fait elle-même de plus en plus musicale.** Le poète s'impose des règles rigoureuses au niveau du rythme, de la disposition des rimes, de manière à mieux faire sentir ce qu'il évoque.

● **Les formes fixes** font alors leur apparition et empruntent leurs noms aux chansons à danser :

– le **rondeau** se caractérise par sa brièveté. Construit sur deux rimes, il s'ouvre sur un vers qui est repris dans les strophes suivantes, comme un refrain (voir p. 244 et 245) .

– la **ballade**, forme très répandue, se compose de trois à cinq strophes de longueur variable suivies d'un envoi, c'est-à-dire d'une strophe moitié moins longue que les précédentes. Chacune de ces strophes se termine par un refrain d'un vers.

➤ Vers des formes plus modernes

● Au début de la **Renaissance**, on délaisse les formes médiévales pour s'attacher à des **formes modernes imitées de l'Antiquité.** L'écriture devient plus savante et s'inspire du grec et du latin.

● Les poètes cherchent alors une forme parfaite pour lier le sens et le rythme. C'est l'apparition du **sonnet**, poème composé de deux quatrains (strophes de quatre vers) et de deux tercets (strophes de trois vers) et dont les vers sont le plus souvent des alexandrins (voir p. 248).

● Ces formes fixes sont sans cesse en concurrence avec une pratique du **vers libre**, qui n'obéit à aucune règle. Ainsi, **La Fontaine** joue sur la variation de longueur des vers pour mieux ménager ses effets et rendre ses fables plus vivantes (voir p.236 et 238).

➤ Vers une grande diversité

● **À partir du XIXᵉ siècle**, les poètes redécouvrent les formes anciennes, mais les emploient avec une plus grande **liberté de ton** : le langage employé est moins noble et se veut le reflet du quotidien.

● Avec la modernité, les règles de la versification passent au second plan pour favoriser les **jeux de langage** et la **musicalité des mots.**

Liberté, poème de Paul Eluard illustré par Fernand Léger, tapisserie, 1,440 m x 5, 410 m, avril 1963 (Biot, musée Fernand Léger).

2. Le langage de la poésie

Différents procédés : **rythme, rimes et jeux de sonorités,** contribuent à la **musicalité** du poème.

➤ Le rythme

Le **rythme** du poème dépend à la fois de la longueur des vers employés, des pauses, et de la ponctuation. Ce rythme peut être lent ou rapide, régulier ou irrégulier.

● La **nature du vers** se déduit du **nombre de syllabes** qui le composent :

– un vers de **8 syllabes** s'appelle un **octosyllabe** :

> « Allons au bois le mai cueillir » (CHARLES D'ORLÉANS)

– un vers de **10 syllabes** s'appelle un **décasyllabe** :

> « Faites mourir mon cœur en un seul coup » (GUILLAUME DE MACHAUT)

– un vers de **12 syllabes** s'appelle un **alexandrin** :

> « Comme on voit sur la branche au mois de mai la rose » (RONSARD)

● À l'intérieur de ces vers, une pause, que l'on appelle **césure**, marque la **cadence** ; elle fait ressortir la construction de la phrase et les mots importants pour le sens.

> « Beauté des vers, // beauté des flammes » (CHARLES CROS)

➤ Les rimes et jeux de sonorités

● En fin de vers, les **rimes** se distinguent par leur disposition :

– AABB : rimes **suivies** – ABAB : rimes **croisées** – ABBA : rimes **embrassées.**

● À l'intérieur des vers, les sonorités peuvent être utilisées pour **mimer des bruits**.

> « Une cloche est en **br**a**nle** à l'église Saint-Pi**e**r**re** » (VICTOR HUGO)

Dans ce vers, le « br » de *branle*, le « an » qui suit, prolongé par le « e » muet ; le « ε » de *Pierre* suivi d'une nouvelle vibrante « re » nous donnent à entendre une cloche d'église.

● On peut créer un effet sonore **en répétant certaines consonnes** : on fait alors une **allitération**.

> « Pour qui sont ces **s**erpents qui **s**ifflent **s**ur nos têtes ? » (RACINE)

● On peut également créer une impression **en répétant des voyelles** à la rime ou à l'intérieur du vers : on fait alors une **assonance**.

> « La colombe r**ou**c**ou**le ; éc**ou**te, un caill**ou** r**ou**le en le s**ou**ffle qui c**ou**le **ou**
>
> cr**ou**le dans le j**ou**j**ou** frêle de son c**ou**. » (SAINT-POL-ROUX)

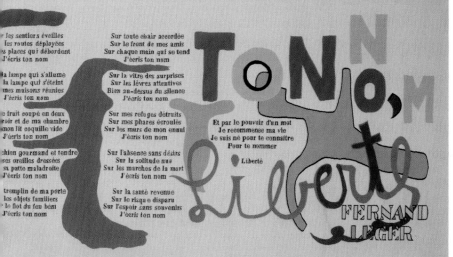

Vocabulaire

Exprimer les sentiments

A Dire la joie

1 Récrivez ces phrases en employant un verbe de la même famille que le mot en italique:

1. Il se fait *une félicité* d'avoir surmonté cette épreuve.
2. L'approche des fêtes de fin d'année est une *réjouissance* pour les enfants.
3. Ce bal fut pour elle un *enchantement*.
4. Le pianiste éprouve de la *satisfaction* à la fin du concert.
5. La musique du joueur de flûte est un *envoûtement* pour les villageois.
6. Ce spectacle est pour nous un *ravissement*.

2 a. Complétez les phrases avec les verbes suivants :
exulter – s'extasier – s'exalter – enchanter.

1. Les enfants ... de joie à l'annonce de cette nouvelle.
2. Il s' ... à l'idée de ce grand projet.
3. La musique de Chopin m'... .
4. Elle ... devant l'incroyable architecture du château de Chambord.

b. Donnez pour chacun de ces verbes un nom de la même famille.

3 Classez ces noms selon qu'ils expriment un sentiment de joie atténué ou un sentiment de joie intense :

béatitude – bien-être – bonheur – contentement – aise – allégresse – extase – satisfaction – euphorie.

4 a. Pour chacun des adjectifs suivants, trouvez un nom de la même famille en ajoutant un suffixe que vous soulignerez.

allègre – ivre – béat – envouté – ravi.

b. Complétez les phrases suivantes avec chacun des noms que vous avez trouvés.

1. La voix, les gestes et les regards de cette grande tragédienne étaient un véritable ... .
2. La foule des fidèles entonna ce chant d'... .
3. Dans l'... de la victoire, le boxeur oublia les douleurs du combat.
4. Un air de ... planait sur le visage de ce petit enfant endormi dans les bras de sa mère.
5. C'est avec ... qu'elle entendit les douces paroles qu'il lui chuchotait à l'oreille.

5 Pour décrire la joie d'une personne, on emploie souvent le champ lexical de la lumière. Faites le portrait d'une personne au comble de la joie. Vous emploierez les adjectifs suivants :

pétillant – rayonnant – radieux – resplendissant.

B Dire la tristesse

6 a. Complétez les phrases suivantes à l'aide de ces verbes :

Déplorer – se lamenter – regretter – peiner.

1. Nous ... notre jeunesse et notre insouciance.
2. Tous ... qu'il ait échoué lors de la dernière épreuve.
3. Elle pleurniche et ... constamment sur son sort.
4. Il m'... en m'apprenant cette nouvelle.

b. Donnez pour chacun de ces verbes un adjectif de la même famille, en ajoutant un suffixe que vous soulignerez.

7 Récrivez ces phrases en employant un adjectif de la même famille que le verbe souligné.
Exemple : *Ce reportage sur le Tiers Monde l'attriste.*
→ *Ce reportage sur le Tiers-Monde est attristant.*

1. Cette terrible nouvelle *l'accable*.
2. Il est *navré* de son erreur.
3. Cette étrange affaire le *contrarie*.
4. Ce sombre regard lui *déplaît*.
5. L'approche de l'automne le *désole*.
6. Cette dispute l'*afflige*.

8 *Lugubre, sinistre, funèbre, funeste* : ces adjectifs évoquent une tristesse en lien avec la mort. Employez-les pour compléter les phrases suivantes :
1. Il considéra ce vol de corbeaux comme un ... présage.
2. Un air froid et ... montait de ces caves.
3. Le vent passait entre les tombes avec un sifflement ... .
4. Le cortège défila au son d'une marche ... .

9 a. Classez ces adjectifs selon qu'ils expriment un sentiment de tristesse léger ou un sentiment de tristesse intense :

abattu – morose – affligé – rembruni – éploré – maussade – désolé – morne – sinistre – taciturne – langoureux.

b. Pour les adjectifs surlignés, donnez un nom de la même famille et soulignez le suffixe employé.

10 a. *Mélancolie, langueur, nostalgie* : employez chacun de ces noms pour compléter les phrases.
1. Verlaine évoque la ... des soleils couchants.
2. L'exilé éprouve de la ... lorsqu'il voit des photos de son village natal.
3. L'absence de son bien-aimé la plongea dans une extrême ... .

c. Décrivez un paysage qui inspire le sentiment de tristesse en employant ces trois noms.

Grammaire pour écrire

S'initier au langage poétique

Grammaire

Jouer sur l'ordre des mots

1 Le poète modifie souvent l'ordre naturel des mots. Ces inversions attirent l'attention sur les termes qu'elles déplacent.

Exemple : « *Fière* est cette forêt dans sa beauté tranquille. »

Déplacez le groupe en italique en tête de phrase afin de retrouver le vers d'origine :

1. L'amoureuse haleine *du zéphir*/Soulève encor tes longs cheveux.

2. Je me dois *toujours plaindre*/J'ai perdu ma tourterelle »

3. Reçois *pour obsèques*, mes larmes et mes pleurs.

4. Je vis *une louve* sous l'antre d'un rocher.

5. Que personne ne rie *de notre mal*.

Utiliser la répétition

2 Le poète emploie volontairement la répétition pour donner plus de relief à l'expression d'une idée ou d'un sentiment.

Exemple : « *Ce long voyage et si court et si court* cependant. »

a. Construisez un court poème en répétant plusieurs fois l'adjectif *admirable*, un autre en répétant l'adverbe *vite*.

b. Voici un autre exemple : « *J'entrai dans une forêt, une immense forêt baignée de silence.* »

Imitez cette phrase pour parler d'un lac, d'une montagne, d'une ville.

Vocabulaire

Créer une impression sonore

3 Écrivez avec les mots suivants une strophe de cinq vers de huit syllabes qui décrit le vent.

Vi**v**ant – **v**ite – **v**ente – si**ff**ler – **f**rémir – **f**uyant – **f**euille – **f**ougueux – ra**f**ale (allitération en *v* et *f* qui imite le sifflement du vent).

4 Écrivez avec les mots suivants un quatrain en alexandrins qui décrit la fureur d'un chevalier au combat.

Rage – cœu**r** – o**r**age – a**r**deu**r** – **r**ugi**r** – **r**ougi**r** – te**rr**ible – fou**dr**oyant (allitération en *r*, sonorité dure qui évoque la colère).

5 Écrivez maintenant le combat de deux escargots en employant les verbes suivants :

Fouiller– écrabouiller– barbouiller – farfouiller – dépouiller – chatouiller, tripatouiller.

Vous pouvez même inventer des verbes en leur ajoutant le suffixe *-ouiller*.
Exemple : *baver, bavouiller.*

6 Écrivez un vers sur l'eau en utilisant des sonorités liquides (l, ill, bl, dl, gl…) et chuintantes (s, z, ch, j.)
Exemple : « *Dans son sommeil glissant l'eau se suscite un songe/un chuchotis de joncs de roseaux d'herbes lentes* » (Cl. Roy)

Utiliser des figures de ressemblance → p. 366

7 Imaginez des comparaisons évocatrices en complétant les phrases suivantes.

1. Et la lumière, comme … , inondait la clairière.

2. Telle …, mon âme prend son envol et s'évade vers de vastes contrées.

3. Les yeux du loup, pareils à …, étincelaient dans les ténèbres.

4. Il est des parfums frais comme …, doux comme … .

5. Ce soir, la lune semblable à …, glisse à travers les branches.

8 Personnifiez deux éléments :

« Tandis que la bûche crie, écume et sue, la flamme l'attaque… »

Racontez en quelques phrases ce combat entre la flamme et la bûche.

9 Imaginez des métaphores en complétant les vers suivants par un terme de votre choix :

1. La … aux mains de neige verse sa clarté sur les toits.

2. Des … éclatent en fruits lumineux entre les arbres noirs.

3. Errant au bassin bleu du ciel, le … gonfle ses plumes blanches.

10 Voici comment le poète Francis Ponge décrit certains fruits :

« La mûre : une agglomération de sphères qu'une goutte d'encre remplit. »

« Le noyau de l'abricot : une pierre en forme de dragée. »

À votre tour, cherchez des métaphores pour définir de la manière la plus précise la rose, l'olive, la pomme.

Jouer sur les oppositions

11 Employez ces couples d'antonymes pour exprimer un sentiment :

1. *Froid/chaud* pour exprimer la peur.

2. *Noirceur/clarté* pour exprimer l'espoir.

3. *Douleur/joie* pour exprimer le sentiment amoureux.

4. *Toujours/jamais* pour évoquer la fuite du temps.

Écriture

Composer un poème

***Séparation*, d'Edvard Munch,**
huile sur toile, 96,5 x 127 cm, 1896
(Oslo, Munch-Museet).

A La forme poétique

Composez un sonnet :

1. Employez les deux quatrains à l'évocation de souvenirs heureux en lien avec cet ami.

2. Employez les deux tercets pour évoquer votre chagrin après son départ.

3. Le dernier vers du second quatrain exprimera le départ de l'ami et servira de transition.

4. Choisissez un type de vers : un décasyllabe ou un alexandrin.

5. Réfléchissez à la disposition de vos rimes :

elles peuvent être suivies : AABB, ou croisées : ABAB.

B Le langage poétique

6. Faites des comparaisons : comparez le départ de l'ami avec la fin des beaux jours :

Les souvenirs heureux peuvent être liés à l'été, tandis que l'absence sera exprimée par des images évoquant la saison froide.

7. Construisez des oppositions : opposez les souvenirs des moments heureux passés auprès de votre ami avec le sentiment de solitude qui fait suite à son départ.

8. Utilisez des champs lexicaux :

– champ lexical de la lumière (chaleur, rayonnant, lumineux, étincelant...) ;

– champ lexical de l'obscurité (ténèbres, aveugle, ombre, abîme, gouffre...).

9. Mettez en relief certains termes : déplacez en tête de phrase les mots sur lesquels vous voulez insister.

10. Travaillez les sonorités : créez des harmonies de sonorités douces pour les deux quatrains, puis des répétitions de sonorités plus dures pour les deux tercets.

Des livres

À lire & à voir

❖ **« Demain dès l'aube »,** *les 100 plus beaux poèmes pour l'enfance et la jeunesse choisis par les poètes d'aujourd'hui,* présentation Jacques Charpentreau, Dominique Coffin, Hachette, Livre de Poche Jeunesse, 2002.

Pourquoi ne pas demander aux poètes d'aujourd'hui de réunir dans un ouvrage leurs poèmes préférés parmi les plus beaux textes de la poésie française?

❖ *Sages ou fous les haikus ?,* **Henri Brunel,** Calmann-Levy, 2005.

Né au Japon, le haïku est un bref poème que l'on écrit pour fixer un instant de la vie courante, noter un détail ou une sensation. Voici un petit guide qui vous aidera à composer vous-même des haïkus.

❖ *De la musique avant toute chose,* **choix de poèmes de Paul Verlaine,** Gallimard Jeunesse, album jeunesse poche, 2002.

Les poèmes de Verlaine sont des romances sans paroles qui chantent la sensation et la rêverie. Retrouvez les plus célèbres de ses poèmes et laissez-vous bercer par la musique des mots.

Des films

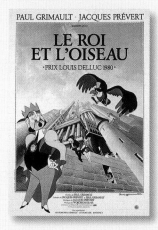

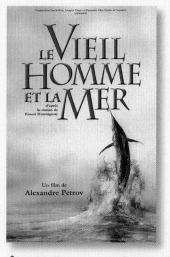

❖ *Le Roi et l'Oiseau,* **Paul Grimault,** 1980.

Un roi est amoureux d'une jeune bergère mais la jeune bergère lui préfère un petit ramoneur de rien du tout… Toute la poésie des paroles de Prévert pour ce beau film d'animation de Paul Grimault.

❖ *Le Château dans le ciel,* **Hayao Miyazaki,** 2003.

Pazu et Sheeta se mettent en quête d'une légendaire ville flottante, symbole d'une civilisation utopique pleine de pureté et de nature toute-puissante, mais qui a aujourd'hui disparu.

❖ *Le Vieil Homme et la Mer,* **Alexandre Petrov,** film d'animation, 2001. Autres courts-métrages proposés : *La Sirène* (1996, 10 min), *La Vache* (1989, 10 min), *Le Rêve d'un homme ridicule* (1992, 20 min), et des compléments.

Alexandre Petrov propose des films d'animation qui sont de véritables chefs-d'œuvre : quatre courts-métrages, quatre histoires d'une grande poésie et d'une force d'évocation exceptionnelle.

Paul Klee, *Route principale et routes latérales,* 1929, huile sur toile, 83 x 67 cm
(Cologne, Wallraf-Richartz Museum).

Étude de la langue

Grammaire

▶ **Les éléments de la phrase**

1 Les mots variables 270

2 Les mots invariables 272

3 Le verbe 274

4 Les déterminants 276

5 Les pronoms personnels, possessifs et démonstratifs 278

6 La phrase 280

7 Phrase simple, phrase complexe 282

▶ **Le verbe et le groupe verbal**

8 La fonction sujet 284

9 Voix active, voix passive 286

10 La fonction complément d'objet 287

11 La fonction attribut du sujet 290

12 La fonction complément circonstanciel . . 292

13 L'analyse grammaticale 295

14 L'interrogation 298

15 La négation 300

▶ **Le groupe nominal étendu**

16 Les expansions du nom 302

17 Les degrés de l'adjectif 304

18 Les pronoms relatifs 306

19 La proposition subordonnée relative 308

▶ **La phrase complexe**

20 Les propositions dans la phrase complexe 310

21 La proposition subordonnée conjonctive . . 312

22 Le discours direct 314

23 La subordonnée interrogative indirecte . . . 316

24 L'analyse logique 318

Orthographe

25 L'accord du verbe avec son sujet 320

26 Les accords du participe passé 322

27 L'accord de l'adjectif qualificatif 324

28 Homophones liés au verbe *être* 326

29 Homophones liés au verbe *avoir* 327

30 Homophones liés à un déterminant 330

31 Homophones liés à un pronom 332

32 La ponctuation du dialogue 334

33 La virgule 335

Conjugaison

34 Infinitif, auxiliaire et participe passé 336

35 Le mode indicatif 338

36 Le présent de l'indicatif 340

37 La transformation passive 342

38 Imparfait et plus-que-parfait de l'indicatif 344

39 Le futur et le conditionnel 346

40 Le passé simple et le passé antérieur 348

41 Le mode impératif 350

42 Le mode subjonctif 352

43 Employer l'imparfait et le passé simple 354

44 Les emplois du conditionnel 356

45 Les modes non personnels 358

Vocabulaire

46 L'histoire des mots 360

47 La formation des mots 362

48 Le sens des mots 364

49 Les figures de style 366

Tableaux

• Mots variables et invariables 368

• Déterminants et pronoms 369

• Les fonctions grammaticales 371

• Principaux préfixes et suffixes 372

• Règles d'orthographe d'usage 374

1 Les mots variables

Grammaire

Pour commencer

Une sueur froide coula sur mon corps et mon cœur se souleva. Nous étions horrifiés, et nous demeurâmes immobiles jusqu'à ce que lord John jetât sur le feu quelques brindilles ; leur lumière crépitante éclaira les visages anxieux de mes compagnons, ainsi que les grosses branches qui nous abritaient.

D'après CONAN DOYLE, *Le Monde perdu* (1929).

1. Relevez dans le texte un nom commun désignant des personnes, un nom commun désignant une chose, un nom propre.
2. Quel mot précise et enrichit le nom *visages* ?
3. Relevez un verbe qui exprime une action et un verbe qui exprime un état.

Leçon

• Les mots ont une nature, toujours la même, qui est indiquée dans le dictionnaire entre parenthèses juste avant la définition.

• Il existe **cinq classes de mots variables** :

1 Le **nom** permet de nommer les personnes, les animaux et les choses. Il varie en genre et en nombre.

• Le **nom commun** désigne des êtres ou des choses qui appartiennent à une même espèce :
→ *une branche, la lumière, un compagnon.*

• Le **nom propre** désigne des êtres ou des choses uniques et commence toujours par une majuscule :
→ *Lord John, la tour Eiffel, mon chien Médor.*

Remarque : le nom est souvent accompagné d'un ou de plusieurs autres mots qui précisent son sens. L'ensemble forme le **groupe nominal**. On reconnaît un nom au fait qu'on peut le faire précéder d'un **déterminant**.

2 Le **déterminant** introduit un nom. Il prend le genre et le nombre de ce nom :
→ *une sueur froide, les visages anxieux, mon cœur.*

3 Le **pronom** est un mot qui remplace un nom ou un groupe nominal. Il varie en personne, en nombre et parfois selon la fonction qu'il occupe dans la phrase :
→ *Nous demeurâmes immobiles* (*nous* remplace « mes compagnons et moi »).

4 L'**adjectif** qualificatif est un mot que l'on ajoute au nom pour lui apporter une **précision** ou une **caractéristique**. On dit qu'il qualifie le nom. L'adjectif s'accorde en genre et en nombre avec le nom qu'il qualifie :
→ *la lumière crépitante, le visage anxieux.*

5 Le **verbe** est le mot essentiel de la phrase. Il exprime une **action** du sujet ou un **état** du sujet.
→ *Il jeta quelques brindilles.* (= action) – *Nous étions horrifiés.* (= état)
Le verbe est un mot qui **se conjugue**.

Exercices

1 **Relevez les noms communs de ces deux phrases et précisez leur genre et leur nombre.**

1. Il aperçut à cent pas de lui la barque balancée par les flots ; là étaient ses amis ; là était la liberté ; là était la vie après la victoire. (DUMAS)

2. L'explosion retentit, la terre se crevassa, la fumée, qui s'élança par les larges fissures, obscurcit le ciel, la mer reflua comme chassée par le souffle du feu qui jaillit de la grotte. (DUMAS, *Les Trois Mousquetaires*)

2 **Complétez les phrases suivantes par un nom propre.**

1. ... est la capitale de la France. – **2.** Le fleuve qui traverse Paris s'appelle la ... . – **3.** ... est le président actuel de la République. – **4.** Les ... constituent la plus haute chaîne de montagnes de France. – **5.** Pour arriver jusqu'en Amérique, Christophe Colomb a traversé l' ... . – **6.** Vue de l'espace, la planète ... est bleue.

3 **Précisez si les mots en gras sont des noms ou des verbes. Expliquez votre choix.**

1. J'adore ta nouvelle **coupe**. – **2. Coupe** ta feuille en deux. – **3.** Les hirondelles **volent** à ras de terre. – **4.** Leur **vol** est gracieux. – **5.** Je **cours** plus vite que toi. – **6.** Le **cours** a été déplacé. – **7.** Je me **réveille** tard. – **8.** Mon **réveil** est pénible.

4 **Dites de quel nom dérive chacun des verbes suivants.**

Ennuyer – balayer – signaler – accueillir – soupirer – maintenir – se soucier – reculer – plier – appeler.

5 **Mettez les expressions suivantes au singulier.**

Des pelletées de cailloux – des bottes de poireaux – les nids des oiseaux – des tas de briques – des nuées de perdreaux – des files de voitures.

6 **Recopiez les phrases suivantes en soulignant les adjectifs et reliez-les aux noms qu'ils qualifient.**

Depuis deux jours, la grande voix sinistre gémissait autour de nous. Le ciel était très noir… Nous nous heurtions dans notre marche à d'énormes masses d'eau, qui s'enroulaient en volutes à crêtes blanches… Elles se ruaient sur nous de toutes leurs forces : alors c'étaient des secousses terribles et de grands bruits sourds.

PIERRE LOTI, *Mon frère Yves*.

7 **Recopiez les phrases en ajoutant un adjectif qualificatif qui précisera le nom en caractères gras.**

Une **pluie** ... leur fouettait le visage. Un **vent** ... décrocha la voile. Un **craquement** terrible retentit dans la nuit ... . Les **marins** ... et ... tremblaient de froid et de peur. Alors une **vague** plus ... que les autres s'abattit sur le pont.

8 **Inventez deux phrases avec chacun des mots suivants utilisés dans l'une comme adjectif, dans l'autre comme nom.**

Liquide – rose – absent – bleu – idiot.

9 **Précisez à quel groupe nominal appartiennent les noms en caractère gras.**

1. Le vent dans les auvents sifflait d'une **rumeur** inquiétante et lugubre.

2. Pendant les longues **soirées** d'hiver, les marins jouaient aux cartes.

3. Avec leurs **mains** crispées de froid, ils hissaient la **toile** rude et mouillée sous le **vent** furieux.

4. Submergé par la **vague**, le navire sombra dans les **flots** tumultueux.

5. Au milieu des **flots** rugissants, il put apercevoir une énorme **baleine** blanche.

6. Le mousse était aveuglé par les **gerbes** d'écume soulevées par la mer et les **grêlons** lancés du ciel.

10 **À qui renvoient les pronoms soulignés ?**

– Écoutez, monsieur Seguin, <u>je</u> <u>me</u> languis chez vous ; laissez-<u>moi</u> aller dans la montagne. […]
– Comment, Blanquette, <u>tu</u> veux <u>me</u> quitter ? Est-ce que l'herbe <u>te</u> manque ici ? <u>Tu</u> es peut-être attaché de trop court. Veux-<u>tu</u> que j'allonge la corde ? Qu'est-ce qu'<u>il</u> <u>te</u> faut ? Qu'est-ce que <u>tu</u> veux ?

ALPHONSE DAUDET, *Lettres de mon moulin*

11 **ANALYSE** **Recopiez ce texte en laissant de l'espace sous chaque ligne. Indiquez N sous les noms, A sous les adjectifs, V sous les verbes.**

Ce qu'il éprouva en ce moment, c'est l'horreur indescriptible.

Quelque chose qui était mince, gluant et vivant venait de se tordre dans l'ombre autour de son bras nu. […] En moins d'une seconde, on ne sait quelle spirale lui avait envahi le poignet et le coude et touchait l'épaule.

Gilliatt se rejeta en arrière mais put à peine remuer.

VICTOR HUGO, *Les Travailleurs de la mer* (1866).

2 Les mots invariables

Grammaire

Pour commencer

Désormais, ce fut comme un jeu entre eux. Tout à coup, Robinson interrompait son travail, ou sa chasse, ou sa promenade sur la grève, et il fixait Tenn d'une certaine façon. Le chien lui souriait à sa manière, cependant que le visage de Robinson redevenait souple, humain et souriait peu à peu à son tour.

D'après MICHEL TOURNIER, *Vendredi ou la Vie sauvage.*

1. Le mot *désormais* et la locution *tout à coup* peuvent-ils varier en genre et en nombre ? Quelles informations apportent-ils ?
2. Dans la deuxième phrase, quels groupes de mots sont reliés par *ou* ? Relevez d'autres mots appartenant à la même classe grammaticale.
3. Dans la dernière phrase, quels groupes nominaux sont introduits par *à* ?

Leçon

L'orthographe des mots invariables ne change jamais.
Ces mots se répartissent en **quatre classes**.

❶ La **préposition** permet d'introduire un complément du verbe, de l'adjectif ou du nom :
→ *Le chien lui souriait à sa manière.* Ce complément est un groupe prépositionnel.

Les principales prépositions sont : *à, dans, par, pour, en, vers, avec, de, sans, sous...*

Attention, les articles contractés contiennent une préposition : *à + le = au* ; *de + le = du*.

Certaines prépositions sont composées de plusieurs mots : *jusqu'à, grâce à, au-dessus de, quant à...*

❷ L'**adverbe** modifie le sens d'un verbe, d'un adjectif, d'un autre adverbe ou d'une phrase :
→ *Il sourit **étrangement** ; son sourire est **très** étrange ; il sourit **un peu** étrangement.*

Les adverbes peuvent exprimer :

- le lieu (*ici, là, au loin...*), le temps (*hier, désormais, aujourd'hui...*), la manière (*bien, mal, mieux...* et les adverbes terminés par *-ment* et formés à partir d'un adjectif : *doucement, étrangement...*) ;
- la quantité : *assez, trop, peu, beaucoup, très...* ;
- l'affirmation ou la négation : *oui, certainement, non, ne... pas, ne... jamais...* ;
- le doute : *peut-être, sans doute...*

❸ La **conjonction** sert à joindre, à relier deux éléments :

- Les **conjonctions de coordination** (*mais, ou, et, donc, or, ni, car*) relient deux mots ou groupes de mots :
→ *Robinson interrompait **ou** sa chasse **ou** son travail **ou** sa promenade.*

- Les **conjonctions de subordination** (*que, quand, comme si, puisque, lorsque, parce que, si bien que...*) relient une proposition subordonnée à la proposition principale :
→ *Le chien lui souriait à sa manière, pendant que le visage de Robinson redevenait souple, humain.*

❹ L'**interjection** exprime un appel, une émotion : *ho, hé...*

Exercices

1 Relevez les prépositions et indiquez la nature du mot qu'elles introduisent (attention, les prépositions *à* et *de* peuvent se contracter avec l'article défini !).

1. Des cris montent de la rue. – 2. L'enfant, très sûr de lui, grimpe au sommet du mât. – 3. Le chien le regarda à cet instant précis. – 4. Il se recula pour le contempler. – 5. Robinson s'étonnait de ce visage en face du sien, ouvert, jovial. – 6. Il acquiesça silencieusement, sans bouger.

2 Recopiez les phrases suivantes, mettez entre crochets le complément introduit par la préposition et reliez par une flèche chaque complément au mot qu'il complète.

1. Il sortit dans la rue. – 2. La femme remplit le pot en terre. – 3. Un essaim d'abeilles sauvages le surprit. – 4. Notre hôte nous a servi un mets lourd à digérer. – 5. La pluie crépite contre les vitres. – 6. Elle dégoulinait de la gouttière avec un bruit chantant. – 7. Elle confia ses bagages aux hôtesses. – 8. Elle était fière de son fils.

3 Complétez avec la préposition qui convient.

1. Ses prunelles d'oiseau ... nuit se fixèrent ... Jacques ... une lenteur ... reproche, puis disparurent ... nouveau ... la frange des cils. (MARTIN DU GARD) – 2. Alors, tu me prends ... une fille qui change d'idée ... tout moment ? (PAGNOL) – 3. Une brume ... argent flottait au ras ... la terre et ... les eaux miroitantes. On entendait dans les prés la flûte mélodieuse ... crapauds. (ROLAND) – 4. Cette rue, chaude ... été, froide ... hiver, obscure en quelques endroits, est remarquable par la sonorité de son petit pavé cailouteux. (BALZAC)

4 Recopiez les phrases, soulignez les adverbes et faites une flèche vers le mot dont ils modifient le sens.

1. Je regrette beaucoup que tu ne viennes pas avec nous aujourd'hui.

2. La ville s'éveilla paisiblement et peu à peu les rues s'animèrent.

3. Deux hommes s'entretenaient à voix presque basse.

4. Ils ne s'étaient pas revus depuis plus d'une année.

5. Nous percevions confusément des voix qui venaient de la fenêtre la moins haute.

5 Précisez le sens des adverbes en gras : temps, lieu, manière, quantité ou intensité, négation.

1. Ils avaient **moins** de patience qu'**avant**. – 2. Depuis, j'ai fabriqué ainsi, page à page, **péniblement**, laborieu-

sement, des romans. (GAUTIER) – 3. Il était **très** mince, **très** droit, blond ondulé, le visage **assez** beau, dans le genre prussien. (GARY) – 4. Le ruisseau, nous l'avions : il était **là**, il se tordait entre les pierres, et il fallait **beaucoup** cligner de l'œil, pour voir, à la place du ruisselet, un grand fleuve au-delà des mers. (GIONO) – 5. Il n'aimait pas **beaucoup** ce jeu auquel on ne gagnait rien ; il restait debout, **derrière**, à regarder les autres. (CARCO) – 6. **Dehors**, l'air était glacial et le soleil sombrait **déjà** derrière l'horizon. – 7. **Demain**, c'est la fête, je n'ai que mon vieux costume déchiré. (BECK)

6 Remplacez les expressions suivantes par des adverbes.

Avec lenteur – avec attention – avec vigueur – avec cruauté – chaque mois – chaque année – chaque trimestre – en paix – en secret – avec soin – avec peine.

7 Recopiez les phrases, soulignez en rouge les conjonctions de coordination, mettez entre crochets les mots, groupes de mots ou propositions qu'elles relient et précisez-en la nature.

1. Robinson et son chien découvrirent une grotte. – 2. Tu es habile donc tu réussiras cette entreprise. – 3. Jeanne est grande mais fragile pour son âge. – 4. Évitez de sortir car le vent est cinglant. – 5. En cette occasion, elle ne porterait ni chapeau, ni bijou. – 6. Il était tard ; or ils n'avaient toujours pas reçu des ses nouvelles. – 7. Elle se redressa ou plutôt se rejeta en arrière.

8 Recopiez les phrases, soulignez la conjonction de subordination et mettez entre crochets la proposition qu'elle introduit.

1. Nous croyons que rien n'est perdu. (POURRAT) – 2. Elle ajuste le faux col du grand-père quand il sort. Il se tient droit pendant qu'elle fourrage[1] sous sa grosse pomme d'Adam. (FOMBEURRE) – 3. Il retient son souffle parce qu'il est ému. (ROLLAND) – 4. Jupiter serait arrivé fort en retard à souper, ce jour-là, s'il n'avait caché et immobilisé le soleil derrière les nuages deux heures durant. (SUPERVIELLE) – 5. Quoique les branches fussent dures, je m'endormis bientôt. (BOSCO).

1. **fourrager** : fouiller dans qqch en mettant du désordre.

9 Complétez les phrases par une proposition subordonnée de votre choix.

1. Il faisait déjà nuit quand ... – 2. Nous installâmes notre campement pendant que ... – 3. Nous arrêtâmes soudain parce que ... – 4. Notre inquiétude augmentait à mesure que ...

3 Le verbe

Grammaire

Pour commencer

Nous plaquâmes nos mains contre les oreilles afin de ne plus entendre cet appel qui nous brisait les nerfs. Une sueur froide coula sur mon corps et mon cœur se souleva. […] Nous demeurâmes immobiles jusqu'à ce que lord John jetât sur le feu quelques brindilles.

D'après ARTHUR CONAN DOYLE, *Le Monde perdu* (1929).

1. Relevez un verbe exprimant une action puis un verbe exprimant un état.
2. Relevez les verbes conjugués de ce texte, puis relevez un verbe à l'infinitif : qu'est-ce qui vous permet de faire la différence entre les deux ?
3. À quelle personne les quatre premiers verbes conjugués du texte le sont-ils ? Qu'est-ce qui vous a permis de répondre ?

Leçon

❶ Définition

• Le verbe est le **mot essentiel de la phrase**. Il exprime :

– ce que fait le sujet (verbe d'action) :

→ *Il accourut aussitôt.*

– un état du sujet (verbe d'état : *être, devenir, sembler, paraître, passer pour…*) :

→ *Il demeura stupéfait.*

❷ Radical et terminaison

• Le verbe comprend une partie qui ne change pas : le **radical**, et une partie qui change : la **terminaison** :

→ *je siffle ; nous sifflons ; ils sifflent ; siffler.*

• La terminaison du verbe varie selon :

– la **personne** du sujet (1re, 2e, 3e personne du singulier ou du pluriel) ;

– le **temps** où se situe l'action (présent, futur, imparfait…) ;

– le **mode**, c'est-à-dire la façon dont le verbe présente l'action. Il existe **cinq modes** : indicatif, subjonctif, impératif, infinitif et participe.

L'ensemble de ces formes du verbe constitue sa **conjugaison**.

• Un verbe qui n'est pas conjugué est à l'**infinitif**.

Selon leurs caractéristiques, les verbes à l'infinitif sont classés en **trois groupes** :

– **1er groupe** : les verbes en **-er** (sauf *aller*) :

→ *aimer, sembler, chuchoter…*

– **2e groupe** : les verbes en **-ir** qui font **-issons** à la 1re pers. du pluriel du présent de l'indicatif :

→ *mugir, nous mugissons ; finir, nous finissons…*

– **3e groupe** : tous les autres verbes : *prendre, faire, voir, atteindre, résoudre, mentir…*

Exercices

1 Recopiez ces phrases, et soulignez en rouge les verbes d'action, en bleu les verbes d'état.

1. Le chef de l'expédition paraît soucieux. – **2.** Lève-toi car l'heure avance. – **3.** Les champignons abondent dans cette terre humide. – **4.** Le temps, ce matin, me semble incertain. – **5.** De peur, le cœur lui bondit dans la poitrine. – **6.** Ces voûtes immenses ne sont-elles pas étranges ?

2 Dites à quelle personne et à quel nombre sont conjugués les verbes suivants.

1. Vous arrivez – tu manges – il courut – je prends – nous buvons. – **2.** Une rafale de pluie fouette les vitres – **3.** Nestor et toi lisez très bien. – **4.** Viens. – **5.** Toi et moi irons au cinéma ensemble. – **6.** C'est moi qui viendrai te rechercher. Sois à l'heure !

3 À quelle personne les verbes suivants sont-ils conjugués ? Donnez-en les personnes correspondantes du pluriel, au même temps.

1. Je rentrerai – **2.** tu reviendras – **3.** elle s'applique – **4.** il regrette – **5.** tu voulais – **6.** je préfère – **7.** elle a voulu – **8.** je jouais.

4 Complétez les phrases suivantes par un sujet de votre choix.

1. À la chaleur, ... et ... fondent. – **2.** Sur la branche se sont posés ... . – **3.** ... faites trop d'erreurs en recopiant. – **4.** ... prendras ton goûter avant de partir. – **5.** ... n'oublierai jamais cet instant. – **6.** As-... rencontré ton correspondant ? – **7.** ... vous promettons de venir. – **8.** ... prépare une potion.

5 Recopiez ces verbes et, par un trait vertical, séparez le radical de la terminaison.
Exemple : chant/er

1. Rentrer – partir – étudier – apprendre – atteindre – prévoir – reconnaître – rire – croire – établir.

2. Je rentrerai – tu partiras – elle grandit – nous étudiâmes – vous doutiez – ils jouent.

6 Donnez l'infinitif des formes suivantes. À quel temps et à quelle personne sont-elles conjuguées ?

1. Veux – saura – viens – cueille – faites – vont – irons – pourras – fera – fond – remue – aurai – fut.

2. Est allé – a su – est venu – est mort – avons pu – serai devenu – avaient mis.

7 Quelle différence de sens faites-vous entre chaque phrase ? Précisez le mode du verbe souligné.

1. Tu lis des romans d'aventure. / Lis des romans d'aventure. – **2.** Je souhaite que vous soyez rentré pour le dîner. / Vous êtes rentré pour le dîner. – **3.** Qu'ils fassent leurs excuses au passant qu'ils ont bousculé. / Ils font leurs excuses au passant qu'ils ont bousculé. – **4.** Il écrit un roman sur les pêcheurs d'Islande. / Il faut qu'il écrive un roman sur les pêcheurs d'Islande. – **5.** Il est douteux que nous publiions ce manuscrit./ Il est certain que nous publierons ce manuscrit. – **6.** Vous arrivez en train. / Je préfère que vous arriviez en train. – **7.** Nous entrons à pas de loup./ Entrons à pas de loup.

8 Classez les infinitifs suivants selon leur groupe.

Abîmer – abolir – glapir – farder – farcir – lire – assaillir – absoudre – accabler – obéir – omettre – accourir – acquérir – accueillir – adoucir – apercevoir – accourir – ouvrir – amollir – émettre – songer – recevoir.

9 a. Inventez trois phrases dans lesquelles le verbe exprimera successivement : une action présente, une action passée, une action future.

b. Faites de même en utilisant un verbe d'état.

10 Complétez les phrases suivantes avec *hier*, *demain* ou *en ce moment*.

1. Nous reparlerons de tout cela ... . – **2.** ... le magasin est fermé. – **3.** ..., il y avait un vent effrayant. – **4.** ..., ils ont été très surpris. – **5.** ..., le jour se lève. – **6.** ..., le château brillait de mille feux. – **7.** Je vais revenir ... .

11 **ANALYSE** Relevez les verbes conjugués de ce texte, soulignez-en la terminaison, indiquez l'infinitif, le groupe, la personne, le nombre, le temps et le mode.

Nous arrivions juste au moment propice pour faire une bonne chasse : il allait être midi, heure où les oiseaux, épuisés de fatigue et accablés de chaleur, aiment à folâtrer autour de l'eau. Pour les empêcher de boire, nous nous mîmes à former, au bord de la mare, un rempart de grosses pierres… Malgré le soleil qui dardait d'aplomb et me faisait bouillir la cervelle, j'avais des tressaillements que je n'étais pas maître de réprimer. L'air de la liberté me grisait. « Qu'as-tu donc ? me demanda Sauvageol à voix basse… Reste tranquille… »

Ferdinand Fabre, *Julien Savignac.*

12 **ÉCRITURE** À l'aide des verbes suivants, racontez la progression d'un aventurier au cœur d'une jungle épaisse.

Ramper – trébucher – heurter – enjamber – s'engouffrer – franchir – se courber.

Les déterminants

Grammaire

Pour commencer

Mais en ce moment mon attention fut attirée par un spectacle inattendu. À cinq cents pas, au détour d'un haut promontoire, une forêt haute, touffue, épaisse, apparut à nos yeux.

JULES VERNE, *Voyage au centre de la Terre.*

1. Quels sont le genre et le nombre des mots *spectacle, forêt* ?
Quels mots vous les ont indiqués ?
2. Quelle différence de sens faites-vous entre ces deux phrases :
Il s'est promené dans une forêt./ Il s'est promené dans la forêt.
3. Relevez deux mots qui accompagnent des noms en exprimant l'idée de possession.
4. Remplacez le nom *moment* par le nom *instant*. Que constatez-vous concernant le déterminant ?

Leçon

❶ Les articles

- **L'article défini** (*le, la, les, l'*) désigne un élément déjà cité, ou connu :
  → *J'admire la forêt.* (on sait de quelle forêt il s'agit).

– Les articles définis se contractent lorsqu'ils sont précédés d'une préposition :
Au (*à le*), aux (*à + les*), du (*de + le*), des (*de + les*) :
  → *Je me promène au milieu des bouquets d'arbres.*

- **L'article indéfini** (*un, une, des*) désigne un élément qui n'est pas encore connu :
  → *J'admire une forêt.*

– Dans une phrase négative, *de* remplace *un*. → *Il ne veut pas de cadeau.*
– Dans un groupe nominal au pluriel et devant un adjectif, *de* remplace *des* :
  → *De surprenantes créatures nous regardaient.*

- **L'article partitif** (*du, de la, de l'*) est employé avec un élément qu'on ne peut pas diviser en parties : → *Du pain, de l'eau, de la farine.*

❷ Les déterminants

- **Le déterminant possessif** est un déterminant qui indique à qui appartient la chose ou l'être dont on parle :

		Un seul possesseur	Plusieurs possesseurs
Singulier	**Masculin**	Mon, ton, son	Notre, votre, leur
	Féminin	Ma, ta, sa	Notre, votre, leurs
Pluriel		Mes, tes, ses	Nos, vos, leurs

Devant un nom féminin commençant par une voyelle ou un « h » aspiré, on remplace **ma, ta, sa** par **mon, ton, son** : → *Cela attira mon attention.*

- **Le déterminant démonstratif** sert à montrer un élément : → *Admire cette forêt.*

	Masculin	Féminin
Singulier	Ce, cet	Cette
Pluriel	Ces	

Devant un mot masculin commençant par une voyelle ou un « h » aspiré, on écrit **cet** au lieu de **ce** : → *Admire cet arbre.*

Exercices

1 Relevez les articles, précisez s'ils sont définis ou indéfinis et donnez leur genre et leur nombre. N'oubliez pas les articles définis contractés.

1. La pluie tombait fine et grise comme une pluie d'hiver. Par la route tortueuse, montant les pentes raides, nous roulons au milieu des bois. Le long du chemin, il y a des tapis de marguerites. (LOTI)

2. Dieu ! Que le son du cor[1] est triste au fond des bois. (VIGNY)

3. Seules les cheminées des chaumières révélaient la vie cachée par les minces filets de fumée qui montaient dans l'air glacial. (MAUPASSANT)

1. Cor : instrument à vent, utilisé pendant les parties de chasse.

2 Précisez si *des* est article indéfini ou article défini contracté.

1. Des lilas embaument dans l'enclos des voisins. – **2.** Des pas précipités lui annoncèrent l'arrivée des soldats. – **3.** À la table des enfants, c'étaient des hurlements de protestation.

3 Complétez par l'article défini contracté qui convient.

1. Des marchands stationnent ... coin ... pont. – **2.** Nicolas revient ... Brésil et Paul ... Antilles. – **3.** J'irai ... cinéma en revenant ... stade. – **4.** Je préfère un canard ... navets à un coq ... vin.

4 Complétez par *de* ou par *des*.

1. ... grands oiseaux volaient au-dessus de nous. – **2.** Je ne veux pas ... friandises, je préfère ... gâteaux. – **3.** Cueillez ... fleurs avec ... longues tiges. – **4.** Je ne connais pas ... étrangers par ici. – **5.** Racontez-moi ... histoires drôles. – **6.** Ce ne sont pas ... gros chagrins. – **7.** Faites ... beaux rêves. – **8.** Ne dites pas ... énormités.

5 Relevez uniquement les articles partitifs et le nom qu'ils accompagnent. (Attention à ne pas les confondre avec les articles définis contractés.)

1. Le parfum de la vanille m'est agréable ! Mettez donc de la vanille dans ce gâteau. – **2.** J'aime l'arôme du café. Prenez-vous du café le soir ? – **3.** Arrivés au bivouac, nous soupâmes avec du poisson cru, des figues et du vin. (STENDHAL) – **4.** Voulez-vous entrer ici et vider quelques pichets ? J'ai de la galette froide et du beurre fraîchement battu. (BALZAC) – **5.** Il était allé au village récemment et en avait rapporté de la poudre, du tabac, et du pétrole. (PEISSON)

6 Relevez les déterminants possessifs et indiquez les noms auxquels ils se rapportent.

1. J'abandonnai mon projet et je m'assis sur le bord de mon navire... Trois daurades se précipitèrent vers mes pieds. J'en perçai une de mon harpon. (GERBAULT) – **2.** C'était le visage souriant de Miette, avec son buste, son fichu de couleur, son corset blanc, ses bretelles bleues. (ZOLA) – **3.** Je suis à votre disposition, Monsieur Thierry. (MARTIN DU GARD) – **4.** D'un air sombre, il leur avait remis leurs récompenses.

7 Indiquez si les groupes nominaux suivants sont masculins ou féminins.

Mon épaule – ton habitude – son horloge – son appareillage – son humeur – mon avenir – ton affection – son ancre – ton histoire – mon avis – son habileté.

8 Complétez les phrases par l'adjectif possessif correspondant à la personne du sujet.

1. Je vous raconterai ... voyage. – **2.** Il annonce ... arrivée prochaine. – **3.** Une femme agite ... mouchoir, retient ... larmes. – **4.** J'accompagnerai ... parents jusqu'à la gare. – **5.** As-tu oublié ... bagages ?

9 Mettez les sujets de l'exercice 8 au pluriel et faites les changements nécessaires.

10 Relevez les déterminants démonstratifs et précisez les noms auxquels ils se rapportent.

1. Ce buisson, ce merle, et ce piège étaient pour moi aussi réels que cette toile cirée, ce café au lait, ce portrait de M. Fallières qui souriait vaguement sur le mur. (PAGNOL) – **2.** Cette leçon vaut bien un fromage, sans doute. (LA FONTAINE) – **3.** Quelle agréable promenade ! Qu'il faisait bon vivre ce soir-là ! (GENEVOIX) – **4.** Et Caïn répondit : « Je vois cet œil encore. » (HUGO)

11 Mettez au singulier les expressions suivantes.

1. Ces acteurs célèbres, ces célèbres acteurs – **2.** ces sommets infranchissables, ces infranchissables sommets – **3.** ces difficiles étapes – **4.** ces voyages agréables, ces agréables voyages – **5.** ces averses interminables – **6.** ces instants magiques – **7.** ces accidents rares, ces rares accidents – **8.** ces belles étincelles.

12 Relevez tous les déterminants et les noms qu'ils accompagnent, précisez leur nature, leur genre et leur nombre.

Ne pouvant sortir de ces bois, nous y avons campé. La réverbération de notre bûcher s'étend au loin : éclairé en-dessous par la lumière scarlatine[1], le feuillage paraît ensanglanté ; les troncs des arbres les plus proches s'élèvent comme des colonnes de granit rouge, atteints à peine de la lumière, ressemblent, dans l'enfoncement du bois, à de pâles fantômes rangés en cercles au bord d'une nuit profonde.

CHATEAUBRIAND, *Le Voyage en Amérique* (1792).

1. Scarlatine : rouge écarlate.

5

Les pronoms personnels, possessifs et démonstratifs

Pour commencer

Robinson fait la connaissance d'un indigène.

En peu de temps je commençai à lui parler et à lui apprendre à me parler. D'abord je lui fis savoir que son nom serait Vendredi [...].

Je lui donnai ensuite du lait dans un pot de terre ; j'en bus le premier, j'y trempai mon pain et lui donnai un gâteau pour qu'il fît de même : il s'en accommoda aussitôt et me fit signe qu'il trouvait cela fort bon.

DANIEL DEFOE, *Robinson Crusoé*, traduction de Petrus Borel, 1835.

1. Dans la première phrase, quels mots désignent le narrateur ? Lesquels désignent l'indigène ?

2. a. Dans la dernière phrase, quels sont les deux mots qui évitent de répéter le nom *lait* ? **b.** Que désigne le mot *cela* ?

Leçon

• **Le pronom est un mot que l'on emploie à la place d'un nom pour en éviter la répétition.** Il joue donc le même rôle que le nom. Il varie en genre, en nombre et en personne.

• Le **pronom personnel** varie aussi selon sa fonction dans la phrase. Il désigne :

– la personne qui parle ou 1re personne : *je, me, moi, nous.*

– la personne à qui l'on parle ou 2e personne : *tu, te, toi, vous.*

– la personne de qui l'on parle ou 3e personne : *il, elle, ils, elles, lui, eux* ; *le, la, les* ; *leur.*

Attention : *on* est un pronom personnel indéfini : il peut désigner **une ou plusieurs personnes** que l'on ne connaît pas, mais aussi remplacer ***nous*** dans le langage familier.

• Les **pronoms adverbiaux** : *en, y.* Ils sont invariables.

• Le **pronom possessif** remplace un nom précédé d'un déterminant possessif :

→ *mon pain* → ***le mien*** ; *son gâteau* → ***le sien*** ; *leurs amis* → ***les leurs***.

	Masc. singulier	Fém. singulier	Masc. pluriel	Fém. pluriel
Un possesseur	Le mien Le tien Le sien	La mienne La tienne La sienne	Les miens Les tiens Les siens	Les miennes Les tiennes Les siennes
Plusieurs possesseurs	Le nôtre Le vôtre Le leur	La nôtre La vôtre La leur	Les nôtres Les vôtres Les leurs	

• Le **pronom démonstratif** remplace généralement un nom précédé d'un déterminant démonstratif :

→ *Je lui donnai ces gâteaux. Il trouva **celui-ci** meilleur que **celui-là**.*

Singulier			Pluriel		
Masculin	**Féminin**	**Neutre**	**Masculin**	**Féminin**	**Neutre**
Celui Celui-ci Celui-là	Celle Celle-ci Celle-là	Ce (c') Ceci Cela, ça	Ceux Ceux-ci Ceux-là	Celles Celles-ci Celles-là	Ce (c')

Attention : *ce, ceci, cela, c'* ne remplacent pas des noms précis mais des **idées**, des **phrases entières** : ils n'ont ni genre, ni nombre :

→ *ce qui va arriver ; cela paraît étrange ; écoutez ceci.*

1 Relevez les pronoms personnels, indiquez-en la personne et le nombre.

Mon ami et moi nous étions égarés en pleine montagne. Il aperçut alors une grotte où nous nous réfugiâmes. Comme je n'étais pas blessé, je lui dis : « Ton chien et toi, vous resterez là pendant que je pars explorer les lieux. Installe-toi bien au sec. » Il m'a donné sa boussole, je la lui rendrai à mon retour. Je rencontrai bientôt les secours et leur indiquai notre refuge.

2 Indiquez pour chaque pronom personnel souligné le nom qu'il remplace, précisez le genre et le nombre.

1. Les explorateurs étaient harassés et la soif les obligea à descendre dans une gorge profonde.

2. Comme Léon est plus endurant que sa sœur Valentine, il l'aide à parcourir les derniers mètres.

3. Les randonneurs se sont arrêtés près d'une cabane de bergers ; ceux-ci leur ont offert du lait bien frais qui les a désaltérés.

4. Mes amis et moi allons découvrir une île déserte. Nous y planterons notre drapeau. Nous en ferons un royaume.

3 Recopiez les phrases suivantes. Vous soulignerez en rouge le, la, les, leur pronoms personnels, en bleu le, la, les, leur(s) déterminants.

1. Le ciel se couvre de nuages ; le vent les pourchasse et les disperse. – **2.** L'obscurité s'avance sur la montagne et semble l'engloutir. – **3.** Ils ne sentaient plus leurs membres ; le gel et le vent leur brûlaient les joues.

4 Remplacez l'expression en italique par l'un des deux pronoms en ou y.

1. Elles sont revenues ravies *de leur séjour en Alaska*. – **2.** Les alpinistes parviendront *au sommet* en fin de journée. – **3.** Songez *à ranger vos affaires* avant de partir. – **4.** Les deux hommes se sont égarés *dans le désert*. – **5.** Il s'excusa *d'avoir proféré un tel mensonge*.

5 a. Soulignez en rouge le pronom personnel, en bleu le déterminant possessif, en noir le pronom possessif.
b. Reprenez cette phrase en remplaçant le pronom *moi* par *toi, lui, nous, vous, eux*.

Ce ballon est à moi ; c'est mon ballon ; c'est le mien.

6 Relevez les pronoms possessifs et indiquez le nom remplacé par chacun d'eux.

1. Tu as tes idées, nous les nôtres. (Bosco) – **2.** Ma nièce me regarda et posa sa tasse. Je gardai la mienne dans mes mains. (Vercors) – **3.** Les élèves adoptèrent vite le nouveau comme l'un des leurs.

7 Mettez les mots en gras au pluriel et faites les changements nécessaires. Soulignez les pronoms possessifs.

1. Je partirai avec mes bagages ; n'oublie pas les tiens. – **2.** Il ne sait que faire pendant ses vacances. Que fais-tu pendant les tiennes ? – **3.** Notre concert a rencontré plus de succès que le leur.

8 Relevez les pronoms démonstratifs et indiquez le nom remplacé par chacun d'eux.

1. Sa voix tremblait comme celle d'une chèvre. (Troyat) – **2.** C'était un jour d'hiver plus froid que ceux qui l'avaient précédé. (Gascar) – **3.** C'était un regard calme et profond comme celui d'un enfant ou d'un jeune chien. (Duhamel) – **4.** A-t-on jamais ouï parler d'une action pareille à celle-là ? (Molière)

9 Recopiez les phrases et soulignez en rouge *ce* pronom démonstratif et en bleu *ce* déterminant démonstratif.

1. Ce que vous dites est invraisemblable. – **2.** Ce nouveau morceau est remarquablement orchestré et ce n'est pas un hasard s'il remporte un tel succès. – **3.** Il préfère ce qui est original. – **4.** Regarde ce chemin, tu crois que ce n'est pas plus beau que la route ?

10 Donnez la nature des mots en italique.

1. Elle me laissait faire, ses yeux fixés sur *les miens*. (Kessel) – **2.** On *les* laisse passer ; tout *leur* paraît tranquille. (Corneille) – **3.** C'est *ça* ton raccourci ? – **4.** Mes vêtements, en tout point pareils à *ceux* de Julien, venaient comme *les siens* de la Belle Jardinière. (Gide) – **5.** Je regardais, à la lumière de la lune, *ce* front pâle, *ces* yeux clos, *ces* mèches de cheveux qui tremblaient au vent et je me disais : *ce* que je vois là n'est qu'une écorce. (Saint-Exupéry) – **6.** Il avait écorché la branche et le bois en était poli comme du marbre. Il m'*en* fit tâter la pointe, aussi aiguë que *celle* de mon couteau. (Pagnol)

11 Évitez les répétitions en employant le pronom qui convient.

1. Yvan savait qu'il serait le vainqueur et il était fier d'être le vainqueur. – **2.** Le voyageur fut ravi d'être accueilli par les bergers et de partager un repas avec les bergers. – **3.** Elle me regarda stupéfaite ; ses yeux étaient fixés sur mes yeux. – **4.** C'était un regard calme et profond comme le regard d'un jeune enfant. – **5.** Ces robes sont en tout point pareilles aux robes que portent les jeunes mariées indiennes. – **6.** Notre piste croise votre piste et, au loin, bifurque.

La phrase

Grammaire

Pour commencer

Soudain, il sentit ses genoux fléchir : ses genoux semblaient vides, ses jambes mollissaient sous lui.

– Oh ! oh ! murmura-t-il étonné, voilà que ma fatigue me reprend ; voilà que je ne peux plus marcher. Qu'est-ce à dire ?

À travers l'ouverture, Aramis l'apercevait et ne comprenait pas pourquoi il s'arrêtait ainsi.

– Venez, Porthos ! criait Aramis !

– Trop lourd !

D'après ALEXANDRE DUMAS, *Le Vicomte de Bragelonne* (1848).

1. De combien de phrases ce texte est-il constitué ? Justifiez votre réponse.
2. Relevez une phrase impérative et une phrase interrogative.
3. Quelle phrase ne contient pas de verbe ?

Leçon

❶ Définition

Une phrase est une suite de mots qui a **un sens dans une situation donnée**.
Toute phrase commence par **une majuscule** et se termine par une **ponctuation forte** :
– un point : **.** ;
– un point d'interrogation : **?**
– un point d'exclamation : **!**
– des points de suspension : **...**

• Attention : les **interjections** ou les **apostrophes** sont souvent suivies d'un point d'exclamation qui ne marque pas la fin de la phrase :
→ *Venez, Porthos ! criait Aramis.* (= une seule phrase).

❷ Les types de phrases

Une phrase appartient obligatoirement à l'un des **trois types** suivants : **déclaratif**, **interrogatif**, **injonctif (impératif)**.

• La **phrase déclarative** donne une **information** :
→ *À travers l'ouverture, Aramis apercevait Porthos et ne comprenait pas pourquoi il s'arrêtait ainsi.*

• La **phrase interrogative** pose une **question**, elle se termine par un **point d'interrogation** : → *Qu'est-ce à dire ? Que voulez-vous dire ?*

• La **phrase injonctive** donne un **ordre**, un **conseil**... Elle a pour but de faire agir la personne à qui elle s'adresse : → *Venez, Porthos ! criait Aramis.*

• L'exclamation peut s'ajouter aux trois types de phrases précédents.
La **phrase exclamative** se termine par un **point d'exclamation**.
Elle exprime une **émotion**, un **sentiment**, une **surprise** : → *Que c'est lourd !*

❸ Phrase verbale, phrase non verbale

En général, une phrase s'organise autour d'un verbe conjugué : on parle de **phrase verbale**.
Si une phrase ne contient pas de verbe conjugué, on parle de **phrase non verbale** :
→ *Trop lourd !*

Exercices

1 Précisez si les énoncés suivants sont ou non des phrases. Justifiez votre réponse.

1. Ursule regardait ailleurs quand soudain Gédéon demanda. – **2.** La groûle ammée ébuit un prunt de griettes. – **3.** Nonobstant son appréhension, Cosette s'engagea vaillamment dans la lugubre forêt. – **4.** Lucie voit dans le jardin. – **5.** J'ignore comment elle.

2 Copiez le texte suivant en séparant les phrases par des points et en ajoutant les majuscules (n'oubliez pas les retraits en début de paragraphe).

Tout à coup il se sentit saisir le bras ce qu'il éprouva en ce moment, c'est l'horreur indescriptible quelque chose qui était mince, gluant et vivant venait de se tordre dans l'ombre autour de son bras nu cela lui montait vers la poitrine c'était la pression d'une courroie en moins d'une seconde on ne sait quelle spirale lui avait envahi le poignet et le coude et lui touchait l'épaule

VICTOR HUGO, *Les Travailleurs de la mer* (1866).

3 Corrigez les énoncés suivants de manière à obtenir des phrases correctes.

1. Lorsqu'ils arrivèrent. – **2.** Pour bien le protéger, Vendredi couvre. – **3.** Comme nous sommes en retard. – **4.** Marie cria fais attention il n'entendait pas. – **5.** La maison aux volets bleus qui est au bout de la rue.

4 Identifiez les types des phrases suivantes.

1. Léonard a raison. – **2.** Mange ta soupe si tu veux du dessert. – **3.** Julien demande s'il peut prendre un bonbon. – **4.** Pourquoi les enfants rêvent-ils ? – **5.** Je déteste la grammaire ! – **6.** Cessez immédiatement vos bavardages !

5 Recopiez les phrases suivantes en remplaçant les astérisques par des points d'interrogation ou des points d'exclamation.

1. Robinson rêvait-il* Le chien était en train de lui sourire* (TOURNIER)

2. Ah, tonnerre* s'exclama-t-il ; j'avais bougrement soif* (STEVENSON)

3. Comment l'aurais-je fait, si je n'étais pas né* (LA FONTAINE)

4. Grand Dieu* s'écria-t-il, à qui se fier aujourd'hui* (*Les Mille et Une Nuits*)

5. Comment* Cet homme était mon père* (MALOT)

6 Transformez ces phrases déclaratives :
a. en phrases interrogatives ;

b. en phrases injonctives, construites avec le mode impératif.

1. Tu ne dois pas partir avant la fin du film. – **2.** Pour comprendre, vous devez écouter attentivement. – **3.** Les fleurs doivent être coupées avec précaution. – **4.** Louisette devra être très prudente.

7 Dans le texte suivant, remplacez les astérisques par la ponctuation qui convient.

« Je ne pouvais plus dormir* monsieur* dit Oliver d'une voix presque imperceptible* Je suis désolé de vous avoir dérangé*
Tu me regardes depuis longtemps*
Non* Je viens tout juste de me réveiller*
T'en es bien sûr* insista Fagin en le dévisageant férocement*
Je vous jure* monsieur* Ma parole* »

CHARLES DICKENS, *Oliver Twist* (1837).

8 Transformez ces phrases non verbales en phrases verbales.

1. Quelle belle chose que l'amitié ! – **2.** Interdiction d'entrer. – **3.** Étonnant, ce film ! – **4.** Ah ! les vacances, le soleil, la mer ! – **5.** Large victoire de l'équipe de France. – **6.** Concours réussi. Soulagée.

9 Corrigez le texte suivant en le découpant en phrases.

Castor-Gris avait une dette envers trois-Aigles alors celui-ci emmena Kitché sur son canoë mais Kitché ne voulait pas quitter son fils alors elle s'enfuit mais Trois-Aigles la rattrapa, il lui administra une correction et la remit dans le canoë et cette fois Kitché se laissa faire.

10 **ANALYSE** Recopiez le texte suivant en sautant des lignes.

Pourquoi tu m'espionnes, hein ! petit drôle ? Tu dormais pas ? T'as vu quoi ? Dis-le-moi, hein ! et vite, si tu tiens à la vie ! Vite !

Charles Dickens, *Oliver Twist*.

a. Séparez les différents phrases par une barre.

b. Avec le stylo rouge, encadrez les verbes conjugués et soulignez leurs sujets.

c. Entourez la phrase non verbale.

d. Inscrivez *Inj* sous la phrase injonctive, *Int* sous les phrases interrogatives.

11 **ÉCRITURE** Récrivez les phrases interrogatives de l'exercice 10 en langage courant.

7 Phrase simple, phrase complexe

Pour commencer

Roland est preux[1] et Olivier est sage. Tous deux ont une merveilleuse vaillance : puisqu'ils sont à cheval et en armes, même pour la mort ils n'esquiveront pas la bataille. Braves sont les comtes et leurs paroles [sont] hautes. Les païens félons[2] chevauchent en grande fureur.

D'après *La Chanson de Roland*.

1. Preux : brave, vaillant.
2. Félon : traître.

1. Recopiez ces phrases : encadrez les verbes conjugués et soulignez leur sujet. Laquelle de ces phrases contient un seul verbe ?
2. Combien d'informations la première phrase vous donne-t-elle ? Séparez-les par une barre verticale. Quel mot relie les deux parties de la phrase ?
3. De même, séparez la deuxième phrase en trois parties par des barres verticales : quels indices vous aident à repérer ces différentes parties de la phrase ?
4. Relevez une conjonction de subordination.

Leçon

On appelle proposition un énoncé organisé autour d'un verbe avec son sujet.

1 Si une phrase est constituée d'**une seule proposition**, c'est une **phrase simple**. Si une phrase est constituée de **plusieurs propositions**, c'est une **phrase complexe**.

Pour trouver le nombre de propositions que contient une phrase, il faut donc **compter les verbes conjugués** :

→ *Quand Roland l'entend, il se met à rire.* (2 verbes conjugués = 2 propositions)

2 Dans une **phrase complexe** :

a. Quand deux propositions sont **séparées par un simple signe de ponctuation** (virgule, point-virgule ou deux-points), elles sont **juxtaposées** :

→ *Il lui brise l'écu, lui rompt le haubert, lui enfonce dans le corps le fer de sa lance…*

b. Quand deux propositions sont **reliées par une conjonction de coordination**, elles sont **coordonnées** :

→ *Roland est preux et Olivier est sage.*

c. Quand une proposition est **introduite par un mot subordonnant** (conjonction de subordination, pronom relatif, voir leçons 18 et 21), elle est **subordonnée** :

→ *Quand je vous l'ai dit, vous n'en avez rien fait.*

Exercices

1 Vrai ou faux ?

1. Une phrase contient au moins une proposition.
2. Une phrase contient toujours une seule proposition.
3. Une phrase peut contenir plusieurs propositions.

2 Relisez une par une les phrases du texte ci-dessous et dites s'il s'agit de phrases simples ou de phrases complexes.

Il était à présent minuit passé. Le ciel était totalement noir, et l'immobilité de l'air lourd annonçait l'orage. Un éclair aveuglant roussit soudain les nuages. La foudre ramifiée frappa les collines à l'est. Pendant un instant éblouissant, les guetteurs des murs virent tout l'espace qui les séparait du Fossé éclairé d'une lumière blanche : il bouillonnait et fourmillait de formes noires, les unes larges et trapues, les autres grandes et sinistres, avec de hauts casques et des boucliers noirs. Des centaines et des centaines se déversaient au bord du Fossé et à travers la brèche. La marée sombre montait jusqu'aux murs, d'escarpement en escarpement. Le tonnerre roulait dans la vallée. Une pluie cinglante se mit à tomber.

J. R. R. TOLKIEN, *Le Seigneur des anneaux* (1955), trad. Francis Ledoux © Christian Bourgois 1972-73 pour la traduction française.

3 **Dans le texte suivant, relevez les verbes conjugués puis délimitez les différentes propositions.**

Dix heures sonnaient à l'horloge du château : mon père s'arrêtait […]. Il tirait sa montre, la montait, prenait un grand flambeau d'argent surmonté d'une grande bougie, entrait un moment dans la petite tour de l'ouest, puis revenait, son flambeau à la main, et s'avançait vers sa chambre à coucher, dépendante de la petite tour de l'est. Lucile et moi, nous nous tenions sur son passage ; nous l'embrassions en lui souhaitant une bonne nuit. Il penchait vers nous sa joue sèche et creuse sans nous répondre, continuait sa route et se retirait au fond de la tour.

FRANÇOIS RENÉ DE CHATEAUBRIAND, *Mémoires d'outre-tombe* (1849).

4 **Recopiez les textes ci-dessous, encadrez les verbes conjugués, et séparez d'un trait vertical les différentes propositions.**

1. Il pique son cheval, le laisse courir à fond, va frapper Aelroth autant qu'il peut. Il lui brise l'écu et lui ouvre le haubert, lui tranche la poitrine, lui rompt les os et lui sépare l'échine du dos. De son épieu il lui jette l'âme dehors ; il l'enfonce bien, lui ébranle le corps ; à pleine lance, il l'abat, mort, de son cheval : en deux moitiés il lui a rompu le cou. (*La Chanson de Roland*)

2. Mais la baleine fit brutalement volte-face et, soulevant un soudain tourbillon, saisit le nageur dans ses mâchoires, se dressa sur l'eau en le brandissant, piqua à nouveau droit devant elle et sonda[1]. (MELVILLE)

1. **Sonder** : plonger.

5 **Dans le texte suivant, relevez les phrases complexes et précisez comment s'enchaînent les propositions : sont-elles juxtaposées, coordonnées ou subordonnées ?**

D'autre part est l'archevêque Turpin. Il éperonne[1] son cheval et monte sur un tertre[2]. Il appelle les Français et leur adresse un sermon : « Seigneurs barons, Charles nous a laissés ici : pour notre roi nous devons bien mourir. Aidez à soutenir la Chrétienté ! Vous aurez bataille, vous en êtes bien sûrs, car de vos yeux vous voyez les Sarrasins. Battez votre coulpe[3] et demandez à Dieu merci[4] ; je vous absoudrai[5] pour

sauver vos âmes. Si vous mourez, vous serez de saints martyrs, vous aurez des sièges dans le grand paradis. » Les Français descendent de cheval, s'agenouillent à terre, et l'archevêque, au nom de Dieu, les bénit ; pour pénitence il leur commande de frapper.

La Chanson de Roland.

1. **Éperonner** : piquer des éperons pour partir au galop.
2. **Tertre** : petite colline.
3. **Battre sa coulpe** : demander pardon.
4. **Merci** : ici, pitié.
5. **Absoudre** : pardonner les péchés.

6 **a. Recopiez le texte suivant en sautant des lignes, encadrez en rouge les verbes conjugués, soulignez leur sujet, séparez les propositions par des barres verticales.**

b. Entourez en vert les conjonctions de subordination, en bleu les conjonctions de coordination et écrivez sous chaque couple de propositions comment elles sont reliées entre elles.

Quand onze heures sonnèrent à la tour du vieux clocher paroissial, ils attendirent impatiemment le signal de sortie, car tous étaient déjà prévenus […], par infiltration, par radiation ou d'une tout autre manière, que Lebrac avait trouvé quelque chose.

Il y eut comme d'habitude quelques bonnes bousculades dans le couloir, des bérets échangés, des sabots perdus, des coups de poings sournois, mais l'intervention magistrale fit tout rentrer dans l'ordre et la sortie s'opéra quand même normalement.

Sitôt que le maître fut rentré dans sa boîte, les camarades fondirent tous sur Lebrac comme une volée de moineaux sur un crottin frais.

LOUIS PERGAUD, *La Guerre des boutons* © Mercure de France.

7 **Recopiez les phrases suivantes et complétez-les par une autre proposition en respectant le mode de liaison indiqué entre parenthèses.**

1. Roland est loyal (*coordination*).

2. La nuit tombait (*juxtaposition*).

3. Charlemagne s'élance au galop (*juxtaposition*).

4. Il se redressa, ramassa son épée (*coordination*).

5. Roland souffla dans son cor (*subordination*).

6. Ganelon en voulait à Roland (*subordination*).

8 ÉCRITURE **a. Transformez les phrases suivantes en trois phrases complexes de manière à donner plus de rythme au récit.**

b. Poursuivez ensuite ce récit par deux ou trois phrases de votre invention, construites sur le même modèle.

Roland aperçoit Falsaron. Il entre dans une grande colère. Il saute sur son cheval. Il l'éperonne. Il saisit sa lance. Il se rue sur son adversaire. Mais celui-ci l'esquive. Il fait volte-face. Il se prépare à frapper à son tour.

La fonction sujet

Pour commencer

C'est alors que ses yeux s'abaissèrent vers Tenn. Robinson rêvait-il ? Le chien était en train de lui sourire ! D'un seul côté de sa gueule, sa lèvre noire se soulevait et découvrait une double rangée de crocs. En même temps, il inclinait drôlement la tête sur le côté, et ses yeux couleur de noisette se plissaient d'ironie.

MICHEL TOURNIER, *Vendredi ou la Vie sauvage* © Gallimard.

1. Relevez les verbes conjugués, puis précisez quel est le sujet de chacun d'eux.

2. Qu'est-ce qui vous a permis de répondre ?

Leçon

• Le **sujet** est le mot ou le groupe de mots de la phrase qui **commande l'accord du verbe** en personne et en nombre. On dit que **le verbe s'accorde avec le sujet**.

• Pour trouver le sujet, il suffit de poser la question : « **Qui est-ce qui**… » ou « **qu'est-ce qui** » devant le verbe : → *Qu'est-ce qui s'abaisse vers Tenn ?*
Ses yeux : → « ses yeux » est le sujet du verbe « s'abaissèrent ».

• Le sujet peut être un nom, un groupe nominal, un pronom, un infinitif, une proposition.

• Attention, **le sujet n'est pas toujours placé avant le verbe**. Il existe de nombreux cas où il est **inversé** :

– dans la **phrase interrogative** de niveau de langue soutenu ; → *Rêvait-il ?*

– **après certains adverbes** (*ainsi, aussi, à peine, peut-être, sans doute*…) ou lorsqu'un complément circonstanciel (indice de temps, de lieu) est placé en tête de phrase :
    → *Aussi se mit-il à sourire.*

– pour mettre en valeur le sujet : → *Survient **une fée**.*

– dans les paroles rapportées, pour indiquer qui parle : → *« Je rêve », dit **Robinson**.*

Exercices

1 **Identifiez le sujet de chaque verbe en gras en posant la question « qui est-ce qui » avant le verbe.**

À la fin de l'après-midi du 29 septembre 1759, le ciel **noircit** tout à coup dans la région de l'archipel Juan Fernandez, à six cents kilomètres environ des côtes du Chili. L'équipage de *La Virginie* **se rassembla** sur le pont pour voir les petites flammes qui **s'allumaient** à l'extrémité des mâts et des vergues[1] du navire. C'étaient des feux de Saint-Elme, un phénomène dû à l'électricité atmosphérique et qui **annonce** un violent orage. Heureusement, *La Virginie* sur laquelle **voyageait** Robinson n'**avait** rien à craindre, même de la plus forte tempête.

MICHEL TOURNIER, *Vendredi ou la Vie sauvage* © Gallimard.

1. vergue : fixation d'une voile de bateau.

2 **Dites si le mot en gras est un verbe ou un nom. Justifiez votre réponse.**

1. Le chevalier saisit sa **lance** à deux mains. – **2.** **Lance**-moi la balle ! – **3.** Ce **travail** est très soigné. – **4.** Tu **travailles** très bien. – **5.** Il **sort** tout juste du travail. – **6.** La sorcière lui jeta un **sort**. – **7.** Attention à la **marche**. – **8.** Ça ne **marche** pas.

3 Recopiez les phrases suivantes, et soulignez le sujet de chaque verbe conjugué. Quand il s'agit d'un groupe nominal, entourez le noyau de celui-ci.

1. Du silence émergea un bruit de pas pesants et réguliers. – **2.** La découverte de cette flore, totalement inattendue dans cette région du globe, nous jeta dans une profonde perplexité. – **3.** La foule des élèves se rassembla sous le préau. – **4.** Les montagnes au sommet enneigé, aux parois abruptes et menaçantes, se dressaient devant nous. – **5.** Au sommet de la tour brillait, tremblant mais obstiné, l'éclat de flammes claires. – **6.** De la cheminée sortaient d'épaisses volutes de fumée.

4 **a.** Recopiez les phrases suivantes, et soulignez le sujet de chaque verbe conjugué. Quand il s'agit d'un groupe nominal entourez le noyau de celui-ci.
b. Accordez comme il convient le verbe entre parenthèses, en le conjuguant à l'imparfait.

1. Les copeaux de bois clairs et soyeux (*tomber*) aux pieds du sculpteur. – **2.** Les hommes d'équipage, arc-boutés sur leurs jambes, (*tirer*) de toutes leurs forces. – **3.** De l'horizon poudreux (*émerger*) un flot ininterrompu d'ennemis. – **4.** Une montagne de sacs, de pneus, de meubles hétéroclites, d'objets de toutes sortes (*barrer*) la voie. – **5.** Trois dents du peigne (*être*) cassées.

5 Recopiez le texte suivant, encadrez en rouge les verbes conjugués et soulignez leur sujet.

Au-dessus de nous la nuit était claire. Les étoiles brillaient de leur éclat glacé ; une demi-lune baignait les lieux de sa lumière douce et incertaine. Devant nous se dressait la masse sombre de la maison avec son toit en dents de scie et ses cheminées qui se détachaient sur le ciel lamé d'argent. De larges raies dorées s'échappaient des fenêtres du rez-de-chaussée pour s'étendre en travers du verger et de la lande. L'une d'elles s'effaça brusquement. Les domestiques avaient quitté la cuisine. Seule restait allumée la lampe de la salle à manger où deux hommes, l'hôte assassin et l'invité naïf, continuaient à bavarder en tirant sur leurs cigares.

A. CONAN DOYLE, *Le Chien des Baskerville*, trad. Bernard Tourville, © Gallimard, « Folio Junior », n° 562.

6 Dans les phrases suivantes, relevez le sujet de chaque verbe et indiquez sa nature.

1. Tu as compris. – **2.** Le chauffeur de taxi dévisagea son client. – **3.** Qui te rend si hardi de troubler mon breuvage ? (LA FONTAINE) – **4.** Fumer provoque des maladies graves. – **5.** Cette robe est très belle mais celle-ci te va encore mieux.

7 Dans chacune des phrases suivantes, repérez le verbe et son sujet. Lorsque celui-ci est placé après le verbe, expliquez pourquoi.

1. Sans doute avait-il cherché à les joindre.
2. Devant lui se trouvait une étrange créature.
3. Surgirent alors trois ogres terrifiants.
4. De part et d'autre de la route s'alignaient de hauts peupliers.
5. Dans cette maison vivaient sept nains.

8 Recopiez ces phrases en plaçant le complément circonstanciel (indication de temps ou de lieu) en tête de phrase et en inversant le sujet et le verbe.

1. Un beau soleil luisait à travers les feuillages. – **2.** Une silhouette étrange apparut entre les arbres. – **3.** Son ennemi juré se dressait face à lui. – **4.** Une solide amitié s'établit aussitôt entre les deux hommes.

9 Complétez les phrases suivantes par un sujet choisi parmi les suivants : *Celui-ci, il* (deux fois), *qui, son cou et le dessus de sa tête, le sang de Cherokee, ses mâchoires massives.*

Croc-Blanc ne réussissait pas à atteindre, comme ... l'eût voulu, le dessous de la gorge du bull-dogue. .... la tenait trop bas et ... lui étaient une protection efficace. .... continuait à couler ; ... étaient tailladés, et ... persistait à poursuivre inlassablement Croc-Blanc, ... restait indemne.

D'après JACK LONDON, *Croc-Blanc*.

10 Dans le texte suivant, relevez tous les verbes conjugués, précisez leurs sujets, leurs infinitifs, leurs personnes et leurs temps.

« Dieu merci, elle vous a raté quand elle a sauté ! » balbutiai-je en me remettant debout.
Il ne me répondit rien. En regardant son visage que réfléchissait une glace dans le mur, je le vis pâle, tendu, avec une bizarre expression de rigidité.
« Je crains que ce ne soit à votre tour, Watson ! me dit-il tranquillement. Elle a un compère. »
Je pivotai et je n'oublierai jamais le spectacle qui s'offrit alors à mes yeux. Sherlock Holmes se tenait parfaitement immobile à moins de cinquante centimètres du poêle ; sur le haut du poêle, s'appuyant sur ses pattes de derrière, son corps ignoble frémissant pour bondir, se tenait une autre araignée monstrueuse. »

A. CONAN DOYLE, *Les Exploits de Sherlock Holmes*, trad. Gilles Vauthier © Le Livre de poche, n° 2423.

Voix active, voix passive

Pour commencer

Jules a construit une tour en Lego. – La tour Eiffel a été construite en 1889.

1. Quel est le sujet de chacune de ces phrases ?

2. Dans quelle phrase le sujet fait-il l'action de construire ?

Leçon

- Un verbe est à la **voix active** si son **sujet** est **actif**, c'est-à-dire s'il fait l'action.

- Un verbe est à la **voix passive** si son **sujet** est **passif**, c'est-à-dire s'il ne fait pas l'action mais la subit :

→ *La tour Eiffel a été construite en 1889 par Gustave Eiffel.*

- À la voix passive, le **complément d'agent**, généralement introduit par *par* ou *de*, indique qui fait l'action exprimée par le verbe. Il n'est pas toujours exprimé.

→ *Le jardin a été dévasté par la tempête. Ce château a été restauré.*

Attention : **Seuls les verbes transitifs (voir ci-contre) peuvent être conjugués à la voix passive.**

Exercices

1 **Dans les phrases suivantes, relevez le sujet et dites si le verbe est à la voix active ou à la voix passive.**

1. Les enfants sont montés en courant. – **2.** Le piano a été monté par la fenêtre. – **3.** Nous sommes arrivés par bateau. – **4.** Elle est entrée par hasard. – **5.** Ces fresques ont été réalisées par Michel-Ange. – **6.** La surprise annoncée était attendue avec impatience. – **7.** L'assassin était connu de tous. – **8.** Tout le monde est parti.

2 **Classez les verbes des phrases suivantes selon qu'ils sont à la voix active ou à la voix passive. Pour les verbes à la voix passive, relevez le complément d'agent, quand il est exprimé.**

1. Les nuages ont été chassés par le vent. – **2.** Ils sont arrivés hier. – **3.** Il est resté une semaine. – **4.** Il est accueilli par des amis. – **5.** Nous sommes intéressés par votre proposition. – **6.** Le bandit s'est caché par ici. – **7.** Ce professeur est très aimé des élèves. – **8.** Le vaccin contre la rage a été découvert par Pasteur. – **9.** Les invités furent rassemblés dans le salon. – **10.** L'avion était attendu à Paris : il est arrivé à Londres. – **11.** De toute manière, l'agneau sera dévoré par le loup.

3 **a. Dites si les verbes suivants sont au présent, au passé ou au futur.**

b. Quelles remarques pouvez-vous faire sur la formation du passif ?

1. Les fruits sont récoltés à la main. – **2.** Le lot sera attribué au plus offrant. – **3.** Ces plantes ont été importées d'Afrique. – **4.** Le vainqueur est félicité par tous les joueurs. – **5.** Les villes côtières sont envahies par les touristes. – **6.** Une représentation sera donnée à la fin de l'année. – **7.** Un suspect a été arrêté. – **8.** Notre abri était secoué par de violentes rafales. – **9.** Les magasins ont été dévalisés. – **10.** Le petit malade fut examiné avec attention.

4 **ÉCRITURE Faites une phrase avec chacune des formes verbales suivantes et précisez entre parenthèses si le verbe est à la voix active ou à la voix passive. Attention aux accords.**

A été transporté – sommes passés – sont retournés – furent questionnés – sera remarquée – serais devenu – étaient emprisonnés – es suivi – soyez remercié – ont été répartis.

La fonction complément d'objet 〔10〕

Pour commencer

Observez les phrases suivantes.

Marie dort. – Le chien aboie. – Luc attrape. – Jean nage. – Il souleva. – Je voudrais. – Le soleil brille. – Marc enlève.

1. Lesquelles de ces phrases n'ont pas de sens ?
2. Que faut-il ajouter pour que certaines phrases aient du sens ?
3. Proposez un classement en deux groupes des verbes employés dans ces phrases et justifiez votre classement.

Leçon

❶ Le complément d'objet

• Les **verbes intransitifs** se construisent **sans complément :**
le verbe avec son sujet suffit pour réaliser l'action.

→ *Pleurer, éternuer, marcher.* → Je marche quoi ? qui ? à quoi ? sont des questions qui n'ont aucun sens.

• Les **verbes transitifs** expriment **une action qui s'exerce nécessairement sur un objet**. Le verbe avec son sujet ne suffit pas à réaliser l'action.

→ *Enlever* → Marc enlève quoi ? Il faut le préciser.

La plupart du temps, **les verbes transitifs doivent donc être complétés** par un **complément** qui précise l'objet sur lequel s'exerce l'action : **le complément d'objet**.

→ *Marc enlève **sa chemise**.*

NB : Parfois, le complément d'objet d'un verbe transitif n'est pas précisé :

→ *Il lit. Il mange.*

❷ COD, COI, COS

• Si le complément d'objet se construit **directement** après le verbe, c'est un **complément d'objet direct (COD)**.

→ *Luc attrape **le ballon**.*

• Si le complément d'objet est introduit par une **préposition (à, de...)**, c'est un **complément d'objet indirect (COI)**.

→ *Je pense **à mes amis**.*

Certains verbes se construisent avec deux compléments d'objet.
Dans ce cas-là, le COI est appelé **complément d'objet second (COS)**.

→ *Donner quelque chose à quelqu'un.*
　　　COD　+　COI ou COS

• Pour trouver le complément d'objet d'un verbe, il faut poser la question :
sujet + verbe + (à, de) quoi ?

→ *Marc enlève sa chemise.* → Marc enlève quoi ? *Sa chemise* : sa chemise est le COD du verbe *enlever*.

Les deux pièges à éviter :

1. **Cherchez toujours le sujet avant le COD**, pour ne pas confondre COD et sujet inversé.

2. Vérifiez que le verbe est bien un verbe transitif et rappelez-vous que **les verbes d'état n'ont jamais de COD**.

Exercices

1 Pour chacun des verbes suivants, dites s'il s'agit d'un verbe transitif ou intransitif et justifiez votre réponse.

Bailler – mourir – tuer – dévorer – flotter – serrer – boire – écrire – naître – enfoncer – tourbillonner – prendre – jeter - grandir.

2 Dans les phrases suivantes, relevez les compléments d'objet et dites s'ils sont directs ou indirects.

1. Je sors le chien. – **2.** As-tu pensé à éteindre la lumière ? – **3.** Luc a distribué les cartes. – **4.** Quels beaux enfants tu as ! – **5.** Nous avons commencé à chanter. – **6.** Il se plaint toujours de tout. – **7.** Les enfants jouent au ballon. – **8.** De quoi te souviens-tu ? – **9.** Que faites-vous ? – **10.** Luttons contre le gaspillage !

3 Dans le texte suivant, relevez les verbes et classez-les selon qu'ils sont transitifs ou intransitifs.

Alors enfin, vint une réponse : une tempête de flèches les accueillit en même temps qu'une grêle de pierres. Ils fléchirent, se débandèrent et s'enfuirent ; ils chargèrent encore et se débandèrent à plusieurs reprises ; et chaque fois, comme la marée montante, ils s'arrêtaient en un point plus élevé. Les trompettes retentirent de nouveau ; et une foule d'hommes hurlants bondit en avant. Ils tenaient leurs grands boucliers au-dessus d'eux comme un toit, et ils portaient parmi eux les troncs de deux puissants arbres. Derrière, se pressaient des archers orques[1], qui lançaient une grêle de traits[2] sur les archers des murs. Ils atteignirent les portes.

J. R. R. TOLKIEN, *Le Seigneur des anneaux*, trad. Francis Ledoux (1955) © Christian Bourgois 1972-73 pour la traduction française.

1. **Orques** : créatures monstrueuses imaginées par l'auteur.
2. **Traits** : flèches.

4 Dites si les groupes en gras sont des COD ou des COI : attention aux articles contractés ou partitifs !

1. Munissez-vous **de votre passeport**. – **2.** Prenez des **précautions**. – **3.** Son état inspire **des inquiétudes**. – **4.** Pour écrire cette histoire, Victor Hugo s'est inspiré **de faits réels**. – **5.** Il a composé **des poèmes** sur la mort de sa fille. – **6.** Je me souviens encore **des poème**s que j'ai appris dans mon enfance.

5 Dites si les groupes en gras sont sujets inversés ou COD.

1. Du rocher jaillissait **une source fraîche**. – **2.** Des profondeurs du cachot montaient **des plaintes désespérées**. – **3.** Des ouvriers charriaient **des brouettes** de terre. – **4.** De la boue éclaboussa **son visage**. – **5.** De la pièce voisine, nous percevions **des sanglots**. – **6.** De ses lèvres obstinément closes s'échappaient **quelques sanglots**. – **7.** Aussi reprirent-ils **tous leurs présents**. – **8.** Ainsi disparurent **tous les dinosaures**.

6 Dans les phrases suivantes, relevez les compléments d'objet des verbes en les classant en deux colonnes : COD ou COI, et précisez leur nature entre parenthèses. *Ex. : J'aime voyager : voyager (verbe à l'infinitif)*.

1. Alexandre leva le doigt. – **2.** Luc passa doucement son bras autour du col du cheval. – **3.** Il le conduisit à l'écurie. – **4.** Je voudrais sortir. – **5.** Cette association milite pour les droits de l'homme. – **6.** Nous organisons la semaine prochaine une petite soirée. – **7.** Je me souviens très bien de lui. – **8.** Tu dois apprendre tes leçons tous les jours. – **9.** As-tu pensé à ramener ton livre ? – **10.** Nous avons bien réfléchi à la situation. – **11.** Qui as-tu invité ? – **12.** À quoi penses-tu ? – **13.** Je crains qu'ils n'y arrivent pas. – **14.** Il s'est aperçu de son erreur. – **15.** Lequel veux-tu ? – **16.** Préfères-tu celle-ci ? – **17.** Aimes-tu cuisiner ?

7 Donnez la fonction des mots ou groupes de mots soulignés.

1. Roland brandit dans son poing son épée étincelante. – **2.** Elle ressemble à une actrice de cinéma. – **3.** Il donne des conseils à tout le monde. – **4.** Pour Noël, nous avons envoyé des colis à toute la famille. – **5.** Le jour de l'An, le président de la République adresse ses vœux aux Français. – **6.** Au fond de la vallée coule une rivière. – **7.** Je vous demande le silence. – **8.** Que font les enfants ? – **9.** Je te prête mon livre, tu me le rendras quand tu l'auras fini. – **10.** De larges cernes creusaient ses yeux. – **11.** De la maison voisine jaillirent des hurlements stridents.

8 Recopiez le texte suivant en sautant des lignes : écrivez en rouge les verbes en gras ; soulignez en bleu leur complément d'objet, entourez, s'il y a lieu, la préposition qui les introduit et précisez en dessous si ce sont des COD, des COI ou des COS.

Quand [Tristan] **eut** sept ans révolus, Rivalen jugea que le temps était venu de le **reprendre** aux femmes et il le **confia** à un sage écuyer nommé Gorneval, qui **se chargea** de son éducation. Tristan **apprit** à courir, sauter, nager, monter à cheval, tirer à l'arc, combattre à l'épée, **manier** l'écu et la lance. [...] Il y **joignit** le chant et le jeu des instruments, car il **jouait** à merveille de la harpe et de la rote[1], et **composait** des lais[2] à la manière des chanteurs bretons. Chose plus rare, il **imitait** à s'y méprendre le chant du rossignol et des autres oiseaux.

Tristan et Iseut, adaptation de René Louis
© Librairie générale de France, 1972.

1. Rote : instrument de musique à cordes.
2. Lai : poème naratif ou lyrique du Moyen Âge.

9 Donnez la nature et la fonction des mots ou groupes de mots en gras.

1. En Angleterre, **on** ne mange pas de **cheval**. – **2.** Je voudrais **rentrer**. – **3.** J'ai laissé les enfants **à la voisine**. – **4.** Je **lui** téléphone tous les jours. – **5.** Je pense **que ça suffira**. – **6.** J'ai souvent pensé **à démissionner**. – **7.** Cette lettre, je **te** l'ai envoyée la semaine dernière. – **8.** **Marcher** me fera du bien.

10 Remplacez le COD de chaque verbe par le pronom personnel qui convient. Attention à l'orthographe des verbes.

1. J'ai donné tes livres à Marie. – **2.** Nous avons invité des poètes dans notre classe. – **3.** Je te donne mes disques. – **4.** Il a contemplé la nouvelle avec des yeux éblouis. – **5.** J'ai signalé l'incident à mon supérieur. – **6.** Peux-tu prévenir tes parents ? – **7.** J'ai invité toutes mes amies.

11 Remplacez le COI de chaque verbe par le pronom personnel qui convient.

1. J'ai donné tes livres à Marie. – **2.** Il a renoncé à ses rêves de jeunesse. – **3.** J'ai vendu mes disques à des collectionneurs. – **4.** Je me souviens de cet incident. – **5.** Je me souviens de tes amies. – **6.** J'ai signalé l'incident à mon supérieur. – **7.** J'écrirai à tes parents dès demain. – **8.** J'ai longuement réfléchi à la situation. – **9.** Je pense souvent à mes grands-parents.

12 Dans le texte suivant, relevez tous les compléments d'objet directs ou indirects et précisez quel verbe ils complètent. Attention, n'oubliez pas les compléments des verbes à l'infinitif.

À cinq heures du matin, le hennissement de quatre chevaux qui piaffaient sous ma fenêtre me réveilla. Je m'habillai à la hâte et je descendis dans la rue. Là, Hans achevait de charger nos bagages sans se remuer, pour ainsi dire. […] Tout fut terminé à six heures, M. Fridriksson nous serra les mains. Mon oncle le remercia en islandais de sa bienveillante hospitalité, et avec beaucoup de cœur. Quant à moi, j'ébauchai dans mon meilleur latin quelque salut cordial ; puis nous nous mîmes en selle.

Jules Verne, *Voyage au Centre de la Terre.*

13 ANALYSE Recopiez le texte suivant en écrivant une ligne sur deux, entourez chaque verbe conjugué en rouge et soulignez son sujet en rouge ; soulignez les compléments d'objet en bleu, entourez, s'il y a lieu, la préposition qui les introduit et précisez en dessous COD, COI ou COS. Attention aux verbes intransitifs.

Notre voiture avait atteint le haut de la côte : devant nous s'étendait la lande, parsemée de pics coniques et de monts-joie[1] en dentelles. Un vent froid balayait le plateau et nous fit frissonner. […] Nous avions quitté les plaines fertiles ; elles étaient maintenant derrière et au-dessous de nous. Nous leur adressâmes un dernier regard : les rayons obliques du soleil bas tissaient des fils d'or et de pourpre sur le sol rouge et sur les bois touffus. […] De loin en loin nous passions devant une petite maison aux murs et au toit de pierre ; aucune plante grimpante n'en adoucissait l'aspect farouche. Une cuvette s'arrondit devant nous ; à ses flancs s'accrochaient des chênes tordus et des sapins qui avaient été courbés par la fureur des tempêtes. Deux hautes tours étroites dépassaient les arbres. Le cocher avec un geste de son fouet nous les nomma : « Baskerville Hall. »

A. C. Doyle, *Le Chien des Baskerville,*
trad. Bernard Tourville © Gallimard, Folio Junior, n° 562.

1. mont-joie (n. m.) : ici, monticule.

14 Dans les phrases suivantes, supprimez le COD et expliquez le changement de sens qui en découle.

1. Jean compte les points pour moi. – **2.** Je rentre tes affaires à la maison. – **3.** Vois comme les enfants poussent leurs cerceaux ! – **4.** Nous avons renoué nos lacets. – **5.** Poursuivez cet homme ! – **6.** Mes enfants goûtent un peu de tout.

15 Servez-vous des abréviations du dictionnaire pour trouver le plus vite possible le sens des verbes suivants en fonction de leur construction.

1. Je vous engage à la prudence. – **2.** Il avançait toutes sortes d'idées bizarres. – **3.** Les CRS chargèrent. – **4.** Le sculpteur coulait du bronze. – **5.** Le témoin déposa sous serment. – **6.** Le blé a levé durant la nuit. – **7.** Cette vieille dame décline rapidement. – **8.** Elle a décliné mon invitation.

16 ÉCRITURE Faites deux phrases avec chacun des verbes suivants : une phrase dans laquelle il sera utilisé de manière transitive et une phrase dans laquelle il sera utilisé de manière intransitive.

redoubler – décoller – causer – filer – rire – peser – casser.

Pour commencer

« Iseut répondit :
– Non, tu le sais, que tu <u>es</u> mon seigneur et mon maître ! Tu le sais, que ta force me <u>domine</u> et que je <u>suis</u> ta serve ! »

Tristan et Iseut.

1. Identifiez le sujet des verbes soulignés : dans quels cas le groupe de mots qui suit le verbe désigne-t-il la même personne que le sujet ?

2. Quel est dans ce cas le verbe utilisé ?

Leçon

• L'attribut du sujet exprime une **caractéristique du sujet**, **par l'intermédiaire d'un verbe** qui est généralement un **verbe d'état** : *être, paraître, sembler, avoir l'air, passer pour, rester, demeurer, devenir...*

→ *Cette coupe* **est** *maudite*. L'attribut du sujet « maudite » nous renseigne sur le sujet
 sujet   attribut   « cette coupe ».

Rappel : les verbes d'état ne sont jamais suivis d'un COD.

• La phrase ne serait pas complète sans l'attribut du sujet.

→ * *Cette coupe est.*

• L'attribut du sujet **s'accorde** en genre et en nombre **avec ce sujet**.

→ *Cette légende est très émouvante.*

• Ne confondez pas le complément d'objet et l'attribut du sujet :

– le COD désigne un objet différent du sujet :

→ *Tristan vide la coupe.* La coupe désigne autre chose que *Tristan.*

– l'attribut désigne au contraire une caractéristique du sujet, et nous renseigne sur lui :

→ *Cette coupe est maudite.*   *Tu es mon seigneur et maître.*
 Sujet   Attribut du sujet   Sujet   Attribut du sujet
Cette coupe = la chose maudite   Toi = mon seigneur et maître

Remarque : certains **verbes de mouvement** se construisent avec un attribut :

→ *Elles partent joyeuses.*

Exercices

1 **Dites si les expressions soulignées sont des COD ou des attributs du sujet. Justifiez votre réponse.**

1. Les ombres paraissaient <u>des monstres inquiétants</u>.

2. Les ombres dessinaient sur les murs <u>des monstres inquiétants</u>.

3. Marie est devenue <u>une actrice célèbre</u>.

4. Marie a rencontré <u>une actrice célèbre</u>.

5. Lancelot aimait en secret <u>une femme</u>.

6. Le chevalier d'Éon était <u>une femme</u>.

7. Jacques est toujours resté <u>un ami fidèle</u>.

8. Il a trahi <u>un ami fidèle</u>.

2 **Dites si les expressions soulignées sont des sujets inversés ou des attributs du sujet.**

1. Son seul vêtement était <u>un uniforme rapiécé</u>.

2. Sur la chaise était <u>un uniforme rapiécé</u>.

3. Dans cette maison demeuraient <u>des amis</u>.

4. Les deux jeunes filles demeuraient <u>amies</u>.

5. Lors de la prochaine séance sera élu <u>le délégué</u>.

6. Mathieu a été élu <u>délégué</u>.

3 **Relevez tous les attributs des phrases suivantes et précisez leur nature.**

1. Toute l'affaire n'était qu'une vaste escroquerie.

2. Qui est votre professeur ?

3. Voler est répréhensible.

4. La pollution est-elle un mal inévitable ?

5. Ce travail semblait urgent.

6. Son plus grand rêve était de voyager.

7. Celle-ci est la mienne.

4 **Donnez la fonction des mots ou groupes de mots soulignés.**

1. Marie est une petite fille.

2. Marie a eu une petite fille.

3. Ils vécurent heureux et eurent beaucoup d'enfants.

4. Vous remettrez votre travail au surveillant.

5. Dans le jardin jouaient deux petites filles.

6. La mer est agitée, le vent amène de gros nuages : la traversée sera difficile.

7. Ses propos désinvoltes ont semblé une véritable provocation.

8. Alors se leva un vent furieux qui emportait tout sur son passage.

9. Dans ce château vivait une reine solitaire.

5 **Employez le mot *frère* dans quatre phrases différentes où il sera :**

1. Sujet inversé

2. Attribut du sujet

3. COD

4. COI

6 **Donnez la nature et la fonction des mots ou groupes de mots soulignés.**

1. Ce que tu as fait m'étonne beaucoup.

2. Je te le répète : tu ne peux pas partir seul.

3. Sur le trottoir d'en face s'entretenaient deux individus patibulaires.

4. Je ne comprends pas ce que tu veux.

5. Lucie était mon amie, mais elle ne l'est plus depuis qu'elle fréquente ce groupe.

6. Nous pouvons vendre nos vieux jouets.

7. Maintenant que tu as récupéré ton livre, as-tu pensé à me ramener le mien ?

8. Il a grandi heureux.

9. Qui est ce garçon ?

10. J'exige qu'il présente des excuses.

11. Il semblait très étonné de la situation.

12. En haut de la colline se dressait une tour.

7 **Créez des phrases sur les modèles suivants.**

1. Sujet + verbe

2. Sujet + COS + verbe + COD

3. Sujet + verbe + attribut

4. Sujet + verbe + COD

5. COI + verbe + sujet

8 **Recopiez les phrases suivantes, encadrez les verbes conjugués, soulignez en rouge leur sujet et faites un trait ondulé sous les attributs du sujet.**

1. Iseut est votre femme, et moi votre vassal (*Tristan et Iseut*)

2. Ils savent que le roi est furieux et cruel. (BÉROUL)

3. Comme le temps était doux et serein, il ôta le mors à son cheval. (CHRÉTIEN DE TROYES)

4. Oui vraiment, j'ai commis un grave péché, j'ai bien mal agi en disant qu'ils étaient des diables. Ma mère ne m'a pas raconté des histoires quand elle m'a dit que les anges étaient les plus beaux êtres qui soient. (CHRÉTIEN DE TROYES)

5. L'épée était forte et raide et avait deux lances de long.

6. Ici même, je me donne à vous, car je ne dois pas refuser de prendre pour époux un homme qui est un chevalier valeureux et un fils de roi. (CHRÉTIEN DE TROYES)

9 **Recopiez les phrases suivantes en sautant des lignes. Encadrez les verbes, soulignez en rouge les sujets et en bleu tous les compléments d'objet en précisant en-dessous si ce sont des COD, des COI ou des COS. Faites un trait ondulé sous les attributs du sujet.**

1. Mais non, la voie est sans retour, déjà la force de l'amour vous entraîne et jamais plus vous n'aurez de joie sans douleur. (*Tristan et Iseut*)

2. Iseut est votre femme, et ne peut pas m'aimer. (BÉDIER)

3. Quel grand vacarme faisaient les armes de ceux qui venaient ! Car souvent se heurtaient aux armes les branches des chênes et des charmes ; les lances se heurtaient aux boucliers, et tous les hauberts bruissaient. Résonnait le bois et résonnait le fer des boucliers et des hauberts. (CHRÉTIEN DE TROYES)

4. Artus était un bel et grand adolescent de seize ans, fort aimable et serviable : il piqua des deux[1] vers leur logis, mais il ne put trouver l'épée de son frère ni aucune autre, car la dame de la maison les avait toutes rangées dans une chambre. (BOULENGER)

1. **Piquer des deux** : partir au grand galop.

10 ÉCRITURE **Tristan déclare son amour à Iseut : « Tu es... », « Tu me sembles... », « Tes yeux sont... »....**
Complétez ces phrases et ajoutez-en quelques-unes de votre invention, en utilisant des verbes d'état variés.

La fonction complément circonstanciel

Pour commencer

Le lendemain, Renart revint à la nuit tombée devant la maison d'Ysengrin pour voler les jambons. Là, tout le monde dormait. Il entra dans la réserve, prit les jambons, les emporta chez lui en se hâtant, les coupa en morceaux et les cacha dans la paille de son lit.

Le Roman de Renart, anonyme, XIIᵉ-XIIIᵉ siècle.

1. Relevez les verbes conjugués et tous leurs compléments.
2. Quels compléments renseignent sur le lieu où se déroule l'action ? Précisez leur nature.
3. Quels compléments renseignent sur le moment où se déroule l'action ? Précisez leur nature.

Leçon

Certains compléments indiquent **les circonstances dans lesquelles se produit l'action ou l'état exprimés par le verbe** : ce sont les compléments circonstanciels.

❶ Reconnaître les compléments circonstanciels

Les compléments circonstanciels expriment différentes circonstances :
- le **lieu** : *Renard entra dans la réserve.*
- le **temps** : *Renart revint à la nuit tombée.*
- la **manière** : *Il revint en se hâtant.*
- le **moyen** : *Renard découpe le jambon avec ses dents.*
- la **cause** : *Renard vole les jambons parce qu'il est gourmand.*
- la **conséquence** : *Renard est gourmand au point de voler les jambons.*
- le **but** : *Renard revint pour voler les jambons.*
- la **comparaison** : *Renard a couru comme un fou.*

Astuce : pour reconnaître les compléments circonstanciels, il suffit de **répondre aux questions *où... ?*** (= lieu), ***quand... ?*** (= temps), ***comment... ?*** (de quelle façon ?) (= manière), ***avec quoi... ?*** (= moyen), ***pourquoi... ?*** (= cause), ***avec quelle conséquence... ?*** (= conséquence), ***dans quel but... ?*** (= but), ***comment... ?*** (comme qui ? comme quoi ?) (= comparaison).

❷ Différentes natures de compléments circonstanciels

La fonction complément circonstanciel peut être exercée par **des mots ou groupes de différentes natures,** en général introduits par une **préposition** :

→ *Renart revint à la nuit tombée pour voler les jambons.*
   groupe nominal   groupe infinitif

→ *Il emporta les jambons chez lui en se hâtant.*
   pronom   gérondif

→ *Là, tout le monde dormait.*
   adverbe

Remarques : lorsque le complément circonstanciel est placé **en tête de phrase**, il est détaché par une virgule : *Il est rentré le surlendemain. Le surlendemain, il est rentré.*

Lorsqu'un **complément circonstanciel de lieu** est placé en tête de phrase, le sujet peut être inversé s'il s'agit d'un groupe nominal. Dans ce cas, on ne met pas de virgule :
→ *Devant la maison se tenait Renart.*

Exercices

1 Indiquez la circonstance exprimée par les compléments circonstanciels soulignés en précisant à quelle question répond chaque complément.

1. Renart a volé les jambons la nuit.

2. Le vieil homme vivait dans une petite maison isolée.

3. Cela m'obsède au point d'en rêver la nuit.

4. Pour sa santé, il parcourt chaque jour dix kilomètres à pied.

5. Elle aimait la vie comme un bien précieux.

6. Autrefois, les élèves écrivaient à la plume.

7. Elle attendait en comptant les jours qui la séparaient de lui.

8. Il parle comme un livre.

2 Indiquez la fonction des mots ou groupes de mots soulignés.

1. La pluie a effacé les traces de nos pas.

2. Nous avons pris une semaine de vacances.

3. Ils sont restés une semaine.

4. Ils sont restés calmes.

5. Je me souviens des bons moments passés ensemble.

6. Pensez à vos papiers.

7. Donnez ces papiers à vos parents.

8. De part et d'autre de l'allée s'alignaient des arbres majestueux.

3 a. Complétez les phrases suivantes de telle manière qu'elles répondent à la question entre parenthèses.
b. Indiquez à chaque fois la fonction du mot ou du groupe de mots que vous avez ajouté.

1. La fête s'est terminée (**comment ?**). – **2.** Les grondements du tonnerre annoncent (**quoi ?**). – **3.** Les campeurs se sont installés (**où ?**). – **4.** Les clowns amusent (**qui ?**). – **5.** Les enfants ont été au comble de la joie (**quand ?**). – **6.** L'enthousiasme des spectateurs s'est manifesté (**comment ?**). – **7.** Les curieux se pressent (**où ?**) et se bousculent pour voir (**quoi ?**) et entendre (**qui ?**). – **8.** Les jongleurs lançaient leurs balles (**comment ?**).

4 Recopiez les phrases, soulignez les compléments circonstanciels et précisez si ce sont des compléments circonstanciels de lieu, de temps ou de moyen.

1. Un jour, j'étais monté au sommet de l'Etna, volcan qui brûle au milieu d'une île. (CHATEAUBRIAND)

2. Dans cette vallée, il se faisait une étonnante musique de cigales. (LOTI)

3. Il savait allumer un feu avec quelques branches et des feuilles.

4. Par un beau matin d'avril, notre caravane, vers cinq heures, cheminait, fatiguée mais joyeuse. (PAGNOL)

5 Recopiez les phrases, soulignez les compléments circonstanciels et précisez si ce sont des compléments circonstanciels de cause, de but ou de conséquence.

1. Tout est arrivé par ta faute.

2. Il a été condamné pour excès de vitesse.

3. Comme il était certain de gagner la course, le lièvre a traîné en route si bien qu'il est arrivé après la tortue.

4. Le pays était cultivé pour le plaisir comme pour le besoin. (VOLTAIRE)

5. Il a fait assez d'efforts pour y arriver.

6. Par précaution, l'équipage a distribué des gilets de sauvetage à tous les passagers.

6 Recopiez les phrases, soulignez les compléments circonstanciels et précisez si ce sont des compléments circonstanciels de manière ou de comparaison.

1. Hector obéit avec le sourire.

2. Il allait [...] sans trêve, sans repos, sans sommeil. (HUGO)

3. Le violon frémit comme un cœur qu'on afflige. (BAUDELAIRE)

4. Il agit sans réfléchir, comme un étourneau.

5. Tu parlais d'une voix basse et précipitée. (MAURIAC)

6. Félix a fait de grands progrès : il ne se comporte plus en bébé.

7. La fleur tombe en livrant ses parfums au zéphyr[1]. (LAMARTINE)

1. **Zéphyr** : brise légère et douce.

7 Relevez les compléments circonstanciels. Indiquez leur nature et la circonstance qu'ils expriment.

1. Tout tournait autour d'eux, les meubles, les lampes, les lambris[2] et le parquet, comme un disque sur un pivot. (FLAUBERT)

2. L'hiver, Cloche se glissait sous les granges et dans les étables, avec une adresse remarquable. (MAUPASSANT)

3. Dans les vergers, aux lisières des bois, le merle siffle à plein gosier pour annoncer la venue du printemps. (THEURRIET)

4. Je t'avais autrefois recommandé pour un emploi.

2. Lambris : revêtement de boiseries qui décorent un mur ou un plafond.

8 **Même exercice.**

1. On la trouvait le soir auprès du feu, les mains jointes et la tête basse. (MUSSET)

2. L'air, en agitant les plumets des soldats, les faisait ondoyer comme les arbres d'une forêt courbés sous un vent impétueux. (BALZAC)

3. Quand [mademoiselle Guimard] parlait, son nez remuait : pourtant, je la trouvais laide, parce qu'elle était jaune comme un Chinois. (PAGNOL)

4. Aimez le chocolat à fond, sans complexe ni fausse honte. (LA ROCHEFOUCAULD)

9 **Complétez les phrases suivantes selon le schéma indiqué.**

1. (*préposition + GN, CC de lieu*), l'enfant semblait rêveur.

2. (*GN, CC de temps*), le roi leur faisait distribuer des vivres (*préposition + infinitif, CC de but*).

3. Les joueurs se sont entraînés (*adverbe, CC de manière*) afin de remporter la victoire (*adverbe, CC de temps*).

4. (*adverbe, CC de Temps*), tu iras (*adverbe, CC de Lieu*).

5. (*proposition, CC de Cause*), je viendrai (*préposition + pronom, CC de lieu*) + (*préposition + nom, CC de moyen*).

10 **Détachez en tête de phrase les compléments circonstanciels. Dans quels cas est-il possible d'inverser le sujet ?**

1. Des arbres centenaires veillaient à l'horizon.

2. Des arbres centenaires veillaient au loin sur la forêt.

3. Une fusée monta dans le ciel étoilé.

4. Le clocher de l'église perçait entre les toits gris.

6. Nous avons marché entre les arbres.

11 **Indiquez la fonction des groupes de mots soulignés.**

Les jours de foire, il étendait sur la place publique un vieux tapis tout usé, et après avoir attiré les enfants et les badauds par des propos plaisants, il prenait des attitudes qui n'étaient pas naturelles, et il mettait une assiette d'étain en équilibre sur son nez. La foule le regardait d'abord avec indifférence. Mais quand, se tenant sur les mains la tête en bas, il jetait en l'air et rattrapait avec ses pieds six boules de cuivre... un murmure d'admiration s'élevait dans l'assistance et les pièces de monnaie pleuvaient sur le tapis.

ANATOLE FRANCE, *Le Jongleur de Notre-Dame*.

12 **ANALYSE** **Recopiez le texte en sautant des lignes. Encadrez en rouge les verbes conjugués. Soulignez les compléments circonstanciels, précisez leur nature et la circonstance qu'ils expriment.**

La fenêtre de mon donjon s'ouvrait sur la cour intérieure. Quelques martinets[1] qui, durant l'été, s'enfonçaient en criant dans les trous des murs, étaient mes seuls compagnons. La nuit, je n'apercevais qu'un morceau de ciel et quelques étoiles. Des chouettes, en passant et repassant entre la lune et moi, dessinaient sur les rideaux l'ombre mobile de leurs ailes. Je ne perdais pas un murmure des ténèbres. Quelquefois le vent semblait courir à pas légers ; quelquefois, il laissait échapper des plaintes.

D'après CHATEAUBRIAND, *Mémoires d'outre-tombe*.

1. Martinets : petits oiseaux qui ressemblent à des hirondelles.

13 **ÉCRITURE** **Racontez un événement qui vous a marqué(e).**

a. Vous évoquerez les circonstances dans lesquelles cela s'est passé (moment, lieu, cause) ainsi que la manière dont vous l'avez vécu.

b. Votre texte devra comporter au moins dix compléments circonstanciels que vous soulignerez en noir.

14 **ÉCRITURE** **Observez bien cette image et décrivez la scène qu'elle évoque en utilisant au moins cinq compléments circonstanciels (lieu, temps, manière, but, cause).**

Gustave Caillebotte, *Les Jardiniers,* huile sur toile, 1875 (coll. part.).

Pour commencer

Rien ne sert de courir ; il faut partir à point :
Le lièvre et la tortue en sont un témoignage.
« Gageons, dit celle-ci, que vous n'atteindrez point
Sitôt que moi ce but. – Sitôt ? Êtes-vous sage ?
[…]

– Sage ou non, je parie encore. »
Ainsi fut fait ; et de tous deux
On mit près du but les enjeux.

JEAN DE LA FONTAINE, *Fables*.

1. Quelle est la nature de *en* au vers 2 ? Que désigne ce mot ?
2. Quel est le COD de *atteindrez* (v. 3) ?
3. a. Donnez la fonction des deux groupes de mots soulignés dans le vers 7.
   b. À quel mot de la phrase se rattache « de tous deux » (v. 6) ?
   Déduisez-en la fonction de ce groupe.
4. Reformulez ces quelques vers dans le langage courant.

Leçon

Analyser signifie « décomposer ». L'analyse grammaticale consiste à identifier la nature et la fonction des différents mots ou groupes de mots qui composent une phrase. Comprendre comment une phrase est construite permet de mieux en saisir le sens.

❶ Pour identifier la nature d'un mot

1. Demandez-vous si ce mot est variable ou invariable.
2. Vérifiez la place du mot : précède-t-il un nom, un verbe ?
3. Peut-on le remplacer ? Si oui, par quoi ?

❷ Repérer les groupes de mots

• Certains mots forment des groupes à l'intérieur de la phrase : ils sont **fortement liés les uns aux autres** et **jouent un rôle** (une fonction) **ensemble.**
→ *Nous avons fêté **la naissance du fils de notre ami**.*
Repérer ces groupes et leur noyau est indispensable.

• Les groupes de mots se définissent **en fonction de leur noyau : groupe nominal** (= groupe de mots dont le noyau est un nom), **groupe adjectival, groupe verbal** ;

• Tout groupe introduit par une préposition s'appelle **groupe prépositionnel.** (Attention, la préposition fait partie du groupe prépositionnel.)

❸ Pour identifier la fonction d'un mot

1. Cherchez d'abord les verbes conjugués de la phrase, puis leur sujet.
2. Vérifiez la construction de chaque verbe et recherchez les compléments d'objet ou les attributs.
3. Demandez-vous quel mot complète le groupe que vous analysez.
→ *Je suis fier **de toi**. de toi* complète l'adjectif *fier*, c'est un complément de l'adjectif.
4. Demandez-vous quelle information il apporte.
→ *Dans le jardin poussaient toutes sortes de plantes étranges. Dans le jardin* précise le lieu.
Ce groupe complète le verbe *poussaient*. C'est un complément circonstanciel de lieu de *poussaient*.

Attention à ne pas confondre nature et fonction.

3 Dites si les mots soulignés sont variables ou invariables.

Il n'y <u>avait</u> <u>guère</u> <u>plus</u> d'un <u>quart</u> d'<u>heure</u> que nous avions abandonné <u>notre</u> vaisseau quand nous le vîmes s'abîmer ; <u>alors</u> je <u>compris</u> <u>pour</u> la <u>première</u> fois ce que signifiait *couler-bas*. <u>Mais</u>, je dois l'<u>avouer</u>, j'avais l'<u>œil</u> <u>trouble</u> et je distinguais <u>fort</u> <u>mal</u>, quand les <u>matelots</u> <u>me</u> dirent qu'il *coulait*, <u>car</u>, <u>dès</u> le <u>moment</u> que j'allai, <u>ou</u> <u>plutôt</u> qu'on me <u>mit</u> <u>dans</u> la barque, j'étais anéanti <u>par</u> l'effroi, l'<u>horreur</u> <u>et</u> <u>la</u> crainte <u>de</u> l'avenir. (DEFOE, *Robinson Crusoé*)

2 Relevez tous les mots invariables de cette phrase et précisez leur nature.

Lord John s'occupa à élever la hauteur et à renforcer l'épaisseur des murailles épineuses qui étaient notre unique protection. Je me rappelle que ce jour-là j'eus constamment l'impression que nous étions épiés ; mais je ne savais ni d'où ni par quel observateur. (CONAN DOYLE)

3 Indiquez la nature des mots soulignés.

Par-dessus <u>son</u> <u>épaule</u>, je regardai <u>par</u> le trou. Oui, <u>moi</u> <u>aussi</u> je <u>le</u> voyais ! <u>Dans</u> l'ombre <u>noire</u> de l'arbre <u>à épices</u> se tenait une ombre <u>plus</u> noire <u>encore</u>, confuse, <u>incomplète</u>, une <u>forme</u> ramassée, <u>pleine</u> d'une vigueur sauvage. <u>Elle</u> n'était <u>pas</u> plus <u>haute</u> qu'un cheval, <u>mais</u> son profil <u>accusait</u> un <u>corps</u> massif, <u>puissant</u>. [...] <u>Une fois</u>, je pense, je <u>vis</u> la <u>lueur</u> meurtrière, <u>verdâtre</u>, <u>de</u> <u>ses</u> <u>yeux</u>. Il y eut un <u>bruissement</u> de feuillages, comme si l'animal <u>rampait</u> <u>lentement</u> <u>vers</u> <u>nous</u>. (CONAN DOYLE)

4 Même consigne.

<u>Aramis</u>, étincelant, <u>superbe</u>, <u>jeune</u> comme <u>à vingt ans</u>, s'élança <u>vers</u> la triple masse, <u>et</u> de <u>ses</u> <u>mains</u> <u>délicates</u>, comme des <u>mains</u> <u>de</u> femme, <u>leva</u> <u>par</u> un <u>miracle</u> de <u>vigueur</u> <u>un</u> coin de l'immense sépulcre de granit. <u>Alors</u>, <u>il</u> <u>entrevit</u> <u>dans</u> <u>les</u> <u>ténèbres</u> de <u>cette</u> fosse l'œil brillant de son ami, <u>à qui</u> la masse soulevée un <u>instant</u> venait de <u>rendre</u> la <u>respiration</u>. <u>Aussitôt</u> les deux <u>hommes</u> <u>se</u> <u>précipitèrent</u>, se cramponnèrent au <u>levier</u> de fer, réunissant leur triple <u>effort</u>, non <u>pas</u> <u>pour</u> <u>le</u> <u>souleve</u>r, <u>mais</u> pour le maintenir. <u>Tout</u> <u>fut</u> <u>inutile</u>. (DUMAS)

5 Dans le texte précédent, relevez les groupes nominaux dont chaque nom surligné est le noyau.

6 Relevez les groupes dont chaque mot surligné est le noyau et précisez leur nature.

1. L'écureuil est un joli petit animal.

2. Il eût été difficile de dire lequel des deux était le plus heureux.

3. Rêver à l'avenir donne parfois des ailes.

4. Le Petit Poucet, le plus avisé de tous ses frères, était rusé comme un renard.

5. Ils m'ont appris leurs plus habiles ruses.

6. Le plaisir le plus délicat est de faire celui d'autrui.

7. Marchez aussi vite que vous pouvez.

7 Recopiez les phrases suivantes, entourez les prépositions, soulignez les groupes prépositionnels qu'elles introduisent et reliez-les par une flèche au mot qu'ils complètent.

1. Grâce à ses riches récoltes de céréales, la Beauce a été appelée le grenier de la France.

2. Il marchait devant moi d'un pas vif et rapide.

3. Pendant tout le déjeuner, ils causèrent sous le tilleul.

4. Tout cela défile devant nous joyeusement et s'engouffre sous le portail avec un bruit d'averse. (DAUDET)

5. J'aime regarder de ma fenêtre la Seine et ses quais par ces matins d'un gris tendre qui donnent aux choses une douceur infinie. (FRANCE)

8 a. Recopiez les phrases suivantes, relevez tous les groupes de mots et entourez leur noyau.
b. Lesquels sont introduits par une préposition ?

1. Vendredi commença leur nouvelle vie par une longue période de siestes. Il passait des journées entières dans le hamac de lianes tressées qu'il avait tendues entre deux palmiers au bord de la mer. (TOURNIER).

2. Dans l'ombre noire de l'arbre à épices se tenait une ombre plus noire encore, confuse, incomplète, une forme ramassée, pleine d'une vigueur sauvage. (CONAN DOYLE)

9 Dans le texte suivant, relevez les verbes conjugués et précisez leur sujet.

Vers le nord, la baie, s'évasant, formait une côte plus arrondie, qui courait du sud-ouest au nord-est et finissait par un cap effilé. Entre ces deux points extrêmes, sur lesquels s'appuyait l'arc de la baie, la distance pouvait être de huit milles[1]. [...] Au deuxième plan, se détachait une sorte de courtine[2] granitique, taillée à pic. Sur la gauche, au contraire, au-dessus du promontoire, cette espèce de falaise irrégulière, s'égrenant[3] en éclats prismatiques[4], et faite de roches agglomérées et d'éboulis, s'abaissait par une rampe allongée qui se confondait peu à peu avec les roches de la pointe méridionale.

D'après DUMAS, *L'Île mystérieuse*.

1. Un mille marin équivaut à 1852 m.
2. courtine : mur rectiligne.
3. s'égrener : se détacher en grains.
4. prismatique : dont la forme évoque les facettes d'un cristal.

10 Dites quel mot complètent ou précisent les groupes soulignés et précisez la nature de ce mot.

1. Prenant un chemin de traverse, j'arrivai bientôt à la lisière du bois. (ALAIN-FOURNIER)

2. Il est un peu fier de me prouver son influence, et heureux aussi (c'est un brave homme) de m'aider à gagner quelques sous. (VALLÈS)

3. J'observais les plaisirs et les souffrances d'autrui comme des faits dignes d'étude, mais indignes d'envie ou de pitié. (ABOUT)

4. Croc-Blanc dressa ses oreilles et regarda avec soupçon alternativement le dieu et la viande, prêt à bondir au loin à la moindre alerte. (LONDON)

11 Recopiez les phrases suivantes, entourez les prépositions, soulignez les groupes prépositionnels qu'elles introduisent et reliez-les par une flèche au mot qu'ils complètent : quelle est la fonction de ces groupes prépositionnels ?

Cependant l'homme à la redingote jaune avait fouillé dans le gousset[1] de son gilet, sans qu'on eût remarqué ce mouvement. D'ailleurs les autres voyageurs buvaient ou jouaient aux cartes. Cosette se pelotonnait avec angoisse dans l'angle de la cheminée, tâchant de ramasser ses membres demi-nus. L'homme tendit une pièce d'argent à la Thénardier.

D'après VICTOR HUGO.

1. Gousset (n. m.) : petite poche.

12 Relevez les compléments d'objet de tous les verbes, et précisez si ce sont des COD, des COI ou des COS.

Ma sœur m'avait dit, quelques semaines plus tôt, que je pourrais avoir comme cadeau de Noël la plus belle de ses oies. Pourquoi n'emporterais-je pas une de ses oies maintenant ? Je lui ferais avaler ma pierre, et je l'emmènerais à Kilburn. Je m'emparai d'une oie bien dodue, bien jolie ; je lui ouvris le bec et je lui enfournai avec mon doigt la pierre dans le gosier. Mais ce damné animal voulut m'échapper ; le bruit attira ma sœur qui vint voir ce qui se passait. Au moment où je me tournai vers elle pour lui parler, je lâchai l'oie qui se perdit parmi ses compagnes.

CONAN DOYLE, *L'Escarboucle bleue*, trad. Bernard Tourville © Robert Laffont, 1975.

13 Donnez la fonction des groupes soulignés.

Midi finissait de sonner. La porte de l'école s'ouvrit, et les gamins se précipitèrent en se bousculant pour sortir plus vite. Mais au lieu de se disperser rapidement et de rentrer dîner, comme ils le faisaient chaque jour, ils s'arrêtèrent à quelques pas, se réunirent par groupes et se mirent à chuchoter. C'est que, ce matin-là, Simon, le fils de la Blanchotte, était venu à la classe pour la première fois.

MAUPASSANT.

14 Même consigne.

Guillou se rapprocha de la table et se mit à la besogne. La cuisine des Bordas était pareille à toutes les cuisines, avec la grande cheminée où pendait la marmite accrochée à la crémaillère, la longue table, les chaudrons de cuivre sur une étagère… Et pourtant Guillou avait pénétré dans ce monde étrange et délicieux. Etait-ce l'odeur de la pipe qui, même éteinte, ne quittait jamais la bouche de M. Bordas ?

FRANÇOIS MAURIAC, *Le Sagouin.*

15 Donnez la nature et la fonction des mots soulignés.

Ils jouèrent souvent à ce jeu. C'était toujours Vendredi qui en donnait le signal. Dès qu'il apparaissait avec son ombrelle et sa fausse barbe, Robinson comprenait qu'il avait en face de lui Robinson, et que lui-même devait jouer le rôle de Vendredi. Ils ne jouaient d'ailleurs jamais des scènes inventées, mais seulement des épisodes de leur vie passée, alors que Vendredi était un esclave apeuré et Robinson un maître sévère.

MICHEL TOURNIER, *Vendredi ou la Vie sauvage* © Gallimard.

16 Même consigne.

1. Il est aussi difficile de croire que d'exprimer la peine que me coûta chaque chose, surtout le transport des pieux depuis les bois, et leur enfoncement dans le sol ; car je les avais faits beaucoup plus gros qu'il n'était nécessaire. (DEFOE)

2. Un seul coin de la vaste pièce, celui où se dressait la table de travail, était fortement éclairé par une lampe à abat-jour ; le reste se noyait, comme une caverne, dans une ombre indistincte. (CONRAD)

17 Même consigne

Robinson se leva en soupirant et se dirigea vers la plage après avoir sifflé Tenn. Il ne comprit pas tout de suite le curieux travail auquel se livrait Vendredi. Sur un tapis de cendres brûlantes, il avait posé une grosse tortue qu'il avait fait basculer sur le dos. La tortue n'était pas morte, et elle battait furieusement l'air de ses quatre pattes.

MICHEL TOURNIER, *Vendredi ou la Vie sauvage* © Gallimard.

18 Même consigne.

Le lendemain matin, au lavabo, tandis que les cornes des serviettes, trempées dans un peu d'eau froide, frottent légèrement les pommettes frileuses, Poil de Carotte regarde méchamment Marseau, et, s'efforçant d'être bien féroce, il l'insulte de nouveau, les dents serrées sur les syllabes sifflantes. Les joues de Marseau deviennent pourpres, mais il répond sans colère, et le regard presque suppliant.

JULES RENARD.

Pour commencer

Perceval s'adresse à un chevalier qui porte une armure étincelante.
– Êtes-vous Dieu ?
– Non, par ma foi.
– Qui êtes-vous donc ?
– Je suis chevalier.

CHRÉTIEN DE TROYES, *Perceval ou le Conte du Graal.*

1. Relevez les deux phrases interrogatives. À quoi les reconnaissez-vous ?

2. À laquelle de ces deux questions peut-on répondre par oui ou par non ?

3. Quel mot introduit l'autre question ? Donnez sa classe grammaticale.

Leçon

Rappel : la phrase interrogative pose une question et se termine par un point d'interrogation.

- Lorsque la question porte sur **l'ensemble de la phrase** (en particulier sur le verbe), on dit qu'elle est **totale**. On peut y répondre par *oui* ou par *non*.
  → *Êtes-vous Dieu ? – Non, par ma foi.*

- Lorsque la question porte sur une **partie de la phrase**, on dit qu'elle est **partielle**. Elle est dans ce cas introduite par un **adverbe interrogatif** (*quand, pourquoi, combien, comment...*), un **pronom interrogatif** (*qui, que, où...*) ou un **déterminant interrogatif** (*quel, combien de...*).
  → *Qui êtes-vous donc ? – Je suis chevalier.*

- Il y a trois manières de formuler une interrogation totale, en fonction du **niveau de langue.**

– **niveau familier** : phrase déclarative suivie d'un point d'interrogation :
  → *Vous êtes Dieu ?*

– **niveau courant** : phrase interrogative commençant par *Est-ce que* :
  → *Est-ce que vous êtes Dieu ?*

– **niveau soutenu** : phrase interrogative avec inversion du sujet :
  → *Êtes-vous Dieu ?*

Remarques :

1. Le GN sujet ne peut être inversé. Il est donc repris par un pronom qui, lui, est inversé :
  → *Comment <u>Perceval</u> peut-il être aussi naïf ?*

2. Si la phrase est n**égative**, on y répond par *si* ou par *non*.
  → *N'êtes-vous pas chevalier ? – Si.*

Exercices

1 **Remplacez les astérisques par le signe de ponctuation qui convient. Quelles phrases sont interrogatives ?**

1. Que fais-tu avec ce pinceau*

2. Je ne sais pas pourquoi elle rit*

3. Quel jour sommes-nous*

4. Que ce dessin est amusant*

5. Pourquoi ne veux-tu pas lire ce livre*

6. Quelle belle fleur*

7. Ce paysage n'est-il pas magnifique*

2 Imaginez les questions auxquelles ces phrases pourraient répondre. Vous inverserez le sujet. Entourez le mot interrogatif que vous utilisez et précisez sa nature.

1. C'est Molière qui a écrit *Les Fourberies de Scapin*.

2. C'est dans la forêt que Perceval a rencontré des chevaliers.

3. C'est grâce à son amour que Lancelot a supporté sa souffrance.

4. C'est à la Renaissance que fut inventée l'imprimerie.

5. C'est en montant dans la charrette que Lancelot a retrouvé Guenièvre.

3 Complétez les phrases par *qu'est-ce que* ou *ce que*.

1. Je me demande ... ils peuvent bien regarder.

2. Gédéon voudrait bien savoir ... sa grand-mère lui a acheté pour son anniversaire.

3. Quand tes amis seront partis, ... tu vas faire ?

4. ... tu comptes faire pendant les vacances ?

5. Ursule demande à sa grande sœur ... mangent les vaches.

4 Complétez chaque phrase avec le mot interrogatif qui convient (il peut y avoir plusieurs possibilités) : *qui, que, qui est-ce qui, qui est-ce que, qu'est-ce qui, qu'est-ce que*. Précisez le niveau de langue.

1. ... tu préfères, Lancelot ou Perceval ?

2. ... tu veux manger ce soir ?

3. Je ne te comprends pas, ... veux-tu exactement ?

4. ... te ferait plaisir pour ton anniversaire ?

5. J'ai les mains prises, ... peut m'ouvrir la porte ?

6. Dis-moi, Léonard, ... comptes-tu inviter à ta fête ?

5 Indiquez si ces phrases sont des interrogations totales ou partielles. S'il s'agit d'interrogation partielle, précisez la nature du mot interrogatif utilisé.

1. Combien faut-il de sots pour faire un public ? (Chamfort)

2. Amants, heureux amants, voulez-vous voyager ? (La Fontaine)

3. Où est foy ? Où est loy ? Où est raison ? (Rabelais)

4. Veux-tu toute ta vie offenser la grammaire ? – Qui parle d'offenser grand'père ni grand'mère ? (Molière)

6 Classez dans deux colonnes les phrases interrogatives du texte, selon que ce sont des interrogations totales ou partielles. Soulignez les phrases non verbales.

– Dame, fait-il, pardonnez-moi ; si votre époux m'a attaqué, quel tort ai-je eu de me défendre ? Un homme qui veut en tuer un autre ou s'en emparer, si on le tue en se défendant, dites-moi, en est-on pour autant coupable ?

– Non point, à y bien réfléchir. [...] Mais asseyez-vous et racontez-moi comment vous êtes devenu aussi soumis.

– Dame, dit-il, cette force provient de mon cœur qui vous est attaché. C'est mon cœur qui m'a mis en cette disposition.

– Et qui a ainsi disposé le cœur, cher ami ?

– Dame, mes yeux.

– Et les yeux ?

– La grande beauté que j'ai vue en vous.

– Et la beauté, quel tort y a-t-elle eu ?

– Dame, celui de me faire aimer.

– Aimer ? Et qui ?

– Vous, dame très chère.

– Moi ?

– Oui vraiment.

– Oui ? De quelle façon ?

Chrétien De Troyes, *Yvain ou le Chevalier au Lion*, trad. Michel Rousse © Garnier Flammarion, « Étonnants classiques ».

7 Transformez ces phrases déclaratives en phrases interrogatives puis mettez-les à la forme négative.

1. Perceval aimerait devenir chevalier.

2. Je me demande si c'est Van Gogh qui a peint ce tableau.

3. Elle a préféré lire tranquillement sur la terrasse.

4. Arthur et Gudule seront ravis de vous voir.

5. Dis-moi pourquoi tu as révélé ce que tu savais.

8 ÉCRITURE Un meurtre a été commis : vous menez l'enquête. Préparez les six questions que vous allez poser à un suspect. Vous devrez utiliser six mots interrogatifs différents (pronoms, déterminants et adverbes).

9 ANALYSE Recopiez le texte suivant en sautant des lignes.

Quel plaisir, mon ami, éprouves-tu donc à vivre de privations sur le flanc de ce bois escarpé ? Ne préférerais-tu pas la ville et la société des hommes à tes forêts sauvages ?

D'après Horace, *Satires*.

a. Encadrez les verbes conjugués et soulignez leurs sujets en rouge.

b. Soulignez en bleu les compléments d'objet.

c. Indiquez la nature des groupes que vous avez soulignés.

d. Inscrivez IT sous l'interrogation totale et IP sous l'interrogation partielle.

Phrase 1. Les seigneurs ne parvinrent pas à retirer l'épée de la roche.
Phrase 2. Le jeune garçon n'avait pas encore essayé.
Phrase 3. Personne ne l'aurait cru capable d'accomplir ce miracle.

1. Relevez le verbe de la première phrase. L'action évoquée s'accomplit-elle ?
Dites le contraire de cette phrase.
2. Relevez les marques de la négation dans la phrase 2.
Où sont-elles placées ?
3. Relevez la marque de négation dans la phrase 3 : quelle particularité cette phrase présente-t-elle ?

Leçon

- Une phrase peut être à la forme affirmative ou à la forme négative.

- On dit qu'une phrase est **à la forme négative** lorsque son verbe est entouré des adverbes de négation : *ne... pas, ne... point, ne...plus, ne ... guère..., ne... jamais...*

❶ La place des adverbes de négation

- Aux **temps composés**, la négation entoure l'auxiliaire :
  → *Le jeune garçon n'avait pas encore essayé.*

- Dans la **phrase interrogative**, la négation encadre le verbe (ou l'auxiliaire à un temps composé) et le pronom :
  → *Ne parvient-il pas à la retirer ? N'est-il pas parvenu à la retirer ?*

- À l'**infinitif**, la négation se trouve **devant** le verbe :
  → *Ne pas entrer.*

Attention : *rien, personne, aucun, jamais* sont toujours accompagnés de *ne*.
  → *Jamais il ne parviendra à retirer cette épée. – Il n'y parviendra jamais.*
  Personne ne l'en aurait cru capable. – Il ne voulait voir personne.

❷ Les formes de la négation

- Certains **adverbes** se transforment à la forme négative :
  → *Il y est déjà allé : il n'y est jamais allé.*
  → *Il fait encore jour : il ne fait plus jour.*
  → *Il neige encore : il ne neige plus.*

- C'est également le cas de certains **pronoms** et **déterminants** :
  → *Tout est permis : rien n'est permis.*
  → *Tout le monde est rentré : personne n'est rentré.*
  → *Tous les élèves ont réussi : aucun élève n'a réussi.*
  → *Chaque élève a réussi : aucun élève n'a réussi.*

- La conjonction de coordination **et** devient **ni... ni... ne** :
  → *Ni les chevaliers, ni les riches hommes n'accomplirent ce miracle.*

Une particularité à noter :

La négation **ne... que** exclut tout élément à l'exception de ce qui la suit (= « rien d'autre... que ») : on dit qu'elle exprime une **restriction**.
  → *Il ne lit que des romans de chevalerie : il lit seulement des romans de chevalerie.*

Exercices

1 Relevez les adverbes de négation et précisez sur quel verbe ils portent.

1. Je n'ai pas pu trouver l'épée, mais je t'apporte celle de l'enclume. – **2.** Antor ne crut guère son fils. – **3.** Je vous supplie de ne pas me renier comme votre fils, car je ne saurais plus où aller. – **4.** Vous n'êtes point sages, seigneurs. – **5.** Ne savez-vous pas que Notre Seigneur n'a souci de richesse, ni de noblesse, ni de fierté ?

2 Parmi les phrases suivantes, relevez celles qui expriment une restriction.

1. La porte n'était pas fermée ? dit Amélie. Non ! il n'avait fait que remuer la clé dans la serrure. (CADOU) – **2.** Comment l'aurais-je fait, si je n'étais pas né ? (LA FONTAINE) – **3.** Bœuf, est-ce que tu ne veux pas apprendre à lire ? (AYMÉ) – **4.** Il n'y avait dans la cuisine qu'un vieillard et beaucoup de mouches. (GIONO) – **5.** Il n'y avait personne dans ce couloir. – **6.** Il n'y a que vous pour tenir de tels propos ! – **7.** Vous n'avez qu'une fille et moi je n'ai qu'un fils. (CORNEILLE)

3 a. Conjuguez les verbes suivants au présent et au passé composé, aux personnes indiquées :

n'être nullement satisfait(s) (je, nous) – ne pas avoir peur (tu, ils).

b. Conjuguez à l'imparfait et au plus-que-parfait :
ne plus recevoir de visite (il, vous) – ne rien vendre (ils, nous).

4 Mettez à la voix passive les phrases suivantes (le complément d'agent n'est pas toujours exprimé).

1. Les souffrances de la bataille n'ont pas épargné ce chevalier. – **2.** On ne vous présentera cette facture que dans trois mois. – **3.** La musique ne nous avait pas réveillés. – **4.** On ne lui a pas refusé l'aide qu'elle avait demandée.

5 Mettez ces phrases interrogatives à la forme négative.

1. L'élève lisait-il correctement la consigne ? – **2.** Avez-vous un alibi à présenter pour votre défense ? – **3.** Les passants ont-ils remarqué cette étrange vitrine ? – **4.** Auriez-vous souhaité partir avec eux en vacances ? – **5.** Ces amis de longue date étaient-ils désolés de se quitter si vite ?

6 Transformez ces phrases déclaratives en phrases interro-négatives.

1. Le printemps s'annonçait pluvieux. – **2.** Il avait vu dans son regard une lueur de cruauté. – **3.** Les chevaliers font preuve d'endurance lors du combat. – **4.** On lui a demandé de quitter la maison dans les plus brefs délais et sans emporter le moindre bagage. – **5.** Vous nous avez rencontrés lors de notre séjour au Maroc.

7 Remplacez les mots en gras par d'autres mots exprimant la négation :
aucun – pas de – ni...ni – nul.

1. Elle n'avait **pas de** toilettes, **pas de** bijoux, rien. (MAUPASSANT) – **2. Pas** un coin où on ne les rencontre. (DAUDET) – **3. Point** de pain quelquefois, et **jamais** de repos. (LA FONTAINE) – **4. Pas** d'étoiles dans le ciel ce soir.

8 Mettez les phrases suivantes à la forme négative.

1. Comment avait-il osé se rendre chez elle ? – **2.** Peut-être a-t-il voulu les déranger. – **3.** Sa devanture sera décorée pour les fêtes. – **4.** Relève-toi et va-t-en. – **5.** Voici les conseils de ton père : rentrer à l'heure, faire tes devoirs, ranger ta chambre et surtout te coucher de bonne heure. – **6.** Dites-leur qu'ils se trompent ! – **7.** J'aime le français et les mathématiques.

9 Dites le contraire de ces phrases.

1. Il t'a donné quelque chose. – **2.** Allez chercher du monde ! – **3.** Il y a encore de l'eau dans ce puits. – **4.** Nous partons toujours de bonne heure. – **5.** Lettres et colis parvinrent à leur destination. – **6.** Il a déjà refusé cette proposition.

10 Répondez à ces questions par des phrases négatives.

1. As-tu déjà fini ton livre ? – **2.** Ton amie est-elle déjà allée en Angleterre ? – **3.** Quelqu'un peut-il me donner l'heure ? – **4.** Y a-t-il encore du bois pour l'hiver ? – **5.** Beaucoup d'entre eux ont-ils obtenu leur examen ?

11 Complétez les phrases en choisissant l'adverbe de négation approprié : *ne... plus, ne... jamais, ne... pas encore, ne... personne, nul... ne.*

1. Cet endroit s'est gravé dans ma mémoire et je ... l'oublierai ... .
2. L'endroit était désert et nous ... rencontrâmes ... pour nous indiquer le chemin.
3. Ils voudraient partir en vacances mais ...'ont ... ... fixé le choix de leur destination.
4. ... ... peut se vanter d'être sorti vainqueur de ce combat.
5. La saison des fraises touche à sa fin ; nous ...'en mangerons ... avant le printemps prochain.

12 ÉCRITURE Décrivez une nuit sans bruit et sans lune en employant de nombreuses négations.

Pour commencer

Si l'on ne voit pas pleurer les poissons qui sont dans l'eau profonde, c'est que jamais, quand ils sont polissons, leur maman ne les gronde. La maman des poissons, elle est bien gentille.

D'après BOBY LAPOINTE.

1. Soulignez les noms et relevez le groupe nominal dont chacun est le noyau.

2. Quel groupe nominal ne comporte que deux mots ? Précisez leur nature.

3. Pour les autres, relevez les mots ou groupes qui apportent des précisions aux noms et donnez leur nature.

Leçon

• Un groupe nominal est **minimal** lorsque le nom est employé seul ou avec un déterminant. Un groupe nominal est **étendu** lorsque le nom noyau est **enrichi par des expansions** qui le précisent. Ces expansions peuvent être supprimées, la phrase garde un sens.

• **La fonction des expansions du nom dépend de leur nature.**

❶ Fonction épithète

Dans ce cas, l'expansion est un **adjectif** ou un **groupe adjectival** directement relié au nom qu'il qualifie :

→ *l'eau profonde, l'eau très profonde.*

❷ Fonction complément du nom

Dans ce cas, l'expansion peut être :

a. un groupe relié au nom par une **préposition** (groupe prépositionnel) :

• un **groupe nominal** :

→ *La maman des poissons*

• un **infinitif**, un **pronom**, un **adverbe** :

→ *la joie de vivre, la couleur de celui-là, les gens d'ici*

b. une proposition subordonnée relative (voir p. 308) :

– elle est introduite par un **pronom relatif** : *qui, que, dont, lequel, duquel, où,* etc. ;

– le nom qu'elle complète, repris par le pronom relatif, s'appelle **l'antécédent** :

→ *les poissons qui sont dans l'eau profonde* (*poissons* est l'antécédent de *qui*).

Exercices

1 **Relevez les groupes nominaux et précisez quels sont leurs noyaux.**

1. Le preux chevalier arriva au château.

2. Il avançait fièrement campé sur son magnifique cheval de parade.

3. Il s'arrêta devant la porte du château qui était grande ouverte dans l'attente de son arrivée.

4. Une belle demoiselle vêtue d'une longue robe de lin blanc parut.

5. Son visage se colora d'une légère nuance rosée à la vue du chevalier.

6. Elle avait reconnu le vaillant combattant qui l'avait secourue la veille.

2 **Complétez par la préposition qui convient.**

1. La pelle ... tarte – **2.** le chat ... la voisine – **3.** une manifestation ... la paix – **4.** une musique ... autrefois – **5.** du poil ... gratter – **6.** un gâteau ... des œufs – **7.** un gâteau ... œufs – **8.** l'envie ... partir – **9.** une sorcière ... un nez crochu – **10.** une sorcière ... nez crochu – **11.** le sac ... ma sœur – **12.** un œuf ... chocolat.

3 **Relevez les adjectifs et précisez s'ils sont épithètes ou attributs.**

1. Loïse semblait souvent triste.

2. La nuit profonde paraissait plus noire que l'encre.

3. L'enfant regardait un gros gâteau qui semblait délicieux.

4. Ses longs cheveux étaient blonds.

4 **Relevez les adjectifs ou groupes adjectivaux et indiquez leur fonction.**

C'était une de ces machines d'express d'une élégance fine et géante, avec ses grandes roues légères réunies par des bras d'acier, son poitrail large, ses reins allongés et puissants. Elle était douce, obéissante, facile au démarrage, d'une marche régulière et continue grâce à sa bonne vaporisation. Il l'aimait donc, la Lison, qui partait et s'arrêtait vite, ainsi qu'une cavale vigoureuse et docile.

ÉMILE ZOLA, *La Bête humaine*.

5 **Remplacez les groupes nominaux prépositionnels par des adjectifs.**

1. Une éclipse du soleil – **2.** un soleil d'été – **3.** un comportement d'enfant – **4.** un oiseau de nuit – **5.** une histoire du Moyen Âge – **6.** la vie à la campagne – **7.** un emploi du temps pour l'année.

6 **Remplacez les adjectifs par des propositions subordonnées relatives.**

1. Un enfant insupportable – **2.** une histoire inimaginable – **3.** des enfants bruyants – **4.** la grâce présidentielle – **5.** une musique inaudible – **6.** un film effrayant – **7.** ma ville natale – **8.** des amis inséparables – **9.** une paroi glissante – **10.** une journée mémorable.

7 **Les adjectifs n'ont pas le même sens selon qu'ils sont placés avant ou après le nom qu'ils qualifient : expliquez le sens des adjectifs en les remplaçant par une proposition subordonnée relative.**

1. Une petite fille/une fille petite – **2.** une sale bête/une bête sale – **3.** un brave homme/un homme brave – **4.** un bon médecin/un médecin bon – **5.** un triste individu/un individu triste – **6.** mes propres habits/mes habits propres.

8 **Relevez les groupes nominaux prépositionnels et précisez si leur fonction est complément du nom ou complément circonstanciel. Justifiez vos réponses.**

Pour son premier rendez-vous avec Gaston, Mademoiselle Jeanne, pour se faire belle, était allée chez le coiffeur pour dames de la rue des Martyrs. Gaston est arrivé avec sa mouette et son chat à la surprise de Jeanne. Elle l'a invité à prendre le thé dans son salon. Ils ont regardé la mouette de sa fenêtre qui donnait des coups de bec sur le crâne des passants. Gaston lui a expliqué en partant que, lorsque l'animal avait ses humeurs, il valait mieux porter un chapeau en acier.

9 **Relevez les expansions des noms en gras, en précisant leur nature et leur fonction (attention, un nom peut avoir plusieurs expansions).**

À gauche, là-bas, Rouen, la vaste **ville** aux toits bleus, sous le **peuple** pointu des clochers gothiques. Ils sont innombrables, frêles ou larges, dominés par la **flèche** de fonte de la cathédrale, et pleins de **cloches** qui sonnent dans l'**air** bleu des belles matinées, jetant jusqu'à moi leur doux et lointain **bourdonnement** de fer, leur **chant** d'airain que la brise m'apporte, tantôt plus fort et tantôt affaibli, suivant qu'elle s'éveille ou s'assoupit.

GUY DE MAUPASSANT, *Le Horla* (1887).

10 **Même exercice.**

Entre deux collines, dans une **vallée** juste au pied d'un tertre, Renart aperçoit au **bord** d'un ruisseau, à droite, un **coin** agréable et peu fréquenté, où un hêtre s'offre à sa vue. Aussi traverse-t-il l'eau pour venir au **pied** de l'arbre. Après quelques **sauts et gambades** autour du tronc, il s'allonge sur l'**herbe** fraîche, s'y roule en s'étirant. Il est descendu à la bonne **adresse** et n'aurait pas de **raison** d'en changer s'il trouvait à manger, car le séjour n'y aurait alors que des agréments.

Le Roman de Renart, trad. Paulin, 1861.

11 ÉCRITURE **Récrivez ce texte de façon à faire du vieux soldat un jeune soldat plein de vie.**

Le vieux soldat était sec et maigre. […] Le visage pâle, livide et en lame de couteau, s'il est permis d'emprunter cette expression vulgaire, semblait mort. Le cou était serré par une mauvaise cravate de soie noire. […] Les bords du chapeau qui couvrait le front du vieillard projetaient un sillon noir sur le haut du visage. Cet effet bizarre, quoique naturel, faisait ressortir, par la brusquerie du contraste, les rides blanches, les sinuosités froides, le sentiment décoloré de cette physionomie cadavéreuse.

HONORÉ DE BALZAC, *Le Colonel Chabert* (1832).

17 Les degrés de l'adjectif

Grammaire

Pour commencer

J'ai sans doute reçu du ciel un génie assez beau pour toutes les fabriques de ces gentillesses d'esprit ; et je puis dire qu'on n'a guère vu d'homme qui fût plus habile ouvrier de ressorts et d'intrigues que moi dans ce noble métier. Mais le mérite est trop maltraité aujourd'hui.

D'après Molière.

1. Relevez les adjectifs en précisant le nom qu'ils qualifient.

2. Lesquels sont modifiés par des adverbes ?
Quelles précisions apportent ces adverbes ?

3. Dans la première phrase, quelle comparaison est mise en place ?

Leçon

Grâce à certains adverbes, **les qualités exprimées par les adjectifs peuvent être nuancées** à des degrés plus ou moins forts d'intensité et de comparaison.

❶ Les **degrés d'intensité** sont généralement exprimés par des adverbes tels que *(un) peu, assez, très, trop,* etc. placés devant l'adjectif. On distingue :

- **le degré d'intensité faible :** → *Il est peu habile, ce fourbe.*
- **le degré d'intensité moyenne :** → *Ce tableau est assez beau.*
- **le degré d'intensité forte :** → *Scapin s'est montré très habile dans cette affaire.*

❷ Les **degrés de comparaison** s'expriment par les adverbes *moins, aussi* et *plus* placés avant l'adjectif, et la conjonction *que*. On appelle **complément du comparatif** le mot ou groupe introduit par *que*. On distingue :

- **le comparatif d'infériorité :** → *Silvestre est moins habile que Scapin.*
- **le comparatif d'égalité :** → *Silvestre est aussi habile que Scapin.*
- **le comparatif de supériorité :** → *Scapin est plus habile que Silvestre.*

Remarque : certains adjectifs expriment par eux-mêmes une comparaison : *meilleur* (= comparatif de supériorité de *bon*) ; *pire* (= comparatif d'infériorité de *mauvais*) ; *moindre* (= comparatif d'infériorité de *petit*).

❸ Le **superlatif** exprime le plus haut ou le plus bas degré d'une qualité par rapport à un ensemble. On distingue :

- **le superlatif d'infériorité :** l'adjectif est introduit par ***le/la/les moins*** : → *Scapin est le moins habile.*
- **le superlatif de supériorité :** l'adjectif est introduit par ***le/la/les plus*** : → *Silvestre est le plus habile.*

Remarque : le superlatif peut être suivi d'un **complément** introduit par la préposition ***de*** : → *Scapin est le plus habile de tous les valets.*

Exercices

1 Précisez si les adjectifs en italique sont employés avec un degré d'intensité, au comparatif ou au superlatif.

1. Ce gâteau est aussi **délicieux** qu'appétissant.

2. Cet exercice est plutôt **simple**.

3. Le ciel est particulièrement **bleu** ce matin.

4. Cet homme est incroyablement **beau**.

5. Elle est assez **gentille**, la maîtresse.

6. Tu as choisi la moins **belle** des fleurs.

7. Vous êtes fort **raisonnable**, mon cher.

8. Les dangers de la **moindre** course retenaient au logis les plus **intrépides** chasseurs. (BALZAC)

2 Complétez les superlatifs avec l'article qui convient.

1. Les hommes ne se séparent de rien sans regret, et même les lieux, les choses et les gens qui les rendirent ... plus malheureux, ils ne les abandonnent point sans douleur. (APOLLINAIRE)

2. Les chevaliers du roi Arthur sont de loin ... plus valeureux et ... plus courtois du royaume.

3. Ce ne sont peut-être pas les pays ... plus beaux, ni ceux où la vie est ... plus douce, qui prennent le cœur davantage, mais ceux où la terre est ... plus simple, ... plus humble, ... plus près de l'homme. (ROLLAND)

3 Relevez les comparatifs en précisant leur degré de comparaison. Recopiez leurs compléments.

1. Miraut est beaucoup plus grand et plus fort que Jacqueline. (FRANCE) – **2.** C'était une vache ni plus lourde, ni plus vive qu'une autre. (FRISON-ROCHE) – **3.** Rien de moins héroïque que ces expéditions. (DORGELÈS) – **4.** Le renard a les sens aussi bons que le loup, le sentiment plus fin, et l'organe de la voix plus souple. (BUFFON) – **5.** L'effet fut pire que tout ce qu'on semblait attendre. (ROUSSEAU)

4 Complétez les phrases de manière à exprimer le degré indiqué entre parenthèses.

1. Ce pauvre enfant étant ... fort et ... raisonnable (*superlatif d'infériorité*), était aussi ... gâté (*superlatif de supériorité*). (SAND)

2. Nous nous quittâmes enfin ... contents les uns des autres (*intensité forte*). (ROUSSEAU)

3. Dans la famille, on appelait toujours Jean « le petit », bien qu'il fût beaucoup ... grand ... Pierre (*comparatif de supériorité*). (MAUPASSANT)

4. Je crois qu'il eut ce jour-là ... grande joie, ... grande fierté de sa vie (*superlatif de supériorité*). (PAGNOL)

5. Il ne sentait pas la peur ; il était ... inquiet ... irrité (*comparatif d'infériorité*). (BERNANOS)

6. Les petits esprits sont blessés par ... petites choses (*superlatif de supériorité*). (LA ROCHEFOUCAULD)

5 Donnez la fonction des adjectifs (ou des participes passés employés comme adjectifs) soulignés, et précisez s'il y a lieu leur degré.

Les rives du lac de Bienne sont plus <u>sauvages</u> et romantiques que celles du lac de Genève, parce que les rochers et les bois y bordent l'eau de plus près ; mais elles ne sont pas moins <u>riantes</u>. S'il y a moins de culture de champs et de vignes, moins de villes et de maisons, il y a aussi plus de verdure naturelle, plus de prairies. Comme il n'y a pas sur ces heureux bords de <u>grandes</u> routes <u>commodes</u> pour les voitures, le pays est peu fréquenté par les voyageurs. Ce <u>beau</u> bassin d'une forme presque <u>ronde</u> enferme dans son milieu deux <u>petites</u> îles, l'une habitée et cultivée, d'environ une demi-lieue de tour, l'autre plus <u>petite</u>, <u>déserte</u> et en friche.

D'après ROUSSEAU, *Les Rêveries du promeneur solitaire.*

6 Analysez les adjectifs en précisant leur degré et leur fonction.

1. Je ne sais pas si c'est le meilleur chemin. Mais c'est un chemin. (ROMAINS) – **2.** Ce poète populaire était plus pauvre que les plus pauvres. (APOLLINAIRE) – **3.** Le maître de ce commerce était très grand, très maigre, et très riche. (PAGNOL) – **4.** L'air se faisait plus vif, les alentours plus âpres. (LOTI)

7 **ÉCRITURE** Comparez les deux personnages en utilisant les degrés d'intensité et de comparaison. Vous devrez exprimer au moins trois degrés différents et varier les adverbes.

Stan Laurel et Oliver Hardy, dans *Vive la liberté* (*Liberty*), film de Léo Mc Carey, 1929.

Pour commencer

a. Gargantua eut un nouveau professeur qui lui fit découvrir toutes les connaissances nécessaires à un jeune prince.

b. Gargantua écoutait les conseils que lui donnait son professeur.

c. Il avait un chapelet dont chaque grain était aussi gros qu'un bonnet.

d. Frère Jean prit un bâton sur lequel étaient peintes des fleurs de lys.

1. Recopiez ces phrases et entourez les verbes conjugués, soulignez leur sujet.

2. Transformez les phrases a et b en deux phrases simples de même sens.
   Dans la phrase transformée, quel est le COD du verbe *donner* ?
   Et dans la phrase d'origine ?

3. Quels mots *que*, *dont* et *lequel* remplacent-ils ?

Leçon

• Les **pronoms relatifs** sont : *qui, que, quoi, dont, où, lequel, laquelle, lesquels, lesquelles*.

• Comme tous les pronoms, le pronom relatif **remplace un nom** (ou un autre pronom), généralement placé juste avant, et que l'on appelle **antécédent**. Il a le genre, le nombre et la personne de cet antécédent.
   → *C'est moi* **qui** *ai raison, c'est toi* **qui** *as raison.*

• Le pronom relatif introduit une **proposition subordonnée relative**. Il a une fonction dans cette proposition.

• Le choix du pronom relatif dépend de sa fonction.
– *Qui* est toujours **sujet** du verbe de la proposition subordonnée.
   → *J'admire les fleurs [* qui *recouvrent la table].*

– *Que* est toujours COD (parfois attribut du sujet) du verbe de la proposition subordonnée.
   → *J'admire les fleurs [* que *tu m'as offertes].*

– *Dont* est toujours complément du nom ou COI d'un verbe qui se construit avec la préposition *de*.
   → *J'admire les fleurs [* dont *le parfum est si suave].*

• On utilise le pronom relatif *où* quand l'antécédent désigne un lieu ou un moment.
   → *J'aime ce jardin [* où *poussent tant de fleurs]. C'était l'année [* où *il a fait si chaud].*

• Après une préposition, on doit utiliser un pronom relatif composé : *lequel, laquelle, lesquels...*
   → *J'aime ce jardin [dans* lequel *nichent tant d'oiseaux].*

Remarque : les pronoms relatifs composés (*lequel, lesquelles...*) peuvent se contracter avec les prépositions *à* ou *de*.
   → *Le livre* **auquel** *je pense est épuisé.*

Exercices

1 Dans les phrases suivantes, relevez les pronoms relatifs et précisez leur antécédent.

1. La nuit même de mon arrivée fut marquée par le premier chant du rossignol, qui se fit entendre presque à ma fenêtre, dans un bois qui touchait la maison. (ROUSSEAU).

2. L'hôte, qui n'était pas doué d'une grande perspicacité, ne remarqua point l'expression que ses paroles avaient donnée à la physionomie de l'inconnu. Celui-ci quitta le rebord de la croisée sur lequel il était toujours resté appuyé du bout du coude, et fronça le sourcil en homme inquiet. (DUMAS)

3. Il y a notre ami le docteur Mortimer, que je crois parfaitement honnête, et il y a sa femme, dont nous ne savons rien. Il y a ce naturaliste Stapleton, et il y a sa sœur, dont on dit qu'elle est une jeune dame pleine d'attraits. Il y a M. Frankland, de Lafter Hall, qui est aussi un élément inconnu, et il y a encore deux ou trois autres voisins. Tels sont les gens que vous devez étudier spécialement. (DOYLE).

4. Penché sur [les saucisses], une longue fourchette à la main, se tenait un vieillard fripé et ridé dont les traits repoussants de vieux scélérat[1] disparaissaient sous une masse de poils et de cheveux roux emmêlés. Il était vêtu d'une robe de chambre graisseuse et semblait partager son attention entre le poêle et un séchoir où étaient étendus un grand nombre de mouchoirs de soie. (DICKENS).

1. Scélérat : qui a des intentions criminelles.

2 Recopiez et complétez les phrases suivantes de façon logique.

1. Je voudrais la chemise qui ... – **2.** J'ai revu l'homme dont ... – **3.** L'homme que ... – **4.** La ville où ... – **5.** Les élèves dont ... resteront en permanence. – **6.** La personne qui ... a toute ma confiance. – **7.** Il a déchiré la feuille sur laquelle ...

3 Même consigne que l'exercice précédent.

1. ... qui décoraient la salle étaient magnifiques. – **2.** Montrez-moi ... que vous avez faites. – **3.** ... où nous entrons est dangereuse. – **4.** Gauvain a appelé ... qui s'est levée aussitôt.

4 Complétez les phrases suivantes avec le pronom relatif qui convient.

1. Il aperçut un homme ... faisait le guet. – **2.** Les naufragés vivaient des fruits ... ils trouvaient sur l'île. – **3.** Il saisit la main ... lui tendait la jeune femme. – **4.** Voici la pièce ... vous dormirez. – **5.** Le professeur a convoqué tous les élèves ... les carnets n'étaient pas signés. – **6.** Nous approchions du village ... nous pouvions déjà apercevoir les premières maisons. – **7.** Autour de lui s'alignaient des visages menaçants, parmi ... il reconnut celui du comte.

5 a. Complétez les phrases suivantes avec *lequel, laquelle, lesquels* ou *lesquelles.*
**b. Recopiez les deux premières phrases en remplaçant *la rivière* par *le ruisseau* et *la chose* par *le problème*.

1. Voici la rivière au bord de ... je venais jouer enfant. – **2.** C'est exactement la chose à ... je pensais. – **3.** Il approcha des prisonnières, sur ... veillaient deux gardes. – **4.** Il observa le mur sur ... poussaient d'épaisses ronces. – **5.** Ce sont des idées pour ... je donnerais ma vie. – **6.** La table était couverte d'assiettes d'or dans ... fumaient les mets les plus exquis.

6 a. Donnez la fonction du mot en gras.
b. Transformez les deux phrases simples en une seule phrase complexe en remplaçant le mot souligné par le pronom relatif qui convient.
Exemple : Il remarque un homme. L'homme était assis sur le banc. → *Il remarque un homme qui était assis sur le banc.*

1. C'était la jeune fille. Il avait rencontré **la jeune fille** la veille. – **2.** Il était une fois une fée. Les cheveux de **la fée** étaient si longs qu'ils la couvraient entièrement. – **3.** Roland désigna Ganelon. **Ganelon** dut se rendre chez Marsile. – **4.** Charlemagne remit à Ganelon un gant. Ganelon laissa tomber **le gant.** – **5.** Personne ne pouvait briser Durendal. Le pommeau[1] de **Durendal** contenait des reliques sacrées. – **6.** La flèche atteignit le cheval. Arthur était monté sur **ce cheval.** – **7.** Morgane remit un flacon à Yvain. Elle avait enfermé dans **ce flacon** un puissant remède. – **8.** Yvain arriva dans un pays. **Dans ce pays** vivait une reine belle et farouche. – **9.** Yvain arriva dans un pays. Les habitants de ce pays étaient fort étranges. – **10.** L'homme est un grand artiste. Je t'ai parlé de **cet homme.**

1. Pommeau : tête arrondie de la poignée d'une épée.

7 ANALYSE Recopiez les vers suivants, encadrez les verbes conjugués, soulignez leur sujet, entourez les pronoms relatifs et mettez entre crochets les propositions subordonnées qu'ils introduisent.

C'est sous Louis treize ; et je crois voir s'étendre
Un coteau vert, que le couchant jaunit, […]
Puis une dame, à sa haute fenêtre,
Blonde aux yeux noirs, en ses habits anciens,
Que, dans une autre existence peut-être,
J'ai déjà vue… – et dont je me souviens !

Gérard de Nerval, *Odelettes.*

La proposition subordonnée relative

Pour commencer

Les vers à soie murmurent dans le mûrier ils ne mangent pas ces mûres
blanches et molles pleines d'un sucre **qui ne fait pas d'alcool**
Les vers à soie **qui sont patients et douillets**

[...] tissent un cocon rond aux deux pôles.
En le dévidant on tire un fil de soie
dont on fait pour une belle dame une robe
belle également / qu'elle porte avec allure

Quand la dame meurt on enterre la soie
avec elle et on plante, sur sa tombe en octobre,
un mûrier **où sans fin les vers à soie murmurent.**

JACQUES ROUBAUD, *Les Animaux de tout le monde* © Seghers Jeunesse.

1. Relevez le mot qui introduit chacun de ces groupes et donnez sa nature.
2. Quelle est la nature des groupes de mots en gras ? Justifiez votre réponse.
3. Quel mot de la phrase chacun de ces groupes complète-t-il ?
Déduisez-en la fonction de ce groupe.

Leçon

• **La proposition subordonnée relative** commence par un **pronom relatif** (*qui, que, quoi, dont, où, lequel...*, voir p. 306).

• Elle **complète un nom** (ou un pronom), celui qui est placé juste avant et qu'on appelle **l'antécédent**. Sa fonction est donc toujours **complément de l'antécédent**.

→ Les vers *[qui murmurent dans le mûrier]* tissent leurs cocons.
     antécédent   c. de l'antécédent

Rappel : le pronom relatif remplace un nom à l'intérieur de la proposition subordonnée relative : il a une fonction dans cette subordonnée.

Exercices

1 **Dans les phrases suivantes, relevez les pronoms relatifs, précisez leur antécédent et délimitez les propositions subordonnées relatives.**

Ainsi tu voguais, ô baleine, calme, si calme aux yeux de ceux qui te voyaient pour la première fois, sans souci de tous ceux que tu avais déjà pris à ce piège pour les tromper et les détruire.
Ainsi à travers la tranquillité de la mer tropicale dont les vagues, au comble de l'extase, taisaient leurs applaudissements, Moby Dick avançait, cachant encore l'épouvante détenue par son corps, et dissimulant la hideur de sa mâchoire torve[1]. [...] Les oiseaux blancs planèrent et plongèrent, puis s'attardèrent longuement sur le lac agité que [le monstre] avait laissé.

HERMAN MELVILLE, *Moby Dick*, trad. Henriette Guex-Rolle
© Garnier-Flammarion.

1. Torve : menaçante.

2 Transformez les expressions soulignées en propositions subordonnées relatives de même sens.

1. Ils ont pris le chemin au <u>bord de la rivière</u>. – **2.** La robe <u>offerte par ta grand-mère</u> est une merveille. – **3.** Je voudrais le livre <u>à la couverture illustrée</u>. – **4.** C'est un pays <u>plein de fruits et de fleurs</u>. – **5.** Les animaux <u>de ce zoo</u> sont particulièrement choyés. – **6.** La jeune femme <u>recherchée par la police</u> a été arrêtée hier. – **7.** Rapporte-moi la plante <u>aux feuilles toujours vertes</u>. – **8.** La fleur <u>préférée de maman</u> est la tulipe.

3 Complétez les phrases suivantes par le pronom relatif qui convient.

1. Je fais souvent ce rêve étrange et pénétrant / D'une femme inconnue, et ... j'aime, et ... m'aime. (VERLAINE)

2. Tout me ramène à la vie heureuse et douce pour ... j'étais né. (ROUSSEAU)

3. Je regrette la charmille[1] ... je me promenais, le petit bois ... chantait au moindre vent, le chemin dans les vignes au bout ... se levait la lune. (FRANCE)

4. Le silence et la nuit s'installèrent en lui, / Comme dans un caveau[2] ... la clef est perdue. (BAUDELAIRE)

5. La dame de Lespoisse avait aussi deux garçons de vingt et vingt-deux ans, fort beaux et bien faits, ... l'un était dragon[3] et l'autre mousquetaire. (FRANCE)

1. **Charmille** : bois de charmes.
2. **Caveau** : tombeau.
3. **Dragon** : soldat de cavalerie.

4 Repérez les propositions introduites par les pronoms relatifs en gras et donnez la fonction de ces pronoms.

1. Relevant un peu sa belle jupe du dimanche **qui** aurait pu s'abîmer, elle entra dans le parc, voulut voir le coin **où** je couchais, la crèche de paille avec la peau de mouton, ma grande cape accrochée au mur, ma crosse, mon fusil à pierre.

2. Encore un joli coin **que** j'avais trouvé là pour rêver et être seul.

3. Le soir, à l'heure **où** les bazars s'illuminent, il s'arrêta devant une large vitrine **dans laquelle** tout un fouillis d'étoffes et de parures reluisait aux lumières.

4. L'homme à la cervelle d'or s'en alla vivre à l'écart [...], tâchant d'oublier lui-même ces fatales richesses **auxquelles** il ne voulait plus toucher...

5. Voyez-vous tout autour cette pluie d'étoiles **qui** tombent ? Ce sont les âmes **dont** le bon Dieu ne veut pas chez lui... (DAUDET)

5 Donnez le genre, le nombre, la personne et la fonction du pronom en gras et accordez le verbe comme il convient.

1. Le garçonnet ramassait les coquillages **qui** (*joncher*, imparfait) la plage. – **2.** Je déblaie la neige **qui** (*tomber*, passé composé) toute la nuit. – **3.** Les personnes **qu'**ils (*inviter*, passé composé) sont des amis. – **4.** As-tu reçu la lettre **que** je t'(*écrire*, passé composé) ? – **5.** Aide-le, toi **qui** (*finir*, passé composé). – **6.** Ce gâteau, c'est moi **qui** l'(*faire*, passé composé). – **7.** C'est facile pour vous **qui** (*être*, présent) bilingues. – **8.** Il m'a montré les livres **qu'**il (*recevoir*, plus-que-parfait).

6 Transformez chaque couple de phrases en une seule phrase en utilisant une proposition subordonnée relative.

Exemple : Les chevaliers arrivent. Les chevaliers sont les plus courageux du royaume. → Les chevaliers qui arrivent sont les plus courageux du royaume.

1. Je ne retrouve plus le livre. Tu m'as prêté ce livre. – **2.** Il reconnut la jeune fille. Il avait vu le portrait de la jeune fille la veille. – **3.** Il a renoncé à un sport. Il n'avait aucun intérêt pour ce sport. – **4.** Mon amie n'a pas pu venir. Mon amie est malade. – **5.** La maladie n'est plus qu'un mauvais souvenir. Il a souffert de cette maladie. – **6.** Le chêne était centenaire. Les gardes ont abattu ce chêne. – **7.** Nous avons découvert un arbre. Sur cet arbre poussent des fruits fabuleux. – **8.** Mon ami vient justement aujourd'hui. Je t'ai parlé de cet ami.

7 **ANALYSE** Recopiez le texte suivant en sautant des lignes. Encadrez en rouge les verbes conjugués, soulignez leur sujet. Entourez en vert les pronoms relatifs, mettez entre crochets verts les propositions subordonnées relatives et soulignez en rouge les propositions principales.

L'herbe qui mûrit tard cette année n'est que fleurs. Le bouton d'or fait place à la véronique dont chaque fleur est bleue comme un œil bleu. (COLETTE)

8 **ÉCRITURE** Recopiez le texte suivant en insérant des propositions subordonnées relatives aux endroits mentionnés par des astérisques. Vous utiliserez les pronoms relatifs suivants :
dont – que – qui – laquelle

C'était une vaste demeure*. La façade* était d'une blancheur éclatante. Les fenêtres* donnaient sur un parc*.

20 Les propositions dans la phrase complexe

Pour commencer

Il sortit de la sorte, dans son beau sarrau[1], avec son bâton de croix, mit son froc[2] en écharpe et frappa brutalement sur les ennemis **qui vendangeaient à travers le clos** [...]. Aux uns, il écrabouillait la cervelle, à d'autres, il brisait bras et jambes, à d'autres, il démettait les vertèbres du cou [...]. Croyez bien **que c'était un horrible spectacle**.

D'après RABELAIS, *Gargantua*.

1. Sarrau : blouse en grosse toile, courte et ample.

2. Froc : habit de moine.

1. Quelle est la nature des groupes de mots en gras ? Justifiez votre réponse.

2. Quel mot de la phrase chacun de ces groupes complète-t-il ?
Déduisez-en la fonction de ce groupe.

Leçon

Rappel : la phrase **simple** ne comporte qu'une proposition avec **un seul verbe conjugué** ; la phrase **complexe** en comporte plusieurs, avec **plusieurs verbes conjugués**.

❶ La proposition subordonnée

• On appelle **proposition subordonnée** une proposition qui en **complète une autre** : elle est dépendante de celle-ci (= subordonnée). Elle est incorrecte seule.

• **Elle est introduite par un mot subordonnant** : une **conjonction de subordination** (voir p. 312) ou un **pronom relatif** (voir p. 306).

→ *[Lorsqu'il vit les ennemis dans le cloître], frère Jean entra dans une grande colère.*

→ *Frère Jean, [qui voyait les ennemis dans le cloître], entra dans une grande colère.*

❷ La proposition principale

On appelle **proposition principale** la proposition « noyau » de la phrase, **celle qui commande** la ou les subordonnées.

→ *Il saisit un bâton [qui était en bois de cormier] et [qui tenait bien dans la main].*

    Prop. principale   prop. subordonnée   prop. subordonnée

Dans une phrase complexe, il ne peut y avoir de proposition subordonnée sans proposition principale, ni de proposition principale sans proposition subordonnée.

❸ La proposition indépendante

On appelle **proposition indépendante** une proposition qui **ne dépend pas d'une autre**.

• **Dans une phrase complexe**, les propositions indépendantes peuvent être **juxtaposées** ou **coordonnées** (voir fiche 7, p. 282). Chacune pourrait exister sans les autres :

→ *Aux uns, il écrabouillait la cervelle,/à d'autres, il brisait bras et jambes,/à d'autres, il démettait les vertèbres du cou.*

• **Dans une phrase simple**, la proposition est nécessairement **indépendante**.

Exercices

1 Pour chacune des propositions subordonnées soulignées, dites :

a. quel mot subordonnant l'introduit ;

b. quelle précision elle apporte.

1. Lorsque sa fille descendait la rue [...], tous les habitants se mettaient aux fenêtres pour examiner avec curiosité la contenance de la riche héritière et son visage, où se peignaient une mélancolie et une douceur angéliques. (BALZAC)

2. Pendant qu'on se demandait tout bas quel était cet étranger, le notaire d'Andujar, qui assistait à la noce, était devenu pâle comme la mort. (MÉRIMÉE)

3. Et ils étaient fâchés avec leurs voisins parce que la mère Tuvache les agonisait d'ignominies[1], répétant sans cesse de porte en porte qu'il fallait être dénaturé pour vendre son enfant. (MAUPASSANT)

1. Les agonisait d'ignominies : les couvrait d'insultes.

2 Dans les phrases suivantes, relevez les mots subordonnants, précisez leur nature (pronom relatif ou conjonction de subordination) et délimitez la proposition qu'ils introduisent.

Danglars demeura prosterné tandis que le comte s'éloignait ; lorsqu'il releva la tête, il ne vit plus qu'une espèce d'ombre qui disparaissait dans le corridor, et devant laquelle s'inclinaient les bandits. Comme l'avait ordonné le comte, Danglars fut servi par Vampa, qui lui fit apporter le meilleur vin et les plus beaux fruits de l'Italie, et qui, l'ayant fait monter dans sa chaise de poste, l'abandonna sur la route, adossé à un arbre.

A. DUMAS, *Le Comte de Monte-Cristo.*

3 Dans les phrases suivantes, repérez les différentes propositions, identifiez la ou les propositions subordonnées, puis la principale.

1. Pendant qu'on le frictionnait, il lui était lu quelque page de la divine Écriture.

2. Ils jouaient à la balle, à la paume[2], ou à la balle à trois, exerçant galamment leurs corps comme ils avaient auparavant exercé leurs esprits.

3. On l'appelait généralement l'Arbre de saint Martin, parce qu'il provenait d'un bâton que saint Martin avait planté jadis et qui avait crû[3] ainsi.

4. Toucquedillon répondit que son but et son dessein étaient de conquérir tout le pays.

RABELAIS, *Gargantua.*

2. Paume : jeu de balle, ancêtre du tennis.
3. Croître : pousser, grandir.

4 Recopiez les phrases suivantes en sautant des lignes. Encadrez en rouge les verbes conjugués, soulignez leur sujet ; entourez en vert les mots subordonnants. Mettez entre crochets verts les propositions subordonnées et soulignez en rouge la proposition principale.

1. Tiécelin comprend que c'est le moment d'en profiter.

2. Et comme sa blessure ne s'en porte pas plus mal, il s'en va sans rien ajouter.

3. Quand Renart les entend grogner ainsi et se fâcher contre leur mère, il se dépêche de se remettre en route, museau à ras de terre, par peur d'être vu, et de reprendre la poursuite de ses affaires.

4. Pendant qu'ils s'occupaient de faire griller les anguilles, se présente Monseigneur Ysengrin qui avait erré un peu partout, depuis le matin, sans rien pouvoir attraper nulle part. (*Le Roman de Renart*)

5. Tout le pissat se déversa au gué de Vède, et l'enfla tellement au fil de l'eau que toute cette troupe des ennemis fut noyée horriblement, excepté certains qui avaient pris le chemin vers les coteaux à gauche. (RABELAIS, *Gargantua*).

5 ANALYSE Recopiez le texte suivant en sautant des lignes. Encadrez en rouge les verbes conjugués, soulignez leur sujet ; entourez en vert les mots subordonnants. Mettez entre crochets verts les propositions subordonnées, soulignez en rouge les propositions principales et en bleu les propositions indépendantes.

Tandis qu'il courait, les appels croissaient, mais plus faibles à présent, et le cor sonnait désespérément. Les cris des orques s'élevaient, féroces et aigus, et soudain les appels de cor cessèrent. Aragorn dévala la dernière pente, mais les sons s'affaiblirent avant qu'il n'eût pu atteindre le pied de la colline ; et comme il tournait sur la gauche pour courir dans leur direction, ils se retirèrent jusqu'à ce qu'enfin il ne les entendît plus du tout. Tirant sa brillante épée, il s'enfonça parmi les arbres au cri d'*Elendil ! Elendil !*

J. R. R. TOLKIEN, *Le Seigneur des anneaux*, trad. Francis Ledoux
© Christian Bourgois, 1972.

6 ÉCRITURE Recopiez le texte suivant en l'enrichissant de propositions subordonnées qui préciseront les circonstances de l'action. Vous utiliserez les conjonctions suivantes : *au moment où, jusqu'à ce que, si bien que, tandis que.*

Les flèches pleuvaient. Mais il filait comme l'éclair. Il resta caché au sommet de la tour. Alors il brandit son épée et attaqua par surprise.

Grammaire

Pour commencer

Dès que le jour parut, je lui fis comprendre qu'il fallait me suivre et que je lui donnerais des vêtements. (Daniel Defoe)

1. Quelle est la nature des expressions soulignées ? Justifiez votre réponse.
2. Relevez le mot qui introduit chacune de ces expressions et donnez sa nature.
2. Quelle est la fonction de chacun de ces groupes ?

Leçon

1 **La proposition subordonnée conjonctive** commence par une **conjonction de subordination** (*que, quand, comme, si, puisque, parce que, lorsque, afin que...*). Elle **complète généralement un verbe.**

2 La proposition subordonnée conjonctive introduite par *que* est généralement **COD** ou **COI du verbe**, parfois **sujet** ou **attribut.**

→ *Son frère lui répète [que ce projet n'est pas raisonnable].*
                    COD du verbe *répéter*

→ *[Que tu arrives régulièrement en retard] me choque.*
              Sujet du verbe *choquer*

3 Les propositions subordonnées conjonctives introduites par une autre conjonction de subordination (*puisque, parce que, afin que, etc.*) sont toujours **complément circonstanciel** du verbe.

→ *Lorsque nous sommes arrivés, l'homme dormait.* (CC de temps du verbe *dormir*)
→ *Marc est sorti parce qu'il se sentait mal.* (CC de cause du verbe *se sentir mal*)
→ *Ses parents ont fait tant de sacrifices pour qu'il réussisse !* (CC de but du verbe *faire*)

Attention : ne confondez pas les propositions subordonnées conjonctives introduites par la conjonction *que* et les propositions subordonnées relatives introduites par le pronom relatif *que.*

• La proposition subordonnée **relative** complète **un nom,** la proposition subordonnée **conjonctive** complète un **verbe.**

→ *J'aime le livre que tu m'as offert. Je voudrais que tu m'offres un livre.*

• Le pronom relatif remplace un nom, **il a une fonction dans la proposition subordonnée** qui est incomplète si on le supprime : → *Tu m'as offert.*

La conjonction de subordination *que* ne *sert* qu'à relier deux propositions ; **elle n'a pas de fonction dans la proposition subordonnée** qui reste correcte si on la supprime :

→ *Tu m'offres un livre.*

Exercices

1 **Quelle est la circonstance exprimée par chacune des propositions subordonnées conjonctives soulignées ?**

1. Pendant que je parlais ainsi, mon oncle évitait de me regarder. (Verne) – **2.** Cependant, comme je ne voulais plus penser à rien, je me couchai bien vite et je fermai les yeux de toutes mes forces, si bien que je m'endormis. (About) – **3.** Or, ce soir-là, je n'avais plus rien à espérer du dehors, puisque tous ceux que j'aimais étaient réunis dans notre maison. (Alain-Fournier) – **4.** Dès que vous aurez en votre possession les quatre tableaux de M. de Gesvres, expédiez-les par le mode convenu. (Leblanc) – **5.** La conversation se fit en langue indigène, que mon oncle entremêlait d'allemand et M. Fridriksson de latin, afin que je pusse la comprendre. (Verne) – **6.** Le campagnard, interdit[1], regardait le maire, apeuré déjà par ce soupçon qui pesait sur lui, sans qu'il comprît pourquoi. (Maupassant)

1. interdit : ébahi, stupéfait.

2 Complétez les phrases suivantes par une proposition subordonnée conjonctive exprimant la circonstance précisée entre parenthèses.

1. Il pleut. (*conséquence*) – **2.** Je suis arrivé en retard (*cause*). – **3.** Ils découvrirent un spectacle merveilleux (*temps*). – **4.** M. Alfred travaillait même le dimanche. (*but*) – **5.** Nous étions inquiets (*cause*). – **6.** Tu y arriverais. (*condition*).

3 Donnez la fonction des propositions subordonnées conjonctives soulignées.

1. Elle lui jurait qu'elle ne souffrait plus du tout. Elle songeait seulement à se relever le plus tôt possible, parce qu'il ne fallait pas se croiser les bras, maintenant. (ZOLA) – **2.** L'enfant, les paupières closes, semblait endormie. Mais, lorsque sa mère tranquillisée eut tourné le dos, elle ouvrit ses yeux tout grands, des yeux noirs qui la suivaient pendant qu'elle retournait dans la chambre. Elle ne dormait pas encore, elle ne voulait pas qu'on la fit dormir. (ZOLA) – **3.** Chacun remarqua que le roi avait l'air triste et préoccupé. (DUMAS) – **4.** Enfin on entra dans la tente, on alluma une lampe, et tandis que Planchet se tenait sur la porte pour que les quatre amis ne fussent pas surpris, d'Artagnan, d'une main tremblante, brisa le cachet et ouvrit la lettre tant attendue. (DUMAS)

4 Les propositions soulignées complètent-elles un verbe ou un nom ? Lequel ? Déduisez-en leur nature exacte (proposition subordonnée relative, ou conjonctive).

1. Tu viens, Silvestre, d'apprendre au port que mon père revient ? – **2.** Lorsque mon père apprendra les choses, je vais voir fondre sur moi un orage soudain d'impétueuses réprimandes. – **3.** À vous dire la vérité, il y a peu de choses qui me soient impossibles, quand je m'en veux mêler. – **4.** Je puis dire, sans vanité, qu'on n'a guère vu d'homme qui fût plus habile ouvrier de ressorts et d'intrigues, qui ait acquis plus de gloire que moi dans ce noble métier. – **5.** Ce sont des gens qui n'entendent point de raison. (MOLIÈRE) – **6.** Ma mère dit qu'on est obligé d'aimer son mari. (MARIVAUX)

5 Dans les phrases suivantes, relevez les propositions subordonnées en les classant selon qu'elles sont relatives ou conjonctives. Entourez le mot subordonnant qui introduit chaque proposition.

1. Ils n'avaient rien, sauf les habits qu'ils portaient au moment de la catastrophe. (VERNE) – **2.** Tom décida que désormais il pouvait se passer de Becky Thatcher. (TWAIN) – **3.** Nos jeux furent d'abord la chasse aux cigales qui suçaient en chantant la sève des amandiers. (PAGNOL) – **4.** La blanche école où je vivrai / n'aura pas de roses rouges. (CADOU) – **5.** Quand la maison fut vide, ils la quittèrent, et Ling ferma derrière lui la porte de son passé. (YOURCENAR) – **6.** Nous l'ouvrîmes alors tout grand sur nos genoux, / Et, dès le premier mot, il nous parut si doux, / Qu'oubliant de jouer, nous nous mîmes à lire. (HUGO) – **7.** Après qu'abondamment tous deux en eurent pris, / Le renard dit au bouc : « Que ferons-nous compère ? » (LA FONTAINE) – **8.** La Dame dénoua alors une de ses longues boucles et en coupa trois cheveux d'or, qu'elle mit dans la main de Gimli. (TOLKIEN)

6 ANALYSE Donnez la nature (subordonnée relative, ou conjonctive) et la fonction des propositions soulignées.

1. Elle le traitait de propre à rien, parce qu'il gagnait de l'argent sans rien faire, de sapas[2], parce qu'il mangeait et buvait comme dix hommes ordinaires, et il ne se passait point de jour sans qu'elle déclarât d'un air exaspéré : « Ça serait-il point mieux dans l'étable à cochons un quétou comme ça ? » (MAUPASSANT) – **2.** Les deux vainqueurs, quand il fut mort, regardèrent la louve qui, sans bouger, souriait dans la neige. (LONDON) – **3.** Et dans mes petits poings sanglants d'où pendaient quatre ailes dorées, je haussais vers le ciel la gloire de mon père en face du soleil couchant. (PAGNOL) – **4.** Ma seule consolation, quand je montais me coucher, était que maman viendrait m'embrasser quand je serais dans mon lit. (PROUST) – **5.** Pendant que d'Artagnan courait les rues et frappait aux portes, Aramis avait rejoint ses deux compagnons, de sorte qu'en revenant chez lui, d'Artagnan trouva la réunion au grand complet. (DUMAS) – **6.** Une odeur de gazon écrasé traîne sur la pelouse, non fauchée, épaisse, que les jeux, comme une lourde grêle, ont versé en tous sens. (COLETTE)

2. **Sapas** : paresseux, fainéant.

7 ANALYSE Recopiez le texte suivant en sautant des lignes. Entourez en rouge les verbes conjugués, soulignez leur sujet. Entourez en vert les conjonctions de subordination et en bleu les pronoms relatifs. Mettez entre crochets les propositions subordonnées et soulignez les propositions principales. Précisez la nature et la fonction des subordonnées.

Tandis même qu'il observait, son oreille fine perçut des sons dans la forêt qui s'étendait en dessous à l'ouest de la rivière. Il se raidit. Il y avait des cris et, entre autres, à son horreur, il distinguait la voix rauque d'Orques. Et puis, soudain, résonna l'appel profond et guttural d'un grand cor, dont les échos frappèrent les collines, se répercutant dans les creux et dominant de sa clameur puissante le rugissement des chutes.

J. R. R. TOLKIEN, *Le Seigneur des anneaux*, trad. Francis Ledoux © Christian Bourgois.

Le discours direct

Pour commencer

Dès qu'il fut né, Gargantua s'écria à haute voix : « Je veux à boire ! Je veux à boire ! Je veux à boire ! », comme s'il invitait tout le monde à boire, si bien qu'il fut entendu de tout le pays de Busse et de Bibarois.

D'après Rabelais, *Gargantua*.

1. Qu'a dit Gargantua à la naissance ? Qu'est-ce qui vous a permis de le repérer ?
2. Quels sont les verbes qui indiquent que quelqu'un prend la parole ?
   À quel temps sont-ils conjugués ?
3. Quel est le temps employé dans les paroles de Gargantua ?

Leçon

Dans un récit, il faut distinguer les propos du narrateur, qui raconte l'histoire, et ceux des personnages, qui sont rapportés par le narrateur.

❶ Le discours direct

- On appelle **discours direct** les paroles des personnages qui sont **rapportées telles qu'elles ont été prononcées** :
   → *Je veux à boire !*

- En général, les paroles des personnages sont introduites par un **verbe de parole** (*dire, s'exclamer, demander, s'écrier,* etc.) suivi de deux points. Pour marquer le début et la fin des paroles rapportées, on utilise les **guillemets** :
   → *Il s'écriait : « Je veux à boire ! »*

Remarque : lorsque le verbe de parole se trouve à l'intérieur du discours direct ou après lui, il est mis **entre virgules** et **le sujet est inversé** : on parle alors de **proposition incise**.
   → *« Je veux à boire, s'écriait-il ! »*

❷ Les particularités du discours direct

- Les verbes sont généralement conjugués au **présent** (et aux temps qui l'accompagnent), **même si le récit est au passé** :
   → *Grandgousier s'écria* (passé simple) *: « Mon fils a* (présent) *de la voix ! »*

- On trouve souvent des **marques orales** : interjections, ponctuation expressive, phrases non verbales :
   → *Gargamelle s'exclama : « Ouf ! quelle voix ! »*

- Le **ton** ou les **gestes** du personnage qui parle sont précisés par le **verbe de parole** (*s'exclamer, s'étonner, murmurer, supplier, interroger, reprocher,* etc.) ou par un **complément circonstanciel de manière** (voir leçon 12, p. 292) :
   → *« Je veux à boire, s'écria-t-il **brusquement** » ; « Je veux à boire, s'écria-t-il **en se levant.** » ; « Je veux à boire, s'écria-t-il **avec frénésie.** »*

Exercices

1 Relevez les phrases qui sont au discours direct et les propositions incises.

1. Le prêtre était fin et madré[1] : « Beau sire, dit l'autre, mains jointes, pour Dieu je vous donne Blérain. » Il lui a mis la corde au poing, et jure qu'elle n'est plus sienne. « Ami, tu viens d'agir en sage », répond le curé dom Constant.

2. Le vilain regarde, la voit ; il en a grande joie au cœur. « Ah ! dit-il alors, chère sœur, il est vrai que Dieu donne au double. »

JEAN BODEL, *Fabliaux*, trad. Gilbert Rouger
© Folio Gallimard, 1978.

1. Madré : rusé.

2 Relevez les phrases qui sont au discours direct et les verbes de paroles qui les introduisent. Précisez à chaque fois qui parle.

Un vilain, ayant invité le curé pour le repas, demande à sa femme de cuire deux perdrix. Trop gourmande, cette dernière les a mangées.

Le vilain ne tarda guère ; il arriva chez lui en criant : « Oh ! Dis-moi : les perdrix sont-elles cuites ?
– Sire, répondit-elle, c'est la catastrophe : les chats les ont mangées ! »
Le vilain fit un bond et se précipita sur elle comme un fou et il lui aurait arraché les yeux si elle ne s'était écriée :
« C'était pour rire ! C'était une plaisanterie ! Arrière, suppôt de Satan, je les ai couvertes pour les tenir bien au chaud.
– Il s'en est fallu de peu que je ne vous chante une sacrée messe[1], par la foi que je dois à saint Lazare ! Vite, mon bon hanap[2] de bois et ma plus belle nappe blanche ! Je vais l'étendre sous cette treille[3] dans le pré.
– Avant, n'oubliez pas de prendre votre grand couteau qui a bien besoin d'être aiguisé. Et affûtez-le un peu sur la meule[4] dans la cour. »
Le vilain quitte sa cape et, couteau en main, se précipite vers la meule.
Voici alors qu'arrive le chapelain qui venait dîner. Il vient directement vers la dame et l'embrasse doucement. Mais celle-ci se borne à lui glisser :
« Sire, sauvez-vous, sauvez-vous vite [...]. Mon mari est sorti pour aiguiser son grand couteau et il dit que s'il peut vous attraper, il vous tranchera les couilles !
– Pense à Dieu, dit le prêtre : qu'inventes-tu là ? Nous devions manger deux perdrix que ton mari a attrapées ce matin. »
Et elle lui répond :
« Je vous jure par saint Martin qu'il n'y a ici ni perdrix ni oiseau d'aucune sorte. [...] Regardez-le, là-bas, voyez-le aiguiser son grand couteau ! »

Fabliaux du Moyen Âge, trad. J.-C. Aubailly
© Hachette, col. « Bibliocollège ».

1. que je ne vous chante une sacrée messe : que je me mette en colère contre vous.
2. Hanap : grand vase à boire en métal.
3. Treille : tonnelle où grimpe la vigne.
4. Meule : pierre servant à aiguiser.

3 Remplacez le verbe *dire* par un verbe de parole plus précis choisi parmi les suivants : *insister – annoncer – chuchoter – s'étonner – demander – s'écrier.*

Choisissez le temps qui vous paraît le mieux convenir.

1. « Hourra ! Nous sommes en vacances ! » dirent les élèves tous en chœur. – **2.** Le professeur dit aux élèves : « Demain, vous aurez un contrôle. » – **3.** Il était tard, lorsqu'ils rentrèrent. Adèle dit à Hector : « Ne fais pas de bruit, tu vas réveiller les parents. » – **4.** « Mais maman, puisque je te répète que j'ai terminé mes devoirs ! » dit Félix. – **5.** « Tiens, notre voisin est absent ! Comme c'est bizarre... » dit Loïse. – **6.** « Je peux savoir pourquoi tu es en retard ? » dit le professeur.

4 Complétez ces paroles rapportées par des propositions incises qui préciseront qui parle, ainsi que le ton employé par les personnages ou leurs gestes.

1. « C'est absolument faux ! Vous déformez complètement mes paroles, ... ! »
2. « Si jamais tu me parles encore une fois sur ce ton, ..., je te promets que tu le regretteras ! »
3. « Comment veux-tu que je fasse ? Je n'y comprends rien, ... »
4. « Mais ... mais ..., je n'ai rien fait, ce n'est pas moi, ... »
5. « Hi ! Hi ! ..., ce que tu peux être drôle avec ce chapeau ! »

5 ÉCRITURE **a.** Dans le passage qui suit, repérez les phrases qui évoquent ce qui a été dit par les personnages, et récrivez le texte en utilisant le discours direct.

b. Imaginez la suite du dialogue entre Quinquibio et messire Conrad. Vous veillerez à varier les verbes de parole.

Le vénitien Quinquibio doit cuisiner une grue (un oiseau) pour messire Conrad, son maître, mais sa fiancée, gourmande, en a mangé une cuisse.

La grue fut servie avec une seule cuisse. Un des convives, qui fut le premier à s'en apercevoir, ayant montré de l'étonnement, messire Conrad fit appeler le cuisinier, et lui demanda ce qu'était devenue l'autre cuisse. Le Vénitien, naturellement menteur, répondit effrontément que les grues n'avaient qu'une jambe et une cuisse.

D'après BOCCACE, *Le Décaméron*, « Sixième journée ».

La subordonnée interrogative indirecte

Pour commencer

Phrase A : Pourquoi as-tu rangé ce journal dans le réfrigérateur ?
Phrase B : Je me demande pourquoi tu as rangé ce journal dans le réfrigérateur.

1. La phrase A est une phrase interrogative : peut-on en dire autant de la phrase B ? Pourquoi ?
2. De combien de propositions sont constituées chacune de ces phrases ?
3. Indiquez la nature de *pourquoi*.

Leçon

❶ L'interrogation indirecte comprend une **proposition principale** qui **introduit la question** (« *Je me demande* ») et une **proposition subordonnée** qui **formule la question** (« *pourquoi tu as rangé ce journal dans le réfrigérateur* »).

• L'inversion du sujet et le point d'interrogation disparaissent : la phrase est déclarative.

• La fonction de la proposition interrogative indirecte est **complément d'objet du verbe de la principale.**

Remarque : pour qu'il y ait interrogation indirecte, il faut que la subordonnée puisse être ramenée à une interrogation directe :

→ *Je me demande : « Pourquoi as-tu rangé le journal dans le réfrigérateur ? ».*

❷ La proposition subordonnée interrogative indirecte est introduite par :
• **un adverbe interrogatif :** *quand, pourquoi, comment, où, combien, si…* ;
• **un pronom interrogatif :** *qui, que, lequel…* ;
• **un déterminant interrogatif :** *quel, quelle…* .

Attention : Il ne faut pas confondre la proposition subordonnée interrogative indirecte introduite par *qui* et la proposition subordonnée relative introduite par *qui* :

→ *Je voudrais savoir* **qui** *te parle ainsi.* : la subordonnée est COD de *savoir*.
interrogative indirecte

→ *La personne* **qui** *te parle ainsi a tort.* : *qui* a pour antécédent *personne* et est sujet de *parle*.
relative

❸ Les **principaux verbes** dont dépendent les propositions subordonnées interrogatives indirectes sont : *chercher, (se) demander, dire, expliquer, ignorer, savoir, voir…*

Exercices

1 **Lesquelles de ces phrases expriment une interrogation directe et lesquelles une interrogation indirecte ?**

1. Qu'est-ce que c'est que cette voiture ? se disait-il. Qu'est-ce qui vient donc si matin ? (HUGO)
2. Je ne sais pas si un jour tu auras des dents. (AYMÉ)
3. Je cherche où est le charme attendrissant que mon cœur trouve à cette chanson. (ROUSSEAU)
4. « Qu'est-ce que tu ferais d'un tambour ? » me dit-elle. (FRANCE)
5. Te tairas-tu ? lui dit M. Picolin ; ne sommes-nous pas encore amis ? (RENARD)
6. Il crut que le capitaine lui demandait s'il n'avait pas peur de continuer la reconnaissance sans escorte. (KESSEL)

2 **Relevez les subordonnées interrogatives indirectes.**

« C'est vous, la mère ? – Oui, c'est moi », dit la femme. Le père Sylvain avait bien envie de lui poser d'autres questions. Il aurait voulu savoir pourquoi elle était si misérablement vêtue, pourquoi elle portait au bras un panier rempli de petits paquets aux enveloppes sales, qu'il devinait être des restes de nourriture ramassée n'importe où. Il aurait voulu savoir pourquoi les enfants dormaient dans la fougère et où était leur père.

MARGUERITE AUDOUX, *La Fiancée*.

3 **Indiquez la nature des mots en gras.**

1. Explique-moi **pourquoi** tu as été absent.
2. Montrez-moi sur la carte **où** se situe l'Asie.
3. J'aimerais bien savoir **quelle** excuse tu as encore inventée.
4. Demandez-lui **comment** il faut faire.
5. Dis-moi **si** tu viendras ce soir.

4 **Même consigne.**

1. Braves gens, prenez garde aux choses **que** vous dites. (HUGO)
2. Hermagoras ne sait pas **qui** est le roi de Hongrie. (LA BRUYÈRE)
3. Je ne sais plus **que** faire. (SAND)
4. Un loup survient à jeun **qui** cherchait aventure. (LA FONTAINE)
5. Je nommai la ferme **que** je venais de quitter ; mais je mentis en disant que j'allais retrouver ma mère **qui** était malade… Il revint à la fenêtre pour me demander si j'étais seule. (AUDOUX)
6. Elle se faisait expliquer **à quoi** sert d'ourler[1] les torchons et comment s'y prendre. (AYMÉ)
7. On veut savoir **qui** on aime, chez nous. (BOSCO)
8. Mais je chante pour mon vallon, en souhaitant / **Que** dans chaque vallon un coq en fasse autant. (ROSTAND)

1. Ourler : coudre un ourlet, pour maintenir le bord du tissu replié.

5 **Transformez les interrogations indirectes en interrogations directes. Attention à bien faire tous les changements nécessaires.**

Exemple : *Elle se demandait pourquoi elle avait agi de la sorte. Elle se demandait : « Pourquoi ai-je agi de la sorte ? ».*

1. Il continua de chercher dans sa tête pour qui il avait travaillé les jours derniers. (GUILLOUX)
2. Il examina les pieds de Christophe et lui demanda avec quoi étaient faits les bouts de ses souliers rapiécés. (ROLLAND)

3. Même aujourd'hui, à plusieurs années de distance, je me demande encore à quel motif j'ai obéi en agissant de la sorte. (BOSCO)
4. Elle demanda à tous ses parents, amis, voisins, domestiques, fournisseurs, s'ils connaissaient Putois. (FRANCE)
5. Gisèle se demandait pourquoi, depuis quelques jours, les journées étaient si brèves, l'été si glorieux et pourquoi le matin, en faisant sa toilette près de la croisée grande ouverte, elle ne pouvait se retenir de chanter et de sourire à tout ce qu'elle voyait. (MARTIN DU GARD)

6 **Recopiez les phrases en sautant des lignes, mettez entre crochets les subordonnées interrogatives indirectes, entourez les subordonnants qui les introduisent en précisant leur nature et reliez d'une flèche chaque subordonnée au verbe qu'elle complète.**

1. Il m'a demandé comment papa se portait. (MÉRIMÉE)
2. Il lui fallut faire un assez grand effort pour se rappeler à quoi il avait songé avant que minuit sonnât. (V. HUGO)
3. C'est le petit pion[2] qui s'est souvenu qu'il m'avait oublié et qui vient voir si j'ai été dévoré par les rats ou si c'est moi qui les ai mangés. (VALLÈS)
4. Ah ! si les chasseurs savaient, quand ils se croient seuls, combien de petits yeux fixes les guettent des buissons !… (DAUDET)
5. Ils lui donnaient bien du mal et il était souvent fort embarrassé d'eux[3]. Christophe ne savait que faire. (ROLLAND)
6. Je dirai quel voyage tu accomplis. (SAINT-EXUPÉRY)

2. Pion : surveillant.
3. Embarrassé d'eux : embarrassé par eux.

7 **ÉCRITURE** **Récrivez le texte suivant en utilisant des propositions subordonnées interrogatives indirectes. Vous veillerez à varier les verbes introducteurs.**

Où en suis-je ? Est-ce que je ne rêve pas ? Que m'a-t-on dit ? Est-il bien vrai que j'ai vu ce Javert ? Que peut-être ce Champmathieu ?… Est-ce possible ? Qu'est-ce que je faisais donc hier à pareille heure ? Qu'y a-t-il dans cet incident ? Comment se dénouera-t-il ? que faire ?… De quoi est-ce que j'ai peur ?

VICTOR HUGO, *Les Misérables*.

24 L'analyse logique

On le poursuivit sans relâche pendant une heure, et je commençais à croire qu'il serait très difficile de s'en emparer, quand cet animal fut pris d'une malencontreuse idée de vengeance dont il eut à se repentir.

JULES VERNE, *Vingt Mille Lieues sous les mers.*

1. Combien la phrase ci-dessus contient-elle de propositions ?
   Comment avez-vous procédé pour répondre ?
2. Relevez les mots subordonnants, précisez leur nature et délimitez les propositions subordonnées : quelle est la fonction de chacune d'elles ?
3. Quelle est la proposition principale de la phrase ?
4. Quelle proposition n'avez-vous pas relevée ? Donnez sa nature.

Leçon

Faire l'analyse logique d'une phrase, c'est la découper en propositions et donner la nature précise de chacune de ces propositions ainsi que la fonction de toutes les subordonnées.

Pour réussir, on respectera les étapes suivantes :

1. **On cherche les verbes conjugués** et leur sujet ;

2. On repère **les mots subordonnants** (conjonction de subordination ou pronoms relatifs) qui **marquent le début d'une proposition subordonnée ;**

3. On **sépare** et **identifie** les propositions (subordonnées, principales, indépendantes) ;

4. On précise la **nature** et la **fonction des subordonnées.**

Exercices

1 **Dans les phrases suivantes, relevez les propositions subordonnées et précisez si ce sont des relatives ou des conjonctives.**

1. Jamais je ne me couchais dans mon lit, sans qu'une femme vînt m'embrasser, et, quand le vent de décembre collait la neige contre les vitres blanchies, elle me prenait les pieds entre ses deux mains et elle restait à me les réchauffer en me chantant une chanson, dont je retrouve encore dans ma mémoire l'air, et quelques paroles. (MALOT).

2. Les rayons des lanternes tombaient dans la fosse, et faisaient jaillir d'un amas confus d'or et de bijoux des éclairs et des splendeurs qui nous éclaboussaient positivement les yeux. Je n'essaierai pas de décrire les sentiments avec lesquels je contemplais ce trésor. (POE)

3. C'est une lettre que mon lama[1] a écrite de la route de Jagadhir, disant qu'il paiera trois cents roupies par an pour que j'aille à l'école. (KIPLING)

1. Lama : maître, guide spirituel.

2 **Précisez la nature des propositions subordonnées soulignées et donnez leur fonction.**

Dans un vaste espace laissé libre entre la foule et le feu, une jeune fille dansait. Elle était brune, mais on devinait que le jour sa peau devait avoir ce beau reflet doré des Andalouses et des Romaines. Chaque fois qu'en tournoyant sa rayonnante figure passait devant vous, ses grands yeux noirs vous jetaient un éclair. Autour d'elle tous les regards étaient fixes, toutes les bouches ouvertes ; et en effet, tandis qu'elle dansait ainsi, au bourdonnement du tambour de basque que ses deux bras ronds et purs élevaient au-dessus de sa tête, mince, frêle et vive comme une guêpe, avec son corsage d'or sans pli, sa robe bariolée qui se gonflait, avec ses épaules nues, ses jambes fines que sa jupe découvrait par moments, ses cheveux noirs, ses yeux de flamme, c'était une surnaturelle créature.

D'après HUGO, *Notre-Dame de Paris*.

3 Précisez la nature des propositions subordonnées soulignées, et donnez leur fonction.

1. Quand un homme tombait, écrasé par une pierre précipitée d'en haut, deux autres s'élançaient pour prendre sa place. (TOLKIEN) – **2.** D'abord je lui fis savoir que son nom serait Vendredi ; c'était le jour où je lui avais sauvé la vie, et je l'appelai ainsi en mémoire de ce jour. (DEFOE) – **3.** Tandis que je les contemplais ainsi en réfléchissant, Hands, au cours d'une brève accalmie pendant laquelle le navire demeura immobile, se retourna à demi, puis, poussant un gémissement sourd, parvint à reprendre la position où je l'avais vu tout d'abord. Ce gémissement (qui exprimait une vive souffrance et une faiblesse extrême) ainsi que la façon dont sa mâchoire inférieure pendait me touchèrent droit au cœur. Mais la conversation que j'avais entendue dans le tonneau de pommes m'étant revenue à la mémoire, toute pitié m'abandonna. (STEVENSON)

4 **ANALYSE** Faîtes l'analyse logique des phrases suivantes.

M. Madeleine fut avec Fantine comme à l'ordinaire. Seulement il resta une heure au lieu d'une demi-heure, au grand contentement de Fantine. Il fît mille instances[1] à tout le monde pour que rien ne manquât à la malade. On remarqua qu'il y eut un moment où son visage devint très sombre. Mais cela s'expliqua quand on sut que le médecin s'était penché à son oreille et lui avait dit :
– Elle baisse beaucoup.

HUGO, *Les Misérables*.

1. **Instances** : recommandations.

5 **ANALYSE** Même exercice.

Quand il eut quinze ans, son père lui choisit une épouse et la prit très belle, car l'idée du bonheur qu'il procurait à son fils le consolait d'avoir atteint l'âge où la nuit sert à dormir.

M. YOURCENAR, *Nouvelles Orientales* © Gallimard.

6 **ANALYSE** Même exercice.

Tandis qu'il courait, les appels croissaient, mais plus faibles à présent, et le cor sonnait désespérément. Les cris des Orques s'élevaient, féroces et aigus, et soudain les appels de cor cessèrent. Aragorn dévala la dernière pente, mais les sons s'affaiblirent avant qu'il

n'eût pu atteindre le pied de la colline ; et comme il tournait sur la gauche pour courir dans leur direction, ils se retirèrent jusqu'à ce qu'enfin il ne les entendît plus du tout.

J. R. R. TOLKIEN, *Le Seigneur des anneaux*, trad. Francis Ledoux
© Christian Bourgois, 1972.

7 **ANALYSE** Même exercice.

Un autre jeu, inventé par Gesril, paraissait encore plus dangereux : lorsque la mer était haute et qu'il y avait tempête, la vague, fouettée au pied du château, du côté de la grande grève, jaillissait jusqu'aux grandes tours. À vingt pieds d'élévation au-dessus de la base d'une de ces tours, régnait un parapet en granit, étroit, glissant, incliné, par lequel on communiquait au ravelin[1] [...] : il s'agissait de saisir l'instant entre deux vagues, de franchir l'endroit périlleux avant que le flot se brisât et couvrît la tour.

CHATEAUBRIAND, *Mémoires d'Outre-tombe*.

1. **Ravelin** : petit ravin.

8 **ANALYSE** Même exercice.

Un coup de pistolet aurait suffi pour leur annoncer qu'il était arrivé un malheur ; mais cet avis ne pouvait pas leur faire comprendre que leur seule chance de salut consistait à lever l'ancre immédiatement, qu'aucun principe d'honneur ne les contraignait à rester, puisque leurs compagnons avaient disparu du rôle[1] des vivants. (EDGAR POE)

1. **Rôle** : registre d'inscription, liste de noms.

9 **ANALYSE** Même exercice.

Il était une fois un Roi et une Reine, qui étaient si fâchés de n'avoir point d'enfants, si fâchés qu'on ne saurait dire. Ils allèrent à toutes les eaux[1] du monde ; vœux, pèlerinages, menues dévotions, tout fut mis en œuvre, et rien n'y faisait. Enfin pourtant la Reine devint grosse, et accoucha d'une fille : on fit un beau Baptême ; on donna pour Marraines à la petite Princesse toutes les Fées qu'on pût trouver dans le Pays (il s'en trouva sept), afin que chacune d'elles lui faisant un don, comme c'était la coutume des Fées en ce temps-là, la princesse eût par ce moyen toutes les perfections imaginables. (PERRAULT)

1. **Aller aux eaux** : faire une cure thermale.

10 **ANALYSE** Faites l'analyse logique de cette phrase.

Mais au moment où il fuyait entre la double haie de fantômes granitiques, ces derniers, qui n'étaient plus soutenus par les chaînons correspondants, commencèrent à rouler avec fracas autour de ce Titan qui semblait précipité du ciel au milieu des rochers qu'il venait de lancer contre lui. (DUMAS)

Le soleil pèse de toute sa force. Les poings se serrent ; le pied s'avance. Les mains ramassent le blé. Les bras font la gerbe. La main prend le lien, les doigts font le nœud, l'épaule rejette la gerbe, la main prend la gerbe au lien, le bras la tire, l'épaule la relève, la main la place au gerberon.

JEAN GIONO, *L'Eau vive* © Gallimard.

Relevez les verbes. À quelles personnes sont-ils conjugués ? Pourquoi ?

• Le verbe s'accorde toujours avec son sujet. Pour écrire correctement un verbe, il faut :

– identifier son groupe ;

– chercher son sujet ;

– vérifier la personne (1re, 2e ou 3e) et le nombre (singulier ou pluriel) de ce sujet.

• Retenez les marques de personnes régulières :

– jamais de **-t** à la première personne du singulier (« je » n'aime pas le « t ») ;

– toujours un **-s** à la deuxième personne du singulier ;

– toujours **-ons** à la première personne du pluriel (sauf passé simple) ;

– toujours **-ez** à la deuxième personne du pluriel (sauf passé simple) ;

– toujours **-(e)nt** à la troisième personne du pluriel.

• Quand le sujet est un groupe nominal, le verbe s'accorde en genre et en nombre avec le nom **noyau** de ce groupe : → *Les **feuilles** de cette plante **sont** utilisées en médecine. Le **fils** de mes voisins **est** informaticien.*

• Quand ce noyau désigne un **ensemble de choses**, l'accord peut se faire au singulier avec le noyau ou au pluriel, en fonction du sens : → *Une multitude d'oiseaux **criaient** dans le ciel* ou : → *Une multitude d'oiseaux **criait** dans le ciel.*

• ***Chacun*** est suivi du **singulier** : → *Chacun apportera son pique-nique.*

• ***La plupart*** est suivi du **pluriel** : → *La plupart **sont** déjà partis.*

1 **Recopiez les phrases suivantes en mettant le verbe entre parenthèses au présent de l'indicatif.**

1. J'(*apprendre*) mes leçons. – **2.** Tu (*plier*) tes vêtements. – **3.** Elle (*s'enfuir*) en courant. – **4.** Il (*essuyer*) les verres. – **5.** Marie (*grandir*) à toute vitesse. – **6.** Les mauvaises herbes (*envahir*) le jardin. – **7.** Elle les (*accueillir*) avec le sourire. – **8.** Tu (*oublier*) tout. – **9.** Je (*se lever*). – **10.** Est-ce que tu (sortir) ce soir ?

2 **Dites à quelle personne du singulier ou du pluriel est le sujet des phrases suivantes, et accordez comme il convient les verbes entre parenthèses, au présent de l'indicatif.**

1. Pierre et Luc (*partir*) demain. – **2.** Marc et moi (*rester*) encore un peu. – **3.** Lui et nous ne (*être*) pas d'accord. – **4.** Julie et toi (*pouvoir*) sortir. – **5.** Tous deux (*venir*) à cinq heures. – **6.** Marie et toi (*avoir*) raison. – **7.** Elle et moi (*être*) déjà sur place. – **8.** Ta sœur et toi nous (*donner*) entière satisfaction.

3 **Recopiez les phrases suivantes, soulignez le sujet en rouge et complétez les verbes avec la terminaison qui convient.**

1. La fillette s'occupai... des plus jeunes, les soignai..., les berçai ..., les consolai.... – **2.** Les deux garçons, la casquette enfoncée sur les yeux, semblai... attendre quelque chose. – **3.** C'était une pièce petite et sombre où s'entassai... les objets les plus divers. – **4.** Tous ceux qu'il approchai... s'enfuyai... en courant. – **5.** Je ne savai... pas où nous conduisai... cet homme.

4 **Inversement, complétez les phrases suivantes par le pronom qui convient.**

1. Ni toi ni ... n'y pouvons rien. – **2.** Elle et ... ne s'entendent pas. – **3.** Karim et ... ferez la route ensemble. – **4.** Jeanne et ... sont tombées malades. – **5.** Lui et ... sommes toujours à l'heure. – **6.** Léa et ... sont invités.

5 **Posez la question « Qui est-ce qui... » pour trouver le sujet de chaque verbe et choisissez la forme qui convient.**

1. C'est Pierre qui *ai/est/es* arrivé le premier. – **2.** Est-ce toi qui *a/as/à* appelé ? – **3.** C'est facile pour nous qui l'*a/ont/avons* déjà fait. – **4.** Tu n'as qu'à le faire, toi qui *ai/est/es* si malin.– **5.** C'est moi qui l'*a/ai/est* fait.– **6.** Tu pourrais me le dire, à moi qui *suis/est/ai* ta sœur. – **7.** Est-ce nous qui *est/êtes/sommes* convoqués demain ? – **8.** C'est eux qui *a/on/ont* commencé.

6 **a. Recopiez le texte suivant en mettant les verbes au présent de l'indicatif.**

b. Recopiez une nouvelle fois le texte, toujours au présent, en remplaçant la deuxième personne du singulier par la troisième personne du pluriel (« Et en effet, quand ils... »).

Et, en effet, quand tu glissais, tu devais te redresser vite, afin de n'être point changé en pierre.
Le froid te pétrifiait de seconde en seconde, et, pour avoir goûté, après la chute, une minute de repos de trop, tu devais faire jouer, pour te relever, des muscles morts. Tu résistais aux tentations.

ANTOINE DE SAINT-EXUPÉRY, *Terre des Hommes* © Gallimard.

7 **a. Expliquez l'accord des formes verbales en gras.**

b. Préparez la récitation de ce poème sous forme d'autodictée.

Dans le frais clair-obscur du soir charmant qui tombe,
L'une pareille au cygne et l'autre à la colombe,
Belles, et toutes deux joyeuses, ô douceur !
Voyez, la grande sœur et la petite sœur
Sont assises au seuil du jardin, et sur elles
Un bouquet d'œillets blancs aux longues tiges frêles,
Dans une urne de marbre agité par le vent,
Se penche, et les **regarde**, immobile et vivant,
Et **frissonne** dans l'ombre, et **semble**, au bord du vase,
Un vol de papillons arrêté dans l'extase.

VICTOR HUGO, « Mes deux filles », *Les Contemplations* (1856).

8 **Lisez les phrases suivantes et faites l'accord du verbe au temps indiqué. Épelez la terminaison et justifiez-la.**

1. Les feuilles de l'arbre (*jaunir, imparfait*). – **2.** Le

retour de mes frères me (*réjouir, présent*). – **3.** Trois dents du peigne (*être, imparfait*) cassées. – **4.** Tous les élèves (*se présenter, futur*) à huit heures. – **5.** Chaque élève (*présenter, futur*) sa convocation. – **6.** Un groupe d'élèves (*traîner, imparfait*) dans la cour. – **7.** Le délégué des élèves (*siéger, présent*) au conseil de classe.

9 **Pour chacun de ces verbes au présent, mettez la marque de personne qui convient. Attention au groupe du verbe.**

1. Je rempli... – tu tri... – je dédui... – il pari... – tu oubli... – il fini... – ils associ... – on sci... – je souri... – elle pourri... .

2. Tu secou... – il recou... – je jou... – ils renou... – elle résou... .

3. Je ten... – elle détein... – je plain... – je dissou... – il mou... .

10 **Recopiez les phrases suivantes en mettant le verbe entre parenthèses au présent de l'indicatif. Attention aux marques de personne et au groupe du verbe.**

1. Elle (*atteindre*) toujours son but. – **2.** Ils (*traduire*) des poèmes. – **3.** Il (*ne pas savoir*). – **4.** Tu (*ne pas essayer*). – **5.** Le temps (*suspendre*) son vol. – **6.** Nous vous (*rejoindre*) dans un instant.. – **7.** Le soleil (*flamboyer*). – **8.** On ne (*voir*) rien. – **9.** Je ne (*pouvoir*) rien faire. – **10.** Je ne (*mentir*) jamais. – **11.** Elle (*dormir*). – **12.** Le chat (*bondir*). – **13.** L'oiseau (*replier*) ses ailes. – **14.** Le bébé (*remuer*) dans son lit. – **15.** Qu'est-ce que tu en (*conclure*) ? – **16.** On (*continuer*). – **17.** Comme je te (*comprendre*) ! – **18.** Il (*enfreindre*) la loi. – **19.** Je (*repeindre*) la cuisine. – **20.** Je (*revendre*) mes livres.

11 **Recopiez les phrases suivantes, soulignez le sujet des verbes entre parenthèses et mettez ces verbes au présent de l'indicatif.**

1. Des flèches, aussi drues que la pluie, (*siffler*) au-dessus des parapets et (*tomber*) en cliquetant et ricochant sur les pierres. – **2.** Alors enfin, (*venir*) une réponse : une tempête de flèches les (*accueillir*) en même temps qu'une grêle de pierres. – **3.** Derrière (*se presser*) des archers orques, qui (*lancer*) une grêle de traits sur les archers des murs. – **4.** Les arbres, balancés par des bras vigoureux, (*frapper*) les battants avec un grondement fracassant.

D'après J. R. R. TOLKIEN

1. Parapet (n. m.) : partie supérieure d'un rempart.

12 **ÉCRITURE** **a. Donnez l'infinitif, la personne et le nombre des formes verbales suivantes.**
b. Faites une phrase avec chacune de ces formes verbales.

Mettons – mettront – es rentré – est arrivé – avez pris – fera – reconnaîtras – finissez – ai – mangeait – suivaient – nages – devinent.

26 Les accords du participe passé

Pour commencer

Le roi a offert une épée à Roland, qui l'a appelée Durandal. – L'armée de Roland a quitté l'Espagne par les Pyrénées, mais elle est suivie de près par des ennemis acharnés.

1. Relevez un verbe conjugué avec l'auxiliaire *être*. Justifiez la terminaison du participe passé.

2. Relevez un participe passé employé sans auxiliaire. Avec quel nom s'accorde-t-il ?

3. Relevez les deux verbes conjugués de la première phrase. Quel est l'auxiliaire employé ? Quel est le sujet de ces deux verbes ? Quelle remarque pouvez-vous faire sur la terminaison des participes passés ?

Leçon

- **Pour trouver la dernière lettre d'un participe passé**, mettez-le au féminin.
  → *offrir : offert, offerte.*

- **Le participe passé employé sans auxiliaire** joue le rôle d'adjectif qualificatif : il s'accorde en genre et en nombre avec le mot qu'il qualifie.
  → *Voici des ennemis acharnés.* accord au masculin pluriel.

- **Le participe passé employé avec l'auxiliaire *être*** s'accorde en genre et en nombre avec le sujet du verbe.
  → *Ils sont arrivés en Espagne. Cette épée a été donnée par le roi.*

- **Le participe passé employé avec l'auxiliaire *avoir*** s'accorde avec le COD du verbe, si ce complément est placé avant lui. Si le COD est placé après le verbe ou s'il n'y a pas de COD, alors le participe passé reste invariable.
  → *Le roi lui a donné une épée. Roland l'a appelée Durandal.*
                          COD   COD

Exercices

1 **Écrivez au masculin et au féminin singulier les participes passés des verbes suivants.**

inventer – dire – recevoir – acquérir – permettre – extraire – peindre – connaître – finir – asseoir – ouvrir – mourir – naître – détruire.

2 **Relevez les participes passés et expliquez leur terminaison.**

1. Très déprimé par sa longue course, par la fatigue et par la faim, apeuré par les cris entendus et les cailloux reçus, Miraut n'osa plus effectuer une deuxième tentative pour arriver au pont. (PERGAUD)

2. Là, ils s'étaient cachés derrière un rocher, attendant, pour se montrer à découvert, que la nuit fût venue. (GIONO)

3. Chon avait sorti la motocyclette dans la nuit noire. Il l'avait poussée tout le long du hangar. (GIONO)

4. Mais j'étais arrivé, la veille, épuisé, à la nuit tombante. (KESSEL)

5. Le maire et sept habitants notables furent fusillés sur-le-champ, comme ayant dénoncé la présence des Allemands. (MAUPASSANT)

6. Peu à peu, le froid le pénétrant, il s'enveloppa les jambes dans une couverture qu'il avait d'abord refusée et que les gens de La Belle Étoile avaient mise de force dans la voiture. (ALAIN-FOURNIER)

3 **Écrivez au participe passé les verbes entre parenthèses et accordez-les.**

1. (*couvrir*), (*étiqueter*), (*classer*), les livres sont (*ranger*) sur les étagères.

2. Les contes de Perrault, universellement (*connaître*), ont souvent été (*imiter*).

3. Cette intrigue qui fut (*imaginer*) par Agatha Christie a (*passionner*) des générations de lecteurs.

4. Elle nous avait (*décevoir*), car elle nous avait (*mentir*).

5. Nous avions déjà (*apercevoir*) la forteresse, mais nous ne l'avions jamais (*voir*) de si près.

6. Les élèves avaient (*jouer*) une pièce que le public avait (*apprécier*).

7. La lanterne (*suspendre*) à la maison éclairait le jardin.

4 Conjuguez les verbes au temps indiqué et accordez les participes passés.

1. Nous avions là-haut une grande pièce de débarras que nous (*appeler*, plus-que-parfait) « la pièce aux vieux objets ».

2. L'histoire que tu (*entendre*, passé composé) doit rester confidentielle.

3. Une chouette passa. Dès qu'ils l'(*entrevoir*, passé antérieur), elle s'enfuit dans la nuit.

4. Après que la barque (*s'éloigner*, futur antérieur), nous pourrons sortir de notre cachette.

5. Les sentiers qu'il (*nettoyer*, plus-que-parfait) étaient de nouveau envahis par les ronces.

6. Les chevaliers (*suivre*, passé composé) un sentier qui les (*égarer*, passé composé).

7. On vous enverra des nouvelles de votre cousine, dès qu'elle (*arriver*, futur antérieur).

8. Est-ce que vos parents vous (*gronder*, passé composé), petites ?

5 Mettez ces phrases au passé composé.

1. Quand je la vis, elle me sembla trop jeune.

2. Je la vois souvent lire ces lettres qu'un jeune garçon lui envoie.

3. Il répéta piteusement cette leçon que nous entendions pour la troisième fois.

4. Le professeur leur demanda de s'asseoir et fit un signe pour obtenir le silence.

5. Elles allèrent passer la journée sur une plage qu'elles trouvèrent délicieuse.

6 Choisissez la forme de l'infinitif en -*er* ou celle du participe passé en -*é*. Accordez si nécessaire.

1. Elle était partag... entre la joie de touch... au but et la honte de s'être montr... si naïve.

2. Elle désirait être admir... de tous.

3. Sa vie me paraît être trop mystérieuse pour ne pas valoir la peine d'être étudi... . (Balzac)

4. Cette fois encore, embarrass... par la situation, il fut incapable de répliqu... .

5. Entrer dans le labyrinthe est facile. Rien de plus compliqu... que d'en sortir.

6. Je voulais contempl... ces tableaux dont il m'avait tant parl... .

7. Fatigu... de travailler, le serveur est mont... chang... de tenue.

8. Nous aimions écout... ces histoires que le vieil homme avait collect... dans les différents villages.

7 Recopiez ces phrases en accordant convenablement les participes passés et en faisant une croix sous le mot avec lequel ils s'accordent.

1. Ils continuent, (*obsédé*) par les réminiscences de la journée fatale. (Frison-Roche)

2. (*Brûlé*) au feu, (*trempé*) de neige (*fondu*) ou d'eau (*renversé*), ma mère trouvait le moyen d'avoir déjà vécu avant que les plus matinaux n'aient ouvert leurs persiennes. (Colette)

3. Nous ne répliquons rien, (*intrigué*). (Renard)

4. C'est une côte basse, (*brûlé*) par le soleil et (*battu*) en toutes saisons par les vents. (Peisson)

5. Sa rêverie évoluait, (*hanté*) d'ennemis sans nombre. (Genevoix)

6. (*Accoudé*) à la rampe du balcon, elle regardait devant elle.

7. Malgré les mauvais temps (*fini*), et la fortune si chèrement (*gagné*), tous deux, l'homme et la femme, étaient les premiers (*levé*) à la ferme.

8 Récrivez cette phrase en remplaçant Roland par « les Français » puis par « l'armée ».

Alerté par le bruit des chevaux et mis en garde par un messager, Roland, convaincu qu'il fallait livrer bataille, a refusé de sonner du cor.

10 Accordez convenablement les participes passés de ce texte.

À côté de cette cité était un étang grand comme une mer, dans lequel s'était cach... une bête monstrueuse, qui souvent avait effray... les plus courageux venu... avec des armes pour la tuer. Les habitants se virent forcé... de lui donner tous les jours deux brebis, afin d'apaiser sa fureur. Or, les brebis étant venu... à manquer et ne pouvant être fourni... en quantité suffisante, on décida dans un conseil qu'on donnerait une brebis et qu'on y ajouterait un homme. Tous les garçons et les filles étaient désign... par le sort, et il n'y avait d'exception pour personne. Le sort vint à tomber sur la fille unique du roi, qui fut par conséquent destin... au monstre. Alors elle se jeta aux pieds de son père pour lui demander sa bénédiction, et le père l'ayant bén... en pleurant, elle se dirigea vers le lac.

D'après Jacques de Voragine,
La Légende dorée, xiiie siècle, trad. Abbé Roze (1902).

27 L'accord de l'adjectif qualificatif

Pour commencer

Le mur et le plafond étaient parfaitement **noirs** de crasse et de vieillesse. Il y avait une table de bois **blanc** et, dessus, une chandelle plantée dans une bouteille. Dans une poêle posée sur le feu, des saucisses cuisaient. Penché sur elles, une **longue** fourchette à la main, se tenait un vieillard **fripé** et **ridé** dont les traits **repoussants** de **vieux** scélérat disparaissaient sous une masse de poils et de cheveux **roux**.

D'après CHARLES DICKENS.

1. Relevez les noms qualifiés par les adjectifs en gras et précisez leur genre et leur nombre.

2. Donnez le féminin de *noirs*, *blanc* et *ridé*.

3. Quel est le pluriel de *vieux* ? Le singulier de *roux* ?

Leçon

L'adjectif qualificatif s'accorde en genre et en nombre avec le nom ou le pronom qu'il qualifie.

❶ Les marques de genre et de nombre

• La marque du féminin est le « e » et celle du pluriel est le « s », mais il existe des particularités.

• **Au masculin,** certains adjectifs ont deux formes :
– l'une devant une consonne : → *un homme beau* ; *un amour fou* ;
– l'autre devant une voyelle ou un *h* muet : → *un bel homme* ; *un fol amour.*

• **Au féminin :**
– certains adjectifs changent la consonne finale au féminin (*f* → *ve* ; etc.) :
→ *naïf* → *naïve* ; *heureux* → *heureuse* ; *doux* → *douce* ; *blanc* → *blanche.*
– Attention au féminin de certains adjectifs :
→ *dévastateur* → *dévastatrice* ; *vengeur* → *vengeresse* ; *prometteur* → *prometteuse.*

• Les adjectifs en **-on, -en, -el, -et** ou **-eil** au masculin doublent la consonne au féminin : → *bon* → *bonne* ; *ancien* → *ancienne* ; *éternel* → *éternelle* ; *coquet* → *coquette* ; *pareil* → *pareille.*

• **Au pluriel :**
– Les adjectifs en **-s** ou **-x** au masculin ne changent pas au pluriel :
→ *un œuf frais* ; *des œufs frais.*
– Les adjectifs en **-al** au masculin font leur pluriel en **-aux** (sauf *bancal*, *naval*, *natal*, *fatal*, *glacial*) : → *amical* → *amicaux.*

❷ L'accord avec plusieurs noms

• Si l'adjectif qualifie **plusieurs noms**, même s'ils sont au singulier, il se met au **pluriel** :
→ *Le mur et le plafond étaient noirs.*

• **Le masculin l'emporte toujours sur le féminin**, même s'il n'y a qu'un seul nom masculin pour plusieurs féminins : → *une table, une nappe et un pot blancs.*

❸ Les adjectifs de couleur

En règle générale, les adjectifs de couleur s'accordent avec le nom. Mais sont invariables :
– la plupart des **noms** utilisés comme adjectifs : → *des volets orange* ;
– les adjectifs **composés de deux mots** : → *une feuille vert clair* ; *des pétales jaune d'or.*

Exercices

1 **Relevez les adjectifs et précisez le nom ou le pronom auquel ils se rapportent.**

C'est une grande maison basse qui s'enfonce à demi dans un creux de la lande, avec un toit penchant qui rejoint le sol et un seul arbre qui se répand sur le toit. Alentour, aussi loin que peut porter la vue, tout est désert, tout n'est qu'une onde d'herbe rase ou que douce épaisseur de bruyère feutrée.

JULES ROMAINS, *Cromedeyre-le-Vieil* © Gallimard.

2 **Accordez les adjectifs entre parenthèses.**

1. Une mer (*agité*), (*furieux*) – **2.** la marée (*bas*) ou (*montant*) – **3.** une falaise (*abrupt*), (*haut*), (*escarpé*) – **4.** une tempête (*violent*), (*impétueux*) – **5.** une plage (*doré*), (*brûlant*) – **6.** la figure (*hâlé*), (*bronzé*), (*tanné*).

3 **Même exercice.**

1. Une mer (*démonté*) et (*houleux*) – **2.** une cachette (*sûr*) et (*hospitalier*) – **3.** une tornade (*bref*) mais (*dévastateur*) – **4.** une parole (*mensonger*) et (*trompeur*) – **5.** une cliente (*grincheux*) et (*agressif*) – **6.** une chèvre (*craintif*) et (*capricieux*).

4 **Mettez les expressions suivantes au pluriel.**

1. Un bel affichage mural – **2.** un homme loyal – **3.** un sourire amical et bienveillant – **4.** un vêtement original – **5.** un adjectif verbal – **6.** un tabouret bancal – **7.** un soleil matinal – **8.** un beau foulard orange – **9.** un client grincheux et difficile.

5 **Même exercice.**

1. Un hiver glacial – **2.** un combat long et acharné – **3.** un cheval sain et vigoureux – **4.** une parole amicale et bienveillante – **5.** un homme intéressant et irréprochable.

6 **Recopiez les expressions suivantes en accordant les adjectifs entre parenthèses.**

1. Une animation et une bousculade (*inhabituel*) – **2.** une place et un jardin (*public*) – **3.** une place et une fontaine (*public*) – **4.** une boutique et un étalage (*nouveau*) – **5.** une chambre et une cuisine (*exigu*) – **6.** une chambre et un salon (*exigu*).

7 **Accordez correctement les adjectifs de couleur.**

1. Blanc : un ballon ..., une balle ..., des ballons ..., des balles ...

2. Vert : une feuille ..., des feuilles ..., un feuillage ..., des feuillages ...

3. Rose : un myosotis ..., une primevère ..., des myosotis ..., des primevères ...

4. Cerise : un pantalon ..., des jupes ..., une jupe ..., des pantalons ...

5. Mauve : un collier ..., une bague ..., des bagues ..., des colliers ...

6. Rouge : un stylo ..., des stylos ..., une trousse ..., des trousses ... .

8 **Même exercice.**

1. Des cheveux (*châtain clair, blond, brun, noir, blanc*) – **2.** des assiettes (*olive, citron, jaune*) – **3.** des rideaux (*orange, écarlate, bleu marine*) – **4.** des reflets (*nacré, argent*) – **5.** un sac et une ceinture (*rouge*) – **6.** des teintes (*ivoire, gris perle, pâle*) – **7.** des gants (*crème, beurre*) – **8.** une robe et une jupe (*vert amande, violet, marron*) – **9.** des tricots (*tabac, bleu clair, paille*) – **10.** des voitures (*bleu nuit, jaune, rouge sombre*).

9 **Recopiez les phrases en accordant les adjectifs entre parenthèses.**

1. Nous étions installés au fond de la boutique (*rouge*) et (*chaud*), brusquement traversée par de (*glacial*) coups de vents. (ALAIN-FOURNIER)

2. [L'épave] gisait sur le flanc, (*crevé*), (*brisé*), montrant comme les côtes d'une bête, ses os (*rompu*), ses os de bois (*goudronné*), (*percé*) de clous (*énorme*). (MAUPASSANT)

3. La (*vieux*) horloge (*peint*) et (*fleuri*) trônait comme une idole (*hindou*).

4. Figurez-vous un (*petit*) vieillard (*vêtu*) d'une robe de velours (*noir*) (*serré*) autour des reins par un (*gros*) cordon de soie. (BALZAC)

5. Des pluies (*diluvien*[1]) et (*bref*) s'abattirent sur la ville, une pluie (*orageux*) suivait ces (*brusque*) ondées. (CAMUS)

6. Je relis une fois de plus *Cinna* avec un ravissement et une admiration (*extrême*). (GIDE)

7. Il cherchait les lumières des villages (*pareil*) à celles des vers luisants. (SAINT-EXUPÉRY)

1. **Diluvien** : qui a rapport au déluge.

10 ANALYSE **Relevez les adjectifs ou groupes adjectivaux et donnez leur fonction.**

C'était un beau jardin potager entretenu avec un soin minutieux. Les arbres fruitiers disposés en éventail ouvraient leurs longs bras chargés de pommes vermeilles ou de poires juteuses. Les berceaux de vignes étaient arrondis coquettement en arceaux et portaient d'énormes grappes de raisin succulent.

D'après GEORGE SAND.

11 ÉCRITURE **Décrivez un lieu que vous aimez. Votre texte devra comporter au moins dix adjectifs.**

Homophones liés au verbe *être*

Orthographe

Leçon

- Les homophones grammaticaux sont des mots qui ont la **même prononciation** mais dont **la nature et l'orthographe sont différentes**.

- Pour les reconnaître et les orthographier correctement, il suffit de les remplacer mentalement par **un mot de même nature** ou de les **conjuguer à un autre temps** lorsqu'il s'agit d'un verbe.

❶ *Sont, son*

- *Sont* est la **3ᵉ personne du pluriel** du présent de l'indicatif du verbe *être*.
Pour le reconnaître, mettez-le à l'imparfait :
→ *Il y en a qui ont le cœur si vaste qu'ils **sont** (étaient) toujours en voyage.* (J. BREL)

- *Son* est un **déterminant possessif** : il se place **devant un nom**.
Pour le reconnaître, remplacez-le par le déterminant possessif *mon* :
→ *Si vous êtes digne de **son** (mon) affection, un chat deviendra votre ami mais jamais votre esclave.* (GAUTIER)

❷ *Es, est, et, ai*

- *Es* et *est* sont les **2ᵉ et 3ᵉ personnes du singulier** du présent de l'indicatif du verbe *être*.
Pour les reconnaître, mettez-les à l'imparfait :
→ *Il **est** (= était) l'heure des étoiles, du sommeil et des rêves.*

- *Et* est une **conjonction de coordination**.
Pour la reconnaître, remplacez-la par *et puis* :
→ *Je cherche le silence **et** (et puis) la nuit pour pleurer.* (CORNEILLE)

- *Ai* est la **1ʳᵉ personne du singulier** du verbe *avoir* au présent de l'indicatif.
Pour le reconnaître, mettez-le à l'imparfait :
→ *J'**ai** (avais) une mémoire admirable, j'oublie tout.* (ALLAIS)

Exercices

❶ Complétez ces phrases par *son* ou *sont*.

1. Les gens qui ne rient jamais ne ... pas des gens sérieux. (ALLAIS)
2. Qui chérit ... erreur ne la veut pas connaître. (CORNEILLE)
3. J'observais de ma fenêtre ... visage barbouillé. (FRANCE)
4. Les visages souvent ... de doux imposteurs. (CORNEILLE)

❷ Complétez ces phrases par *es, est, et* ou *ai*.

1. Il ... doux de recevoir, il ... passionnant de prendre. Il faut tour à tour séduire ... forcer l'univers. (DUHAMEL)
2. Le sel de l'existence ... toujours dans le poivre qu'on y met. (ALLAIS)

3. Un mari ... un emplâtre[1] qui guérit tous les maux des filles. (MOLIÈRE)
4. On fait l'éloge d'un homme en disant qu'il ... humain ... d'une femme en disant qu'elle ... inhumaine. (HUGO)

1. Emplâtre : préparation qui sert de pansement.

❸ Complétez ces phrases avec *sont, son, es, est, et* ou *ai* en faisant les vérifications nécessaires.

1. Raphaël ... Terry ... allés jouer au rugby. – **2.** Terry portait ... maillot neuf. – **3.** Ils se ... bien échauffés ... ont commencé à jouer. – **4.** Malheureusement, Raphaël ... tombé sur Terry ... lui a déchiré ... maillot. – **5.** Pour le consoler, je lui ... promis de le raccommoder. – **6.** Ils ... tous deux rentrés chez eux très contents. – **7.** ... moi, j'... tenu ma promesse.

Leçon

① *As, a, à*

• *As* et *a* sont les **2ᵉ et 3ᵉ personnes du singulier** du verbe *avoir* au présent, alors que *à* est une **préposition**.

• Pour reconnaître le verbe *avoir*, conjuguez-le à l'imparfait en remplaçant *as* ou *a* par *avais* ou *avait* : → *Le peuple **a** (= avait) le droit **à** (avait) la liberté.* (HUGO)

② *Ont, on*

Ont est la **3ᵉ personne du pluriel** du verbe *avoir* au présent, alors qu'*on* est un **pronom personnel** indéfini.

• Pour reconnaître *on*, remplacez-le par *il* : → *Plus **on** (= il) juge, moins **on** (= il) aime.* (BALZAC)

• Pour reconnaître *ont*, remplacez-le par *avaient* : → *Les hommes **ont** (= avaient) de nombreux talents qu'ils ignorent.*

③ *Mon, m'ont ; ton, t'ont*

• *M'ont* et *t'ont* sont les **pronoms personnels** *me* et *te* **élidés** devant le verbe *avoir* conjugué au présent de l'indicatif.

Pour les reconnaître, mettez-les à l'imparfait : → *Ils **m'ont** (m'avaient) dit la vérité.*

• *Mon* et *ton* sont des **déterminants possessifs** : ils se placent **devant un nom** (parfois un adjectif).

Pour les reconnaître, remplacez-les par le déterminant possessif *son* : → *Je marche vivant dans **mon** (son) rêve étoilé !* (V. HUGO)

④ *Ma, m'as, m'a ; ta, t'a*

• *M'as*, *m'a*, *t'a* sont les **pronoms personnels** *me* et *te* **élidés** suivis du verbe *avoir* au présent de l'indicatif (2ᵉ et 3ᵉ personnes du singulier).

• *Ma* et *ta* sont des **déterminants possessifs** : ils se placent **devant un nom** (parfois un adjectif).

Pour reconnaître *ma* et *ta*, remplacez-les par le déterminant possessif *sa* : → *Et **ma** (sa) vie pour tes yeux lentement s'empoisonne.* (APOLLINAIRE)

⑤ *La , l'as, l'a, là*

• *L'as* et *l'a* sont les **pronoms personnels** *le* et *la* **élidés** devant le verbe *avoir* au présent de l'indicatif (2ᵉ et 3ᵉ personnes du singulier).

Pour les reconnaître, mettez-les à l'imparfait : → *La mémoire, tu **l'as** (l'avais) perdue.*

• Si *la* précède un nom, c'est un **article défini**. S'il précède un verbe, c'est un **pronom personnel**.

Pour reconnaître l'article, remplacez *la* par l'article indéfini *une* : → *La (une) vie est comme on **la** (pronom personnel) fait.* (ALLAIS)

• *Là* est un **adverbe** de lieu.

Pour le reconnaître, remplacez-le par *-ci* ou *ici* : → *Ces perles-**là** (-ci) me plaisent. Ton livre est **là** (ici).*

Exercices

1 Complétez ces phrases avec *as*, *a* ou *à*.

1. Il y ... des gens qui sont passés mille fois ... côté d'une plante sans songer ... lui prendre une feuille pour la froisser entre leurs doigts. (DUHAMEL) – **2.** Tu n'... pas ouï[1] parler de ce qui s'est passé dans mon absence ? (MOLIÈRE) – **3.** Les fruits sont ... tous, et la terre n'est ... personne. (ROUSSEAU) – **4.** Je le vis, je rougis, je pâlis ... sa vue. (RACINE) – **5.** Au ciel, aux vents, aux rocs, ... la nuit, ... la brume, / Le sinistre océan jette son noir sanglot. (HUGO) – **6.** Que voulez-vous ? Il ... été poussé par sa destinée. (MOLIÈRE)

1. Ouïr : entendre.

2 Complétez ces phrases avec *ont* ou *on*.

1. ... ne sent point qu'... est menteur quand ... a l'habitude de l'être. (MARIVAUX) – **2.** Ces deux jumelles ... les mêmes vêtements : ... les confond toujours. – **3.** Les voyageurs d'omnibus[1] ... bien des défauts, mais ... ne saurait leur refuser un vif sentiment de solidarité et un dévouement aveugle pour leurs compagnons de voiture. (ALLAIS) – **4.** ... t'a raconté la soirée d'hier ? Le spectacle était magnifique : les spectateurs ... applaudi jusqu'à avoir mal aux mains. – **5.** À les voir, ... pourrait croire qu'ils ... rencontré le diable.

1. Omnibus : train qui dessert toutes les gares.

3 Complétez ces phrases avec *ont*, *on*, *as*, *a* ou *à* en faisant les vérifications nécessaires.

1. « Pénélope, où donc ...-tu rangé les manuels ? – **2.** Je les ai mis ... l'abri parce que Baptiste ... encore voulu les cacher. » – **3.** Ah ! les enfants ! ils ... toujours tendance ... faire des bêtises. – **4.** ... ne sait pas vraiment pourquoi, sans doute ...-ils besoin de s'amuser. – **5.** ... ne peut pas leur en vouloir. – **6.** Qui n'... pas fait pareil ... cet âge ?

4 Récrivez les phrases en conjuguant les verbes au passé composé.

1. Ils m'avaient souhaité la bienvenue mais ils t'avaient mis dehors. – **2.** Pour mon premier jour d'école, mon père m'avait acheté un cartable tout neuf. – **3.** T'avaient-ils renseigné sur cette énigme ? – **4.** Ils m'auront aperçu à temps. – **5.** Ta sœur n'est toujours pas arrivée : elle t'aura sans doute oublié. – **6.** Par ce temps-là, n'auraient-ils pas mieux fait d'aller au cinéma ?

5 Complétez ces phrases avec *mon*, *m'ont*, *ton* ou *t'ont*.

1. Vous êtes ... lion superbe et généreux ! (HUGO) – **2.** Le cuisinier et sa femme ... l'air de braves gens. (LABICHE) –

3. Quand j'ai demandé ... chemin aux passants, ils ... tous répondu qu'il fallait tourner à gauche. – **4.** Les gendarmes ...-ils rendu ... permis de conduire ? – **5.** Mes amis ... offert un très beau livre pour ... anniversaire.

6 Complétez ces phrases avec *ma*, *m'as*, *m'a*, *ta* ou *t'a*.

1. ... famille ...-t-elle rendu visite lors de ton séjour en Bretagne ? – **2.** Elle est à toi cette chanson / Toi, l'Auvergnat qui sans façon / ... donné quatre bouts de bois / Quand dans ... vie il faisait froid. (BRASSENS) – **3.** Tu ne ... pas lu la lettre que ton cousin ... envoyée. – **4.** Pendant ton absence, ... sœur ... téléphoné : elle ... chargé de te prévenir que vos parents étaient de retour. – **5.** Le médecin ne ...-t-il pas dit que tu devrais faire attention a ... santé ?

7 Recopiez les phrases suivantes en mettant le verbe au passé composé.

1. Jean le ramènera à la maison. – **2.** Attention ! Tu me marches sur le pied. – **3.** Les enfants te parlent de leurs projets. – **4.** Louis me rend ma scie. – **5.** Est-ce que tu le trouves ? – **6.** Ces nouvelles m'étonnent beaucoup. – **7.** Mon cadeau te fait-il plaisir ?

8 Complétez ces phrases avec *mon*, *m'ont*, *ton* ou *t'ont*, *ma*, *m'as*, *m'a*, *ta*, *t'as* ou *t'a*. Il peut y avoir plusieurs solutions.

1. ... belle amie est morte : / Je pleurerai toujours ; / Sous la tombe elle emporte / ... âme et mes amours. (GAUTIER) – **2.** Tu ... parlé de ... cousine ; ...-t-elle dit qu'elle viendrait pour ... anniversaire ? – **3.** Les professeurs ... félicité pour ... travail, mais ... conseillé d'améliorer ... moyenne en histoire. – **4.** Pour mon anniversaire, mes sœurs ... apporté un livre, ... mère un vase, mais ... mari, lui, ne ... rien offert.

9 Complétez ces phrases avec *la*, *l'as*, *l'a* ou *là*.

1. Madame, sous vos pieds, dans l'ombre, un homme est ... / Qui vous aime, perdu dans ... nuit qui le voile. (HUGO) – **2.** Le feu qui semble éteint souvent dort sous ... cendre. (CORNEILLE) – **3.** Voici un livre passionnant : ...-tu déjà lu ? – **4.** Ce tableau-... est magnifique, j'en ai ... reproduction. – **5.** Ah ! frappe-toi le cœur, c'est ... qu'est le génie ! (MUSSET) – **6.** ... vie à la campagne peut être rude ; toi, tu ... méprises, mais ...-tu vraiment connue ?

10 Complétez ces phrases avec *a*, *as*, *à*, *ma*, *m'a*, *m'as*, *ta*, *t'a*, *la*, *l'a*, *l'as* ou *là* en faisant les vérifications nécessaires.

1. ... meilleure façon pour apprendre ... peindre est de prendre des leçons. – **2.** L'année dernière, une artiste ... enseigné les bases. – **3.** Elle me disait : « Tu dois améliorer ... manière de traiter la lumière. » – **4.** ... mon avis, elle me ... dit plus de cent fois. – **5.** Si tu en ... envie, va ... voir de ... part. – **6.** Elle sera ... pour t'aider ... surmonter tes difficultés.

11 **Recopiez ces phrases de Victor Hugo en choisissant le bon homophone. Précisez sa nature.**

1. Quand je suis triste, je pense (a/as/à) vous, comme l'hiver (ont/on) pense au soleil, et quand je suis gai, je pense (a/as/à) vous, comme en plein soleil (ont/on) pense (a/as/à) l'ombre.

2. J'ai des rêves de guerre en (mon/m'ont) âme inquiète ; / J'aurais été soldat, si je n'étais poète.

3. (ont/on) peut s'enivrer de (sont/son) âme. Cette ivrognerie-(la/l'as/l'a/là) s'appelle l'héroïsme.

4. (Ont/On) arrive (a/as/à) haïr ce qu'(ont/on) aimait naguère.

5. Sire, je ne viens pas redemander (ma/m'a/m'as) fille ; / Quand (ont/on) n'(a/as/à) plus d'honneur, (ont/on) n'(a/as/à) plus de famille. / Qu'elle vous aime d'un amour insensé, / Je n'ai rien (a/as/à) reprendre quand l'amour (a/as/à) passé. / Gardez-(la/l'as/l'a/là).

6. Derrière la vitre où (la/l'as/l'a/là) lampe luit, / Les petits enfants (ont/on) des têtes roses.

7. Un sot est un imbécile dont (ont/on) voit l'orgueil à travers les trous de (sont/son) intelligence.

12 **Complétez ce texte avec les bons homophones :** *la/l'a/là, as/a/à, et/es/est/ai* ou *son/sont*.

... terre était belle, ce matin-... . Il ... vrai que pour moi elle ... toujours belle. Mais souvent elle montre une figure rude ... d'un abord difficile, surtout ... l'homme de labeur qui ne l'affronte guère que pour lui imposer les marques de ... travail. […]
Je l'aimais, je le savais bien, et d'elle ... moi s'était établi peu ... peu, depuis mon retour, un accord de raison ... de sentiment ; elle me rendait en raisins, en fruits ... en grandes céréales l'affection que je lui portais ... qui cependant lui valait, de l'hiver au printemps, tant de fatigues souterraines.

Henri Bosco, *Le Mas Théotime*.

13 **Expliquez l'orthographe des mots en gras et préparez ce texte pour la dictée.**

Rien n'**est** charmant, à **mon** sens, comme cette **façon** de voyager. À pied ! On s'appartient, **on** est libre, on est joyeux : on est **tout** entier **et** sans partage aux incidents de la route, à la ferme **où** l'on déjeune, à l'arbre où l'on s'abrite, à l'église où l'on se **recueille**. On part, on s'arrête, **on** repart ; rien ne gêne, rien ne **retient**.

On va **et** on rêve devant soi. La marche berce la rêverie ; **la** rêverie voile la fatigue. La beauté du paysage cache la longueur du chemin. À chaque pas qu'on fait, il vous vient une idée. Il semble qu'on sente des essaims éclore et **bourdonner** dans **son** cerveau.

D'après Victor Hugo, *Le Rhin*.

14 **Recopiez cette fable de La Fontaine en choisissant le bon homophone. Vous veillerez à respecter la disposition du texte.**

Le Lièvre et les Grenouilles
Un Lièvre en (son/sont) gîte[1] songeait.
(Car que faire en un gîte (a/as/à) moins que l'(ont/[on]) ne songe ?)
Dans un profond ennui ce Lièvre se plongeait :
Cet animal (et/est) triste, (et/est) la crainte le ronge.
    « Les gens de naturel peureux
    (Son/sont), disait-il, bien malheureux !
Ils ne sauraient manger morceau qui leur profite :
Jamais un plaisir pur ; toujours assauts divers[2] :
Voilà comme je vis : cette crainte maudite
M'empêche de dormir, sinon les yeux ouverts.
Corrigez-vous, dira quelque sage cervelle.
    (Et/est) ! (la/l'as/l'a/là) peur se corrige-t-elle ?
    Je crois même qu'en bonne foi
    Les hommes (ont/on) peur comme moi. »
    Ainsi raisonnait notre Lièvre,
    (Et/est) cependant[3] faisait le guet.
    Il était douteux[4], inquiet ;
Un souffle, une ombre, un rien, tout lui donnait la
                        [fièvre.

    Le mélancolique animal,
    En rêvant (a/as/à) cette matière,
Entend un léger bruit : ce lui fut un signal
    Pour s'enfuir devers sa tanière.
Il s'en alla passer sur le bord d'un étang.
Grenouilles aussitôt de sauter dans les ondes ;
Grenouilles de rentrer en leurs grottes profondes.
    « Oh ! dit-il, j'en vais faire autant
    Qu'(ont/on) m'en fait faire ! (ma/m'as/m'a)
présence
Effraye aussi les gens ! je mets l'alarme au camp !
    (Et/est) d'où me vient cette vaillance ?
Comment ! des animaux qui tremblent devant moi !
    Je suis donc un foudre de guerre[5]?
Il n'(et/est), je le vois bien, si poltron sur (la/l'as/l'a/
                        [là) terre,
Qui ne puisse trouver un plus poltron que soi. »

JEAN DE LA FONTAINE, *Fables*, II, 14.

---

1. Gîte : demeure, habitation.
2. Toujours assauts divers : ils sont toujours assaillis de diverses craintes.
3. Cependant : pendant ce temps.
4. Douteux : craintif, plein de doutes.
5. Foudre de guerre : grand capitaine.

Orthographe

Leçon

❶ Ces, ses, c'est, s'est

• *Ces* est un déterminant démonstratif, il se place **devant un nom** (parfois un adjectif).
Pour reconnaître *ces*, remplacez-le par le déterminant démonstratif *cette* :
→ *Montrez-moi ces* (cette) *chaussure(s) que je vois dans la vitrine.*

• *Ses* est un déterminant possessif, il se place **devant un nom** (parfois un adjectif).
Pour reconnaître *ses,* remplacez-le par le déterminant possessif *mes* :
→ *Je lui ai rendu ses* (= mes) *affaires.*

• *C'est* est la **contraction** du pronom démonstratif *cela* et du verbe *être*.
Pour reconnaître *c'est*, remplacez-le par *cela est* :
→ *Bien écouter, c'est* (= cela est) *presque répondre.* (MARIVAUX)

• *S'est* est la **contraction** du pronom réfléchi *se* et du verbe *être*. On le trouve lorsqu'un verbe à la forme pronominale est conjugué à un temps composé : il est donc toujours précédé d'un sujet et suivi d'un participe passé.
Pour le reconnaître, transformez la phrase à la 1re personne du singulier :
→ *Il s'est* (= je me suis) *perdu dans la forêt.*

❷ Ce, se, ceux

• **Devant un nom, *ce*** est un déterminant démonstratif.
Pour le reconnaître, remplacez-le par le féminin *cette* :
→ *Et qui est ce sot-là* (cette sotte) *?* (MOLIÈRE)

• **Devant un verbe, *ce*** est un pronom démonstratif.
Pour le reconnaître, remplacez-le par le pronom *cela* :
→ *Ce* (cela) *doit être beau.*

• **Placé entre le sujet et le verbe, *se*** est un pronom personnel.
Pour le reconnaître, remplacez-le par le pronom de 2e personne *te* :
→ *Et quiconque se* (te) *plaint cherche à se* (te) *consoler.* (CORNEILLE)

• *Ceux* est un pronom démonstratif masculin pluriel.
Pour le reconnaître, remplacez-le par le féminin *celles* :
→ *On n'aime point à voir ceux* (celles) *à qui l'on doit tout.* (CORNEILLE)

❸ Sa, ça

• *Sa* est un déterminant possessif : il se place **devant un nom.**
Pour le reconnaître, remplacez-le par le déterminant possessif *ta* :
→ *Qui cache sa* (ta) *colère assure sa* (ta) *vengeance.* (CORNEILLE)

• *Ça* est la **forme contractée** du pronom *cela*. Il s'emploie surtout à **l'oral** :
→ *Ça* (cela) *te plaît ?*

❹ Quelle, qu'elle

• **Devant un nom, *quel*** est un déterminant interrogatif ou exclamatif. Il s'accorde en genre et en nombre avec le nom qu'il détermine :
→ *Quelle heure est-il ? Quelles belles fleurs !*

• **Devant un verbe, *qu'elle*** correspond à l'adverbe exclamatif ou à la conjonction *que* élidés devant le pronom personnel *elle*.
Pour le reconnaître, remplacez *qu'elle(s)* par *qu'il(s)* :
→ *Je crois qu'elle* (qu'il) *attend. Qu'elles sont grandes, vos dents !*

Exercices

1 **Donnez la nature des mots en gras.**

Le voyage dura deux jours. Je passais **ces** deux jours à la même place. Je ne mangeai rien de toute **la** route. Deux jours sans manger, **c'est** long !... le diable, c'est qu'autour de moi **on** mangeait beaucoup dans le wagon. J'avais sous **mes** jambes un grand coquin de panier très lourd, d'où mon voisin l'infirmier tirait **à** tout moment des charcuteries variées qu'il partageait avec **sa** dame. Le voisinage de **ce** panier me rendit très malheureux, surtout le second jour.

ALPHONSE DAUDET, *Le Petit Chose.*

2 **Complétez par *ces, ses, c'est* ou *s'est*. Justifiez votre choix.**

1. La parole a été donnée à l'homme pour expliquer ... pensées. (MOLIÈRE) – **2.** ... choses-là sont rudes. / Il faut pour les comprendre avoir fait ... études. (HUGO) – **3.** En guitare sommaire[1], nous avons deux accords. ... beaucoup. Ce n'est pas trop. Pour effectuer ... deux accords, nous avons une main gauche avec un pouce [...] et un index. (LAPOINTE) – **4.** ... en forgeant qu'on devient forgeron. – **5.** Quand Marc part en vacances, ... moi qui m'occupe de ... plantes. – **6.** Il ... produit une chose incroyable hier : Sébastien ... présenté à l'heure à son rendez-vous. – **7.** Quelle triste vie que celle de ... matelots douaniers ! (DAUDET) – **8.** Notre voisin est très sympathique : ... enfants viennent souvent jouer avec nous.

1. Sommaire : qui est résumé brièvement.

3 **Complétez par *ce, se* ou *ceux*. Justifiez votre choix. Dans quelle phrase y-a-t-il deux solutions ?**

1. Je sais ... que je vaux, et crois ... qu'on m'en dit. (CORNEILLE) – **2.** Un sot qui ne dit mot ne ... distingue pas d'un savant qui ... tait. (MOLIÈRE) – **3.** ... qui ... conçoit bien ... 'énonce clairement. (BOILEAU) – **4.** Milot, en traversant les grandes salles sonores et nues, essayait d'imaginer les hommes qui les avaient construites et ... qui les avaient habitées. (VILDRAC) – **5.** La Cigale, ayant chanté tout l'été, / ... trouva fort dépourvue / Quand la bise fut venue. (LA FONTAINE) – **6.** ... qui vivent sont ... qui luttent. (HUGO) – **7.** Je ne rends pas le mal à ... qui m'en font. (B. PASCAL) – **8.** Quand on ... fait entendre[1], on parle toujours bien. (MOLIÈRE) – **9.** Ô tristesse ! on passe une moitié de la vie à attendre ... qu'on aimera et l'autre moitié à quitter .... qu'on aime. (HUGO)

1. Entendre : ici, comprendre.

4 **Complétez par *sa* ou *ça*.**

1. Je le vis, je rougis, je pâlis à ... vue. (RACINE) – **2.** C'est drôle comme ... vous vient une invention, au moment où on s'y attend le moins ! (ALLAIS) – **3.** Le petit Richard grandit à côté de ... grand-mère. (DAUDET) – **4.** Le dahlia[1] met ... cocarde / Et le souci[1] ... toque d'or. (GAUTIER) – **5.** Consulte ta raison ; prends ... clarté pour guide. (MOLIÈRE) – **6.** Maintenant, s'il y en a que ... amuse de rire, je peux aussi distraire. (LAPOINTE)

1. Dahlia et soucis : variétés de fleur.

5 **Complétez par *quelle(s), quel(s)* ou *qu'elle(s)*.**

1. ... fut notre surprise de ne trouver personne ! – **2.** Elle raconta ... fut bien surprise de ne trouver personne. – **3.** Oh ! ... farouche bruit font dans le crépuscule / Les chênes qu'on abat pour le bûcher d'Hercule ! (HUGO) – **4.** Pour ... partent ce soir, tu dois poster tes lettres tout de suite. – **5.** Caroline est agaçante : on ne voit plus ... ici ; je ne sais plus ... prétexte trouver pour m'en débarrasser. – **6.** Pour ... destination Robin est-il encore parti ? – **7.** La bonté d'une guerre se juge à la quantité de mal ... fait. (HUGO) – **8.** La misère a cela de bon, ... supprime la crainte des voleurs. (ALLAIS)

6 **Recopiez ces phrases de Molière en choisissant le bon homophone. Précisez sa nature.**

1. Et qui est (se/ceux/ce) sot-(l'a/l'as/la/là) qui ne veut pas que (ça/sa) femme soit muette ? – **2.** Et (ces/ses/c'est/s'est) une folie à nulle autre seconde[1] / De vouloir (se/ceux/ce) mêler de corriger le monde. – **3.** Voilà justement (se/ceux/ce) qui fait que votre fille (est/ai/et) muette. – **4.** Tout (se/ceux/ce) qui n'(est/ai/et/es) point prose (est/ai/et/es) vers ; (est/ai/et/es) tout (se/ceux/ce) qui n'(est/ai/et/es) point vers (est/ai/et/es) prose. – **5.** Souvent on entend mal (se/ce) qu'(on/ont) croit bien entendre.

1. À nulle autre seconde : pareille à aucune autre.

7 **Recopiez ces trois stophes d'un poème de Baudelaire en choisissant le bon homophone.**

Le Chat

Dans (ma/m'as/m'a) cervelle se promène,
Ainsi qu'en (son/sont) appartement,
Un beau chat, fort doux (et/es/est/ai) charmant.
Quand il miaule, (on/ont) l'entend (as/a/à) peine,

Tant (son/sont) timbre est tendre (et/es/est/ai) discret ;
Mais que (sa/ça) voix s'apaise ou gronde,
Elle (et/es/est/ai) toujours riche (et/es/est/ai) profonde.
(Ces/ses/c'est/s'est) (la/l'as/l'a/là) son charme et (son/sont) secret.

Cette voix, qui perle (et/es/est/ai) qui filtre
Dans (mon/m'ont) fonds[1] le plus ténébreux,
Me remplit comme un vers nombreux
(Et/es/est/ai) me réjouit comme un philtre[2].

CHARLES BAUDELAIRE, *Les Fleurs du mal.*

1. Fonds : synonyme de fond (emploi littéraire).
2. Philtre : breuvage magique.

31 Homophones liés à un pronom

Leçon

❶ On, on n'

Le pronom *on* s'emploie dans une **phrase affirmative**, tandis que *on n'*, pronom suivi de l'adverbe de négation *ne* élidé, s'utilise dans une **phrase négative** :

→ *On n'est compatissant que pour les maux qu'on éprouve soi-même.* (Beaumarchais)

❷ Leur, leurs

- Devant un verbe, *leur* est un **pronom** qui ne varie ni en genre ni en nombre.
- Devant un nom, *leur* est un **déterminant possessif** qui s'accorde en genre et en nombre avec le nom qu'il détermine.

Pour reconnaître le pronom *leur,* remplacez-le par *lui* ou *nous* ; pour reconnaître le déterminant possessif *leur,* remplacez-le par *notre* ou *nos* :

→ *Leurs* (nos) *amis leur* (lui) *ont offert des fleurs.*

❸ D'en, dans

- *D'en* est une forme contractée de la **préposition** *de* et du **pronom adverbial** *en*.
- *Dans* est une **préposition** qui introduit un lieu ou une durée.

→ *Comme Julie aime le chèvrefeuille, elle a l'intention d'en planter dans le jardin.*

❹ Où, ou

- *Où* est un **pronom relatif ou interrogatif** qui indique un **lieu** ou un **moment**.
- *Ou* est une **conjonction de coordination** qui évoque un **choix**.

Pour reconnaître la conjonction *ou,* remplacez-la par *ou bien* :

→ *Être ou* (= ou bien) *ne pas être ? C'est la question.*

❺ N'y, ni

- *N'y* est une contraction de l'**adverbe de négation** *ne* et du **pronom adverbial** *y*. Elle est placée devant un verbe :

→ *Je n'y vois rien.*

- *Ni* est une **conjonction de coordination** qui exprime une **négation** (voir leçon 15). Elle s'emploie en général deux fois :

→ *Le romancier n'est ni prophète ni historien : il est explorateur de l'existence.* (Kundera)

Exercices

1 Complétez ces phrases par *on* ou *on n'*.

1. Tandis qu'à la maison ... emballait les glaces et la vaisselle, je me promenais triste et seul. (DAUDET) – **2.** ... a plus qu'à commettre tous les crimes imaginables, tromper, voler, assassiner, et dire, pour excuse, qu'... y a été poussé par sa destinée. (MOLIÈRE) – **3.** Il fut décidé qu'... irait déjeuner à la campagne. (MAUPASSANT) – **4.** Quand ... a plus d'honneur, ... a plus de famille. (HUGO) – **5.** ... avançait prudemment à cause des serpents, inoffensifs du reste pour la plupart. (GIDE) – **6.** ... a pas besoin de lumière quand ... est conduit par le ciel. (MOLIÈRE) – **7.** ... est pas sérieux quand ... a dix-sept ans. (RIMBAUD)

2 Mettez au pluriel les expressions en gras et faites les changements nécessaires.

1. Une femme agite son mouchoir, retient ses larmes. – **2. L'élève** fixe son attention sur ces consignes et fait son travail. – **3. Il** ramassa ses vêtements mouillés et courut vers son bateau. – **4.** Ses enfants **lui** donnaient bien du souci. – **5.** Que ses erreurs **lui** soient pardonnées ! – **6. Le braconnier** avait posé ses pièges, mais le garde l'a surpris et lui a dressé une contravention.

3 Complétez par *leur* ou *leurs* et donnez la nature du mot souligné.

1. Je ... raconte des histoires qui concernent ... grands-parents. – **2.** Ce message, le ... a-t-on fait passer ? – **3.** Elles ont perdu ... clés. Si tu les as, rends-les ... . – **4.** Je n'expose pas mes tableaux. Certains exposent les ... . – **5.** Les mouches les harcelaient de ... piqûres. Le soleil ... brûlait la nuque. (HEMON) – **6.** Après ... avoir dit de rentrer à l'heure, ... mère ... rappela de ne pas oublier ... clé. – **7.** Expliquez-... l'exercice pour qu'ils puissent corriger ... erreurs. – **8.** Les jeunes gens sont jeunes, et n'ont pas toute la prudence qu'il ... faudrait pour ne rien faire que de raisonnable. (MOLIÈRE)

4 Complétez par *d'en* ou *dans*.

1. Tout le plaisir de l'amour est ... le changement. (MOLIÈRE) – **2.** ... la nuit de l'hiver / Galope un grand homme blanc. (PRÉVERT) – **3.** ... la vie, on ne fait pas toujours ce que l'on veut : le tout est ... prendre son parti. – **4.** Qu'avez-vous fait pour être gentilhomme ? Croyez-vous qu'il suffise ... porter le nom et les armes ? (MOLIÈRE) – **5.** Quoi ! tu veux encore de la soupe ? Mais tu viens ... reprendre ! – **6.** Que diable allait-il faire ... cette galère ? (MOLIÈRE) – **7.** Ce n'est que ... le sang qu'on lave un tel outrage ; meurs ou tue. (CORNEILLE)

5 Complétez par *où* ou *ou*.

1. La liberté commence ... l'ignorance finit. (HUGO) – **2.** Que je meure au combat, ... meure de tristesse, je rendrai mon sang pur comme je l'ai reçu. (CORNEILLE) – **3.** Mais ... sont les neiges d'antan[1] ? (VILLON) – **4.** Je veux savoir de toi, traître, / Ce que tu fais, d'... tu viens avant le jour, / ... tu vas, à qui tu peux être. (MOLIÈRE) – **5.** C'est à vous de choisir mon amour ... ma haine. (CORNEILLE) – **6.** Pratiquez vos conseils ... n'en donnez pas. (CORNEILLE) – **7.** La naissance n'est rien ... la vertu n'est pas. (MOLIÈRE)

1. **Antan** : autrefois.

6 Complétez par *ni* ou *n'y*.

1. Le feu d'artifice était superbe, hier : je ... ai vu ... Arthur, ... Ursule. ... sont-ils pas allés ? – **2.** ... mon âme ... mon visage ne sont faits à[1] supporter les affronts. (BALZAC) – **3.** Il ... a point de pires sourds que ceux qui ne veulent pas entendre. (MOLIÈRE) – **4.** Le temps passe et nous ... pouvons rien. – **5.** ... l'or ... la grandeur ne nous rendent heureux. (LA FONTAINE) – **6.** Je ne peux lire ... la carte, ... les panneaux : sans mes lunettes je ... vois rien – **7.** Ce doit être beau, on ... comprend rien. (MOLIÈRE)

1. **Faits à** : faits pour.

7 Recopiez ce texte en choisissant le bon homophone. Précisez sa nature.

(On/ont/on n') imagine pas tout le parti qu'(on/ont/on n') pouvait tirer d'un simple morceau de bois, d'une branche cassée, comme (on/ont/on n') en trouve toujours le long des haies (quand (on/ont/on n') en trouve pas, (on/ont/on n') en casse). C'était la baguette des fées. Longue (est/ai/et/es) droite, elle devenait une lance, ou peut-être une épée ; il suffisait de (la/l'as/l'a/là) brandir pour faire surgir des armées. Christophe en était le général, il marchait devant elles, il leur donnait l'exemple, il montait (a/as/à) l'assaut des talus. Quand (la/l'as/l'a/là) branche était flexible, elle (se/ceux/ce) transformait en fouet. Christophe montait (a/as/à) cheval, sautait des précipices. Il arrivait que (la/l'as/l'a/là) monture glissât ; (est/ai/et/es) le cavalier (se/ceux/ce) retrouvait au fond du fossé, regardant d'un air penaud (ces/ses/c'est/s'est) mains salies (est/ai/et/es) (ces/ses/c'est/s'est) genoux écorchés. Si (la/l'as/l'a/là) baguette était petite, Christophe (se/ceux/ce) faisait chef d'orchestre ; il dirigeait (est/ai/et/es) il chantait ; ensuite il saluait les buissons, dont le vent agitait les petites têtes vertes.

D'après ROMAIN ROLLAND, *Jean-Christophe* © Albin Michel.

Orthographe

Alors le prieur du cloître dit :
« Que fait cet ivrogne ici ? Qu'on me le mène au cachot. Troubler ainsi le service divin[1] !
– Oui, mais le service du vin, dit le moine, faisons en sorte qu'il ne soit pas troublé. »

RABELAIS, *Gargantua*, translation de P. Aubrée, M. Clostre, M.-F. Dubouchet *et alii*,
© éditions du Seuil, 1973.

1. **Service divin** : messe.

1. Relevez les phrases au discours direct.
2. Combien de personnages prennent la parole ? À quoi le voit-on ?

Leçon

Dans un récit, un dialogue se ponctue de la façon suivante :
• les mots prononcés par le premier interlocuteur sont précédés des signes : «.
• Pour montrer qu'une autre personne prend la parole, on va **à la ligne** et on met un **tiret**, et cela, chaque fois que l'on change d'interlocuteur.
• Enfin, on ferme les guillemets seulement à la fin du dialogue, par le signe ».
pour montrer que le récit reprend.

Exercices

1 **Dans les phrases suivantes, les guillemets ont été supprimés : rétablissez-les.**

a. Dès qu'il fut né, il ne cria pas comme les autres enfants : Mies ! Mies ! Mies !, mais il s'écriait à haute voix : À boire ! À boire ! À boire !, comme s'il invitait tout le monde à boire, si bien qu'il fut entendu de tout le pays de Busse et de Bibarois. (RABELAIS)
b. Les fouaces[1] dérobées, comparurent devant Picrochole le duc de Menuail, le comte Spadassin et le capitaine Merdaille, et ils lui dirent :
Sire, aujourd'hui nous faisons de vous le prince le plus heureux, le plus chevalereux[2] qui fut jamais depuis la mort d'Alexandre de Macédoine.
– Couvrez-vous, couvrez-vous, dit Picrochole.
– Grand merci, dirent-ils, Sire, nous sommes prêts à faire notre devoir. (RABELAIS)

1. **Fouace** : sorte de galette.
2. **Chevalereux** : courageux, chevaleresque.

2 **Retrouvez le texte d'origine en rétablissant la disposition et la ponctuation du dialogue.**

En arrivant près du vestibule, [Kobus] entendit déjà le remue-ménage des casseroles et le pétillement du feu dans la cuisine : Katel était revenue du marché, tout était en train, cela lui fit plaisir.
Il monta donc, et, s'arrêtant dans l'allée, sur le seuil de la cuisine flamboyante, il s'écria : Voici les bouteilles ! À cette heure, Katel, j'espère que tu vas te dépasser, que tu nous feras un dîner... mais un dîner... Soyez donc tranquille, monsieur, répondit la vieille cuisinière, qui n'aimait pas les recommandations, est-ce que vous avez jamais été mécontent de moi depuis vingt ans ? Non, Katel, non, au contraire ; mais tu sais, on peut faire bien, très bien, et tout à fait bien. Je ferai ce que je pourrai, dit la vieille, on ne peut pas en demander davantage.
Kobus voyant alors sur la table deux gelinottes[1], un superbe brochet arrondi dans le cuveau, de petites truites pour la friture, un superbe pâté de foie gras, pensa que tout irait bien.
C'est bon, c'est bon, fit-il en s'en allant, cela marchera, ah ! ah ! ah ! nous allons rire.

D'après ERCKMANN-CHATRIAN, *L'Ami Fritz*, 1864.

1. **Gélinotte** : oiseau proche de la perdrix.

Pour commencer

Après avoir bu le philtre, Tristan et Iseut furent saisis d'amour, ils se consumaient. Iseut avoua : « Seigneur, je suis à vous.

– Ne m'appelez pas ainsi, répondit Tristan, mais indigne, vil serviteur. »

1. Observez les virgules : quels mots et groupes de mots séparent-elles ?
2. Donnez la fonction de : « Après avoir bu le philtre », « Seigneur », « indigne » et « vil ».

Leçon

1 La virgule **sépare** les différents éléments de la phrase :

• des mots ou groupes de **même nature** et de **même fonction**, on parle alors d'**énumération** : → *Je suis un serviteur indigne, vil, misérable.*

• certaines **propositions** : → *Tristan et Iseut furent saisis d'amour, ils se consumaient.*

• certains **compléments circonstanciels** déplacés, en général en tête de phrase :
→ *Après avoir bu le philtre, Tristan et Iseut furent saisis d'amour.*

• les **noms mis en apostrophe** : → *Seigneur, je ne puis m'empêcher de vous aimer.*

2 On ne sépare **jamais** par une virgule : le sujet et le verbe, le verbe et l'attribut du sujet.

3 À l'oral, la virgule se marque par une **brève pause**.

Remarque : un oubli ou un mauvais placement de virgule peut changer le sens d'une phrase : → *Tristan écoute, Iseut aussi. – Tristan écoute Iseut aussi.*

Exercices

1 **Expliquez l'emploi des virgules.**

1. Eau, tu n'as ni goût, ni couleur, ni arôme, on ne peut te définir, on te goûte, sans te connaître. (SAINT-EXUPÉRY) – **2.** Plus on juge, moins on aime. (BALZAC) – **3.** Marquise, si mon visage / A quelques traits un peu vieux, / Souvenez-vous qu'à mon âge / Vous ne vaudrez guère mieux. (CORNEILLE)

2 **Rétablissez les virgules.**

Au printemps mes mignonnes vous n'aurez rien à craindre dans les bois. D'ici là j'aurai si bien prêché les compagnons de la forêt que les plus hargneux seront devenus doux comme des filles. Tenez pas plus tard qu'avant-hier j'ai rencontré le renard qui venait de saigner tout un poulailler. Je lui ai dit que cela ne pouvait plus continuer comme ça qu'il fallait changer de vie.

D'après MARCEL AYMÉ, *Les Contes bleus du chat perché.*

3 **Rétablissez les virgules en justifiant leur emploi.**

1. Monsieur ce n'est pas sans raison que je me plains. – **2.** Quand l'amour parle il est le maître. (MARIVAUX) – **3.** Le lait tombe ; adieu veau vache cochon couvée. (LA FONTAINE) – **4.** [Roland] lui brise l'écu et lui ouvre le haubert lui tranche la poitrine lui rompt les os et lui sépare l'échine du dos. (*La Chanson de Roland*) – **5.** Demain dès l'aube à l'heure où blanchit la campagne / Je partirai. (HUGO)

4 **La virgule peut marquer la place d'un verbe sous-entendu : rétablissez les virgules des phrases suivantes.**

1. Le café nous vient surtout du Brésil et de la Colombie le thé de la Chine ou de Ceylan. – **2.** Alexandre Dumas père a écrit *Les Trois Mousquetaires* son fils *La Dame aux camélias*. – **3.** Les Grecs nommaient le maître de l'Olympe Zeus les Romains Jupiter.

Infinitif, auxiliaire et participe passé

Toute la matinée est à moi pour explorer la lisière du bois, l'endroit le plus frais et le plus caché du pays, tandis que mon grand frère aussi est parti à la découverte. C'est comme un ancien lit de ruisseau. Je passe sous les basses branches d'arbres dont je ne sais pas le nom mais qui doivent être des aulnes. J'ai sauté tout à l'heure un échalier[1] au bout de la sente[2], et je me suis trouvé dans cette grande voie d'herbe verte qui coule sous les feuilles, foulant par endroits les orties, écrasant les hautes valérianes[3]. […]

ALAIN-FOURNIER, *Le Grand Meaulnes*, 1912 © Mercure de France.

1. Échalier : clôture mobile à l'entrée d'un champ.
2. Sente : petit sentier.
3. Valériane : plante des lieux humides à fleurs roses ou blanches.

1. Relevez les deux verbes conjugués de la 1re phrase et donnez leur infinitif. Lequel est conjugué à un temps simple ? Lequel est conjugué à un temps composé ?
2. Relevez dans l'ensemble du texte les verbes conjugués à un temps composé. Quel est ce temps ?
3. Dans la première phrase, relevez un verbe à l'infinitif.

Leçon

• Le verbe peut se conjuguer à un temps simple ou à un temps composé. À chaque temps simple correspond un temps composé.
– Aux **temps simples**, le verbe se compose d'**un seul mot** (radical + terminaison) :
→ *Je cours, j'arrive.*
– Aux **temps composés**, le verbe se compose d'un **auxiliaire** (*être ou avoir*) et du **participe passé** du verbe : → *J'ai couru, je suis arrivé.*
Attention : aux temps composés, l'auxiliaire et le participe passé sont un seul verbe : *a pu* est le verbe *pouvoir* conjugué au passé composé.

• Dans une phrase, le verbe est à **l'infinitif** :
– lorsqu'il **suit une préposition** (*à, dans, par, pour, en, vers, avec, de, sans, sous...*) :
→ *Toute la matinée est à moi pour **explorer** la lisière du bois.*
– lorsqu'il **suit un autre verbe** : → *Il n'a pas pu **trouver** l'entrée.*

• Dans une phrase, le **participe passé** peut être employé :
– dans un verbe conjugué à un **temps composé** (il est alors précédé d'un **auxiliaire**) :
→ *Il a **trouvé** l'entrée.*
– comme **adjectif** : → *Il a découvert un chemin **caché**.*
Remarque : *être* et a*voir*, comme tous les verbes, ont des temps composés : *j'ai été, j'ai eu.*

• Retenez les terminaisons du participe passé :
– 1er groupe : *é* ;
– 2e groupe : *i* ;
– 3e groupe : *i, is, it, u, us,* etc. Il y a souvent une **consonne muette** : pour vous en assurer, pensez à mettre le participe passé au **féminin** :
→ *J'ai **appris** à grimper aux arbres. Cette leçon, je l'ai **apprise**.*

Exercices

1 Donnez l'infinitif des verbes en italique et précisez s'ils sont conjugués à un temps simple ou un temps composé.

1. Une nuit, je *m'étais égaré* dans une forêt profonde. – **2.** La lune *se montra* au-dessus des arbres. – **3.** C'est un tigre qui lui *a fait* cette marque dans le dos. – **4.** Nous *avions parcouru* une plaine interminable. – **5.** Tout *aurait été* silence et repos sans le hululement des hiboux. – **6.** Ça et là *parurent* quantité de larges étincelles, comme si le firmament eut fait pleuvoir dans la forêt toutes ses étoiles. – **7.** *Soyez revenus* avant la nuit.

2 Dans les phrases suivantes, ne relevez que les verbes conjugués à un temps composé, donnez leur infinitif et précisez quel est l'auxiliaire employé.

1. Comment l'aurais-je fait, si je n'étais pas né ? (La Fontaine) – **2.** Ô Astarté, qu'êtes-vous devenue ? (Voltaire) – **3.** La comtesse fit un effort en m'apercevant et s'était soulevée sur son coude. (Barbey d'Aurevilly) – **4.** Les monstres ! ils auront cueilli toutes mes pommes ! (Hugo) – **5.** Ô ciel ! Je me serai trahi moi-même : la chaleur m'aura emporté, et je crois que j'ai parlé haut en raisonnant tout seul. (Molière) – **6.** Alors quand ils furent revenus à l'endroit d'où ils étaient partis, ils reprirent le layon[1], et lorsqu'ils furent devant la meute, Côme dit : « Messieurs, j'ai détourné un cerf. » (Vialard)

1. **Layon** : sentier de forêt.

3 Dites si les formes *être* et *avoir* sont employées comme verbes ou comme auxiliaires.

1. Il était une fois une petite fille de village, la plus jolie qu'on eût su voir ; sa mère en était folle, et sa mère-grand plus folle encore (Perrault) – **2.** On fut à la maison comme la nuit tombait. (Hugo) – **3.** Où donc est la princesse ? Ne m'avais-tu pas dit qu'elle était en ces lieux ? (Racine) – **4.** Je suis né, reprit le médecin, dans une petite ville du Languedoc, où mon père s'était fixé depuis longtemps, et où s'est écoulée ma première enfance. (Balzac) – **5.** Le monde n'a jamais manqué de charlatans. (La Fontaine)

4 Donnez le participe passé des verbes suivants et précisez avec quel auxiliaire ils se conjuguent.

Être – dire – lire – rire – avoir – faire – aller – tenir – vivre – vêtir – devoir – mettre – naître – offrir – mourir – courir – savoir – vouloir – prendre – craindre – taire – émouvoir – acquérir.

5 Relevez les verbes à l'infinitif et justifiez leur emploi.

1. Quand on a eu vidé les quatre bouteilles, quelqu'un s'est mis à chanter et la chanson a fait le tour de la table.

(Cadou) – **2.** Amadou l'entendit s'éloigner au-delà du trou. (Vildrac) – **3.** Je pensais devoir frapper longtemps pour le réveiller, mais il était debout avec trois de ses amis. (Balzac) – **4.** Elle nous fit asseoir. (France) – **5.** En tout cas, tu n'as rien à craindre. Je n'ai rien vu, rien entendu. (Bernanos).

6 Relevez les participes passés employés comme adjectifs et précisez avec quel mot ils s'accordent.

1. Entré dans son cabinet, le roi fit écrire la relation[1] de ce qu'il avait vu. (Mérimée) – **2.** Nous la conduisîmes dans les allées les plus douces du bois. Elle en revint ranimée. (Fromentin) – **3.** Les cerfs rendus furieux se battaient, se cabraient, montaient les uns sur les autres. (Flaubert) – **4.** Les préparatifs achevés, l'expédition se mit en route. – **5.** Cueillis, les muguets sont mis en bouquets.

1. **Relation** : compte rendu, récit.

7 Complétez les phrases suivantes avec le participe passé « éveillé » que vous accorderez.

Il est ... – elle paraît ... – ils semblent ... – elles restent ... – Zoé et Sarah demeurent ....

8 Complétez les formes verbales suivantes : choisissez la terminaison de l'infinitif en *-er* ou la terminaison du participe passé en *-é*.

1. J'ai retrouv... mon classeur. – Je dois absolument retrouv... mon classeur.

2. Je viens de regard... un film. – Ce film, je l'ai regard... hier.

3. Évite de tach... ton cahier. – Son cahier, il l'a présenté tach... .

4. Ce tableau reste inachev... . – Laisse-lui le temps d'achev... son tableau.

5. Il est temps de se lav... . – Il revient, lav..., bross..., parfum... . – Il vient lav... et bross... le parquet.

9 **a.** Dans le texte suivant, relevez les verbes, et précisez s'ils sont à l'infinitif ou conjugués.

b. Pour les verbes conjugués, donnez l'infinitif, précisez s'ils sont conjugués à un temps simple ou composé, donnez la personne et le nombre.

Je suis revenu par la vieille route, tout seul. Une bicyclette même m'aurait importuné. Je sentais avec allégement qu'il ne ferait pas d'orage... j'étais dans les meilleures dispositions pour pleurer. Un rien aurait suffi, la moindre apparition. Un merle s'envola, noir comme une mauvaise pensée. J'ai cherché les tourterelles invisibles. Tout à coup elles sont parties de l'arbre où je les entendais sans les voir. Comme il fait bon ! Une ombre verte s'épaissit là-bas. On a un peu peur.

Jules Renard, *Journal* (1905).

Conjugaison

a. Une fois que le monstre a vu Tristan, il rugit et enfle tout son torse.
b. Lorsque le dragon sera mort, Tristan lui coupera la langue.
c. Quand le dragon avait bien mangé, il se couchait au fond de son antre.
d. Dès que Tristan eut tué le dragon, il ordonna de le porter hors de la ville.

1. Pour chacune de ces phrases, recopiez l'axe des temps et complétez-le en situant les différentes actions.
2. Donnez le nom de chaque temps simple.
3. Pour les verbes conjugués à un temps composé, précisez à quel temps l'auxiliaire est conjugué.

Leçon

L'indicatif présente l'action exprimée par le verbe comme réelle, et la situe dans le passé, le présent et le futur.

❶ Temps simples et temps composés

• L'indicatif comporte **dix temps** : cinq temps simples et cinq temps composés.
À chaque temps simple correspond un temps composé.

Temps simples	Temps composés
Présent : *Nous chantons*.	**Passé composé** : *Nous avons* (= auxiliaire *avoir* au présent) *chanté*.
Imparfait : *Nous chantions*.	**Plus-que-parfait** : *Nous avions* (= imparfait) *chanté*.
Passé simple : *Nous chantâmes*.	**Passé antérieur** : *Nous eûmes* (= passé simple) *chanté*.
Futur : *Nous chanterons*.	**Futur antérieur** : *Nous aurons* (= futur) *chanté*.
Conditionnel présent : *Nous chanterions*.	**Conditionnel passé** : *Nous aurions* (= conditionnel) *chanté*.

• Pour chaque temps composé, l'auxiliaire est conjugué au temps simple correspondant :
→ *Il mange (présent)* → *Il a (présent) mangé*.
Pour conjuguer un verbe aux temps composés, il faut donc connaître la conjugaison de *être* et *avoir* à tous les temps simples et ajouter le participe passé du verbe.

• Attention à l'accord du participe passé !

❷ Les valeurs des temps composés

• Les temps composés servent à exprimer des actions **accomplies**, c'est-à-dire achevées :
→ *Une fois que le monstre a vu Tristan, il rugit et enfle tout son torse.*
(Quand le monstre rugit, il a fini de voir Tristan)

• Les temps composés sont souvent **en relation avec un temps simple** (voir tableau ci-dessus) ; dans ce cas, on dit qu'ils expriment l'**antériorité** par rapport à ce temps simple :
→ *Tu pourras sortir lorsque tu auras terminé.* (le **futur antérieur** : *auras terminé* exprime une action qui se situe avant celle au **futur simple** : *pourras*).

Exercices

1 Relevez les verbes à l'indicatif, donnez leur infinitif et précisez leur temps. Pour les temps composés, précisez le temps de l'auxiliaire.

1. Elle était née dans un vieux manoir breton. (CENDRARS)
2. Quand tu l'auras goûtée, tu m'en diras des nouvelles. (ROMAINS)
3. Lorsque, grâce au froid, qui traversait maintenant la couverture, Meaulnes eut repris ses esprits, il s'aperçut que le paysage avait changé. (ALAIN-FOURNIER)
4. Vous parlerez quand j'aurai fini ! (COURTELINE)
5. L'homme avait fait demi-tour, mais le cheval l'eut bientôt rattrapé et se mit à le mordiller. (DHÔTEL)
6. À peine eus-je prononcé ces paroles, que je sentis mon corps se rapetisser et soudain je poussai un cri d'admiration. (CARÊME)
7. Il s'est assis sur le lit et m'a expliqué qu'on avait pris des renseignements sur ma vie privée. (CAMUS)

2 a. Complétez les phrases avec le temps composé qui convient.

b. Pour chaque phrase, faites un axe des temps sur lequel vous placerez les deux verbes.

1. Dès qu'ils (*parvenir*) à l'entrée de l'antre, les chevaliers devinrent silencieux.
2. Quand il (*finir*), Georges se tourna vers la jeune fille.
3. Elle resta stupéfaite après qu'il (*passer*) le foulard autour de son cou.
4. Quand tu lui (*rendre*) sa liberté, tu connaîtras le repos.
5. J'(*éteindre*) la lumière et je me tenais immobile dans le noir.
6. À peine ils (*manger*) leur potage, qu'un homme entra brusquement dans la cuisine.
7. Je réalisai tout à coup que j'(*oublier*) un détail important.
8. Quand il (*se mettre*) quelque chose en tête, il ne renonçait pas facilement.
9. Lorsque vous (*terminer*) ce travail, vous passerez à l'exercice suivant.
10. Elle pense soudain qu'ils (*oublier*) de fermer la porte à clé.

3 Mettez les phrases suivantes au passé composé.

1. Plusieurs personnes illustres vécurent dans notre ville.
2. Quand je le vis, il me sembla bien jeune.
3. La première fois qu'Aurélien rencontra Bérénice, il la trouva franchement laide.
4. Les pompiers vinrent nous débarrasser de ce nid de guêpes.
5. Le commissaire alla jusqu'à la lampe, l'alluma et entrouvrit les volets.

4 Conjuguez au plus-que-parfait les verbes entre parenthèses.

1. Ma tante (*recevoir*) des colis d'Angleterre et (*commencer*) à les déballer.
2. (*Vouloir*) -elle revoir sa maison natale ?
3. Nous l'(*attendre*), ce congé !
4. Le fantôme (*apparaître*) un soir d'orage.
5. (*Ne pas dire*) vous que vous seriez de retour avant la nuit ?

5 Conjuguez au passé antérieur les verbes entre parenthèses.

1. Dès que nous (*quitter*) nos amis, nos pensées s'assombrirent.
2. Quand il (*faire*) le plein d'essence et qu'il (*prendre*) ses papiers, il fut prêt à partir.
3. Quand on (*porter*) les bagages de Pierre dans la chambre qu'il devait occuper et lorsqu'il (*faire*) sa toilette, il descendit dîner.
4. Iseult reconnut Tristan dès qu'il (*ouvrir*) la porte.

6 Conjuguez au futur antérieur les verbes entre parenthèses.

1. Je resterai sur le pont alors que tout le monde l'(*déserter*).
2. Il (*oublier*) sans doute l'heure.
3. C'est une histoire qu'on (*entendre*) des centaines de fois !
4. Je parie que les vaches (*rentrer*) toutes seules.
5. Vous déjà (*descendre*) du train lorsque nous arriverons.

7 Relevez les verbes conjugués du texte, donnez leur infinitif, leur temps, leur personne. Attention : pour certains verbes, l'auxiliaire n'est pas répété.

Au bout de quelque temps, Aguinguerran osa rebrousser chemin pour voir ce qui s'était passé. Il trouva le cadavre du dragon et ne vit pas le cavalier qui l'avait arrêté et interrogé, mais seulement son écu abandonné par terre et son destrier mort ; il pensa qu'avant de mourir, le monstre avait tué le cheval et dévoré le cavalier. Alors, il trancha de son épée la tête du dragon afin de la présenter au roi Gormorid et de réclamer pour lui-même le beau salaire promis. Il retourna vers la ville et y entra au galop en tenant au bout de son bras la tête sanglante du dragon et en criant : « Je l'ai tué ! Je l'ai tué ! »

Tristan et Iseult, traduction de René Louis
© Librairie Générale Française, 1972.

36 Le présent de l'indicatif

J'appelle. – Tu cèdes. – Il aboie. – Nous descendons. – Vous sortez. – Ils répartissent.

1. Quels sont le radical et la terminaison de chacun de ces verbes ?
   Précisez leur infinitif ainsi que leur groupe.
2. Conjuguez chaque forme à la personne du singulier ou du pluriel correspondant.
   Quelles remarques pouvez-vous faire ?

Leçon

❶ Verbes du 1ᵉʳ groupe

Radical : infinitif auquel on a retiré **-ER**.   **Terminaisons :** *-e, -es, -e, -ons, -ez, -ent.*

- **À retenir :**

a. Pour certains verbes, le radical se modifie au singulier et à la 3ᵉ personne du pluriel :
– Quelques verbes (*lever, céder...*) prennent un accent grave. → *Je lève, nous levons.*
– La plupart des verbes en *-eler* et *-eter* doublent la consonne, lorsqu'on entend le son
« è ». → *Je jette, nous jetons, ils jettent.*
– Les verbes en *-uyer* et *-oyer* changent le « y » en « i ».
    → *Tu ennuies, nous ennuyons, ils ennuient.*
b. Les verbes en *-cer* prennent une cédille devant *-ons.*
    → *Je commence, nous commençons.*
c. Les verbes en *-ger* prennent un « e » devant *-ons.* → *Je mange, nous mangeons.*
d. Les verbes en *-guer* conservent le « u » devant *-ons.* → *Je divague, nous divaguons.*

❷ Verbes des 2ᵉ et 3ᵉ groupes

Radical : infinitif auquel on a retiré **-RE,-IR**, ou **-OIR**.

- La plupart des verbes ont pour terminaison : *-s, -s, -t, -ons, -ez, -ent.*
Mais il existe de nombreux cas particuliers :

Verbes	Terminaisons	Exemples
en *-dre*, sauf les verbes en *-soudre*, et en *-indre*	-s, -s, - Ø, -ons, -ez, -ent	*Je mouds, il moud* Mais : *je résous, elle résout*
Battre, mettre, vaincre...	-s, -s, - Ø,-ons, -ez, -ent	*Je vaincs, elle vainc ;* *je mets, il met*
Pouvoir, vouloir, valoir	-x, -x, -t au singulier	*Je peux, tu peux, il peut*
Assaillir, couvrir (et ses composés), *cueillir, offrir, ouvrir, souffrir, tressaillir*	-e, -es, -e, -ons, -ez, -ent	*Je cueille ; tu offres ;* *il ouvre*

- Les verbes *dire* et *faire* sont irréguliers à la 2ᵉ personne du pluriel : *vous dites, vous faites.*

- De nombreux verbes du 3ᵉ groupe voient leur radical se modifier, il faut les apprendre.
En général, le radical régulier se retrouve aux 1ʳᵉ et 2ᵉ personnes du pluriel.
    → *Je sers, nous servons. – Je dois, nous devons, ils doivent. – Je viens, nous venons,*
    vous venez, ils viennent.

- **À retenir :** le **passé composé** se forme à partir de l'auxiliaire **être** ou **avoir** conjugué
au **présent de l'indicatif** et du **participe passé** du verbe que l'on conjugue :
    → *J'ai mangé – elle est partie.*

1 Donnez l'infinitif des verbes suivants, précisez la personne et le temps auxquels ils sont conjugués (il peut y avoir plusieurs possibilités).

Lis – lies – dort – prit – prient – criiez – boit – aboie – reçois – perd – serres – vis – se mire – criez – atteignez – se mirent – atteigniez – dore – vit.

2 a. Conjuguez les verbes en italique au présent de l'indicatif.

b. Mettez-les à la personne du singulier ou du pluriel qui leur correspond.

Je *crier* – tu *céder* – elle *appeler* – nous *nager* – vous *nettoyer* – ils *naviguer*.

3 Conjuguez les verbes entre parenthèses au présent de l'indicatif.

1. Les nuages (*s'amonceler*). – **2.** Mes leçons, je les (*étudier*). – **3.** Tu (*balayer*) ta chambre. – **4.** Ils (*jeter*) leurs affaires. – **5.** Nous nous (*affliger*) pour un rien. – **6.** Tu le (*supplier*) en vain. – **7.** Ces chiens (*effrayer*) les passants.

4 a. Conjuguez au présent de l'indicatif à toutes les personnes en recopiant à chaque fois la phrase.

b. Conjuguez au passé composé.

1. abréger son discours – **2.** acheter des bonbons – **3.** essuyer la table. – **4.** feuilleter un livre – **5.** essayer des lunettes – **6.** se bercer d'illusions

5 a. Conjuguez les verbes en italique au présent de l'indicatif.

b. Mettez-les à la personne du singulier ou du pluriel correspondant.

Je *répondre* – tu *valoir* – il *peindre* – nous *coudre* – vous *convaincre* – elles *pouvoir*.

6 Conjuguez les verbes suivants à la personne demandée, au singulier et au pluriel.

1. Première personne : *atteindre/attendre*.
2. Troisième personne : *recoudre/résoudre*.
3. Première personne : *mordre/moudre*.
4. Troisième personne : *fendre/feindre*.

7 Conjuguez les verbes entre parenthèses au présent en précisant à quel groupe ils appartiennent.

1. Il (*assaillir*) sa mère de questions. – **2.** Elle (*agir*) en secret. – **3.** Elle (*rire*) à gorge déployée. – **4.** Elles (*accueillir*) leurs invités. – **5.** Ils (*cuire*) cent biscuits. – **6.** Nous (*réfléchir*) à ta proposition. – **7.** Nous (*fuir*) la guerre. – **8.** Nous (*acquérir*) de l'expérience. – **9.** Je (*sentir*) une délicieuse odeur. – **10.** Tu (*revêtir*) tes plus beaux atours.

8 a. Conjuguez au présent de l'indicatif à toutes les personnes en recopiant à chaque fois la phrase.

b. Conjuguez au passé composé.

1. peindre une porte. – **2.** boire du cidre. – **3.** prendre un siège. – **4.** recevoir un ami. – **5.** accourir vers toi. – **6.** sortir par cette porte.

9 Conjuguez les verbes suivants au présent de l'indicatif puis au passé composé.

Dire – lire – commencer – punir – ennuyer – apercevoir – parvenir – courir.

10 Conjuguez les verbes entre parenthèses au présent de l'indicatif.

1. Je (*croire*) ce que je (*dire*), je (*faire*) ce que je (*croire*). (HUGO) – **2.** C'est drôle comme ça vous (*venir*) une invention... au moment où on s'y (*attendre*) le moins ! (ALLAIS) – **3.** Si c'est votre façon d'aimer, je vous (*prier*) de me haïr. (MOLIÈRE) – **4.** Je (*sentir*) couler des pleurs que je (*vouloir*) retenir ;/le passé me (*tourmenter*), et je (*craindre*) l'avenir. (CORNEILLE) – **5.** Ce qui se (*concevoir*) bien (*s'énoncer*) clairement/Et les mots pour le dire (*arriver*) aisément. (BOILEAU)

11 a. Relevez les verbes conjugués en précisant leur infinitif et leur groupe.

b. Récrivez ce texte à la 1re personne du singulier. Attention à bien faire tous les changements nécessaires.

Il a une fois perdu au jeu tout l'argent qui est dans sa bourse, et, voulant continuer de jouer, il entre dans son cabinet, ouvre une armoire, y prend sa cassette[1], en tire ce qu'il lui plaît, croit la remettre où il l'a prise : il entend aboyer dans son armoire qu'il vient de fermer ; étonné de ce prodige, il l'ouvre une seconde fois, et il éclate de rire d'y voir son chien, qu'il a serré pour sa cassette[2].

LA BRUYÈRE, *Caractères*, « De l'homme », 7.

1. Cassette : boîte.
2. Qu'il a serré (pour) : qu'il a enfermé (au lieu de)...

12 **ANALYSE** Recopiez ce texte en sautant des lignes. En rouge, encadrez les verbes conjugués, soulignez leurs sujets en en précisant la nature.

« Beau sire, dit l'autre, mains jointes, pour Dieu je vous donne Blérain. » Il lui a mis la corde au poing, et jure qu'elle n'est plus sienne. « Ami, tu viens d'agir en sage, répond le curé dom Constant. »

JEAN BODEL, *Fabliaux*, trad. Gilbert Rouger.

Conjugaison

Observez les deux phrases suivantes :

a. Arthur Conan Doyle crée le personnage de Sherlock Holmes en 1887.
b. Le personnage de Sherlock Holmes est créé par Arthur Conan Doyle en 1887.

1. Pour chacune de ces phrases, dites qui fait l'action exprimée par le verbe. Quelle est la voix du verbe de chacune de ces deux phrases ?
2. Quelle est la fonction du groupe nominal « le personnage de Sherlock Holmes » dans la première phrase ? Et dans la deuxième ?
3. Quel est le temps du verbe de chacune de ces phrases ? Analysez la formation du verbe à la voix passive.
4. Laquelle de ces deux phrases pourriez-vous trouver dans une biographie de Conan Doyle ? Et dans un article sur Sherlock Holmes ?

Leçon

Rappel : Une phrase est à la voix passive quand le sujet ne fait pas l'action exprimée par le verbe (voir p. 286).

❶ Conjuguer à la voix passive

À la **voix passive**, le verbe est formé de l'**auxiliaire *être*** suivi du **participe passé** du verbe. C'est l'auxiliaire qui indique le temps du verbe à la voix passive.
→ Pour trouver le temps d'un verbe à la voix passive, on regarde l'auxiliaire.
→ Pour conjuguer un verbe à un temps donné (par exemple, le présent) à la voix passive, on conjugue l'auxiliaire *être* à ce temps et on ajoute le participe passé du verbe.
⚠ Attention à bien conserver le temps du verbe : vérifiez vos conjugaisons.
Remarque : seuls les **verbes transitifs** (voir p. 287) peuvent être conjugués à la voix passive.

❷ Transformer une phrase de l'actif au passif

• **Quand on transpose une phrase active à la voix passive :**	• **Quand on transpose une phrase passive à la voix active :**
– le sujet devient le complément d'agent ;	– le complément d'agent devient le sujet ;
– le COD devient le sujet ;	– le sujet devient le COD ;
– on met l'auxiliaire *être* au même temps que le verbe et on ajoute le participe passé.	– on met le verbe au même temps que l'auxiliaire *être*.
→ *L'agneau a été dévoré par le loup.*	→ *Le loup a dévoré l'agneau.*

• Voix active et voix passive ne sont **pas équivalentes** : elles n'ont **pas le même sujet**, elles ne mettent donc pas en avant les mêmes informations.

❸ Le complément d'agent

Le **complément d'agent** est introduit par la **préposition *par*** ou *de*. Il n'est pas toujours exprimé.
À la voix active, lorsque le sujet de l'action n'est pas connu, on le désigne par le pronom indéfini *on* :
→ *La fenêtre a été brisée.* → *On a brisé la fenêtre.*

Exercices

1 Dites si les phrases suivantes sont à la voix active ou passive.

1. La belette est rentrée dans son terrier. – **2.** Les fruits délicats sont ramassés avec soin. – **3.** J'ai été bousculée toute la journée. – **4.** Le lion est mort ce soir. – **5.** Ils sont tombés dans un piège.

2 Dans les phrases suivantes, recherchez le COD, puis mettez ces phrases à la voix passive. Attention au temps employé et à l'accord du participe passé.

1. Le gouvernement a adopté de nouvelles lois pour lutter contre le tabagisme. – **2.** Nos agents détruiront tout bagage abandonné. – **3.** Les policiers poursuivent le malfaiteur. – **4.** On chargea les bagages dans la voiture. – **5.** Tous ses voisins détestaient la vieille dame.

3 Mettez ces phrases à la voix passive et soulignez le complément d'agent lorsqu'il existe. Attention à l'accord des participes passés.

1. On a arrêté l'assassin ce matin. – **2.** Sherlock Holmes a résolu l'affaire en trois jours seulement. – **3.** Cette question embarrassait le ministre. – **4.** Un petit incident nous a retardés. – **5.** Il dépensa toute sa fortune en moins d'un an.

4 Dans les phrases suivantes, recherchez le complément d'agent, puis mettez ces phrases à la voix active. Attention au temps employé.

1. Les cerises ont été dévorées par les oiseaux. – **2.** La jeune femme fut très émue de cette nouvelle. – **3.** Cette année-là, les récoltes avaient été entièrement détruites par les orages. – **4.** Perceval était fasciné par les chevaliers. – **5.** Ce professeur est aimé de tous les élèves.

5 Mettez ces phrases à la voix active et soulignez le COD du verbe.

1. La finale a été suivie par de nombreux téléspectateurs. **2.** Les arbres morts seront abattus. – **3.** Un os de brachiosaure a été découvert par un enfant. – **4.** Le chevalier Vermeil était redouté des meilleurs combattants. **5.** Notre proposition a été rejetée par l'adversaire. – **6.** Les coupables seront sanctionnés par la direction. – **7.** La ville est divisée en deux par le fleuve.

6 Parmi les couples suivants, choisissez la phrase qui vous paraît préférable et justifiez votre choix.

1. Un architecte a construit le château en 1517. – Le château a été construit en 1517. – **2.** Nous traversâmes la route. – La route fut traversée par nous. – **3.** Tous ses collègues apprécient Lucie. – Lucie est appréciée de tous ses collègues. – **4.** Nadia regarde la télévision. – La télévision est regardée par Nadia. – **5.** J'ai écrit cette pièce. – Cette pièce a été écrite par moi. – **6.** Le vélociraptor était un dinosaure particulièrement rapide. Il utilisait sa queue comme balancier. – Le vélociraptor était un dinosaure particulièrement rapide. Sa queue était utilisée comme balancier.

7 Dans le texte suivant, relevez tous les verbes à la voix passive, précisez leur infinitif, leur temps, leur personne.

L'effet de ce feu fut si extraordinaire qu'en peu de moments [la princesse] fut réduite toute en cendres, comme le génie. Je ne vous dirai pas, madame, jusqu'à quel point je fus touché d'un spectacle si funeste. [...] Dès que le bruit d'un événement si tragique se fut répandu dans le palais et dans la ville, tout le monde plaignit le malheur de la princesse Dame de beauté et prit part à l'affliction du sultan. On mena grand deuil durant sept jours ; on fit beaucoup de cérémonies ; on jeta au vent les cendres du génie ; on recueillit celles de la princesse dans un vase précieux, pour y être conservées, et ce vase fut déposé dans un superbe mausolée que l'on bâtit au même endroit où les cendres avaient été recueillies.

Trad. d'Antoine Galland, *Les Mille et Une Nuits*.

8 Recopiez le texte suivant en transposant à la voix active les verbes à la voix passive : quelle version vous paraît préférable ? Pourquoi ?

Malgré la fatigue générale, deux hommes furent envoyés à la corvée de bois à brûler ; deux autres occupés à creuser une fosse pour Redruth ; le docteur fut nommé cuisinier ; je montai la garde à la porte ; et le capitaine lui-même allait de l'un à l'autre, nous stimulant et donnant un coup de main où il en était besoin.

R.-L. Stevenson, *L'Île au trésor*, trad. Déodat Serval.

9 Faites l'analyse des formes verbales suivantes (voix, temps, personne).

As déterré – sommes rentrés – retournèrent – sont détruits – eurent détruit – sera renversé – étaient partis – fut relevé – a été blessé – avait été pris – est lancé – est tombé – aurons fini – seront retenus – a disparu – es apparu – est déplacé – fut aperçu.

10 ÉCRITURE Vous êtes à bord d'un navire lorsqu'éclate une terrible tempête. Racontez en utilisant les verbes suivants à la voix passive.

Balayer – briser – déchirer – renverser – zébrer – secouer – écraser – transpercer – détruire – soulever.

38 Imparfait et plus-que-parfait de l'indicatif

Elle commençait. – Nous riions. – Nous rions. – Elle avait commencé – Je mangeai – Je mangeais.

1. À quel temps chacun de ces verbes est-il conjugué ?
2. Recopiez-les en mettant les terminaisons en rouge. Précisez leur infinitif.

Leçon

❶ L'imparfait

• Les **terminaisons** sont les mêmes pour tous les verbes :
-ais, -ais, -ait, -ions, -iez, -aient.
• Le **radical** est celui de la **1ère personne du pluriel du présent** de l'indicatif (sauf pour *être*).

LES FAUTES À ÉVITER		
Verbes en...	**Ce qu'il faut faire**	**Exemples**
-ier, -yer, -iller, -indre + *s'asseoir, cueillir, voir, rire, fuir.*	Ne pas oublier le -i- des terminaisons en *-ions* et *-iez*. Sinon, le verbe est au présent	*Nous pliions.* *Vous travailliez.*
-cer	Modifier le **c**- en **ç**- devant -**a**.	*Je plaçais.*
-ger	Ajouter un -**e** après le -**g** devant -**a**.	*Elle changeait.*
-guer	Conserver le -**u** du radical après le **g**- à toutes les personnes.	*Il naviguait.*

❷ Le plus-que-parfait

Il se conjugue à l'aide de l'auxiliaire *avoir* ou *être* conjugué à l'imparfait et suivi du participe passé du verbe que l'on conjugue :
→ *Vouloir : j'avais voulu – Partir : j'étais partie*

Exercices

1 Relevez les verbes conjugués, précisez leur infinitif, le mode et le temps auxquels ils sont employés.

Il était là depuis midi, le malheureux mioche[1] ! Avant de partir, sa mère l'avait assis sur une chaise et lui avait dit : « Sois sage. » Depuis, il attendait. Comme il criait la faim, la fruitière d'en face lui avait donné une tartine de confiture. Mais la tartine était finie depuis longtemps, et le marmot avait recommencé à pleurer. Il mourait de peur, le pauvre innocent !

ALPHONSE DAUDET, *La Belle Nivernaise.*

1. Mioche : enfant (familier).

2 Conjuguez à l'imparfait de l'indicatif.

Commencer – veiller – appeler – peindre – grandir – boire – voir – convaincre.

3 Faites des phrases complètes en conjuguant les verbes à toutes les personnes de l'imparfait de l'indicatif.

1. Travailler tous les jours – **2.** avancer de quelques pas – **3.** fuir le danger. – **4.** changer une ampoule – **5.** résoudre une opération – **6.** conjuguer dans la joie et la bonne humeur.

4 Conjuguez les verbes entre parenthèses au présent, puis à l'imparfait.

1. Les uns (*sommeiller*) pendant que les autres (*babiller*).
2. Nous (*ranger*) les jouets qu'(*oublier*) nos enfants.
3. Chacun de nous s'(*efforcer*) d'aider les autres.
4. Je (*espérer*) une visite parce que je (*s'ennuyer*).
5. Vous (*protester*) dès que nous vous (*infliger*) une punition.
6. Mes enfants, pendant que j'(*établir*) l'itinéraire de notre randonnée, (*se répartir*) les préparatifs.

5 Dites si les verbes en gras sont conjugués à l'imparfait ou au plus-que-parfait. Donnez leur infinitif.

Des nuées d'orages, sorties de la mer l'une après l'autre, de l'aube jusqu'au soir, **avaient passé** sur le pays, et, comme des poches éventrées d'où le grain coule, **avaient versé** leur pluie aux terres arides. Beaucoup de feuilles, celles des hautes branches surtout, **étaient tombées**. Un parfum de forêt mouillée **s'élevait** vers le ciel calme et laiteux. Il ne **faisait** pas de brise ; aucun oiseau ne **chantait** ; la campagne **semblait** uniquement attentive aux dernières gouttes formées pendant la nuit et qui **s'écrasaient** au pied des arbres avec des vibrations de métal.

RENÉ BAZIN, *La Terre qui meurt*.

6 Conjuguez les verbes au temps composé correspondant. Attention, il peut y avoir deux possibilités.

1. Tu es content et tu applaudis.
2. L'électricien rétablit le courant.
3. Tu niais la vérité.
4. Nous avions tort.
5. Il offre des fleurs à son amie.
6. Les coureurs buvaient régulièrement de l'eau pour se rafraîchir.

7 Relevez les verbes en précisant s'ils sont conjugués à l'imparfait ou au plus-que-parfait. Donnez leur infinitif. Attention, un même auxiliaire peut être employé pour plusieurs verbes.

Quand Nanon avait lavé sa vaisselle, serré les restes du dîner, éteint son feu, elle quittait sa cuisine et venait filer le chanvre auprès de ses maîtres. La servante couchait au fond de ce couloir, dans un bouge[1] éclairé par un jour de souffrance. [...] Elle devait, comme un dogue chargé de la police, ne dormir que d'une oreille et se reposer en veillant.

BALZAC, *Eugénie Grandet*.

1. **Bouge** (n. m.) : logis misérable et malpropre.

8 Récrivez ce texte en conjuguant les verbes à l'imparfait de l'indicatif.

Le vagabondage à travers le bois est le meilleur plaisir de mes congés du jeudi. La solitude forestière ne m'effraie point et je ne m'y ennuie jamais. Je peuple le fourré de personnages imaginaires avec lesquels j'entre en conversation ; je collectionne des fleurs ; je passe des heures à épier le va-et-vient des fourmis autour de la fourmilière. J'aime à me perdre en plein bois et à déboucher tout à coup sur la plaine déserte et mystérieuse. Tout au loin, au-delà des ondulations des blés, j'aperçois des forêts vaporeuses et je me figure des pays inconnus auxquels je donne des noms chimériques. J'invente de périlleuses aventures dont je suis le héros.

ANDRÉ THEURIET, *L'Oncle Scipion*.

9 Récrivez ce texte à la 1re personne du pluriel. Attention à bien faire tous les changements nécessaires.

Il employait donc son temps en telle façon qu'ordinairement il s'éveillait entre huit et neuf heures, qu'il fût jour ou non. [...]
Puis il gambadait, sautait, paillardait[1] dans son lit quelque temps pour mieux réjouir son esprit ; et il s'habillait selon la saison, mais volontiers il portait une grande et longue robe de gros lainage fourré de renard. Après, il se peignait du peigne d'Almain, c'est-à-dire des quatre doigts et du pouce, car ses précepteurs disaient que se peigner autrement, se laver et se nettoyer était perdre son temps en ce monde.
Puis il fientait[2], pissait, se raclait la gorge, rotait, pétait, bâillait, crachait, toussait, sanglotait, éternuait, morvait comme un archidiacre[3] et déjeunait pour lutter contre l'humidité et le mauvais air : belles tripes frites, belles grillades, beaux jambons, belles côtelettes de mouton et force tranches de pain dans du bouillon.

RABELAIS, *Gargantua*.

1. **Paillardait** : s'amusait – 2. **Fientait** : faisait ses besoins. –
3. **Archidiacre** : dignitaire de l'Église.

10 ANALYSE Analysez les verbes en italique (infinitif, temps, personne, voix).

1. La place dès le matin *était encombrée* par une file de charrettes qui, les brancards en l'air, *s'étendaient* le long des maisons. (FLAUBERT)
2. La bête *s'était réveillée* et *était devenue* furieuse. (MAUPASSANT)
3. De ce côté, la maison *étaient décorée* de vigne vierge dont la couleur écarlate me parut celle du sang. (BALZAC)
4. Le silence n'*était interrompu* que par le craquement du bois. (BALZAC)
5. Un de mes camarades, Alexandre Tronchet, *avait une fois été mis* en prison douze heures. (A. DUMAS)

11 ÉCRITURE Lorsqu'ils étaient enfants, quelles étaient les distractions de vos parents pendant les vacances ? Racontez en employant l'imparfait et le plus-que-parfait.

Le futur et le conditionnel

Pour commencer

Je partirai – Je partirais – Tu pourras – Tu pourrais. – Ils espéreraient – Ils iront – Je courais – Je courrais.

1. À quel temps chacun de ces verbes est-il conjugué ?
2. Recopiez-les en mettant les terminaisons en rouge. Précisez leur infinitif.

Leçon

❶ Le futur

- Les **terminaisons** sont les mêmes pour tous les verbes : -ai, -as, -a, -ons, -ez, -ont.
- Pour la plupart des verbes, le **radical** est l'infinitif :
   → *Je mangerai – je partirai.*
– pour les verbes du **3ᵉ groupe en -re**, le radical est l'infinitif auquel on a retiré le -e final :
   → *Je boirai ; tu prendras.*
– pour certains verbes, le radical est différent de l'infinitif :
   → *Aller : j'irai – avoir : j'aurai – être : je serai – faire : je ferai – savoir : je saurai – tenir : je tiendrai – valoir : je vaudrai – venir : je viendrai – vouloir : je voudrai.*
– quelques verbes **doublent** le **-r** :
   → *Courir : je courrai – envoyer : j'enverrai – mourir : je mourrai – pouvoir : je pourrai – quérir (et ses composés) : j'acquerrai – voir : je verrai.*

LES FAUTES À ÉVITER		
Verbes en...	**Ce qu'il faut faire**	**Ce qu'il faut faire**
-éer, -uer, -ier	Penser au -e que l'on n'entend pas !	*Nous plierons.*
-érer, -eter, -éder, -écher...	Conserver l'**accent aigu** dans toute la conjugaison, bien qu'on l'entende grave.	*J'espérerai.*
-uyer et **-oyer**	Changer le **Y** en **I** à toute les personnes (sauf pour le verbe *envoyer*, qui change de radical : *j'enverrai*).	*S'ennuyer, je m'ennuierai.*
-eler et **-eter**	Doubler le **L** ou le **T** à toutes les personnes.	*J'appellerai. – Tu jetteras.*

❷ Le conditionnel

- Les **terminaisons** sont celles de **l'imparfait**.
- Le **radical** est celui du **futur** : → *Je voudrais, nous irions.*

❸ Les temps composés

- **Futur antérieur** : auxiliaire *avoir* ou *être* conjugué au futur et suivi du participe passé du verbe que l'on conjugue : → *J'aurai voulu, nous serons parti(e)s.*

- **Conditionnel passé** : auxiliaire *avoir* ou *être* conjugué au conditionnel et suivi du participe passé du verbe que l'on conjugue : → *J'aurais voulu, nous serions parti(e)s.*

1 **Relevez les verbes conjugués, précisez leur infinitif, le mode et le temps auxquels ils sont employés.**

Assis sur un perron, Guillaume écoutait le récit du vaillant chevalier.

– Ami, cher compagnon, lui dit-il, tu as très bien parlé ; mais dis-moi, Orange est-elle aussi belle que tu l'as décrite ?

– Encore plus belle, seigneur. Ah ! Si vous pouviez voir la hauteur des remparts et la splendeur de la Gloriette, le palais princier, cette grande tour tout en marbre dont les salles voûtées sont ornées de mosaïques et les murs peints de fleurs en or ! Si vous étiez au printemps, vous pourriez y entendre chanter les oisillons, crier les faucons, vous y verriez la joyeuse animation des Sarrasins et vous y humeriez les parfums des herbes aromatiques et de la cannelle. Vous pourriez contempler Orable, la noble dame, l'épouse de monseigneur Thibaut. Jamais chrétienne ni païenne ne pourra l'égaler en beauté.

Anonyme du XIIe siècle, trad. J.-P. Tusseau, D.R.

2 **Conjuguez au futur de l'indicatif.**

Espérer – plier – valoir – tenir – mourir – comprendre – faire.

3 **Récrivez les phrases suivantes en conjuguant les verbes en italique à toutes les personnes du conditionnel.**

1. *Vouloir* un câlin – **2.** *courir* en tous sens – **3.** *s'habiller* en rouge – **4.** *céder* sa part – **5.** *venir* admirer le paysage.

4 **Conjuguez les verbes entre parenthèses : a. au futur ; b. au conditionnel.**

1. Julie (*cueillir*) des fleurs et en (*garnir*) la table. – **2.** Nous (*envoyer*) une carte à nos amis dès que nous (*partir*) en voyage. – **3.** Vous (*avouer*) votre gourmandise. – **4.** La coupe (*porter*) par le vainqueur. – **5.** Nous (*voir*) ce qui se passe.

5 **Conjuguez les verbes au temps composé correspondant.**

1. Samira et moi viendrions avec plaisir si vous nous invitiez, dit Loïse. – **2.** J'étudierai l'histoire. – **3.** Tu serais entendu si tu parlais plus distinctement. – **4.** Vous vous assiérez en silence, nous ordonne le professeur. – **5.** Les candidats seront appelés quand viendra leur tour.

6 **Retrouvez le texte de ce poème en conjuguant au futur les verbes entre parenthèses.**

Nous (*avoir*) des lits pleins d'odeurs légères,

Des divans profonds comme des tombeaux,
Et d'étranges fleurs sur des étagères,
Écloses pour nous sous des cieux plus beaux.
Usant à l'envi leurs chaleurs dernières,
Nos deux cœurs (*être*) deux vastes flambeaux,
Qui (*réfléchir*) leurs doubles lumières
Dans nos deux esprits, ces miroirs jumeaux.
Un soir fait de rose et de bleu mystique,
Nous (*échanger*) un éclair unique,
Comme un long sanglot, tout chargé d'adieux ;
Et plus tard un Ange entr'ouvrant les portes
(*Venir*) ranimer, fidèle et joyeux,
Les miroirs ternis et les flammes mortes.

CHARLES BAUDELAIRE, *Les Fleurs du mal*, « La mort des amants », 1857.

7 **Recopiez ces phrases en conjuguant les verbes entre parenthèses au temps de l'indicatif indiqué. Attention aux élisions et à l'ordre des mots aux temps composés.**

1. Je (*remettre*, passé composé) toujours au surlendemain ce que je (*pouvoir*, conditionnel passé) parfaitement faire l'avant-veille. (ALLAIS)
2. Mon cœur, comme un oiseau, (*voltiger*, imparfait) tout joyeux (BAUDELAIRE)
3. Dis-moi qui tu (*hanter*, présent), et je te (*dire*, futur) qui tu (*être*, présent). (MARIVAUX)
4. La biche (*poursuivre*, présent passif) par la meute du comte d'Orange.
5. Et je (*dire*, conditionnel) que je vous (*aimer*, présent), seigneur, si je (*savoir*, imparfait) ce que ce (*être*, présent) que d'aimer. (CORNEILLE)

8 ANALYSE **Recopiez cette phrase en sautant des lignes.**

Vous ne le ferez certes pas, dit le comte Olivier ; votre cœur est terrible et orgueilleux : je craindrais que vous n'en veniez aux mains. (*La Chanson de Roland*)

a. Encadrez en rouge les verbes conjugués en précisant à quel temps et à quel mode ils sont employés.
b. En rouge, soulignez les sujets, faites des vagues sous les compléments d'objet et des pointillés sous les attributs du sujet en précisant à chaque fois leur nature.

9 ÉCRITURE **Que se passerait-il si la science permettait aux hommes de changer de forme en empruntant temporairement l'apparence physique d'un animal ou d'une plante ?**
a. Vous utiliserez principalement le conditionnel.
b. Vous prendrez soin de varier les verbes employés (au moins dix verbes différents).
c. Votre texte devra comporter huit à dix phrases.

Pour commencer

En me retournant, je **vis** Hands, à mi-chemin entre le bastingage et moi, son poignard à la main.

Nous **dûmes** hurler tous les deux à la fois quand nos yeux **se rencontrèrent** ; mais alors que je **poussai** un cri aigu de terreur, lui **beugla** comme un taureau furieux en train de charger.

R.-L. Stevenson, *L'Île au trésor.*

1. À quel temps sont les verbes en gras ?
2. Recopiez-les, entourez leur terminaison et donnez leur infinitif et leur personne.
3. Que pouvez-vous en déduire sur la formation du passé simple ?

Leçon

Le passé est un temps régulier : le radical reste le même à toutes les personnes.

Voir → *Je vis, tu vis, il vit, nous vîmes, vous vîtes, ils virent.*

❶ Passé simple des verbes en -*er* (y compris *aller*)

Les verbes en -*er* font un passé simple en [a]. Les terminaisons sont : -ai, -as, -a, -âmes, -âtes, -èrent :

→ *Je jetai, tu jetas, il jeta, nous jetâmes, vous jetâtes, ils jetèrent.*

❷ Passé simple des verbes en -*ir(e)*, -*uire*, et de la plupart des verbes en -*dre* ou -*tre*.

• Ces verbes font un passé simple en [i]. Les terminaisons sont : -is, -is, -it, -îmes, -îtes, -irent :

Prendre → *je pris, tu pris, il prit, nous prîmes, vous prîtes, ils prirent.*

• Font aussi leur passé simple en [i] : les verbes en -*indre* (*rejoindre →* *il rejoignit*), *faire* (*il fit*), *voir* (*il vit*), *naître* (*il naquit*), *vaincre* (*il vainquit*), *s'asseoir* (*il s'assit*), *acquérir* (*il acquit*).

❸ Passé simple des verbes en -*oir* ou -*re*.

• Ces verbes font leur passé simple en [u]. Les terminaisons sont : -us, -us, -ut, -ûmes, -ûtes, -urent :

Devoir → *je dus, tu dus, il dut, nous dûmes, vous dûtes, ils durent.*

• Font aussi leur passé simple en [u] : *être* (*il fut*) et *avoir* (*il eut*), les verbes en -*soudre* (*résoudre →* *il résolut*), *lire* (*il lut*), *vivre* (*il vécut*), *mourir* (*il mourut*), *connaître* (*il connut*), *apparaître* (*il apparut*), *plaire* (*il plut*), *se taire* (*il se tut*).

❹ *Venir, tenir* et leurs composés

Ces verbes font leur passé simple en [in]. Les terminaisons sont les mêmes que pour les autres verbes des 2e et 3e groupes : -ins, -ins, -int, -înmes, -întes, -inrent.

Prévenir → *je prévins, tu prévins, il prévint, nous prévînmes, vous prévîntes, ils prévinrent.*

❺ Le passé antérieur

Le passé antérieur est formé de l'auxiliaire *être* ou *avoir* au passé simple et du participe passé du verbe :

→ *Je fus descendu ; il eut mis.*

1 **Dans le texte ci-dessous, relevez les verbes au passé simple et donnez leur infinitif.**

Lorsque Robinson reprit connaissance, il était couché, la figure dans le sable. Une vague déferla sur la grève mouillée et vint lui lécher les pieds. Il se laissa rouler sur le dos. Des mouettes noires et blanches tournoyaient dans le ciel redevenu bleu après la tempête. Robinson s'assit avec effort et ressentit une vive douleur à l'épaule gauche. […] Robinson se leva et fit quelques pas. […] Comme le soleil commençait à brûler, il se fit une sorte de bonnet en roulant de grandes feuilles qui croissaient au bord du rivage.

MICHEL TOURNIER, *Vendredi ou la Vie sauvage* © Gallimard.

2 **a. Conjuguez les verbes suivants au passé simple et à toutes les personnes.**

Être – avoir – faire – déplacer – choisir – vouloir – devenir – prendre – conduire – peindre – vivre – se taire.

b. Conjuguez ces deux verbes au passé simple et à la voix passive : cacher – défendre.

3 **Parmi les verbes suivants, lesquels ne sont pas au passé simple ? Justifiez votre réponse.**

Regardais – regardai – dites – dîtes – fis – fus – fais – eu – alluma – allumât – allumâtes – tournerai – jetai – allèrent – gèrent – ris – vis – vécus – fut allumée.

4 **a. Classez les verbes suivants selon qu'ils font leur passé simple en [a], en [i], en [u] ou en [in].**

b. Choisissez-en un dans chaque colonne et conjuguez-le au passé simple, à toutes les personnes.

Souffler – partir – venir – aller – vendre – apercevoir – apparaître – descendre – décider – offrir – détruire – lire – écrire – contenir – voir – savoir – vivre – mourir.

5 **a. Recopiez le texte suivant en conjuguant au passé simple les verbes entre parenthèses.**

b. Recopiez une nouvelle fois le texte en remplaçant « je » par « il ».

Tous les matins, je (*pouvoir*) lui donner ma tête, qu'elle étreignait des quatre pattes et dont elle râpait, d'une langue bien armée, les cheveux coupés. Un matin, elle (*étreindre*) trop fort mon bras nu, et je la (*châtier*). Offensée, elle (*sauter*) sur moi, et j'(*avoir*) sur les épaules le poids déconcertant d'un fauve, ses dents, ses griffes… J'(*employer*) toutes mes forces et (*jeter*) Bâ-Tou contre un mur. Elle (*éclater*) en miaulements terribles, en rugissements, elle (*faire*) entendre son langage de bataille, et (*sauter*) de nouveau. J'(*user*) de son collier pour la rejeter contre le mur, et la (*frapper*) au centre du visage. À ce moment, elle pouvait, certes, me blesser gravement. Elle n'en (*faire*) rien, (*se

contenir), me (*regarder*) en face et (*réfléchir*)… Je jure bien que ce n'est pas la crainte que je (*lire*) dans ses yeux. Elle (*choisir*), à ce moment décisif, elle (*opter*) pour la paix, l'amitié, la loyale entente ; elle (*se coucher*), et (*lécher*) son nez chaud…

COLETTE, *La Maison de Claudine* (1922)
© Librairie Arthème Fayard, 2004.

6 **Les verbes soulignés sont-ils au passé simple passif ou au passé antérieur ? Justifiez votre réponse.**

1. Dès que j'eus mangé ma tarte au chocolat, je me sentis revivre.
2. Celle-ci fut dévorée en quelques secondes.
3. Quand Iseut fut partie, Tristan demeura pensif.
4. À l'heure de la fermeture, mes amis et moi fûmes raccompagnés jusqu'à la porte du musée.
5. Les cadeaux que j'avais emballés avec mille précautions furent défaits en un instant.
6. Après que je fus tombé par hasard sur cette lettre, le mystère ne tarda pas à s'éclaircir.
7. Dès que vous fûtes entrés, vous fûtes incommodés par l'odeur de renfermé qui régnait dans la pièce.

7 **Recopiez les phrases suivantes en mettant le verbe entre parenthèses au passé antérieur.**

1. [La fourmi] se trouva fort dépourvue quand la bise (*venir*). (LA FONTAINE) – **2.** Le renard (*laper*) le tout en un moment. – **3.** Après que Jacques (*repartir*), je me suis agenouillée près d'Amélie. (GIDE) – **4.** En quatre mois, il (*dépenser*) ainsi près d'un dixième de sa fortune. (AYMÉ) – **5.** Quand il (*souffler*) la bougie, tout changea. (GRACQ)

8 **Recopiez le texte suivant en mettant les verbes entre parenthèses au temps indiqué.**

Elle (*obtenir*, passé simple) de lui qu'ils (*quitter*, conditionnel) le pays ; mais pour quitter le pays, […] il (*falloir*, imparfait) de l'argent ; ni l'un ni l'autre n'en (*avoir*, imparfait). Le prêtre (*voler*, passé simple) les vases sacrés, les (*vendre*, passé simple) ; mais comme ils (*s'apprêter*, imparfait) à partir ensemble, ils (*arrêter*, passé simple, voix passive) tous deux.
Huit jours après, elle (*séduire*, plus-que-parfait) le fils du geôlier et (*se sauver*, plus-que-parfait). Le jeune prêtre (*condamner*, passé simple, voix passive) à dix ans de fers[1] et à la flétrissure[2].

ALEXANDRE DUMAS, *Les Trois Mousquetaires* (1844).

1. Fers : chaînes qui entravent un prisonnier.
2. Flétrissure : marque au fer rouge.

9 ÉCRITURE **En huit à dix phrases au passé simple, faites le récit d'un affrontement entre deux chevaliers.**

Pour commencer

PATHELIN. – Eh, diable ! On ne t'entendra pas : parle sans crainte ! N'aie pas peur !
LE BERGER. – Béé !
PATHELIN. – Il est temps que je parte. Paie-moi.

La Farce de Maître Pathelin, anonyme, xvᵉ siècle.

1. Relevez les verbes de la première phrase, et précisez leurs sujets.
Que remarquez-vous ?
2. Pathelin s'adresse au berger sur un ton impératif. Que signifie « impératif » ?

Leçon

❶ Le mode impératif n'a que deux temps :

– impératif présent : → *Termine.*

– impératif passé : → *Aie terminé* (auxiliaire *être* ou *avoir* à l'impératif présent + participe passé du verbe).

❷ Le verbe à l'impératif ne se conjugue qu'à trois personnes :
2ᵉ personne du singulier, 1ᵉ et 2ᵉ personnes du pluriel.

❸ Le sujet n'est pas exprimé. Pour les verbes pronominaux, le pronom réfléchi se trouve derrière le verbe auquel il est relié par un tiret, mais ce n'est pas un sujet.
→ *Cache-**toi**, cachons-**nous**, cachez-**vous**.*

❹ Les terminaisons

• **Pour les verbes des 2ᵉ et 3ᵉ groupes,** les terminaisons sont les mêmes qu'au présent de l'indicatif (voir leçon 35).
→ *Prends, prenons, prenez.*

• **Pour les verbes du 1ᵉʳ groupe,** et pour le verbe *aller*, il ne faut pas mettre de **-s** à la 2ᵉ personne du singulier,
→ *Donne, donnons, donnez ; va, allons, allez.*

On ajoute uniquement un *-s* devant *en* et *y* pour faire la liaison.
→ *Parles-en ; vas-y.*

• **Pour les verbes *être* et *avoir* :**

– être : → *sois, soyons, soyez.*

– avoir : → *aie, ayons, ayez.*

❺ Les valeurs
L'impératif exprime :
– **un ordre** (*Tais-toi*) ;
– un **conseil** (*Ne restez pas là*) ;
– un **souhait** (*Portez-vous bien*) ;
– une **prière** (*Pardonne-moi*).

1 Relevez les verbes conjugués à l'impératif, donnez leur infinitif et précisez la personne et le nombre.

Aline est fâcheusement impressionnée à l'idée de se lancer dans le vide. D'en bas, Pierre la surveille : « Allons-y, petite ! Desserre les doigts. Laisse filer la corde. » Puis il se fâche : « Veux-tu la laisser coulisser ! » Puis il l'encourage : « Là... très bien... Renverse-toi en arrière... Le corps en équerre... Fais comme si tu dansais... » Il s'impatiente et piétine : « Mais regarde au-dessous de toi, sacrée gamine, détache ton corps du rocher à grands coups de pieds... Oui, c'est mieux ! »

ROGER FRISON-ROCHE, *Premier de cordée*, 1942 © Gallimard.

2 a. Conjuguez à l'impératif présent :

Être sûr de soi – ne pas avoir peur – faire attention – jeter – essuyer – éteindre – crier – écrire – se dépêcher.

b. Conjuguez à l'impératif passé :

Rentrer à l'heure – terminer son travail.

3 Conjuguez à la 2e personne du singulier de l'impératif présent.

Lire – lier – remplir – plier – serrer – servir – parer – partir – dormir – dorer – entourer – courir – secouer – résoudre – craindre – mourir – savoir – épeler.

4 Classez en deux colonnes les impératifs suivants, selon qu'ils sont actifs ou passifs.

Défends-leur – soyez remercié – aie terminé – soyons ravis – soyons entrés – ayez félicité – sois surpris – réponds-lui.

5 Conjuguez les verbes entre parenthèses au présent à la 2e personne du singulier de l'impératif ou de l'indicatif.

1. (*Aller*) au tableau, (*prendre*) la craie et (*écrire*). (*Se dépêcher*), (*aller*) -y. Enfin tu y (*aller*) ?

2. Tu ne (*manger*) jamais de dessert, mais impossible de résister à ce gâteau : (*manger*)-en et tu m'en diras des nouvelles. Il (*manger*) en se pourléchant les babines.

3. Tu ne (*raconter*) pas souvent d'histoire aux enfants, mais ce soir, (*raconter*)-en une et (*mettre*)-y du cœur.

6 Conjuguez à l'impératif présent et à la personne indiquée les verbes entre parenthèses.

1. « Y (*aller*, 2e pers. du sing), dit Ludovic. (Ne pas rester, 2e pers. du sing.) longtemps », suppliait Jérôme. (GIRAUDOUX)

2. Ô (*être*, 2e pers. du sing.) béni, château d'où me voilà sorti. (VERLAINE)

3. (*Ne pas le faire*, 2e pers. du plur.), mon petit maître !

(*Avoir*, 2e pers. du plur.) pitié de nous ! (MAETERLINCK)

4. (*Ne pas s'éteindre*, 2e pers. du sing.) durant mon somme, Feu ! (COLETTE)

5. Attention, dit Ulysse, (*avoir*, 1e pers. du plur.) l'œil et le bon ! (GIRAUDOUX)

6. Toi, la nièce, (*se pousser*, 2e pers. du sing.) un peu... (*faire*, 2e pers. du sing.) de la place au capitaine. (SAINT-EXUPÉRY)

7. (*Ne pas partir*, 2e pers. du sing.) ainsi. (*Se retourner*, 2e pers. du sing.) ! (*Crier*, 2e pers. du sing.) quelque chose. (*Hésiter*, 2e pers. du sing.), (*Avoir*, 2e pers. du sing.) mal ! (ANOUILH)

8. (*Ne pas mépriser*, 2e pers. du plur.) les hommes ; (*ne pas les haïr*, 2e pers. du plur.) et n'en (*rire*, 2e pers. du plur.) outre mesure, (*plaindre*, 2e pers. du plur.)-les. (DUMAS)

7 a. Relevez dans le texte tous les verbes à l'impératif et donnez l'infinitif de chacun.

b. Récrivez ce texte : le père s'adresse à ses deux fils.

c. Pour donner un ordre, on peut utiliser le futur simple : récrivez ce texte en remplaçant l'impératif par le futur simple. Pour quel verbe n'est-ce pas possible ?

Un père alité et son fils.
Il avait des clefs dans sa main. Il m'a dit : « tiens, prends la plus petite et ouvre le secrétaire. Dans le tiroir de droite, il y a une enveloppe avec trois cents francs dedans. Prends-les... Bon ! Cherche un crayon, un papier, écris. »

RENÉ-GUY CADOU, *La Maison d'été.*

8 Transformez à l'impératif les phrases suivantes.

1. Tu feras mieux à l'avenir. – **2.** Dès cinq heures, tu ranges tes affaires et tu sors. – **3.** Vous prendrez le train ce soir et vous arriverez à l'improviste. – **4.** Tu attends que je revienne et tu t'installes dans ce fauteuil. – **5.** Te tairas-tu ! – **6.** Tu écoutes ce qu'on te dit et tu ne réponds rien. – **7.** Veux-tu te tenir tranquille !

9 ÉCRITURE Reformulez les ordres suivants pour les rendre moins autoritaires.

Accepte mes excuses. – Fermez cette porte. – Lève-toi. – Sors. – Taisez-vous.

10 ÉCRITURE Dialogue théâtral : Imaginez les ordres qu'un seigneur donne à son cuisinier en vue de la préparation d'un festin. Employez l'impératif.

42 Le mode subjonctif

Allons donc nous mettre à table et qu'on fasse venir les musiciens. (MOLIÈRE)

1. Relevez les deux verbes conjugués de cette phrase. À quel mode le premier est-il conjugué ? Qu'exprime ce mode ?
2. À quel mode le deuxième verbe est-il conjugué ? Qu'exprime ce mode ?
3. Dans les exemples suivants, l'action de *faire* est-elle réalisée ou envisagée ?
   Je souhaite qu'on fasse venir les musiciens.
   Je crains qu'on fasse venir les musiciens.

Leçon

• Le **subjonctif** est le **mode des actions incertaines** : elles sont seulement **envisagées**.

❶ Conjugaison

• Pour trouver plus facilement la conjugaison du subjonctif, on place ***il faut que*** devant le verbe.

• Ce mode comprend **quatre temps**, mais nous en étudierons deux cette année : le présent et le passé.

Le présent

• Pour **tous les verbes** sauf *avoir* et *être*, les terminaisons sont : *-e, -es, -e, -ions, -iez, -ent.*

• Pour les **verbes du 2ᵉ groupe**, on fait précéder cette terminaison de *ss-*.
  → *Que je finisse ; que nous grandissions.*
  – Attention aux verbes en ***-ier*** et ***-yer*** : → *que nous criions, que nous essuyions.*
  – Attention aux verbes du **3ᵉ groupe** : *que je voie ; que je coure.*
    → *Être : que je sois, tu sois, il soit, nous soyons, soyez, ils soient*
    → *Avoir : que j'aie, tu aies, il ait, nous ayons, vous ayez, aient*

• Quelques verbes à connaître : → *aller* → *que j'aille* ; *faire* → *que je fasse* ; *pouvoir* → *que je puisse* ; *savoir* → *que je sache.*

Le passé

C'est un temps composé : auxiliaire *être* ou *avoir* au subjonctif présent + participe passé.
  → *que j'aie fait ; qu'elle soit venue.*

❷ Les emplois du subjonctif

• On rencontre le subjonctif en proposition indépendante pour exprimer :
– un **souhait** : *Que votre voyage se fasse sans incident !*
– un **ordre** : *Qu'ils se taisent.*
– une **prière** : *Que Votre Majesté ne se mette pas en colère !*
– une **supposition** : *Qu'il pleuve et la fête sera annulée.*
– une **indignation** : *Moi, que je lui pardonne ! Jamais.*

• On rencontre le subjonctif dans les propositions subordonnées conjonctives COD d'un verbe exprimant **le souhait**, **le doute**, **la crainte** (le fait est possible mais non certain).
  → *J'aimerais qu'il vienne ; je crains qu'il ne vienne pas.*

Exercices

1 **Relevez les verbes au subjonctif. Précisez le temps, la personne et donnez l'infinitif de chacun d'eux.**

1. J'entends[1] qu'on soit avec lui aux petits soins et qu'il finisse ses jours en paix. (AYMÉ) – **2.** Je préférerais qu'ils soient rentrés avant la nuit. – **3.** C'est la plus mauvaise nuit que j'aie jamais passée dans un train. (SIMENON) – **4.** Nous souhaiterions tous qu'ils aient réussi leur examen. – **5.** Je crains que vous ne jouiez sur les mots. (PAGNOL) – **6.** La Loi de la Jungle exige que deux membres au moins du Clan, qui ne soient ni son père, ni sa mère, prennent la parole en sa faveur. (KIPLING) – **7.** Qu'ils soient pendus haut et court !

1. J'entends : je veux.

2 **a. Conjuguez les verbes suivants aux premières personnes du singulier et du pluriel à l'indicatif présent puis au subjonctif présent :**

Être – rire – choisir – pouvoir – vouloir – travailler – jeter – paraître – prendre – savoir – lire – croire.

b. Conjuguez les verbes suivants à la troisième personne du subjonctif présent de la voix passive, puis au subjonctif passé de la voix active.

Connaître – libérer – prendre – lire – vendre.

3 **Conjuguez les verbes au subjonctif présent :**

1. Je doute que nous le (*voir*), mais j'aimerais au moins qu'il nous (*envoyer*) de ses nouvelles. – **2.** Quoi qu'on (*dire*), je veux que vous (*gagner*) ce match et que vous (*aller*) en finale. – **3.** Il serait préférable que nous (*savoir*) danser, avant que nos parents ne nous (*voir*) sur scène. – **4.** Quel dommage que tu (*partir*) et que tu ne (*prendre*) même pas le temps de passer ce dernier moment avec nous. – **5.** Il est inadmissible que tu (*croire*) à de telles balivernes et que tu (*craindre*) ces présages. – **6.** Si usagés que (*être*) ces livres, il y tient. – **7.** On les a mis au régime afin qu'ils (*maigrir*).

4 **Conjuguez les verbes au subjonctif passé.**

1. Il faut que chacun (*lire*) ce livre pour la rentrée. – **2.** Je préférerais que tu (*arriver*) quelques minutes avant le début du spectacle. – **3.** Tu doutes qu'elle (*venir*) et qu'elle (*apporter*) le colis. – **4.** Il faut qu'ils (*courir*) bien longtemps pour être si essoufflés. – **5.** Je crains que nous (*ne pas terminer*) ce travail avant la sonnerie.

5 **Classez les phrases suivantes en trois groupes selon qu'elles expriment l'ordre, l'indignation ou le souhait.**

1. Puisses-tu être heureux. – **2.** Que nous cédions ce bijou à si bas prix ! Jamais. – **3.** Qu'il se mette immédiatement au lit et qu'il éteigne la lumière. – **4.** Moi ! que je lui fasse des excuses ! – **5.** Que je ne vous y reprenne pas ! – **6.** Que votre séjour soit aussi agréable que possible.

6 **Écrivez ces phrases au subjonctif présent de manière à exprimer un ordre. Commencez-les par le mot exclamatif *que*.**

1. Il court porter la nouvelle à tout le village. – **2.** Le fils de Géronte prend la peine de saluer l'assemblée. – **3.** On suit les prescriptions du médecin. – **4.** Mon bateau partira demain pour les Indes. – **5.** Les marins sont prêts à jeter l'ancre et à hisser la grand' voile. – **6.** Il ne dira rien avant la fin du procès. – **7.** Il tient ses bagages et attend sur le quai.

7 **Choisissez l'indicatif ou le subjonctif pour compléter ces phrases.**

1. Qu'il (*attendre*) encore un peu, que ma colère se (*être*) refroidie. – **2.** Il (*attendre*) encore un peu et remarque que ma colère s'(*être*) refroidie. – **3.** Il faudra que nous (*recopier*) ce texte et que nous en (*revoir*) l'orthographe. – **4.** Ce travail sera satisfaisant si nous (*recopier*) ce texte et si nous en (*revoir*) l'orthographe. – **5.** Je (*lire et relire*) sans me lasser les textes de Stevenson. – **6.** Que je (*lire et relire*) une fois de plus les textes de Stevenson ! Mais pourquoi ? – **7.** Pourquoi ne (*faire*) -vous pas votre sac avant de partir ? – **8.** Il est nécessaire que vous (*faire*) votre sac avant de partir.

8 **Remplacez le verbe de la principale par le verbe proposé entre parenthèses, et faites les changements nécessaires pour le verbe de la subordonnée : subjonctif présent ou passé ?**

1. Je remarque (*s'étonner*) qu'elle n'a pas terminé de lire son roman. – **2.** Je crois (*douter*) que Lindbergh est le premier à avoir traversé l'Atlantique en avion. – **3.** Il affirme (*souhaite*) que son amie a caché le trésor au pied de cet arbre. – **4.** Nous parions (*être surpris*) que vous irez à la manifestation. – **5.** Elle estime (*craindre*) que les enfants ont des résultats bien médiocres. – **6.** Tu affirmes (*se réjouir*) qu'il vient avec nous.

9 **ÉCRITURE** **a. Le roi Arthur donne ses ordres pour qu'on lui construise un magnifique palais : construisez cinq phrases au subjonctif, du type :** *Que l'on fasse venir le plus grand architecte du royaume.*

b. Une jeune princesse implore le roi son père pour qu'on la laisse épouser le garçon qu'elle aime : construisez cinq phrases au subjonctif. Commencez par : *Que sa Majesté...*

43 Employer l'imparfait et le passé simple

Conjugaison

Pour commencer

Aragorn hésita. […] Le temps pressait. Soudain, il s'élança en avant et courut au sommet ; il traversa les grandes dalles et monta les marches. Puis, s'asseyant dans le haut siège, il regarda autour de lui. Mais le soleil semblait obscurci, et le monde estompé et distant. Il décrivit un tour complet du Nord au Nord, mais il ne vit rien d'autre que les collines éloignées, sinon que dans le lointain un grand oiseau semblable à un aigle planait de nouveau haut dans le ciel, descendant lentement vers la terre en larges cercles.

J. R. R. Tolkien, *Le Seigneur des anneaux*, trad. Francis Ledoux © Christian Bourgois.

1. Relevez les verbes exprimant les actions qu'effectue Aragorn. À quel temps sont-ils conjugués ?
2. Sur un axe, placez ces verbes dans l'ordre chronologique.
3. Quels sont les verbes que vous n'avez pas relevés ? À quel temps ces verbes sont-ils conjugués ?

Leçon

L'imparfait et le passé simple sont des temps du passé. Ce sont les principaux temps du récit au passé.

① On distingue les **actions de premier plan**, c'est-à-dire les actions principales, qui font progresser le récit, et les **actions de second plan**, secondaires, qui décrivent le décor ou commentent l'action principale :

→ *Le soleil se couchait quand Aragorn reprit sa course.*

action secondaire · action principale

② Le **passé simple** est employé pour les **actions de premier plan** : il est la « colonne vertébrale » du récit.

• Il présente les actions comme **achevées** et bien **délimitées** dans le temps :

→ *Il **décrivit** un tour complet du Nord au Nord.* (L'action dure le temps de faire ce tour.)

Attention, les actions au passé simple ne sont pas nécessairement brèves :

→ *La période glaciaire **dura** cinq cents milliards d'années.*

• Les actions au passé simple se déroulent les unes après les autres : elles sont **successives** :

→ *Soudain, il **s'élança** en avant et **courut** au sommet ; il **traversa** les grandes dalles et **monta** les marches.*

③ **L'imparfait** est employé pour les **actions de second plan**.

• Il présente les actions **en cours de déroulement** (on ne **connaît** ni leur début, ni leur fin) :

→ *Un aigle **planait** de nouveau haut dans le ciel.* (Il est en train de planer.)

• L'imparfait est donc utilisé pour la **description** dans le passé :

→ *Le soleil **semblait** obscurci.*

• Il est aussi utilisé pour exprimer l'**habitude** et la **répétition** :

→ *Tous les matins, Aragorn **s'entraînait** à l'épée.* (habitude)
→ *Chaque fois qu'il **regardait** le ciel, Aragorn **voyait** l'oiseau.* (répétition)

354

Exercices

1 À quel temps les verbes en gras sont-ils conjugués ? Précisez leur infinitif.

1. Vous **étudiiez** la peinture avec enthousiasme. –
2. Pour rentrer de l'école, je **préférais** souvent prendre le chemin le plus long. – **3.** Ce jour-là, je l'**étonnai** par la rapidité de mes réponses. – **4.** Autrefois, nous nous **liions** facilement avec les gens. – **5.** Tu **dis** à ton ami que vous pourriez vous rencontrer le lendemain. – **6.** Ce que vous **dites** ne me concerne pas. – **7.** Je vous **écrirai** dès mon arrivée.

2 Lisez attentivement ces deux textes.

Texte 1

Ce fut midi. Les voyageurs montèrent dans l'autobus. On fut serré. Un jeune monsieur porta sur sa tête un chapeau entouré d'une tresse, non d'un ruban. Il eut un long cou. Il se plaignit auprès de son voisin des heurts que celui-ci lui infligea. Dès qu'il aperçut une place libre, il se précipita vers elle et s'y assit.
Je l'aperçus plus tard devant la gare Saint-Lazare. Il se vêtit d'un pardessus et un camarade qui se trouva là lui fit cette remarque : il fallut mettre un bouton supplémentaire.

Texte 2

C'était midi. Les voyageurs montaient dans l'autobus. On était serré. Un jeune monsieur portait sur sa tête un chapeau qui était entouré d'une tresse et non d'un ruban. Il avait un long cou. Il se plaignait auprès de son voisin des heurts que ce dernier lui infligeait. Dès qu'il apercevait une place libre, il se précipitait vers elle et s'y asseyait.
Je l'apercevais plus tard, devant la gare Saint-Lazare. Il se vêtait d'un pardessus et un camarade qui se trouvait là lui faisait cette remarque : il fallait mettre un bouton supplémentaire.

RAYMOND QUENEAU, *Exercices de style*, © ed Gallimard.

a. À quel temps les verbes du texte 1 sont-ils conjugués ? Et ceux du texte 2 ?

b. Les deux textes racontent-ils exactement la même histoire ? Justifiez votre réponse.

3 Expliquez l'emploi de l'imparfait dans la phrase : « Dès qu'il apercevait une place libre, il se précipitait vers elle et s'y asseyait. »

4 Relevez les imparfaits, et précisez leur valeur (leur emploi) : action en cours de déroulement, description, habitude ou répétition.

Le lendemain, la matinée était déjà avancée quand Oliver s'éveilla. Il n'y avait personne d'autre dans la pièce que le vieillard qui faisait du café dans une casserole en sifflotant. De temps à autre il s'interrompait pour écouter puis revenait à son sifflement et au café.

Oliver n'était plus endormi, il n'était pas tout à fait éveillé, non plus. […] Il voyait Fagin aller et venir, il l'entendait siffler, il percevait les bruits de la cuillère contre les bords de la casserole et, en même temps, son esprit vagabondait.

CHARLES DICKENS, *Oliver Twist*, trad. Michel Laporte
© Le Livre de Poche.

5 Relevez les verbes au passé simple et à l'imparfait et précisez leur valeur.

Au soir de notre troisième jour sur la terre de Maple White, nous fîmes une expérience qui nous laissa un souvenir effroyable, et nous rendîmes grâce à lord John de ce qu'il avait fortifié notre refuge. Tous nous dormions autour de notre feu mourant quand nous fûmes réveillés, ou plutôt arrachés brutalement de notre sommeil, par une succession épouvantable de cris de terreur et de hurlements.

CONAN DOYLE, *Le Monde perdu* trad. Gilles Vauthier
© Robert Laffont, « Bouquins », 1989.

6 Même exercice.

1. Je le vis, je rougis, je pâlis à sa vue. (RACINE) –
2. Mon cœur, comme un oiseau, voltigeait tout joyeux. (BAUDELAIRE) – **3.** La Belle au bois dormait. Cendrillon sommeillait. (VERLAINE) – **4.** Il y entrait à huit heures du matin, y restait jusqu'à midi, venait déjeuner, y retournait aussitôt et y demeurait jusqu'à sept ou huit heures du soir. (MAETERLINCK)

7 Conjuguez les verbes entre parenthèses au temps qui convient.

Lorsque je (*voir*, passé simple) pour la première fois un avion, je (*être*) bien surpris. J'(*être*) à la campagne, je (*se promener*). Tout à coup, j'(*entendre*) un ronflement de moteur. Je (*lever*) la tête, je (*chercher*) dans le ciel et bientôt j'(*apercevoir*), volant dans l'air comme un oiseau rapide, un engin qui (*briller*) au soleil. J'(*être*, imparfait) enchanté et je (*pousser*) des cris d'admiration.

8 ANALYSE Relevez tous les verbes du texte, donnez leur infinitif et précisez le mode, le temps et la personne auxquels ils sont conjugués.

La cigale avait chanté tout l'été ; mais quand l'hiver approcha, elle demanda à la fourmi un peu de nourriture pour passer l'hiver. « Je ne vous donnerai rien, dit la fourmi ; pendant que vous chantiez, j'ai ramassé du grain et je le garde pour moi. »

9 ÉCRITURE Relisez les textes de l'exercice 2.

a. Écrivez une troisième version, en utilisant et le passé simple et l'imparfait, de façon à obtenir un texte cohérent.
b. Imaginez la suite de l'histoire (huit phrases).

44 Les emplois du conditionnel

Conjugaison

Pour commencer

1. Le capitaine Némo a déclaré qu'il ferait le tour du monde.
2. Il aimerait faire le tour du monde en bateau.
3. Aimeriez-vous faire le tour du monde en bateau ?
4. Il aurait fait le tour du monde en bateau.
5. Je serais le capitaine Némo et je partirais faire le tour des océans avec mon sous-marin.

1. Dans la phrase 1, conjuguez le verbe *déclarer* au présent, puis faites les changements nécessaires. Que remarquez-vous ?
2. À quel temps sont conjugués les verbes de ces phrases ? Expriment-ils une action réalisée ?

Leçon

• **Le conditionnel est un temps de l'indicatif,** qu'on rencontre surtout en proposition subordonnée dans une phrase au passé. Il remplace le futur dans une proposition subordonnée dépendant d'un verbe principal au passé.

→ *Ex : Je savais que tu **viendrais**. (Je sais que tu viendras.)*

• **Mais le conditionnel peut aussi avoir une valeur modale** lorsqu'il est employé en proposition indépendante.

• Il exprime alors :

– **un souhait :** → *Nous **voudrions** être en vacances.*

– **un regret :** → *Nous **aurions aimé** être en vacances.*

– **une affirmation atténuée par politesse :** → *Je **voudrais** que vous fermiez cette porte.*

– **une information incertaine :** → *La tempête **aurait provoqué** bien des dégâts.*

– **une situation imaginaire, rêvée :** → *J'**irais** au centre de la Terre.*

Exercices

1 **Mettez le verbe de la principale à l'imparfait et le verbe de la subordonnée au conditionnel présent.**

1. Le guide nous assure que nous n'aurons aucun mal à trouver notre chemin. – **2.** Je crois que tu réussiras cette ascension. – **3.** Nous supposons que vous nous accompagnerez. – **4.** J'imagine qu'il n'ira pas en cours vendredi prochain. – **5.** On dit qu'il n'aura aucune chance de les battre. – **6.** Je me demande seulement si je me rappellerai. – **7.** Vous confirmez que l'ensemble des voyageurs n'aura rien à signaler à la douane.

2 **Mettez le verbe en caractère gras au présent et faites les changements nécessaires pour le deuxième verbe de la phrase.**

1. Elle m'**envoya** en pénitence sous le hangar en m'as-

surant que je n'aurais comme nourriture que du pain et de l'eau. (AUDOUX) – **2.** Il **savait** bien qu'un jour ou l'autre son petit maître viendrait le délivrer. (PRÉVERT) – **3.** Jenny **avait déclaré** qu'elle parlerait du grand pays à Gaspard et Hélène. (DHÔTEL) – **4.** Il **était** convenu que Madeleine irait d'abord se fixer à Nièvres, puis qu'elle reviendrait achever l'hiver à Paris. – **5.** Il me **disait** sa certitude que mon pourvoi[1] serait accepté. (CAMUS)

1. **Pourvoi** : demande de révision d'un procès.

3 **Dans les phrases suivantes, conjuguez le verbe au conditionnel présent ou au futur simple.**

1. Je lui ai promis que j' (*attraper*) un poisson et que nous le (*manger*) au dîner. – **2.** Si tu n'avais pas tant mangé, tu n'(*avoir*) pas une indigestion. – **3.** Le professeur m'a prévenu qu'il (*voir*) mes parents avant le conseil de classe. –

4. Vous (*rentrer*) le linge s'il se met à pleuvoir. – 5. Il m'annonça qu'il (*venir*) aussitôt qu'il le (*pouvoir*). – 6. Je vous assure que cette sortie (*être*) très enrichissante et vous (*permettre*) de mieux connaître votre ville. – 7. N'avez-vous pas déclaré que vous (*aller*) rendre les pièces à conviction ? – 8. Elle nous jure qu'on ne l'y (*reprendre*) plus. – 9. Elle nous jura qu'on ne l'y (*reprendre*) plus. – 10. Mon frère pense qu'il (*obtenir*) ses examens.

4 **Récrivez ce texte en faisant parler directement les personnages.**

Nous fumes si satisfaits de notre séjour que nous déclarâmes à l'hôtelier que nous reviendrions pour les prochaines vacances ; que nous lui confirmerions par lettre notre décision dès que aurions eu connaissance de la date de nos congés ; que nous inviterions quelques amis et espérions qu'ils seraient aussi charmés de leur séjour que nous l'avions été du nôtre.

Commencez ainsi : *Nous fûmes si satisfaits de notre séjour que nous déclarâmes à l'hôtelier : « ... »*

5 **Relevez les verbes au conditionnel et précisez leur valeur.**

1. J'aurais bien aimé le soigner, reprit alors Sybil, mais Patricia m'en a toujours empêchée. (Kessel) – 2. Je voudrais être petit chien. (Verlaine) – 3. Je désirerais une boisson chaude. Est-ce possible ? (Bernanos) – 4. On aurait arrêté l'assassin à l'aéroport, alors qu'il tentait de fuir. – 5. Ce serait la nuit ; nous serions perdus dans une forêt pleine de bêtes féroces et nous aurions construit une cabane pour nous abriter et nous cacher. (Vildrac) – 6. Vous pourriez peut-être vous mettre au travail. – 7. Que je me plairais ici ! – 8. Je voudrais connaître quelqu'un auprès de qui je pourrais me renseigner. – 9. Nos voisins sont absents ; ils seraient en voyage.

6 **Transposez les phrases suivantes au conditionnel afin d'atténuer le propos.**

1. Sommes-nous en retard ? – 2. Je veux que vous me remettiez ce document au plus vite. – 3. Il souhaite vous voir dans son bureau avant la fin de la semaine. – 4. Avez-vous perdu quelque chose ? – 5. As-tu vu mes lunettes ? – 6. Nous devons nous rendre à son chevet. – 7. Je ne peux lui refuser mon aide à un moment pareil. – 8. Peux-tu m'accompagner jusqu'à la grille ? – 9. Tu voudras bien maintenir la lanterne pendant la manœuvre ?

7 **Récrivez les informations suivantes en exprimant le doute. Employez le conditionnel présent ou passé.**

1. Il m'a laissé son adresse, pourtant je ne la trouve nulle part. – 2. L'avion doit atterrir d'ici une heure. –

3. Suite au bouleversement climatique, certaines espèces d'oiseaux disparaissent de nos côtes. – 4. Vous avez entendu cette conversation téléphonique entre les deux diplomates. – 5. Tu as des places pour le prochain match. Quelle chance ! – 6. La rentrée des classes est reportée à cause d'abondantes chutes de neige. – 7. On l'a prévenu trop tard et il n'a pas pu rendre son devoir à temps.

8 **Transformez ces phrases exprimant un souhait en phrases exprimant un regret. Pour cela, mettez le verbe au conditionnel passé.**

1. Nous aimerions partir en bateau avant le coucher du soleil. – 2. Tes amies voudraient te faire une surprise. – 3. J'apprécierais quelques jours de repos et de silence. – 4. Nous voudrions voir ce film pendant qu'il se joue encore. – 5. L'actrice rêve de monter les marches au festival de Cannes. – 6. Vous préféreriez habiter à la campagne plutôt qu'en ville.

9 **Employez le conditionnel passé dans de courts paragraphes pour exprimer :**

a. le regret : vous écrivez à un ami que vous avez vainement attendu lors d'une fête.

b. une information incertaine : un élève explique à son voisin les probables raisons pour lesquelles un de leurs camarades est absent.

10 **a. Lisez ce texte puis récrivez-le à la première personne du pluriel.**

Ils rêvaient de vivre à la campagne, à l'abri de toute tentation. Leur vie serait frugale et limpide. Ils auraient une maison de pierres blanches, à l'entrée du village, de chauds pantalons de velours côtelé, de gros souliers, un anorak, une canne à bout ferré, un chapeau, et ils feraient chaque jour de longues promenades dans les forêts. Puis, ils rentreraient, ils se prépareraient du thé et des toasts, comme les Anglais, ils mettraient de grosses bûches dans la cheminée ; ils poseraient sur le plateau de l'électrophone un quatuor qu'ils ne se lasseraient jamais d'entendre, ils liraient les grands romans qu'ils n'avaient jamais eu le temps de lire, ils recevraient leurs amis.

Georges Perec, *Les Choses*, © Julliard.

b. À votre tour composez un paragraphe dans lequel vous décrirez l'endroit où vous souhaiteriez vivre. Vous emploierez le conditionnel présent.

11 **a. Employez le conditionnel présent dans un paragraphe où vous exprimerez ce que vous feriez si vous pouviez devenir invisible.**

b. Poursuivez ce texte en employant des verbes au conditionnel présent : *Ah ! Je voudrais bien être en vacances. J'irais...*

Conjugaison

Pour commencer

1. Couchée sur la grève, elle contemple le ciel.
2. Il chante la mélancolie des soleils **couchants**.
3. Les enfants chahutent un peu le soir en se **couchant**.
4. Elle aime se **coucher** sur le sable.

1. Dans quelle phrase le verbe se *coucher* est-il à l'infinitif ?
   Quelle est sa fonction dans la phrase ?
2. Dans quelles phrases le verbe *se coucher* joue-t-il le rôle d'adjectif ?
3. Dans quelle phrase exprime-t-il une action qui se déroule en même temps qu'une autre ?

Leçon

Un verbe est conjugué à un mode personnel quand il varie en personne.
→ *Je chante, tu chantes…*

À un mode impersonnel, **le verbe ne varie pas en personne**.

❶ L'infinitif

• Il a **deux temps** : le **présent** (→ *aimer*) et le **passé** (→ *avoir aimé*)
Il peut avoir dans la phrase les mêmes fonctions que le nom :
→ *Il aime **se coucher de bonne heure**.* (COD)
→ *Il est digne d'**être fait chevalier**.* (complément de l'adjectif)

• Il peut garder une valeur verbale pour exprimer :
– un **ordre** : → *ne pas se pencher*.
– une **interrogation** : → *que faire ?*
– une **exclamation** : → *moi, trahir un ami !*

❷ Le participe présent

• Il a une **forme simple** : → *aimant*, et une **forme composée** : → *ayant aimé*.

• Il a une valeur verbale lorsqu'il exprime une action qui se déroule en même temps qu'une autre. Il est alors invariable.
→ *J'écoutais cet élève **récitant** son poème.*

• Précédé de la préposition **en**, il forme le **gérondif** et a la fonction de complément circonstanciel.
→ *Elle regarde l'horizon **en rêvant**.*

• Il a une valeur d'adjectif et s'accorde avec le **mot qu'il qualifie**. On parle alors d'**adjectif verbal**.
→ *Il a lu des poèmes captivants. Sa poésie est **captivante**.*

❸ Le participe passé

• Il s'emploie avec un auxiliaire pour la conjugaison des temps composés (voir leçon 26).
→ *J'ai composé des vers.*

• Il s'emploie comme un adjectif.
→ *Nous avons récité une poésie composée par Verlaine.*

• Comme formes verbales, participes et infinitifs peuvent recevoir tous les compléments du verbe et avoir un sujet
→ ***Allongée** sur la grève, elle regardait le ciel. sur la grève complément d'allongée.*
→ *Je vis le soleil **se coucher** à l'horizon. le soleil sujet de se coucher.*

Exercices

1 **Donnez l'infinitif présent et passé des verbes suivants.**

Tu franchis la barrière – ils revinrent – nous aurons – je fus – va – tu voyages – tu vivrais – il naît.

2 **a. Donnez le participe présent (forme simple et composée) des verbes suivants.**

Avancer – voyager – naviguer – fabriquer – guérir – voir – venir – piquer – être – avoir.

b. Rangez en deux colonnes (actif/passif) : participes présents à la forme composée ou participes présents passifs.

Étant venu – étant connu – étant arrivé – étant devenu – étant retenu – étant attaqué – étant tombé – étant déçu.

3 **Remplacez les noms par un infinitif et précisez sa fonction.**

1. Aimez-vous **la marche** ? – **2.** **La lecture** est une passion. – **3.** Le plus difficile est **l'apprentissage des bases**. – **4.** Je te verrai juste avant **mon départ**. – **5.** Mon frère est fier de **sa réussite**.

4 **Recopiez les phrases suivantes, soulignez les verbes à l'infinitif et précisez leur fonction.**

1. Parti à cinq heures d'Agadir, tu devrais avoir atterri. (SAINT-EXUPÉRY) – **2.** L'instituteur ne cacha pas sa manière de penser. (FLAUBERT) – **3.** Entrer dans le labyrinthe est facile. (GIDE) – **4.** Sur la planète, tout lui paraissait digne d'être aimé. (SUPERVIELLE) – **5.** Il demeura sans bouger assez longtemps. (VERCORS) – **6.** On voyage pour regarder, pour entendre, pour oublier. (MORAND) – **7.** L'aîné céda, rentra dans la cuisine, après avoir mis ses vaches à l'étable. (ZOLA)

5 **Relevez les verbes à l'infinitif et précisez leur valeur (interrogation, exclamation, ordre).**

1. Ne plus mettre vos sabots ! Sortir de l'armoire vos robes du dimanche ! Est-ce que vous avez perdu la tête ? (AYMÉ)
2. Que faire ? Que dire ? Elle était là tranquille, me regardant avec tristesse. (MUSSET)
3. Réviser la leçon pour demain.
4. Frapper avant d'entrer.

6 **Soulignez en rouge le verbe à l'infinitif et en noir le sujet de ce verbe.**

1. On entendait au loin rouler des fiacres. (MAUPASSANT)
2. Quand donc verrai-je sous ma fenêtre, dans le jardin qui fut royal, les enfants jouer sans manteau ? (COLETTE)
3. Il regardait les bateaux voguer sur la mer.
4. Elle écoutait le vent souffler dans les ramures.

7 **Remplacez le participe présent ou le gérondif par une proposition subordonnée introduite par la conjonction proposée entre parenthèses.**

1. La pluie menaçant, nous rentrons. (*comme*)
2. En partant, n'oubliez pas votre parapluie. (*quand*)
3. En faisant un brouillon, vous éviteriez les ratures. (*si*)
4. En courant dans la rue, elle avait laissé glisser la clé de sa poche. (*tandis que*)

8 **Accordez convenablement les participes présents employés comme adjectifs. Faites une croix sous le nom avec lequel il s'accorde.**

1. Antoine trouvait chaque photographie plus (*surprenant*) que la précédente. – **2.** C'était un va-et-vient (*incessant*) d'élèves nerveux et (*bruyant*). – **3.** La petite regardait, (*confiant*), sa mère penchée sur le berceau. – **4.** Les feuilles (*étincelant*) de givre craquaient sous leurs pas. – **5.** Nous assistâmes, (*impuissant*), à la défaite de notre équipe favorite.

9 **Mettez au participe passé et accordez ou laissez à l'infinitif.**

1. (*Charger*) de (*veiller*) sur le campement, Natacha préféra (*aller*) (*se baigner*) à la rivière. – **2.** Il me faut (*penser*) à (*terminer*) cet exercice (*inachever*). – **3.** (*Emporter*) par leur élan, les deux juments ne purent (*éviter*) l'obstacle brutalement (*dresser*) devant elles.

10 **Relevez les infinitifs et les participes, précisez leur fonction dans la phrase.**

1. La route s'étalait, nue et grésillante, au soleil. (TROYAT)
2. Nous ne répliquons rien, intrigués. (RENARD)
3. Ils sont heureux dans cette famille !... Tout ça travaille, mais en jacassant ; tout ça se dispute, mais en s'aimant. (VALLÈS)
4. Il s'assit près de l'âtre et il commença à graisser ses bottes. (GIONO)
5. En arrivant à sa ferme, Jacquou eut soif. (GIONO)

11 **EXPRESSION** **Avec les groupes de mots suivants que vous laisserez en tête, faites quelques courtes phrases.**

1. Tâtonnant, trébuchant à chaque instant ...
2. Freinant de toutes ses forces ...
3. Habitant le quartier depuis longtemps ...
4. Remportant la victoire haut la main ...

12 **Même exercice, mais cette fois, pensez à accordez vos participes passés.**

1. Agité par les flots en furie ... – **2.** Accablé de chaleur ... – **3.** Convaincu par la justesse de ses propos ... – **4.** Ébloui par la beauté de cette femme ...

Texte A

Par grant eür ot li vilains
Deus vaches, et li prestres nule.
Tels cuide avancier qui recule.

JEAN BODEL, *Brunain la vache au prêtre*,
fin XIIe siècle.

Texte B

C'est par chance que le vilain eut
deux vaches, et le prêtre aucune.
Tel croit avancer qui recule.

Traduction.

1. De quelle époque le texte A date-t-il ? Le comprenez-vous à la première lecture ?

2. Quels mots du texte A se retrouvent inchangés dans le texte B ?
Quels mots ont changé leur orthographe ?

3. En vous aidant du texte B, donnez le sens de « par grand eür » et « cuide ».
Les mots « eür » et « cuide » existent-ils encore en français moderne ?

- **L'étymologie** est l'**étude de l'origine d'un mot** : connaître l'étymologie d'un mot permet souvent d'expliquer son orthographe et de mieux comprendre son sens.

- Le français (comme l'espagnol, l'italien, le portugais, le roumain...) est une **langue romane** : il vient principalement du **latin**, dont **la grammaire, la prononciation** et **l'orthographe ont évolué** au fil du temps.

- **L'ancien français** présente une **étape** de cette évolution.

- Parfois, un même mot latin a donné deux mots français distincts, les **doublets** (ils sont au nombre de 800 environ) :
– un mot de **formation populaire**, sans cesse réutilisé depuis l'Antiquité, a subi de nombreuses modifications : → *canem* → **chien** ; *auscultare* → **écouter** ; *hospitalem* → **hôtel** ;
– un mot de **formation savante**, très proche du mot latin de départ, a été créé par des érudits, au Moyen Âge ou à la Renaissance : → *canem* → **canin** ; *auscultare* → **ausculter** ; *hospitalem* → **hôpital**.

- Du XVIe siècle à nos jours, de nombreux **mots scientifiques ou techniques** ont été **créés à partir du grec** : *chronologie, archéologie, téléphone*...

- Au cours des siècles, le français s'est **enrichi de mots empruntés à d'autres langues** : allemand, anglais, arabe, espagnol, italien, turc, etc. : → *hamster, chenapan* (allemand) ; *tramway, week-end* (anglais) ; *algèbre* (arabe) ; *bizarre, sombrero* (espagnol) ; *scénario, caméra, spaghetti* (italien) ; *chagrin, divan* (turc)...

1 **Voici quelques mots rencontrés dans les textes avec leurs mots d'origine en latin : observez les différentes transformations qu'ils ont subies.**

Mots en latin	Mots en français
mirabilia	merveille
honorem	honneur
cabalarium	chevalier
testa	tête
dolorem	douleur
pedem	pied
anima	âme

a. Comptez le nombre de syllabes de chaque mot français, puis du mot latin dont il provient : que remarquez-vous ?

b. Pour quels mots la dernière syllabe a-t-elle disparu du latin au français ?

c. Pour quels mots la dernière syllabe n'a-t-elle pas disparu ? Quelle est la dernière lettre du mot latin ? Qu'est-elle devenue dans le mot français ?

d. Quelle remarque pouvez-vous faire à propos de l'évolution du *-s* de *testa* ?

e. Observez le *b* dans mirabilia et ca*b*alarium : qu'est-il devenu en français ?

2 Le mot *serf* vient du latin *servum* qui désignait l'esclave.

a. Que désigne le mot *serf* en ancien français ?

b. Décrivez les transformations du mot du latin à l'ancien français.

c. Trouvez le plus possible de mots de la même famille et donnez leur définition.

3 Le mot *chef* vient du latin *caput* qui désignait la tête.

a. Quel est le sens de *chef* en français ?

b. Trouvez le plus de mots possible composés avec *chef* et expliquez-les.

c. Quel verbe signifie « couper la tête » ? Quel nom désigne la principale ville d'un pays ?

4 En ancien français, la gauche et la droite se disaient *destre* et *senestre*.

a. Qu'est-ce qu'un destrier ?

b. Destre vient du latin *dexter* : qu'est-ce que la dextérité ?

c. Donnez le plus d'antonymes possible à l'adjectif *habile*.

d. Senestre vient du latin *sinister* : trouvez deux adjectifs formés sur ce mot d'origine et donnez leur sens.

5 Les mots de ces deux listes forment deux à deux des doublets : retrouvez-les.

• Liste 1 : colère – meuble – échappée – sevrer – écouter – sûreté.

• Liste 2 : séparer – sécurité – choléra – ausculter – escapade – mobile.

6 Chacun des mots latins cités ci-dessous a donné naissance à un doublet : retrouvez le mot de formation savante et donnez son sens. Aidez-vous d'un dictionnaire.

1. *Dotare* : douer – **2.** *pensare* : peser – **3.** *asperitam* :

âpreté – **4.** *parabolam* : parole – **5.** *gracilem* : grêle – **6.** *integrum* : entier – **7.** *strictum* : étroit – **8.** *cumulare* : combler – **9.** *collecta* : cueillette.

7 À un nom issu du latin par la voie populaire, correspond souvent un adjectif de formation savante. Indiquez l'adjectif formé sur le même radical latin que chacun des noms suivants.

Croix (*crucem*) – déluge (*diluvium*) – dos (*dorsum*) – effet (*effectum*) – étude (*studium*) – fleuve (*fluvium*) – lettre (*littera*) – lieu (*locum*) – mois (*mensem*) – nombre (*numerum*) – pâtre (*pastorem*) – peuple (*populum*) – vie (*vitam*).

8 Indiquez le sens de ces mots construits à partir de mots grecs.

Dermatologie (*Derma* = peau) – arithmétique (*arithmos* = nombre) – mnémotechnique (*mnêmê* = mémoire) – bibliothèque (*biblion* = livre) – cosmologie (*kosmos* = univers) – traumatisme (*trauma* = blessure) – politique (*polis* = cité).

9 Les mots grecs suivants entrent dans la formation de plusieurs mots français : pour chacun d'eux, citez au moins un de ces mots. Pensez à vous aider d'un dictionnaire.

Mêkhanê (machine) – *historia* (enquête) – *rhinos* (nez) – *muthos* (légende) – *thronos* (siège) – *chronos* (temps) – *pharmakon* (remède) – *thermos* (chaud) – *bios* (vie) – *theos* (dieu) – *mousikê* (art des muses).

10 Indiquez les mots français issus de chacun des mots étrangers suivants.

• Allemand : *akkordion* (instrument de musique) – *walzer* (danse à trois temps).

• Anglais : *bulldog* (chien-taureau) – *partner* (associé).

• Arabe : *az-zahr* (jeu de dés) – *sarab* (boisson, potion) – *sifr* (zéro) – *tbib* (sorcier).

• Espagnol : *ayudante* (officier en second) – *borrico* (âne) – *huracan* (tornade).

• Italien : *bussola* (petite boîte) – *parrucca* (chevelure) – *radice* (racine).

11 En vous aidant d'un dictionnaire, dites de quelles langues sont issus les mots suivants.

Abricot – alcool – balcon – café – camarade – chocolat – guitare – judo – kimono – mouton – opéra – renard – solfège.

12 ÉCRITURE Choisissez cinq adjectifs trouvés dans l'exercice 7 : vous emploierez chacun d'eux dans une phrase de votre invention.

Vocabulaire

Heur, bonheur, malheur, malheureux.

1. Quel est l'élément commun à tous ces mots ? Comment l'appelle-t-on ?
2. Le mot *heur* désigne la chance : que signifient *bonheur* et *malheur* ?
   Quelle partie de chacun de ces deux mots permet de leur donner un sens différent ?
3. Ces mots sont tous des noms sauf un, lequel ? Quelle est sa nature ?
   Qu'a-t-il de plus que les trois autres mots ?

Leçon

• On distingue les **mots simples**, qui **ne peuvent pas être décomposés**, et les **mots construits**, qui **peuvent être décomposés**. Étudier la formation d'un mot, c'est repérer les différents éléments qui le composent.

❶ Les mots construits par dérivation

• Un **mot dérivé** est formé à partir d'un radical, auquel on ajoute un ou des éléments qui, en général, ne peuvent être utilisés seuls : les préfixes et les suffixes.

• Le **radical** est la **base du mot**, qui ne change pas (ou peu). Les **mots simples** ne sont constitués que du seul radical : → *heur*, *bonheur*, *heureux*.

• Le **préfixe** (= fixé devant) est placé **devant le radical**, il modifie le sens du mot :
   → *bonheur, malheur*.

• Le **suffixe** (= fixé derrière) est placé **derrière le radical**, il modifie le sens du mot et peut changer sa nature : *malheur = nom ; malheureux = adjectif*.

• On appelle **famille de mots** l'ensemble des mots construits à partir d'un même radical : → *bonheur, malheur, malheureux* appartiennent à la même famille.

Remarque : les préfixes et les suffixes sont dotés d'un sens précis. Connaître ces préfixes et ces suffixes (voir tableau p. 374) aide à mieux comprendre la signification des mots.

❷ Les mots construits par composition

Certains mots sont formés à partir de **deux** ou **plusieurs mots simples**. On distingue :
– la **composition courante**, qui assemble des mots simples de la langue courante :
   → *abat-jour, portemanteau, fer à repasser.*
– la **composition savante**, qui construit des mots à partir d'**éléments grecs ou latins** :
   → *étymologie* vient des éléments grecs *etumos* (vrai) *et logos* (savoir, science).

Exercices

1 Les mots suivants sont-ils des mots simples ou des mots construits ? Lorsqu'il s'agit de mots construits, précisez s'ils sont dérivés ou composés.

Pirate – oiseau – dicton – raisonnable – clairsemé – paperasse – pied – heureux – vrai – main-d'œuvre.

2 Quel est le préfixe des mots suivants ?

Minuit – proposer – survêtement – uniforme – transformer – incompréhensible – illisible – recommencer – exporter – défaire – décomposer – abordage.

3 Quel est le suffixe des mots suivants ?

Danseur – portail – position – vérifier – magique – habileté – couvreur – confortablement – compréhension – lisibilité – immangeable – verdâtre.

4 Quel est le radical des mots suivants ?

Écœurer – noircir – chanteur – actif – inflammable – nomination – emporter – racontar – chevelu – accalmie.

5 Recopiez les mots suivants en séparant d'un tiret préfixe, radical et suffixe.

Emménagement – dédramatiser – incorruptible – international – dédoublement – inutilisable – superposition – coopération – agréable – éclairage – éclaircir.

6 Les mots suivants appartiennent à trois familles distinctes : identifiez leur radical et classez-les.

Barbu – appartenir – retenue – barbelé – surfait – s'affairer – défaite – imberbe – malfaisant – barbichette – entretenir – détention – barbon – forfait.

7 Distinguez le radical et le préfixe de chacun des mots suivants. Donnez le sens du préfixe (cf. tableau p. 374).

Immobile – réimprimer – périmètre – compatriote – mésentente – surcharger – parfaire – triporteur – intervenir – prévision – projeter – réviser.

8 Donnez le sens des mots suivants. Déduisez-en le sens des suffixes.

Visible – rougeâtre – fillette – traînasser – incroyable – trempette – fendiller – fiable – jardinet – chevreau – richissime – trottiner.

9 Construisez les antonymes des mots suivants à l'aide des préfixes *a-, dé(s)-, dis-, in- (im-, il-, ir-), mal-, mé(s)-* Attention aux éventuels doublements de consonnes.

Admissible – adroit – avouer – chance– charger – connaître – entente – excusable – honnête – légal – lier – mortel – normal – partial – pitoyable – proportionné – organiser – résolu – typique.

10 Regroupez les mots qui ont le même suffixe. Précisez leur classe grammaticale.

Décollage – tutoyer – promenade –possibilité – nettoyer – escalade – exotisme – journalisme – rudoyer – nettoyage – habileté.

11 En employant dix préfixes différents, formez un nouveau verbe à partir des suivants.

Courir – porter – paraître – ordonner – franchir – connaître – poser – former – fermer – voir.

12 Ajoutez un suffixe à chacun de ces verbes pour former un nom de la même famille.

Apprendre – former – élever – penser – obliger – dresser – exiger – ranger – instruire – connaître – conjuguer – obéir – siffler – commander – recommander – finir.

13 Formez des mots avec chacun des préfixes suivants, d'origine latine ou grecque. Précisez leur sens.

Auto- (soi-même) ; *équi-* (égal) ; *géo-* (la terre) ; *homo-* (semblable) ; *luc-* (la lumière) ; *mater-/matr-* (mère) ; *mono-* (unique) ; *multi-* (nombreux) ; *ortho-* (droit) ; *outre-* (au-delà) ; *paci-* (paix) ; *para-* (qui protège contre) ; *poly-* (nombreux) ; *urb-* (ville).

14 Formez des mots en reliant ces éléments qui viennent du grec, et donnez leur sens. Attention, certains éléments peuvent être utilisés plusieurs fois !

• *hippo* (cheval)	• *phage* (qui mange)
• *astro* (étoile)	• *ogie* (science, langage)
• *chrono* (le temps)	• *potame* (eau)
• *xylo* (le bois)	• *naute* (navigateur)
• *grapho* (écriture)	• *phone* (le son)
• *techno* (technique)	• *scope* (vision)
• *télé* (au loin)	• *nomie* (la loi)

15 ÉCRITURE Récrivez ce texte en supprimant les négations que vous exprimerez à l'aide de préfixes.

Exemple : *Un arbitre ne doit pas être partial → Un arbitre doit être impartial.*

Cet exercice n'est pas facile et la consigne n'est pas compréhensible : je n'ai plus de courage. Ma voisine, qui n'est pas agréable, ne s'intéresse pas à ma douleur. Je relis l'énoncé, mais il n'est pas logique : il n'est pas possible à faire, cet exercice. Je ne suis pas du tout contente !

16 a. Imaginez ce que pourraient être un *hipposcope* et un *graphonaute*.

b. À votre tour, en combinant deux à deux des éléments de chaque colonne de l'exercice 14, inventez quatre mots dont vous donnerez la définition.
Exemple : un *hippophage* est une personne qui se nourrit exclusivement de cheval.

48 Le sens des mots

Vocabulaire

Pour commencer

Comment se fait-il que mes clefs ne soient pas à leur place ? J'aimerais bien trouver la clef de ce mystère.

1. Dans la deuxième phrase, remplacez le mot *clef* par un synonyme.
2. Pouvez-vous employer ce synonyme dans la première phrase ? Pourquoi ?

Leçon

- Le **sens des mots** est donné dans le **dictionnaire**. La plupart des mots ont **plusieurs sens** : ils sont **polysémiques**.
- On appelle **mots génériques** les mots dont le sens englobe toute une catégorie d'autres mots.
   → *arbre* est un mot générique ; *marronnier, châtaignier, chêne, peuplier* sont des mots spécifiques.

① Sens propre, sens figuré

- Le **sens propre** d'un mot est son **sens premier**, en général le plus courant. C'est donc le premier sens expliqué dans un article de dictionnaire.
   → *observer la **lune** ; **nager** la brasse.*
- Le **sens figuré** d'un mot est un **sens imagé**, s'appuyant sur des caractéristiques du sens propre du mot.
   → *être dans la **lune** ; **nager** dans ses vêtements.*

② Synonyme, antonyme

- Les **synonymes** sont des mots de **sens voisin** (comme les nuances d'une même couleur) **ayant la même nature**. Employer des synonymes permet d'éviter les répétitions et d'être plus précis.
   → *rumeur* (bruit confus produit par un certain nombre de voix) ; *brouhaha* (bruit confus plus intense provenant d'une foule) ; *vacarme* (bruit violent et désordonné provenant de choses ou de personnes).
- Les **antonymes** sont des mots de **sens contraire ayant la même nature**.
   → *joie / chagrin ; donner / prendre ; mouillé / sec.*

Exercices

1 **Parmi les mots suivants, lesquels sont polysémiques ?**

Un camélia – une cale – un pinceau – un hôte – entendre – une glace – un écureuil – une feuille – éternuer – tableau – pièce.

2 **Dans les phrases suivantes, donnez le sens des verbes *disposer, comprendre* et *descendre*.**

1. Votre jardin est magnifique : vous avez disposé les différents parterres avec une grande harmonie. – **2.** Chacun pourra à son gré disposer de son temps libre. – **3.** La véritable indulgence consiste à comprendre et à pardonner les fautes qu'on ne serait pas capable de commettre. (HUGO) – **4.** La péninsule Ibérique comprend l'Espagne et le Portugal. – **5.** Descends au fond du puits si tu veux voir les étoiles. (GIDE) – **6.** Lors de notre séjour à Québec, nous sommes descendus dans un charmant hôtel.

3 **En vous aidant d'un dictionnaire, dites quels sens prennent les mots suivants :**

1. *papiers* : pour un policier ? un journaliste ? un enfant ?
2. *côte* : pour un boucher ? un randonneur ? un marin ?
3. *carte* : pour un géographe ? un joueur ? un restaurateur ? un visiteur ?
4. *carton* : pour un déménageur ? un peintre ? un footballeur ? un tireur ?
5. *toile* : pour un peintre ? un tapissier ? un internaute ? un cinéphile ?

4 **Classez les mots suivants en séries allant du mot générique jusqu'au plus spécifique.**

Félin – grand – chat – bicyclette – album – animal – fleur – habitation – collier – pâquerette – gigantesque – véhicule – cabane – bijou – insecte – livre.

5 **Trouvez les mots génériques qui correspondent aux listes de mots suivantes.**

1. Moineau – pigeon – corbeau – pie – hirondelle – cigogne – aigle.
2. Violette – nénuphar – coquelicot – myosotis – marguerite – bouton d'or.
3. Boulanger – cordonnier – médecin – avocat – aviateur – secrétaire – écrivain.
4. Vache – mouton – chien – baleine – souris – chèvre – renard – cochon.
5. Assiette – verre – plat – saladier – bol – ramequin – soupière.

6 **Dites si les mots en italique sont employés au sens propre ou au sens figuré.**

1. Une *barrière* d'incompréhension sépare ces deux hommes. – **2.** Lorsque les *vagues* sont hautes, il est dangereux de se baigner. – **3.** Cette famille a subi de nombreux *revers* de fortune. – **4.** Comment oses-tu me mentir ainsi ? C'est du *propre* ! – **5.** Cette *vague* de chaleur est accablante. – **6.** Il y a une tache sur le *revers* de ta manche, tu devrais en mettre une *propre*. – **7.** Comme la *barrière* était ouverte, Brunain et Blérain ont pu s'échapper du pré.

7 **a. Ces expressions emploient le mot *bras* dans un sens figuré : que signifient-elles ?**

b. Choisissez une de ces expressions et rédigez un court paragraphe dans lequel le mot *bras* sera employé dans son sens propre.

1. Recevoir à bras ouverts. – **2.** Avoir quelqu'un sur les bras. – **3.** Avoir le bras long. – **4.** Être le bras droit de quelqu'un. – **5.** Demeurer les bras croisés. – **6.** Les bras m'en tombent. – **7.** Frapper à bras raccourcis. – **8.** Être dans les bras de Morphée .

8 **Dites si les mots en italique sont employés au sens propre ou au sens figuré. Expliquez le sens des mots employés au sens figuré.**

1. Je saisis une *branche*, la plus proche, et je tirai. Elle résista, plia, craqua, mais tint bon. (BOSCO) – **2.** Quoi ! vous avez eu le *front* de rire, et devant nous ? (REGNARD) – **3.** J'avais une activité sans but, je voulais les *fleurs* de la vie, sans le travail qui les fait éclore. (BALZAC) – **4.** La *branche* aînée de cette famille a disparu. – **5.** Je mettrai sur ta tombe, / Un bouquet de houx vert et de bruyère en *fleur*. (HUGO) – **6.** Gervaise *lavait* son linge de couleur dans l'eau chaude, grasse de savon. (ZOLA) – **7.** Son *front* large et haut commençait à se creuser de rides. (HUGO) – **8.** Entre nous, pas de cérémonie, nous nous connaissons assez pour *laver* notre linge ensemble. (BALZAC)

9 **ÉCRITURE** **Employez les mots suivants dans des phrases, d'abord au sens propre, puis au sens figuré. Aidez-vous d'un dictionnaire.**

Source – tempête – tête – cœur – rivière – racine – soif – avalanche – tissu – lentille.

10 **Parmi les couples de mots suivants, lesquels sont synonymes et lesquels antonymes ?**

Avare / généreux – talent / habileté – flâner / se promener – jour / nuit – partage / répartition – renoncer / persévérer – savoir / ignorer – éparpiller / rassembler – rassemblement / attroupement.

11 **Groupez les verbes suivants en quatre séries de trois synonymes.**

Accomplir – agiter – cacher – exécuter – remuer – assembler – dissimuler – secouer – réaliser – grouper – réunir – voiler.

12 **Même exercice avec des noms.**

Retenue – attention – soin – précision – réputation – justesse – mesure – renom – exactitude – application – modération – célébrité.

13 **En vous aidant d'un dictionnaire, précisez les nuances qui distinguent les synonymes suivants.**

1. *Quitter* ses amis ; *abandonner* ses amis ; *délaisser* ses amis. – **2.** Vivre dans l'*aisance* ; dans la *richesse* ; dans l'*opulence*. – **3.** Vivre dans la *disette* ; dans la *pauvreté* ; dans le *dénuement*. – **4.** Des *collègues* ; des *confrères* ; des *condisciples*.

14 **Employez chacun des synonymes suivants dans des phrases faisant apparaître les nuances qui les différencient.**

1. Maison – domicile – résidence. – **2.** Route – chemin – allée.

Les figures de style

Vocabulaire

Les figures de style sont des **procédés d'écriture qui visent à produire un effet,** **qui permettent d'enrichir** une idée en la rendant plus poétique ou plus expressive.

❶ Figures de ressemblance

1. La comparaison

• **Rapprochement de deux éléments,** le **comparé** (élément qui est comparé) et le **comparant** (élément auquel on compare), à l'aide d'un **outil de comparaison** (*comme, tel, pareil à, ressembler à, de même que...*).
Elle est construite à partir d'un **point commun** entre le comparant et le comparé :
→ *De petits lacs luisaient comme des miroirs.* (VERLAINE)

• La comparaison permet de mettre en valeur une caractéristique précise d'un élément ; elle est souvent utilisée dans les descriptions.

2. La métaphore

• **Comparaison abrégée** : le comparé et le comparant sont mis en relation sans outil de comparaison :
→ *les miroirs des lacs luisaient – les lacs, ces miroirs, luisaient – les lacs étaient des miroirs qui luisaient.*

• La métaphore permet de créer des images poétiques.
Remarque : lorsqu'une métaphore se poursuit sur plusieurs mots ou plusieurs phrases, on parle de **métaphore filée.**

3. La personnification

Elle consiste à **attribuer des comportements humains** à un animal, un élément de la nature, un objet :
→ *Les arbres sur ma route fuyaient.* (NERVAL)

❷ Figures d'insistance ou d'exagération

1. L'accumulation ou énumération

• **Suite de mots** ou groupes de même nature ou de même fonction **coordonnés ou juxtaposés** :
→ *[Gargantua] déjeunait pour lutter contre l'humidité et le mauvais air : belles tripes frites, belles grillades, beaux jambons, belles côtelettes de moutons et force tranches de pain dans du bouillon.* (RABELAIS)

• L'accumulation sert à créer une impression de foisonnement ou de désordre. Elle permet aussi d'accélérer le rythme, de créer un effet de suspens, de comique.

2. L'hyperbole

• **Expression exagérée** d'une idée ou d'un sentiment :
→ *[L'eau] est si terrifiante qu'on croirait voir le fleuve des Enfers, et elle a un tel débit qu'il n'est personne au monde qui, s'il y tombait, ne serait englouti comme dans la mer salée.* (CHRÉTIEN DE TROYES, *Lancelot ou le Chevalier à la charrette*)

• L'hyperbole permet de produire une forte impression, d'exprimer des sentiments extrêmes ; elle est particulièrement utilisée dans la littérature épique.

1 **Dites si ces phrases contiennent des comparaisons ou des métaphores.**

1. Seuls, les grands blés mûris, tels qu'une mer dorée / Se déroulent au loin. (LECONTE DE LISLE) – **2.** Allez voir les flamants qui marchent sur des pincettes de peur de mouiller, dans l'eau du bassin, leurs jupons roses... L'autruche, ses ailes de poussin et sa casquette de chef de gare. (RENARD) – **3.** Il pleure dans mon cœur comme il pleut sur la ville. (VERLAINE) – **4.** Le long ruban d'eau qui ruisselle au soleil. (BALZAC) – **5.** Son mollet ressemble, velu et cuit par la chaleur, à une patte de cochon grillé. (VALLÈS) – **6.** Quel dieu, quel moissonneur de l'éternel été / Avait, en s'en allant, négligemment jeté / Cette faucille d'or dans le champ des étoiles. (HUGO)

2 **a. Recopiez ces phrases qui contiennent des comparaisons. Soulignez en rouge le comparant, en bleu le comparé et entourez le mot de comparaison.**

b. Expliquez le point commun entre le comparant et le comparé.

1. Au loin, les nuages ressemblaient à des grosses balles de coton amoncelées dans un pittoresque désordre. (VERNE) – **2.** Mon cœur, comme un oiseau, voltigeait tout joyeux. (BAUDELAIRE) – **3.** Certains pics, plus hardiment dressés, trouaient les nuages gris et réapparaissaient au-dessus des vapeurs mouvantes, semblables à des écueils émergés en plein ciel. (VERNE) – **4.** La terre est bleue comme une orange. (ELUARD)

3 **Expliquez le sens de ces métaphores qui sont passées dans le langage courant.**

1. une santé de fer – **2.** un appétit d'oiseau – **3.** pleurer des rivières – **4.** des yeux de braise – **5.** un cœur de pierre – **6.** le poids des ans – **7.** un puits de science – **8.** une taille de guêpe.

4 **Expliquez chaque métaphore de cette devinette que Vendredi pose à Robinson.**

– C'est une mère qui te berce, c'est un cuisinier qui sale ta soupe, c'est une armée de soldats qui te retient prisonnier, c'est une grosse bête qui se fâche, hurle et trépigne quand il fait du vent, c'est une peau de serpent aux mille écailles qui miroitent au soleil. Qu'est-ce que c'est ?
– C'est l'Océan ! triompha Robinson.

MICHEL TOURNIER, *Vendredi ou la Vie sauvage*, © Gallimard.

5 **Relevez les personnifications et expliquez-les.**

1. Il reçut en plein visage le sec coup d'éventail du vent d'est. (COLETTE) – **2.** Le glacier avait posé sa joue toute pure contre la belle joue du ciel, et ils étaient là, tous les deux, à vivre doucement. (GIONO) – **3.** L'acacia se décide à jeter, pièce à pièce, l'or voltigeant de ses monnaies ovales. (COLETTE) – **4.** Le temps a laissé son manteau / De vent, de froidure et de pluie. (CH. D'ORLÉANS)

6 **Les phrases suivantes contiennent des hyperboles : relevez les différents termes qui permettent d'exagérer.**

1. Le colonel lâcha un torrent d'absurdités à faire tourner quarante moulins. (E. ABOUT)

2. Le pauvre diable n'avait plus une goutte de sang dans les veines. (ERCKMANN-CHATRIAN)

3. Suivait un chevalier qui s'appelait Érec. Il était de la Table ronde et avait grand renom à la cour. Jamais nul n'y fut tant loué. En nul autre pays on n'aurait pu trouver plus beau chevalier, plus preux et plus aimable. (C. DE TROYES, *Érec et Énide*)

7 **Recopiez ces phrases et nommez les figures de styles utilisées.**

1. À travers les vitres du wagon, par un temps assez clair, apparaissait le paysage varié du Béhar, puis des montagnes couvertes de verdure, des champs d'orge, de maïs et de froment, des rios[1] et des étangs peuplés d'alligators verdâtres, des villages bien entretenus, des forêts encore verdoyantes. (VERNE) – **2.** Le temps aux plus belles choses / Se plaît à faire un affront / Et saura faner vos roses / Comme il a ridé mon front. (CORNEILLE) – **3.** [Roland] va frapper Chernuble. Il lui brise le heaume où luisent les escarboucles[2], tranche la coiffe et la chevelure, tranche les yeux et le visage, et le blanc haubert dont la maille est menue, et tout le corps jusqu'à l'enfourchure. (*La Chanson de Roland*) – **4.** Ma jeunesse ne fut qu'un ténébreux orage. (BAUDELAIRE) – **5.** Le seul bruit de mon nom renverse les murailles / Défait les escadrons, et gagne les batailles. (CORNEILLE) – **6.** Une ville géante, assise sur le bord, / Baignait dans l'eau ses pieds de pierre. (HUGO)

1. Rio : dans un pays de langue espagnole ou portugaise, fleuve, rivière.
2. Escarboucle : pierre précieuse rouge foncé.

8 **ÉCRITURE** **Beaucoup d'hyperboles sont passées dans le langage courant : retrouvez celles qui correspondent aux expressions suivantes et employez-les dans des phrases de votre invention.**

Avoir beaucoup de travail à faire – rire très fort – se faire beaucoup gronder – avoir très faim – être tout mouillé – un bruit très fort.

Les classes grammaticales

LES MOTS VARIABLES

CLASSES DE MOTS	CARACTÉRISTIQUES	CATÉGORIES ET FORMES
Nom	• Désigne un objet, un être, une idée. • Variable en genre et en nombre. • **Noyau du groupe nominal.**	• **Nom commun :** *(un) livre, (une) action.* • **Nom propre** (invariable) : *Agathe, Molière.*
Déterminant	• Introduit un nom. • Variable en genre, en nombre et parfois en personne.	• **Article défini :** *le, la les* – **indéfini** : *un, une, des* – **partitif** : *du, de la, des.* • **Déterminant possessif :** *mon, ton, sa, notre, leur...* • **Déterminant démonstratif :** *ce, cet, cette, ces...* • **Déterminants numéral cardinal :** *un, deux, trois...* **et ordinal :** *premier, dixième...* • **Déterminant interrogatif / exclamatif :** *quel ?!, lequel ?! ...* • **Déterminant indéfini :** *certain, quelque, chaque...*
Pronom	• Joue le rôle d'un nom. • Reprend un mot ou un groupe de mots déjà énoncé. • Variable en genre, en nombre, en personne, et selon sa fonction.	• **Pronom personnel :** *je, tu, lui, toi, se, soi, les, leurs, eux...* • **Pronom possessif :** *le mien, le sien, le leur...* • **Pronom démonstratif :** *ceci, cela, celui-ci, celui-là ...* • **Pronom indéfini :** *personne, rien, aucun, nul, on, quelques-uns...* • **Pronom relatif :** *qui, que, quoi, dont, où, laquelle...* • **Pronom interrogatif :** *Qui... ?, Que... ? Quel... ?...* • **Pronom adverbial :** *en, y*
Adjectif qualificatif	• Exprime une caractéristique du nom avec lequel il s'accorde. • Variable en genre et en nombre. • **Noyau du groupe adjectival.**	*Un regard **oblique**.* *De **gentilles** personnes.* *La voiture est **rouge**.*
Verbe	• Exprime une action ou un état. • Variable en personne, nombre, temps et mode. • Verbe conjugué : **noyau de la phrase ou de la proposition.** • Infinitif : **noyau du groupe infinitif.**	• **1er groupe :** *compter, parler...* • **2e groupe :** *finir, grandir...* • **3e groupe :** *avoir, être, devoir, prendre, partir, aller...*

LES MOTS INVARIABLES

CLASSES DE MOTS	CARACTÉRISTIQUES	CATÉGORIES ET FORMES
Préposition	• Introduit un mot ou un groupe de mots. • Indique la possession, le but, le lieu, le moment, la position, la direction...	*à, dans, par, pour, en, vers, avec, de, sans, sous, après, avant, chez, contre, depuis, derrière, devant, entre, malgré, pendant, suivant, sur, à côté de, à cause de, à l'aide de, à la manière de, à travers, au-delà de, au-dessus de, au moyen de, autour de, en raison de, en vue de, grâce à, jusqu'à, loin de...*
Adverbe	Modifie le sens d'un verbe, d'un adjectif ou d'un autre adverbe.	• **Adverbe de temps, de lieu :** *aujourd'hui, ici, quelquefois, devant, près...* • **Adverbe de manière :** *bien, mal, facilement, rapidement...* • **Adverbe de négation :** *ne...pas, ne... jamais..., ne... plus...* • **Adverbe de quantité :** *assez, trop, plus, moins...* • **Adverbe de liaison :** *ainsi, puis, ensuite, enfin, en effet, cependant...*
Conjonction • **de coordination** • **de subordination**	Relie deux mots ou groupes de mots de même fonction. Introduit une proposition subordonnée.	*mais, ou, et, donc, or, ni, car* *que, parce que, quand, lorsque...*
• **Interjection** • **Onomatopée**	• L'interjection reproduit une exclamation. • L'onomatopée reproduit un bruit.	• *Ah ! Oh ! Eh !* • *Crac. Boum. Plouf.*

LES DÉTERMINANTS

ARTICLES

	Singulier	Pluriel
définis	*le, la, l'*	*les*
indéfinis	*un, un e*	*des*
partitifs	*du, de la, de l'*	*des*

DÉTERMINANTS DÉMONSTRATIFS

	Singulier	Pluriel
Formes simples	*ce, cet, cette*	*ces*
Formes composées	*ce... -ci, cet...-ci,cette...-ci* *ce... -la, cet... -là, cette... -là*	*ces...-ci* *ces... -là*

DÉTERMINANTS POSSESSIFS

Se rapportant à	moi	toi	lui ou elle	nous	vous	eux ou elles
Singulier	mon, ma	ton, ta	son, sa	notre	votre	leur
Pluriel	mes	tes	ses	nos	vos	leurs

DÉTERMINANTS INDÉFINIS

Se rapportant à	un ensemble complet	plusieurs êtres ou choses	une quantité nulle	une ressemblance ou une différence
	tout, tous, chaque...	plusieurs, certains, quelques...	nul, nulle, aucun, aucune...	même, autre...

DÉTERMINANTS INTERROGATIFS ET EXCLAMATIFS

Singulier	quel, quelle
Pluriel	quels, quelles

DÉTERMINANTS NUMÉRAUX

cardinaux	un, deux, trois, dix, vingt, vingt-huit, cent, cent trente, trois cents, mille...
ordinaux	premier, deuxième, troisième, vingtième, centième, millième...

LES PRONOMS

PRONOMS PERSONNELS

	Singulier	Pluriel
1ʳᵉ personne	je, me, moi	nous
2ᵉ personne	tu, te, toi	vous
3ᵉ personne	il, elle, le, la, lui, se, soi	ils, elles, eux, leur, se

PRONOMS DÉMONSTRATIFS

	Singulier	Pluriel
Formes simples	celui, celle, ce, c'	ceux, celles
Formes composées	celui-ci, celle-ci, ceci celui-là ; celle-là, cela, ça	ceux-ci, celles-ci ceux-là, celles-là

PRONOMS POSSESSIFS

Se rapportant à	moi	toi	lui ou elle	nous	vous	eux ou elles
Singulier	le mien, la mienne	le tien, la tienne	le sien, la sienne	le nôtre, la nôtre	le vôtre, la vôtre	le leur, la leur
Pluriel	les miens, les miennes	les tiens, les tiennes	les siens, les siennes	les nôtres	les vôtres	les leurs

PRONOMS RELATIFS

Formes simples	qui, que, quoi, dont, où
Formes composées	lequel, laquelle, lesquels, auquel, duquel...

LES FONCTIONS DANS LA PHRASE

FONCTIONS	CARACTÉRISTIQUES	CARACTÉRISTIQUES
Sujet	• Il commande le verbe. • Il répond à la question « **qui est-ce qui** [+ verbe] ? »	→ *Le chien sourit à Robinson.* → *Es-tu sûr que le chien a souri ?*
Attribut	• Il complète (en général) un **verbe d'état**. • Il désigne une **caractéristique du sujet**.	→ *L'eau était transparente.* → *Arthur est le fils d'Uter Pendragon.*
Complément d'objet	• Il désigne l'objet sur lequel l'action est exercée ; **cet objet est différent du sujet**. • Il **complète un verbe transitif**, il répond à la question « Sujet + Verbe + **quoi** » ? • Il peut être direct ou indirect.	→ *Je connais cet endroit. Je l'ai visité. Je savais bien que je pouvais compter sur vous.* (COD) → *Tiécelin se méfie de Renart. Il ne lui fait pas confiance.* (COI) → *Il a volé un fromage à la fermière. Il le lui a volé.* (COS)
Complément circonstanciel (de temps, de lieu, de manière, de moyen, de cause, de conséquence, de but, de comparaison...)	Il précise les **circonstances** de l'action (Où ? Quand ? Comment ? Pourquoi ?).	→ *À la nuit tombée, Renart médite une nouvelle ruse.* (CC de temps) → *Vendredi passe des journées entières dans son hamac.* (CC de lieu) → *Parle sans crainte. N'aie pas peur !* (CC de manière) → *Avec son épée affilée, Yvain attaque le serpent maléfique.* (CC de moyen) → *Lancelot affronte le danger par amour pour sa dame.* (CC de cause) → *Perceval est naïf au point de croire que les chevaliers naissent tout armés.* (CC de conséquence) → *Pour remercier Yvain, le lion s'incline devant lui.* (CC de but) → *Quelque chose siffla dans l'air comme une flèche.* (CC de comparaison)
Complément d'agent	Il précise qui **agit**, qui fait l'action après un **verbe au passif**.	→ *Lancelot a été élevé par la Dame du Lac.*

LES FONCTIONS DANS LE GROUPE NOMINAL

FONCTIONS	CARACTÉRISTIQUES	CARACTÉRISTIQUES
Épithète	• C'est un **adjectif qualificatif** ou un participe employé comme adjectif. • Il est relié directement au nom, **sans intermédiaire d'un verbe**, et forme avec lui **un groupe nominal**.	→ *Le héron au long bec, emmanché d'un long cou.*
Complément du nom	Souvent introduit par une préposition, il précise ou complète un nom.	→ *La légende du roi Arthur.*
Apposition	**Détachée du reste de la phrase par des virgules, elle apporte une information complémentaire** sur une chose ou une personne.	→ *Son père, médecin à Paris, est souvent absent.*

La formation des mots

PRINCIPAUX PRÉFIXES

Préfixe	Sens	Exemples
a, an	absence	*anormal*
ad, a, ac, af, al, ap	idée de rapprochement	*aborder, adjoindre, accourir, apporter*
ab, abs	éloignement	*abdiquer, absent,*
anté, anti	avant	*antérieur, antique*
anti	contre	*antivol*
arch(i)	intensif	*archange, archiduc*
auto	soi-même	*autocollant*
bi, bis	deux	*bimensuel, bicyclette*
circon, circum	autour	*circuit, circonférence*
co, com, con, col	ensemble	*comporter, coopérer, collatéral*
contre	opposition, proximité, substitution	*contre-poison, contresigner, contrefaire*
dé(s), dis	séparation, cessation, différence	*défaire, disjoindre, disparaître*
dys	mal	*dysfonctionnement, dysorthographie*
en, em, en, in	éloignement, à l'intérieur, mise en état	*enlever, emporter, importer, endimancher*
entre, inter	réciproque, entre, à demi	*s'entraider, interligne, entrouvrir*
é, ef	enlèvement	*écrémer, effeuiller*
ex	en dehors, anciennement	*extérieur, exporter, ex-président*
extra	intensif, en dehors	*extra-plat, extraordinaire*
hémi	à demi	*hémisphère*
hétéro	différent	*hétérogène*
homo	semblable	*homogène, homonyme*
hyper	idée d'intensité, caractère excessif	*hypertension, hyperactivité*
hypo	insuffisance	*hypotension*
in, im, il, ir	négatif	*inégal, illégal, irréparable*
mal, mau, mé(s)	négatif, mauvais, inexact	*malaise, maudire, malformation*
méta	au-delà	*métamorphose*
mini	petit	*minijupe, minimum*
mono	qui comporte un élément	*monocle, monologue, monoski*
néo	nouveau, récent	*néonatal, néologisme*
outre	au delà	*outremer*
paléo	ancien, archaïque	*paléolithique, paléontologue*
par, per	achèvement	*parachever, parfaire, perfection*
para	protection contre qq chose, proximité	*parachute, paraphrase*
péri	autour de	*périmètre, périphrase*
poly	nombreux	*polyvalent*
post	après	*postérieur, postopératoire*
pré	avant, devant	*préparer, prémolaire*
pro	en avant, en faveur de	*progrès, progresser, projeter*
r(e), ré	répétition, inversion	*recommencer, retour, rentrer*
rétro	en arrière	*rétroviseur*
sou(s), sub	insuffisance, au-dessous	*sous-développement, souligner*
sus	plus haut	*suspendre, susmentionné*
trans, tra, tré, très	au-delà, à travers, changement	*trépasser, transpercer, transformer*
tri(s)	trois	*tricorne*
uni	qui comporte un seul élément	*uniforme*

PRINCIPAUX SUFFIXES

Suffixe	Sens	Exemple
Suffixes servant à former des noms		
ie, esse, eur, ise, té	qualité	*courtoisie, finesse, grandeur, gourmandise, bonté*
er, ier	végétaux	*oranger, framboisier*
ais, ois, ain, ien	nationalité, origine	*Lyonnais, Chinois, Roumain, Parisien*
ade, age, aison, ation / ition, ance, ment, ure	action ou résultat de l'action	*promenade, nettoyage, comparaison, natation, finition, espérance, aménagement, usure*
aire, ateur, er, eron, eur, ier, ien	qui fait l'action	*disquaire, orateur, danseur, boulanger, bûcheron, fermier, laitière, pharmacien, magicienne*
eur, oir, (t)ier	instrument, machine, objet fonctionnel	*autocuiseur, agrafeuse, arrosoir, baignoire, dentier, cafetière*
erie, oir	lieu de fabrication, d'exercice, de vente	*boulangerie, épicerie, comptoir, fumoir*
ée	contenu, mesure	*pelletée, assiettée, matinée*
ade, ain(e), (r)aie	collectif	*colonnade, quatrain, vingtaine, roseraie*
isme	opinion, attitude	*paternalisme, activisme, christianisme*
eau, elet, et, ette, iche, ille, illon, in, on, ot, otin, ule, cule	diminutif	*chevreau, agnelet, bandelette, livret, tablette, barbiche, brindille, oisillon, serpentin, bottine, moucheron, îlot, jugeote, diablotin, globule, pellicule*
ace, aille, ard, asse, âtre	péjoratif	*populace, ferraille, vantard, paperasse, marâtre*
Suffixes servant à former des adjectifs		
able, ible, uble	possibilité, qualité	*buvable, lisible, soluble*
ain, (i)aire, (i)al, (i)/(u)el ,é, (i)er, eur, ide, ique	qui est propre à, similitude	*hautain, glaciaire, convivial, événementiel, âgé, mensonger, rageur, candide, cubique*
(i)/(u)eux, u	possession, abondance	*nuageux, monstrueux, barbu, chevelu*
if, ile	aptitude, qualité active	*expressif, pensif, agile, fragile*
et, elet, in, ot	diminutif	*follet, rondelet, blondin, pâlot*
ard, aud, âtre	péjoratif	*criard, lourdaud, verdâtre*
Suffixes servant à former des verbes		
fier, ir	rendre, devenir, faire	*blanchir, faiblir, vérifier, clarifier*
iser	agir en..., rendre semblable, causer	*tyranniser, cristalliser, scandaliser*
oyer	action (avec idée de rapetissement)	*tournoyer, tutoyer, guerroyer*
ailler, eler, eter, iller, nicher, onner, oter, otter	diminutif, péjoratif	*rimailler, craqueler, voleter, fendiller, pleurnicher, grisonner, picoter, frisotter*
asser	péjoratif	*traînasser, rêvasser*

Écrire les sons

Règle 1 Il ne faut **jamais** mettre d'accent sur un **« e »** lorsqu'il se trouve **devant une consonne doublée ou devant les consonnes « -s- » ou « -r- » suivies d'une autre consonne :** ➤ *eff*acer, *esp*acer, une bicycl*ett*e, ém*erv*eiller.
Attention : Le **« x »** est l'équivalent de deux consonnes mais **« ch »** ne compte pas pour deux consonnes : ➤ un *ex*ercice, une *éch*arde.

Règle 2 **L'accent circonflexe** marque la disparition d'une lettre qui était présente dans le passé, souvent un **« s »**. Ce **« s »** se retrouve dans des mots de la même famille :
➤ la for**êt**, un chemin fo**res**tier.

Règle 3 **Le tréma** sur **e, i, u** indique qu'il faut prononcer séparément **la voyelle qui précède :**
➤ a**ï**eul, aigu**ë**, ambigu**ï**té, co**ï**ncidence, la**ï**que.

Règle 4 Devant **-a, -o, -u,** on met une **cédille** sous le **« c »** pour le faire siffler :
➤ il avan**ça**, une le**ço**n, ils aper**çu**rent.
Attention : Le **« c »** ne prend jamais de cédille devant **« i »**, **« e »** et **« y »**.

Règle 5 Entre deux voyelles, **« s »** se prononce comme **« z »**. Pour le faire siffler, on écrit **« ss »** : ➤ un cou**s**in, un cou**ss**in.
Exceptions : su**s**urrer, para**s**ol, vrai**s**emblable, re**s**aler, re**s**urgir, soubre**s**aut…

Règle 6 Pour faire les sons **[ja]**, **[jo]**, **[ju]**, on met un **« e »** derrière le **« g »** :
➤ Le Bour**ge**ois **g**entilhomme est une pièce de Molière.

Règle 7 **Le son [g]** (g dur) s'écrit **avec un « u »** devant devant **-e, -i** et **-y** :
➤ une **gu**êpe, un **gu**ide.
Il s'écrit **sans « u »** devant les consonnes et les voyelles **-a, -o, -u :**
➤ une **g**omme, la **g**rammaire.
Exceptions : les **verbes** en **-guer** conservent le **-u- du radical** dans toute leur conjugaison : navi**gu**er ➜ il navi**gu**a.
Attention : Les **noms** et les **adjectifs** formés sur des verbes en **-guer** perdent le **« u »** :
➤ conju**gu**er ➜ la conju**g**aison.

Règle 8 Devant **-m, -b, -p,** on met un **« m »** au lieu d'un **« n »** :
➤ cha**m**pion, colo**m**be, e**m**mêler.
Exceptions : bo**n**bon, bo**n**bonnière, bo**n**bonne, embo**n**point, néa**n**moins.

Règle 9 Le son **[euil]** s'écrit **e-u-i-l** : ➤ l'écur**euil**.
Mais, derrière un **« c- »** ou un **« g- »**, il s'écrit **u-e-i-l** : ➤ rec**ueil**lir.

Règle 10 **Tous les mots** commençant par le son **[ét]** s'écrivent **é-t-** et ne prennent **qu'un « t »** : ➤ **ét**oile, **ét**irer.

Doubler ou non les consonnes

Règle 11 **Les mots composés avec les préfixes « il- », « im- », « in- », « ir- » doublent la consonne** lorsque le **radical** commence par **« l », « m », « n », ou « r » :**

➤ *ill*isible *(l*isible), *imm*obile *(m*obile), *irr*esponsable *(r*esponsable).

Règle 12 **Les mots** commençant par **« ac- »** prennent **deux « c » :**

➤ *acc*rocher, *acc*eptable, *acc*lamation.

Exceptions : *ac*acia, *ac*adémie, *ac*ajou, *ac*ariâtre, *ac*olyte, *ac*ompte, *ac*oustique, *ac*robate, et leurs dérivés.

Règle 13 Les mots commençant par **« af- », « ef- », « of- »** prennent **deux « f » :**

➤ *aff*ection, *off*ense, *eff*ort.

Exceptions : *af*in, *af*ricain, *Af*rique.

Règle 14 Les mots commençant par **« at- »** prennent **deux « t » :**

➤ *att*ribution, *att*énuer, *att*achant.

Exceptions : *at*elier, *at*hée, *at*ome, *at*our, *at*out, *ât*re, *at*rocité, *at*rophier, et leurs dérivés.

Règle 15 Les mots commençant par **« com- », « con- » doublent la consonne :**

➤ *conn*aître, *comm*encement.

Exceptions : *com*ète, *com*édie, *com*estible, *com*ité, *côn*e, et leurs dérivés.

Règle 16 Les mots commençant par **« oc- » doublent le « c » :**

➤ *occ*asion.

Exceptions : *oc*arina, *oc*re, *oc*uliste, *oc*ulaire, et leurs dérivés.

Règle 17 Les mots commençant par **« ab- », « ad- », « ag- », « am- » ne doublent pas la consonne :**

➤ *ab*attre ; *ad*hésion ; *ag*ripper ; *am*icalement.

Exceptions : *abb*é, *abb*aye, *abb*atial, *abb*esse ; *add*ition, *add*uction ; *agg*raver, *agg*lomérer, *agg*lutiner et leurs dérivés ; *amm*oniaque, *amm*onite.

Règle 18 Les mots commençant par **« op- » ne prennent qu'un « p » :**

➤ *op*inion, *op*timiste.

Exceptions : *opp*oser, *opp*resser, *opp*ortun, *opp*robre, et leurs dérivés.

La finale des mots

Règle 19 Les mots terminés par le son **[ens]** s'écrivent **-e-n-c-e** ou **-a-n-c-e**, avec un **« c »** pour faire le son **[s]** :

➤ élég**ance**, différ**ence**, viol**ence**, vac**ances**, perman**ence**, insist**ance**, dist**ance**, import**ance**.

Exceptions : **anse**, d**anse, g**anse, p**anse, tr**anse** ; déf**ense,** d**ense**, dép**ense**, disp**ense**, imm**ense**, int**ense**, off**ense**, récomp**ense**, et les mots de la même famille.

Règle 20 **Les noms** terminés par le son **[zon]** s'écrivent **-s-o-n** :

➤ la sai**son**.

Exceptions : ga**zon**, hori**zon**.

Règle 21 Les noms en **« -ement »** qui proviennent d'un verbe s'écrivent **-e-m-e-n-t** :

➤ japper → le japp**ement** ; dévouer → le dévou**ement**.

Règle 22 Les noms terminés par les sons **[assion]**, **[ission]** et **[ussion]** s'écrivent avec un **« t »** : ➤ appari**tion**, émo**tion**.

Exceptions : pa**ssion**, compa**ssion**, mi**ssion**, omi**ssion**, sci**ssion**, fi**ssion**, discu**ssion**, percu**ssion**, répercu**ssion**.

Attention : Les noms se terminant par le son [ession] s'écrivent avec deux **« s »** : ➤ progr**ession**, obs**ession**.

Règle 23 Les noms terminés par le son **[èl]** s'écrivent -**e-l-l-e** au féminin et -**e-l** au masculin :

➤ une tourter**elle**, un app**el**.

Exceptions : une client**èle**, la gr**êle**, une parall**èle**, une st**èle**, une **aile**, un mod**èle**, un polichin**elle**, un reb**elle**, un vermic**elle**.

Règle 24 Les noms terminés par le son **[oir]** s'écrivent **-o-i-r-e** au féminin et **-o-i-r** au masculin : ➤ une hist**oire** – un entonn**oir**.

Exceptions : un laborat**oire**, le territ**oire**, un pourb**oire**, un access**oire**, le conservat**oire**, le répert**oire**, le réfect**oire**, un squ**are**.

Attention : Les **verbes** dont l'infinitif se termine par le son **[oir]** s'écrivent **-o-i-r** sans **« e »** : ➤ dev**oir**, recev**oir**.

Exceptions : b**oire**, cr**oire**.

Règle 25 Les noms terminés par les sons **[aille]**, **[eille]**, **[euille]**, **[ouille]**, s'écrivent **-i-l-l-e** au féminin et **-i-l** au masculin :

➤ une cis**aille**, le trav**ail**, la v**eille**, un rév**eil**, une f**euille**, le d**euil**, une gren**ouille**, du fen**ouil**.

Exceptions : mille**feuille,** chèvre**feuille**, porte**feuille**, rév**eille**-matin sont masculins.

Attention : Ne confondez pas les noms masculins en **« -ail, -eil, -euil »**, et les verbes en **« -ailler, -eiller, -euiller »**, qui ont des finales en **l-l-e** :

➤ le trav**ail** ≠ Je trav**aille**. – Le rév**eil** ≠ Je me rév**eille**.

Règle 26 Les noms terminés par le son **[eur]** s'écrivent **-e-u-r**, sans **« e »** même s'ils sont féminins :
➤ *le coiffeur, une lueur.*
Exceptions : *le beurre, la demeure, l'heure, un leurre, un heurt (heurter).*

Règle 27 Les noms terminés par les sons **[ul]** et **[ur]** s'écrivent **u-l-e** et **u-r-e**, avec un **« e »** même s'ils sont masculins :
➤ *le crépuscule – une libellule – la nature.*
Exceptions : *un calcul, un consul, le recul, la bulle, le tulle, le cumul – l'azur, un fémur, le futur, le mur.*

Règle 28 Les **noms féminins** terminés par le son **[é]** prennent un **« e »** :
➤ *l'année, la giboulée.*
Exceptions : *une acné, une clé, une psyché et les noms se terminant par -té ou -tié (fraternité, amitié),* **sauf** *butée, dictée, jetée, montée, pâtée, portée et les noms indiquant une contenance (pelletée, assiettée...).*

Règle 29 Les **noms féminins** terminés par le son **[è]** s'écrivent **a-i-e** :
➤ *la haie, un futaie.*
Exceptions : *la paix, la forêt.*

Règle 30 Les noms féminins terminés par les sons **[i]**, **[u]**, **[ou]**, **[eu]** et **[oi]** prennent un **« e »** :
➤ *la pluie – une statue – la boue – une voie – la banlieue.*
Exceptions : *la brebis, la souris, la perdrix, la fourmi, la nuit, la bru, la glu, la tribu, la vertu ; la toux ; la croix, la foi, la fois, la loi, la noix, la paroi, la poix, la voix.*

Règle 31 Les **noms masculins** terminés par le son **[ar]** s'écrivent **-a-r-d** :
➤ *un renard, le hasard.*
Exceptions : *le bazar, le cauchemar, le départ, un écart, le hangar, le phare.*

Règle 32 **Les adjectifs qualificatifs** terminés par le son **[il]** s'écrivent au masculin **-i-l-e** : ➤ *utile.*
Exceptions : *civil, puéril, subtil, vil, viril, volatil, tranquille.*

À retenir

Règle 33 **Les verbes** commençant par **« an-, ap- »** et la plupart des verbes commençant par **« ar- » doublent la consonne** :
➤ *annoncer, apprendre, arrêter.*
Exceptions : *anoblir, anéantir, analyser, animer, ânonner, apaiser, apercevoir, apeurer, apitoyer, aplanir, aplatir, apostropher, et leurs dérivés.*

Règle 34 L'adverbe **toujours** ainsi que : le **velours**, un **concours**, un **parcours**, le **recours**, le **secours**, prennent toujours un **« s »**.

Index des notions

Les mots en orange renvoient aux notions de la partie Langue.
Les mots en **noir** renvoient aux notions de la partie Textes.

A

Accumulation 366
Active (voix) 286, 342
Adjectif 270, 324
Adverbe 272
Alexandrin 263
Allégorie 193
Allitération 247, 251, 263
Antonyme 364
Assonance 258, 263
Attribut du sujet 290, 371

B

Ballade 262

C

Cadrage 32
Césure 263
Chanson de geste : voir aussi **Épopée** 85
Comédie 225
Comparaison 241, 245, 249, 253, 258, 366
Comparatif 304
Complément circonstanciel ... 247, 258, 292, 371
Complément d'agent 286, 342, 371
Complément d'objet 247, 287, 371
Conjonction de coordination 272
Conjonction de subordination 272

D

Décasyllabe 263
Degrés de l'adjectif 304
Dénouement 276
Dialogue 211
Didascalie 192
Discours direct 314

E

Enjambement 237, 253
Épopée 85
Étymologie 360
Expansion du nom 255, 302, 308

F

Fable 236, 238
Fabliau 184
Farce 185, 201, 225
Figure de style 216, 366
Forme de phrase 280, 300

G

Groupe nominal 302

H

Héros 31, 57, 85
Homonyme 364
Homophone 326-327, 330, 332
Hyperbole 366

I

Image 366
Interjection 272

J

Juxtaposition 310

L

Littérature courtoise 95, 123

M

Merveilleux 94

Métaphore 241, 366
Mode du verbe 216, 336, 338, 350, 352, 358
Morale (ou **moralité**) 140

N

Niveau de langue 143, 171, 189, 200, 298
Nom 164, 270, 302

O

Octosyllabe 263

P

Parodie 155
Passive (voix) 286, 342
Péripétie 31
Personnification 155, 245, 249, 366
Perspective 177
Phrase 280, 282
Plan 33
Ponctuation 189, 192, 280, 334, 335
Portrait 113
Préfixe 261, 362
Préposition 272
Pronom 278
Proposition 255, 282, 310

Q

Quatrain 262
Quiproquo 200

R

Radical 362
Réplique 119
Rime 251, 263

Roman 94, 132
Rondeau 262

S

Satire 146, 155, 201, 224
Sens propre et sens figuré 364
Sonnet 235, 262
Subordonnée conjonctive (proposition) 312
Subordonnée interrogative indirecte
(proposition) 316
Subordonnée relative (proposition) 308
Suffixe 362
Sujet 284, 320, 371
Superlatif 173, 304
Symbole 66, 85, 87, 123, 124
Synonyme 364

T

Tercet 262
Troubadour (ou **trouvère**) 65, 234
Type de phrases 192, 213, 253, 280

V

Vaudeville 201
Verbe 270
Vers 262-263
Versification 263

Index des auteurs

Alain-Fournier 28

Apollinaire (Guillaume) 240

Baudelaire (Charles) 250

Beaumarchais 222

Bédier (Joseph) 96

Béroul 99

Bodel (Jean) 186

Boron (Robert de) 102, 105

Chrétien de Troyes 70, 108, 111, 114, 118

Courteline (Georges) 197

Cros (Charles) 254

Defoe (Daniel) 40

Dickens (Charles) 25

Doyle (Arthur Conan) 16

Dumas (Alexandre) 22

La Fontaine (Jean de) 236, 238

Machaut (Guillaume de) 244

Marivaux 220

Michaux (Henri) 260

Molière 210-217

Musset (Alfred de) 245

Nerval (Gérard de) 246

Prévert (Jacques) 242

Rabelais (François) 164-172

Rimbaud (Arthur) 252

Ronsard (Pierre de) 248

Roubaud (Jacques) 256

Saint-Exupéry (Antoine de) 54

Stevenson (Robert Louis) 44

Tolkien (John Ronald Reuer) 82

Tournier (Michel) 42

Verlaine (Paul) 258

Verne (Jules) 20, 47, 50

Voragine (Jacques de) 68

Index des œuvres littéraires

Alcools 240

Animaux de tout le monde (Les) 256

Barbier de Séville (Le) 222

Bible de Jérusalem 66

Brunain, la vache au prêtre 186

Chanson de Roland (La) 72-78

Collier de griffes (Le) 254

École des mères (L') 220

Fables 236-238

Farce de maître Pathelin (La) 188

Farce du cuvier (La) 190-194

Fleurs du Mal (Les) 250

Fourberies de Scapin (Les) 210-217

Gargantua 164-172

Gora (Le) 197

Grand Meaulnes (Le) 28

L'Île au Trésor 44

Lancelot ou le Chevalier à la Charrette 114

Légende dorée (La) 68

Merlin l'Enchanteur 102, 105

Monde perdu (Le) 16

Mort d'Arthur (La) 120

Odelettes 246

Oliver Twist 25

Paroles 242

Perceval ou le conte du Graal 108, 111

Poèmes saturniens 258

Poésies nouvelles 245

Poésies 252

Qui je fus 260

Robinson Crusoé 40

Roman de Renart (Le) 134-152

Roman de Tristan (Le) 99

Seigneur des anneaux (Le) 82

Sur la mort de Marie 248

Terre des Hommes 54

Tristan et Iseut 96

Vendredi ou la Vie sauvage 42

Vicomte de Bragelonne (Le) 22

Voyage au centre de la Terre 20, 47, 50

Yvain, le Chevalier au lion 70, 118

Index des artistes

Aivazovsky (Yvan), *La Vague* 53

Avery (Tex), *Little Rural Riding Hood* 159

Azzopardi (Sébastien), mise en scène
du *Barbier de Séville* 223

Boorman (John), *Excalibur* 103, 109, 117, 129

Bosse (Abraham), *Mousquetaire* 23

Brassaï (Gyula Halász, dit), *Ponts parisiens* 241

Brévig (Eric), *Voyage au centre de la Terre* ... 21, 50

Broederlam (Melchior), *La Nativité* 177

Bruegel l'Ancien (Pieter),
Le Combat de Carnaval et de Carême 93

Cadavre exquis 235

Callot (Jacques), *Le Zani* 215

Capra (Frank), *Arsenic et vieilles dentelles* 231

Chaplin (Charlie), *Les Temps modernes* 205

Coggio (Roger), *Les Fourberies
de Scapin* 219, 231

Collot (André), illustrations du *Roman
de Renart* 141, 158

Cooper (Merian C.), *King Kong* 33

Coulom (Jean-Baptiste), illustrations
du *Roman comique* de Paul Scarron 208-209

Dame à la Licorne (La), tapisserie 133

Daumier (Honoré), *Scène de comédie* 224

Denis (Arnaud), mise en scène
des *Fourberies de Scapin* 214, 230

Derain (André), *Gargamelle* 164

Dignimont (André), *Le Château* 30

Doré (Gustave),
*Le peuple de Paris émerveillé
par Gargantua* 161
Gargantua enfant 166
La Nouvelle éducation de Gargantua 167

Du Chau (Frederik), *Excalibur,
l'épée magique* 107

Dubout (Albert),
Picrochole 169
*Le Petit-déjeuner dans l'estomac
de Gargantua* 175

Enluminures 64-66, 71-73, 76, 79-80, 86-87,
93-94, 97, 99-100, 105-106, 112-114, 118, 121, 123,
125-126, 128, 131-132, 134, 137-138, 141-144, 149,
155, 162-163, 184-186, 191, 234, 246-249

Fleischer (Richard), *Vingt Mille Lieues
sous les mers* 61

Fragonard (Jean-Honoré), *Perrette
et le Pot au lait* 238

Friedrich (Caspar David), *La Mer de glace* 56

Gillian (Terry), **Jones** (Terry),
Monty Python : sacré Graal ! 129
Les Aventures du baron de Münchhausen ... 181

Gore (Frederick Spencer), *Vue d'une fenêtre* ... 180

Graffet (Didier), *Lancelot au pont de l'épée* 115

Grimault (Paul), *Le Roi et l'oiseau* 267

Hirsch (Robert), décor des *Fourberies
de Scapin* 211

Hoyt (Harry), *Le Monde perdu* 17

Hughes (Arthur), *Galahad et la quête
du saint Graal* 95

Icône 69

Jackson (Peter), *Le Seigneur des anneaux :
les deux tours* 83, 85

Janet-Lange, illustration des *Fourberies
de Scapin* 217

Laurencin (Marie), *Portrait d'Apollinaire* 240

Le Héron, illustration japonaise
de la fable de La Fontaine 236-237

Léger (Fernand), *Liberté* de Paul Eluard
(tapisserie) 262-263

Levin (Henry), *Voyage au centre
de la Terre* 37, 48

Lloyd (Frank), *Oliver Twist* 27

Lorioux (Félix),
Robinson dans son hamac 43
Le Corbeau et le Renard 140
Renart comparaît devant le roi 154

Lucas (George), *La Guerre des étoiles* 129

Macke (August), *Saint Georges* 63

Magritte (René), *Carte blanche* 29

Méliès (Georges), *Voyage dans la Lune* 15

Michaux (Henri), « (...) » 261

Milestone (L.), *Les Révoltés du Bounty* 61

Miró (Joan), *Danseuse II* 257

Miyazaki (Goro), *Contes de Terremer* 39

Miyazaki (Hayao),
Le Voyage de Chihiro 61
Le Château dans le ciel 267

Mnouchkine (Ariane), *Molière* 231

Monet (Claude), *Les Nymphéas :
le matin clair aux saules* 259

Moreau (Gustave), *Paysage* 251

Munch (Edvard), *Séparation* 266

Nadar (Félix), Portrait de Charles Baudelaire .. 250

Neufchatel (Nicolas), *Johannes Neudörfer
et son fils* 174

Orr (Monro S.), *Long John Silver* 45

Oury (Gérard), *La Folie des grandeurs* 231

Penn (Sean), *Into The Wild* 57

Petrov (Alexandre), *Le Vieil Homme
et la mer* 267

Picasso (Pablo), *Famille de saltimbanques* 255

Polanski (Roman), *Oliver Twist* 26, 31, 37

Poussin (Nicolas), *L'Inspiration du poète* 235

Quast (Peter Jansz), *Farceurs dansant* 225

Rabier (Benjamin),
Renart et les jambons 135
La Pêche d'Ysengrin 147

Rajon (Sébastien), mise en scène
des *Courtelignes de Monsieur Courteline* 199

Redon (Odilon), *Le Rêve ou la pensée* 233

Riou, *Le Voyage au centre de la Terre* 51

Robida (Albert), *Frère Jean
des Entommeures* 171

Romains (Jules), fresque de la salle
des Géants 24

Rousseau (Henri), *Surpris !* 19

Roux (George), *La Mort d'Israel Hands* 45

Samivel, *Goupil* 145

Scott (Ridley), *1492 : Christophe Colomb* 181

Spielberg (Steven), *Indiana Jones* 37

Starewicz (Irène et Wladyslaw), *Roman
de Renart* 150, 159

Szabo (Thomas), *Minuscule* 159

Uccello (Paolo) *Saint Georges et le dragon* 67

Vallotton (Félix), *Marée montante, Houlgate* . 243

Van Gogh (Vincent), *Une paire de souliers* 252

Viau (Freddy), mise en scène *du Roman
de Renart* 153

Vincent (Jean-Pierre), mise en scène
des *Fourberies de Scapin* 213

Vinci (Léonard de),
L'Annonciation 176
dessin d'anatomie 176
étude d'aile pour une machine volante 177

Vinckboons (David), *Kermesse* 183

Wain (Louis), *Chats angoras* 200

Watteau (Antoine),
Les Comédiens italiens 207
L'Amante inquiète 221

Zeffirelli (Franco), *La Mégère apprivoisée* 205

Zidi (Claude), *La Zizanie* 205

Crédits photographiques

Couverture : htd © René-Gabriel Ojéda/RMN ; **g** © Mary Evans/Rue des Archives (reprise page 45bas) ; **basd** Prod DB © R.P. Productions — Runteam Ltd. (reprise page 26).

13 © photo Hervé Gyssel/Museum Images 2005/Kharbine-tapabor ; **14ht** BIS/Ph. Jeanbor © Archives Bordas ; **14bas** © Collection Kharbine — Tapabor/DR ; **15** BIS/Ph. Coll. Archives Larbor ; **16** BIS/Ph. Elliott et Fry — Coll. Archives Larbor ; **17** Prod DB © First National Pictures/DR ; **19** BIS/Ph. © National Gallery ; **20** BIS/Ph. Nadar — Coll. Archives Larbor ; **21** Prod DB © Walden Media — New Line Cinema/DR ; **22** © Musée d'Orsay, Dist RMN/Patrice Schmidt ; **23** BIS/Ph. Jeanbor © Archives Larbor ; **24** © E. Lessing/akg-images ; **25** © akg-images ; **27** Prod DB © Associated First National Pictures — Jackie Coogan Productions/DR ; **28** BIS/Ph. Coll. Archives Larbor ; **29** © akg-images © ADAGP Paris 2010 ; **30** BIS/Ph. Jeanbor © Archives Larbor © Adagp, Paris 2010 ; **31** Prod DB © R.P. Productions — Runteam Ltd./DR (reprise page 4) ; **32ht** © Musée Albert-Kahn — Département des Hauts-de-Seine ; **32bas** © RMN (Musée d'Orsay)/Hervé Lewandowski ; **33ht** Collection Christophe L ; **33bas** Prod DB © RKO/DR ; **34** © Bridgeman — Giraudon ; **36** © Bonhams, London/Bridgeman — Giraudon/DR ; **37basg** Collection Christophe L ; **37basm** Collection Christophe L © R.P. Productions — Runteam Ltd. ; **37basd** Collection Christophe L ; **39** Prod DB © Studio Ghibli/DR ; **40** BIS/Ph. Coll. Archives Larbor ; **41** © akg-images ; **42** BIS/Ph. Patrice Pascal © Archives Larbor ; **43** © Bridgeman — Giraudon © ADAGP Paris 2010 (reprise page 5) ; **44** © The Granger Collection NYC/Rue des Archives ; **45ht** BIS/Ph. Jeanbor © Archives Bordas ; **46** © François Guénet/akg-images ; **47** BIS/Ph. Coll. Archives Larbor ; **48** Prod DB © 20th Century Fox/DR ; **50** Prod DB © Walden Media — New Line Cinema/DR ; **51** © Gusman/Leemage ; **52** © Francesco Cufari/ROPI-REA ; **53** © Photo Josse/Leemage ; **54** BIS/Ph. Coll. Archives Larbor-DR ; **55** © Roger-Viollet ; **56** © BPK, Berlin, Dist RMN/Elke Walford ; **57** Prod DB © Paramount Vantag-River Road Films-Art Linson Productions/DR ; **60** © Mary Evans/Rue des Archives ; **61basg** Prod DB © MGM/DR ; **61basm** Collection Christophe ; **61basd** Prod DB © Dentsu — Tokuma Shoten/DR ; **63** © akg-images ; **64htg** © Heritage Images/Leemage ; **64basd** BIS/Ph. Coll. Archives Larbor ; **65** BIS/Ph. Coll. Archives Larbor ; **66** © Heritage Images/Leemage ; **67** © Bridgeman-Giraudon ; **68** © E. Lessing/akg-images ; **70** © Archives Nathan (reprise page 108) ; **71** © Archives Charmet/Bridgeman-Giraudon ; **72** © Bridgeman-Giraudon ; **73** © Heritage Images/Leemage (reprise page 5) ; **74** BIS/Ph. © Archives Larbor ; **75** BIS/Ph. Coll. Archives Larbor ; **76** © AISA/Leemage ; **79** BIS/Ph. Coll. Archives Larbor ; **80** © BPK, Berlin, Dist RMN/Ruth Schacht ; **82htg** © AP/Sipa ; **83 et 85** Prod DB © New Line Cinema/DR ; **86** © BNF ; **87** © Bridgeman-Giraudon ; **90** © Ullstein Bild/Roger-Viollet ; **91basg, basmg et basmd** Collection Christophe L/DR ; **91basd** Prod DB © New Line Cinema/DR ; **93** BIS/Ph. Coll. Archives Nathan (reprise page 102) ; **94 htg** © Michael Freeman/Aurora/Cosmos ; **94basd** BIS/Ph. Coll. Archives Bordas ; **95** © Bridgeman-Giraudon ; **97** BIS/Ph. Coll. Archives Larbor ; **99et100** © BNF (reprise page 6) ; **101** BIS/Ph. Coll. Archives Nathan (reprise page 196) ; **103** The Kobal Collection © Orion/Warner Bros-DR ; **105** BIS/Ph. Coll. Archives Larbor ; **106** © BNF ; **107** Prod DB © Warner Bros/DR ; **109** The Kobal Collection © Orion/Warner Bros-DR ; **111** BIS/Ph. Coll. Archives Larbor ; **112** BIS/Ph. Coll. Archives Nathan ; **113** BIS/Ph. Minirel © Archives Larbor ; **114** BIS/© Archives Nathan (reprise page 191) ; **115** © Didier Graffet. Editions Le Pré aux Clercs 2009 ; **117** © Rue des Archives/BCA ; **118** © Heritage Images/Leemage ; **121** © Coll. Dagli-Orti/The Picture Desk ; **123** © BNF ; **124** © Luis Castaneda/age/Eyedea Illustration ; **125** © British Library/akg-images ; **126** BIS/Ph. Ellebé © Archives Larbor ; **127** © De Bonneval-Bonhomme/Dupuis 2006 ; **128** © Archives Charmet/Bridgeman-Giraudon ; **129basg** Prod DB © Warner Bros/DR ; **129basm** Prod DB © Python (Monty) Pictures Limites/DR ; **129basd** Prod DB © Lucasfilm/DR ; **131** BIS/Ph. Coll. Archives Bordas ; **132htg** BIS/Ph. Coll. Archives Larbor (reprise page 202) ; **132basd** © BNF ; **133** © Franck Raux/RMN ; **134** © BNF ; **135** © Collection Grob/Kharbine-Tapabor (reprise page 6) ; **137** © akg-images ; **138** BIS/Ph. Coll. Archives Larbor ; **140** Collection Kharbine-Tapabor © Adagp Paris 2010 ; **141htg** © Coll. Jonas/Kharbine-Tapabor/DR ; **141bas** © BNF ; **142** © BNF ; **143 et 144** BIS/Ph. Coll. Archives Larbor ; **145** © Editions Hoëbeke, 2009 ; **147** © Collection Grob/Kharbine-Tapabor ; **149** BIS/Ph. Coll. Archives Larbor ; **150** Prod DB © Wladyslaw Starewicz Prod/DR ; **153** © Vincent Pontet/WikiSpectacle ; **154** Collection Grob/Kharbine-Tapabor © Adagp Paris 2010 ; **155** BIS/Ph. Coll. Archives Bordas ; **158** © Coll. Jonas/Kharbine-Tapabor ; **159basg, basm et basd** Collection Christophe L/DR ; **161** © The Granger Collection/Rue des Archives (reprise page 7) ; **162htg et basd** BIS/Ph. Coll. Archives Larbor ; **163** BIS/Ph. Léonard de Selva © Archives Larbor ; **164** © Musée d'Art moderne de la ville de Paris/Roger-Viollet © Adagp, Paris 2010 ; **165** © De Richemond/Andia. fr ; **166** © Collection Kharbine-Tapabor ; **167** © akg-images ; **169** © Jean Dubout, www.dubout.fr ; **171** © Archives Nathan ; **172** © RMN/DR ; **174** © akg-images ; **175** © Jean Dubout, www.dubout.fr ; **176ht** © Archives Alinari, Florence, Dist RMN/Georges Tatge ; **176basg** © akg-images

Édition : Annie Chouard, Valérie Antoni.
Conception graphique et mise en page : Killiwatch.
Couverture : Killiwatch.
Iconographie : Laurence Vacher.
Corrections : Michèle Aguignier.
Infographie : Renaud Scapin.

N° éditeur : 10164627 - Dépôt légal : Avril 2010.
Imprimé en France par Maury à Malesherbes.